Éthique et déontologie du journalisme

MARC-FRANÇOIS BERNIER

Éthique et déontologie du journalisme

Presses de
l'Université Laval

Les Presses de l'Université Laval reçoivent chaque année du Conseil des Arts du Canada et de la Société de développement des entreprises culturelles du Québec une aide financière pour l'ensemble de leur programme de publication.

Nous reconnaissons l'aide financière du gouvernement du Canada par l'entremise du Fonds du livre du Canada pour nos activités d'édition.

Maquette de couverture : Laurie Patry
Mise en pages : In Situ

ISBN 978-2-7637-1815-6
PDF 9782763718163

Les Presses de l'Université Laval
www.pulaval.com

Table des matières

Avant-propos 1

PREMIÈRE PARTIE
SURVOL THÉORIQUE

CHAPITRE 1

Légitimité sociale et crédibilité du journalisme................... 7

   La légitimité 9

   La représentativité ou le contrat social 10

   La liberté et la responsabilité................................ 13

   L'éthique et la déontologie.................................... 16

   L'imputabilité 18

   Le modèle de légitimation 21

   La crédibilité 23

      Aux États-Unis... 23

      Au Canada et au Québec..................................... 24

      En France.. 27

   Certaines attentes des publics 29

CHAPITRE 2

La grande confusion 33

   La morale... 37

   La déontologie.. 40

   L'éthique 42

   Morale et éthique : la confusion.............................. 46

   Éthique et déontologie : la confusion 47

   Déontologie et morale : la convergence........................ 48

CHAPITRE 3

La liberté responsable **51**

De la liberté. 51

La rhétorique de la liberté de la presse 55

La belle métaphore 58

L'origine du libre marché des idées 59

Une métaphore fonctionnelle 60

La métaphore au pilori 61

Les garde-fous de la liberté.. 68

Médias (trop!) responsables.. 70

Définir la responsabilité sociale.. 74

La Commission Hutchins... 75

Atteinte à la liberté 77

Responsabilité et liberté.. 81

CHAPITRE 4

Les codes de déontologie.. **85**

Les fonctions des codes... 86

Sauvegarder la crédibilité... 87

Protéger l'image.. 87

Valoriser le caractère professionnel................................ 88

Protéger le public 88

Protéger la profession 89

Protéger le journaliste... 89

Freiner ou susciter la compétition................................. 90

Uniformiser les pratiques... 90

Les conditions d'existence des codes 91

La reconnaissance.. 91

L'adéquation... 92

Les pour et les contre... 93

Arguments favorables 93

Arguments défavorables... 96

Les limites des codes.. 101

CHAPITRE 5

**Aux frontières de la déontologie : l'éthique
(déroger à la règle déontologique dominante)** **105**

Un dérapage contrôlé… 109

De la souplesse… 112

Critères généraux.. 113

DEUXIÈME PARTIE
LES PILIERS DU JOURNALISME

CHAPITRE 6

L'intérêt public et la vie privée **121**

Les critères de l'intérêt public 125

L'importance de la vie privée.................................... 127

Vie privée et intérêt public.. 132

La règle déontologique dominante : respecter
la vie privée 134

Critères spécifiques.. 140

Publier ou ne pas publier.. 142

Critères spécifiques.. 145

Matière à délibération.. 146

CHAPITRE 7

Le devoir de vérité.. **149**

La règle déontologique : dire la vérité...................... 150

Qu'est-ce que la vérité ?... 154

Toute la vérité ?.. 158

Des conséquences du mensonge 162

Les conditions nécessaires à la vérité 163

Critères spécifiques de la diffusion de la vérité 165

Matière à délibération.. 167

CHAPITRE 8

La rigueur et l'exactitude **171**

Thèmes majeurs liés à la rigueur journalistique 176

Sondages et pseudo-sondages 176

Arguments de qualité et témoignages exemplaires............. 184

Argumenter vrai 186

L'attaque *ad hominem* *187*

L'accent 188

Faux dilemmes 188

Équivoque.. 188

L'argument d'ignorance 189

La pente savonneuse.. 189

L'appel à la peur 190

L'appel à la pitié 190

L'appel aux conséquences 191

Le langage préjudiciable 191

L'appel au nombre.. 191

L'appel à l'autorité 192

L'homme de paille 192

La confusion des genres 192

Thèmes majeurs liés à l'exactitude.. 196

Les titres... 196

Les citations 198

Les rectifications... 199

Matière à délibération... 201

CHAPITRE 9

L'équité en trois temps **203**

Une règle dominante : ne jamais tromper............................ 206

Critères généraux... 208

L'équité procédurale 210

L'entrevue d'embuscade... 210

Piéger les gens 212

Faux, usage de faux et infiltration 215

Critères spécifiques.. 217

L'espionnage... 220

Critères spécifiques.. 222

Le mensonge.. 222

Critères spécifiques.. 225

Équité dans le traitement de l'information.......................... 226

Les sources anonymes.. 227

Une définition opérationnelle..................................... 229

Motivations des sources anonymes.................................. 232

La règle dominante : mentionner et nommer les sources.... 235

La crédibilité des sources d'information.......................... 238

Des sources anonymes fréquentes................................... 241

Les arguments en jeu.. 245

Critères spécifiques.. 247

Les sources confidentielles....................................... 248

Les omissions... 250

Simulations et mises en scène..................................... 251

Critères spécifiques.. 254

Manipulation numérique.. 255

Droits humains et discriminations.................................. 257

Les droits humains et les codes de déontologie.................... 261

Critères généraux... 263

La race... 264

Un racisme sans fondements.. 265

La règle déontologique dominante.................................. 268

La religion... 269

Critères spécifiques.. 271

Le sensationnalisme... 271

Les intuitions théoriques de Frost................................ 276

Nommer ou ne pas nommer... 279

Critères spécifiques.. 283

Le devoir de suite.. 285

Le « droit à l'oubli ».. 286

Matière à délibération... 291

CHAPITRE 10

Objectivité, impartialité et transparence 293

L'objectivité journalistique comme procédure 293

L'objectivité remise en question 295

L'impartialité 298

La transparence 300

CHAPITRE 11

L'intégrité 303

Les conflits d'intérêts de type financier 304

 Concentration et convergence des médias 310

Les voyages gratuits 315

 Critères spécifiques 319

Les cadeaux et gratifications 322

 Critères spécifiques 324

Les prix de journalisme 325

Critères spécifiques 328

Les conflits d'intérêts non financiers 329

Les relations étroites avec les sources 331

Le militantisme 333

La règle déontologique : ne pas s'engager 335

 Critères généraux 336

 Critères spécifiques 338

Le plagiat 339

 Critères spécifiques 342

Matière à délibération 343

CHAPITRE 12

L'imputabilité 345

Ombudsman 346

Conseils de presse 347

Médiateurs de presse 348

L'échec de l'autorégulation qui n'est pas autodiscipline 349
La corégulation institutionnelle 352
La corégulation citoyenne 354
   Une corégulation spontanée et à la carte 356

Conclusion 359

Bibliographie 361

Avant-propos

Le journalisme exercé dans les sociétés démocratiques, libérales et pluralistes repose sur des normes fondamentales largement répandues et reconnues. Le présent ouvrage cherche à les expliquer, certes, mais surtout à les documenter et à les expliciter. Sa substance repose largement sur de nombreuses années de pratique de ce métier qui aspire tant bien que mal au rang de profession. Elle repose aussi sur plusieurs années de recherche documentaire théorique, analytique et scientifique (les références bibliographiques vont de 1923 à 2014!). Ce livre saura être utile pour tous ceux qui désirent relever pleinement les délicats et parfois douloureux défis d'une éthique et d'une déontologie du journalisme adhérant au concept de la *liberté responsable de la presse*. En ce sens, il échappe radicalement au régionalisme en se penchant sur les principes et les valeurs du journalisme des sociétés démocratiques. Le livre permettra de les renforcer là où elles existent déjà aussi bien qu'à faciliter leur implantation dans les pays en transition démocratique.

Sa forme, surtout en ce qui concerne la seconde partie consacrée aux piliers du journalisme, doit beaucoup à des analyses de cas réalisées dans divers contextes, notamment dans le cadre de rapports d'expertises déposés devant les tribunaux pour des litiges civils liés à des allégations de diffamation, litiges où l'expert a souvent le mauvais rôle, malheureusement nécessaire, de documenter avec rigueur et minutie les fautes professionnelles eu égard aux normes journalistiques reconnues. C'est que le souci démocratique du journaliste doit aussi s'étendre au respect des droits et libertés des autres citoyens de la société, à la préservation de leur dignité humaine sans laquelle la vie deviendrait intolérable, d'où l'importance d'un plaidoyer pour une liberté responsable de la presse.

Intégrant, actualisant et présentant sous un nouveau jour des concepts déjà abordés dans des publications éparpillées ainsi que dans la première édition de 1994, il s'agit de la continuation d'une entreprise intellectuelle.

L'approche préconisée est d'inspiration libérale sans être libertarienne. Elle s'alimente largement au courant anglo-saxon en favorisant la recherche d'une certaine compatibilité entre les droits, les libertés et les responsabilités de la presse, tout en accordant un statut privilégié, mais non absolu, à la liberté. Elle reconnaît par ailleurs une large part de la responsabilité professionnelle aux individus, sans toutefois nier le rôle des structures et des organisations médiatiques quant aux contraintes qui pèsent parfois lourdement sur les épaules et dans l'esprit des journalistes. À ce chapitre, la commercialisation de l'information, l'hyperconcurrence entre médias, la concentration de la propriété ainsi que de la convergence des médias traditionnels et des nouveaux médias ont pour effet d'inciter les grands médias commerciaux à privilégier une information similaire en vue de servir un même public prisé par les annonceurs. Cela encourage parfois le journalisme de meute, le jugement sommaire, les généralisations hâtives ; si bien que maintenant, pour bon nombre de citoyens, la crainte des excès et de l'arbitraire du pouvoir médiatique est fondée alors que de telles craintes ont longtemps visé principalement les pouvoirs politiques et économiques.

La présence de ces contraintes structurelles n'absout pas le devoir individuel que doit assumer chaque journaliste. À la décharge des conglomérats médiatiques et des grands groupes de presse, il faut bien admettre que les menaces à la qualité et à la diversité de l'information sont bien souvent étroitement reliées aux automatismes et aux réflexes de journalistes qui préfèrent adopter des pratiques et comportements conformes aux attentes de leurs groupes de référence (pairs, sources, employeurs, etc.) plutôt que de s'aventurer sur des chemins moins fréquentés ou encore de remettre en question, voire de réformer les façons traditionnelles de travailler. La réflexion éthique qui fonde et questionne sans arrêt la déontologie du journalisme peut contribuer positivement à lutter contre ce conformisme.

* * *

Il est possible que le journalisme soit en train de subir des transformations durables qui en feraient de moins en moins une fonction sociale étroitement liée à la vigueur démocratique de nos sociétés, mais les indices sont encore incertains à ce chapitre et il faudra attendre avant de constater une réelle mutation. Une chose est cependant certaine ; si une telle mutation est réellement en cours, elle ne prétend aucunement au service prioritaire de l'intérêt public et du citoyen. Son moteur est le mode de propriété des médias et l'importance primordiale accordée à leur fonction économique, laquelle importance cherche trop souvent à transformer l'information journalistique en information promotionnelle dans les meilleurs cas, en propagande dans les pires cas.

Il convient peut-être de rappeler une vérité trop souvent ignorée ou occultée : le journalisme n'appartient pas aux journalistes ni aux médias. Ils n'en sont que les fiduciaires et ne peuvent, de ce fait, prendre toutes les libertés que prescrivent sourdement les objectifs de rendement du grand capital. À ce chapitre, le rappel éthique et déontologique du journalisme peut constituer un puissant modérateur des appétits économiques des propriétaires et actionnaires, tout en étant le gardien des dérives médiatiques ou abus de presse régulièrement observés et décriés. Il ne faut jamais ignorer que les enjeux normatifs du journalisme relèvent de plusieurs niveaux de décision, de conscience et de gouvernance : individuel, organisationnel, social, mondial, économique, religieux, etc.

Dans certains contextes sociaux, démocratiques et pluralistes, ce rappel pourra inspirer réformes et ajustement des pratiques journalistiques. Mais dans les sociétés où la lutte pour la démocratie et le pluralisme est en quelque sorte une urgence nationale, ce rappel pourrait alimenter et encourager la résistance aux médias à la solde des régimes autoritaires ou antidémocratiques tout en favorisant l'éclosion d'une presse citoyenne, libre et responsable.

* * *

Depuis 2004, date de parution de la deuxième édition de cet ouvrage, diverses formes de journalisme sont apparues (amateur, citoyen, participatif, blogueur, etc.) en même temps que s'étiolaient les marqueurs traditionnels permettant d'identifier avec précision *qui* est journaliste. Au chapitre de l'identité, les journalistes sont toujours aux prises avec une crise existentielle à laquelle s'ajoutent la crise économique et les mutations technologiques qui menacent la survie de leur média. Dans plusieurs sociétés, on assiste à l'érosion des conditions favorables à un journalisme responsable, respectueux de l'éthique et de la déontologie (économie, montée des intégrismes, censure des médias eux-mêmes, etc.). Alors même qu'ils sont déstabilisés, les journalistes professionnels des médias traditionnels sont plus que jamais contestés par ceux qui s'activent sur les médias sociaux, où la critique est parfois abusive et virale. Dans de telles circonstances, la perte de repères éthiques et déontologiques est un risque réel, aussi bien pour les journalistes professionnels que pour la démocratie.

Le présent ouvrage ne vise rien d'autre que l'affirmation renouvelée des fondements, des principes éthiques et des règles déontologiques du journalisme professionnel, indépendamment de la plateforme ou du dispositif qui lui sert de vecteur de diffusion. Cela devrait contribuer à dissiper un certain relativisme moral et son enfant taré qu'est le cynisme, en renouant avec les valeurs fondamentales de la profession. Il est espéré qu'il contribue quelque peu à chasser l'impressionnisme et le réflexe pour y substituer autant que faire se peut la délibération, le jugement bien pesé et la réflexion. Cela est essentiel pour une profession menacée d'éclatement, dans un univers où la diffusion et la circulation de l'information ne sont plus l'apanage de quelques-uns, et qui pose du même coup l'incontournable question de la crédibilité et de la qualité de l'information.

Le livre s'adresse avant tout au journaliste professionnel, au gestionnaire de médias, mais aussi à tous ceux qui ont la prétention de contribuer au débat public par l'information et l'opinion. Les piliers normatifs du journalisme sont les éléments essentiels et fondamentaux qui garantissent en quelque sorte la qualité de l'information, une étiquette qu'il ne faut pas craindre d'utiliser pour quiconque croit encore à la démocratie, à la justice et à l'intelligence des citoyens. Pour l'entreprise médiatique, il y a là un enjeu incontournable de gouvernance qui permet d'affirmer sa responsabilité sociale.

Dans une décision d'une grande importance rendue en juillet 2004, la Cour suprême du Canada a clairement exprimé que, pour évaluer la faute des journalistes, il «... faut examiner globalement la teneur du reportage, sa méthodologie et son contexte[1].» En décembre 2009, le même tribunal a reconnu aux médias du Canada anglais de pouvoir se défendre contre des poursuites en diffamation en démontrant qu'ils se sont livrés à du journalisme responsable sur des questions d'intérêt public. Derrière ces quelques mots, nous retrouvons les piliers normatifs du journalisme explicités dans le présent ouvrage. La teneur du reportage fait référence à son contenu (vérité, rigueur, exactitude, intérêt public), la méthodologie fait référence aux moyens utilisés par les journalistes (équité sur le plan procédural, équité dans la sélection des informations diffusées, devoir de suite, etc.) et le contexte fait notamment référence aux motivations (l'intégrité journalistique et surtout la question des conflits d'intérêts).

Le plus haut tribunal équilibre donc la liberté de la presse et ses obligations eu égard aux droits des citoyens, il accrédite la notion de la *liberté responsable* de la presse dans une société démocratique.

---

1. *Société Radio-Canada c. Gilles E. Néron* (2004, CSC 53), au paragraphe 59 de la décision. Par souci de transparence, je tiens à aviser le lecteur que j'étais le témoin expert de M. Néron dans cette cause.

PREMIÈRE PARTIE

SURVOL THÉORIQUE

CHAPITRE 1

Légitimité sociale et crédibilité du journalisme[1]

La question de la crédibilité de la presse est l'objet de nombreux débats professionnels ainsi que de multiples contributions scientifiques théoriques et empiriques, notamment par les sondages réalisés régulièrement auprès du public. Cela en convainc plusieurs qu'il existe une crise de crédibilité à l'égard des entreprises de presse et de leurs journalistes. Une question plus fondamentale encore, qui englobe et dépasse celle de la crédibilité de la presse, est cependant laissée pour compte : la légitimité sociale du journalisme et des journalistes. Il faut distinguer immédiatement les notions de crédibilité et de légitimité de la presse. La légitimité est la reconnaissance sociale de l'utilité du journalisme et du rôle des journalistes professionnels dans le cadre d'une société pluraliste et démocratique. Comme on le verra, il s'agit ni plus ni moins du consentement du public à l'égard des journalistes pour qu'ils assument leur fonction d'informateur. La crédibilité relève davantage du niveau de confiance que ce même public témoigne à l'égard des informations diffusées par les journalistes.

Concept noble en science politique par la richesse des écrits qui y sont consacrés, en raison de son importance dans les mutations sociales et politiques, la légitimité est un thème négligé, voire ignoré chez plusieurs professionnels de l'information et la plupart des observateurs et analystes des médias. La critique des entreprises se limite le plus souvent à quelques questions d'importance, certes, mais qui n'existeraient pas si le journalisme ne jouissait pas, en premier lieu, d'une légitimité certaine. On aborde d'autant moins cette notion de légitimité qu'on la croit inhérente à l'ordre

---

1. Ce chapitre est inspiré de l'article intitulé «Les conditions de légitimité du journalisme : esquisse d'un modèle théorique», *Cahiers du journalisme*, Centre de recherche de l'École supérieure de Lille, vol. 1, n° 2, décembre 1996, p. 176-192.

social existant, indiscutable, d'une évidence aveuglante qui interdit de la mettre en doute. Dans les sociétés modernes, toute légitimité prend ses origines au sein du public. Elle y retourne nécessairement pour s'y faire confirmer sans cesse ou y être désavouée le cas échéant, comme en témoignent les révolutions politiques et les lendemains d'élection démocratiques.

En ce qui concerne le journalisme, la légitimité tient à un consensus généralisé qu'on peut assimiler à un contrat social. Elle n'existe qu'au terme d'un processus complexe où les journalistes jouent un rôle capital. Ainsi, on aurait tort de marginaliser ou de n'accorder aucun intérêt théorique et pratique à la légitimité du journalisme en tant que fonction sociale. À cette fin, je présenterai dans les prochaines pages un schéma qui présente ce qui semble être les principaux éléments du processus de légitimation du journalisme. Outre l'avantage qu'il y a à visualiser les éléments et leur interaction afin d'en faciliter la compréhension et l'intégration pratique, ce schéma peut également servir d'instrument de formation pour les publics intéressés au journalisme, d'une part, ainsi qu'à l'analyse et à la critique des pratiques journalistiques réelles, d'autre part[2]. Il met aussi en évidence le rôle du public qui agit comme un cinquième pouvoir avec des fonctions de prescription et de corégulation des pratiques journalistiques dans un cadre d'imputabilité élargi. Ce cinquième pouvoir sera analysé plus loin dans l'ouvrage.

Dans le débat de plus en plus récurrent qui cherche à distinguer le journalisme des autres métiers de la communication publique (attachés de presse, conseillers et relationnistes, publicitaires et rédacteurs, etc.), ce schéma s'inscrit en quelque sorte comme le fondement théorique d'une telle distinction. Il peut aussi servir à distinguer différentes formes de journalisme qui coexistent, s'affrontent ou se complètent (journalisme professionnel, journalisme d'information, journalisme citoyen, blogueur, etc.). Dans un univers de communication et de circulation massive et instantanée des informations, le journaliste responsable dédié au droit du public à l'information de qualité se distinguera de la constellation des communicateurs et autres formes de journalisme par son adhésion à certains principes et valeurs fondamentales qui constituent les piliers normatifs du journalisme, notamment le service de l'intérêt public, parfois nommé l'intérêt général, ainsi que la sauvegarde d'une démocratie saine

---

2.   Ce modèle a déjà été présenté dans un essai critique publié au Québec: *Les planqués: le journalisme victime des journalistes* (Montréal, VLB Éditeur, 1995). Le présent chapitre s'inspire de cet ouvrage, mais les concepts ont été remaniés et sont présentés à la fois de façon plus formelle et moins polémique.

et vigoureuse. On conçoit alors aisément l'existence concrète d'une déontologie particulière pour des communicateurs particuliers. Certes, les
communicateurs publics ont tous des obligations déontologiques plus ou
moins similaires, eu égard à la vérité, l'intérêt public, l'équité ou l'intégrité.
Le journaliste professionnel peut toutefois se démarquer des autres
communicateurs publics par son adhésion à des règles déontologiques
claires, connues du public et dont les transgressions arbitraires ou motivées
par l'attrait de gains personnels – aux dépens de l'intérêt général – seront
passibles de sanctions morales ou matérielles.

Un postulat du présent ouvrage est que le journaliste n'est pas qu'un
communicateur, il est surtout un chercheur, un enquêteur ou investigateur
procédant à une forme d'interrogatoire public, au nom de ses lecteurs,
des ses auditeurs et de ses téléspectateurs ; au nom de ceux qu'il *représente*.
Cela commande le respect de normes déontologiques misant avant tout
sur son honnêteté intellectuelle, son intégrité, sa rigueur, sa transparence
et un sens élevé de l'équité. S'il ne tient pas compte sans justification du
respect de ces conditions nécessaires, le journaliste aura peine à plaider
l'utilité sociale de sa fonction. Sera alors menacée sa légitimité de représentant du public qui lui permet, en principe, de contraindre les puissants
de ce monde à rendre des comptes qu'ils préféreraient souvent occulter
afin de mieux consolider leur pouvoir politique, économique et social.

LA LÉGITIMITÉ

Il ne fait pas de doute que la légitimité de l'informateur public
qu'est le journaliste trouve son origine dans la volonté ou le consentement
des informés, les citoyens, qui reconnaissent en lui un *représentant*. Cette
idée selon laquelle «les journalistes et les élus puisent leur légitimité à la
même source, le public» (Charron 1990, 7) n'est pas nouvelle en soi, mais
il est bon de la remettre régulièrement sur la place publique, pour en faire
apprécier toute la puissance et l'importance qu'elle doit avoir pour
quiconque s'intéresse au journalisme. Dans une entrevue qu'il accordait
au quotidien belge *Le Soir*, et publiée en mars 1995, Dominique Wolton
a tenu à rappeler «aux journalistes que leur seule légitimité, la seule
condition de leur liberté, c'est le public. C'est aussi leur seul capital»
(Stroobants 1995, 2).

Ajoutons que si la légitimité se situe ailleurs que dans le strict respect
de la légalité (car des renversements de l'ordre établi peuvent être à la fois
illégaux mais légitimes), elle doit cependant être un attribut indispensable
à qui possède le pouvoir d'influencer le déroulement des évènements

sociaux et les journalistes détiennent ce pouvoir effectif dans nos démocraties libérales. Gilles Lipovetsky l'exprime à sa façon en écrivant que
«…nous sommes témoins de la montée en puissance des médias, lesquels
ont réussi à s'ériger en "quatrième pouvoir". […] Tout indique que cette
puissance médiatique est durablement "installée": on voit mal quel
pouvoir politique serait à même de la museler» (2002, 113). Ce pouvoir
légitime, qui n'est pas sans rapport étroit avec les notions de représentativité et de contrat social, a cependant des exigences qui conduisent à
considérer les notions de liberté, de responsabilité, d'imputabilité ainsi
que d'éthique et de déontologie du journalisme.

LA REPRÉSENTATIVITÉ OU LE CONTRAT SOCIAL

La légitimité de la presse se manifeste à travers un ensemble d'interactions, de faits et de mécanismes sociaux, parmi lesquels on trouve
une forme de contrat social déléguant aux journalistes le rôle de représentants du public auprès des détenteurs de pouvoirs divers (politique,
économique, culturel, religieux, etc.), afin que ces derniers rendent des
comptes relatifs à l'accomplissement des devoirs et des responsabilités
conférés par la communauté et ses institutions, ou qu'ils se sont eux-mêmes
attribués. Certes, la popularité des médias sociaux a passablement érodé
le monopole traditionnel de la représentativité des journalistes par rapport
aux détenteurs de pouvoir qui sont contraints plus que jamais de se justifier directement à ceux qui les interpellent dans l'espace public, par Twitter
ou Facebook, pour ne prendre que les médias sociaux les plus populaires
en 2014. Par contre, il serait illusoire de croire que cela annihile le rôle
traditionnel des journalistes, qui demeurent toujours des acteurs dominants de l'information légitime et nécessaire en démocratie. Ils demeurent
des représentants du public face aux pouvoirs, sans en être *les* représentants
exclusifs.

Ce contrat social reconnaît un espace de liberté aux journalistes;
espace en partie délimité par les lois, mais largement laissé au jugement
des journalistes. Cette conception contractualiste veut que le journalisme
soit une fonction sociale dont la visée fondamentale est de servir l'intérêt
public, favoriser la démocratie et le respect des valeurs humaines de base
par la diffusion d'informations vraies et importantes. Dans cet esprit, le
journaliste a le devoir premier d'assurer la vitalité démocratique de la
société en informant ses concitoyens des faits pertinents à la conduite
générale et autonome de leur vie. Théoriquement, chez ces derniers, cela
devrait se manifester par des prises de position éclairées en matière poli-

tique, économique et sociale, pour ne nommer que ces dimensions civiques. En retour, et afin qu'ils soient en mesure d'assumer pleinement leurs devoirs, la société accorde aux journalistes des droits, des libertés et des privilèges, comme on le verra un peu plus loin.

Certes, un tel contrat n'existe pas dans le texte, mais il constitue le prolongement naturel de la liberté d'expression et des vertus démocratiques qui y sont associées. Parce qu'il n'a pas le formalisme d'un contrat notarié, on pourrait recourir à la notion de consentement mutuel pour mieux faire saisir ce qui en est réellement. Dans un contexte nord-américain, Stephen Klaidman et Tom L. Beauchamp parlent pour leur part d'un contrat implicite entre les médias et la société à partir duquel on peut justifier les privilèges des médias afin qu'ils puissent fournir aux citoyens des informations adéquates concernant la sphère publique aussi bien que d'autres préoccupations. Selon ces auteurs, on peut évaluer une information diffusée par des journalistes par la compréhension qu'elle procure des faits sociaux, essentielle à la délibération d'un individu qui doit faire librement des choix. Ils estiment que la justification de privilèges accordés à la presse est sérieusement minée si celle-ci ne parvient pas à répondre à ce critère (1987, 129-130). L'*American Society of Newspaper Editors* (ASNE) a déjà reconnu que la presse américaine jouit de libertés non seulement pour informer ou servir de forum des débats de société, mais aussi pour assurer une surveillance constante sur les détenteurs de pouvoirs, y compris la conduite des dirigeants gouvernementaux (Lambeth 1986, 33).

La notion de contrat doit être étroitement associée à la représentativité, qui est sans doute l'une des convictions fondamentales et historiques à la base du travail journalistique. Selon cette conviction, le journaliste serait en quelque sorte le représentant des citoyens auprès des détenteurs de pouvoirs sociaux afin de forcer ces derniers à rendre compte des décisions et des gestes qui concernent la collectivité. Avec ce mandat de représentant en poche, les journalistes assument en réalité un pouvoir de contrôle, autrement dit un contre-pouvoir. Les journalistes tiennent le registre des faits, des gestes et des décisions de ceux qui ont des comptes à rendre, c'est-à-dire de mandataires imputables en vertu de certains principes démocratiques, dont celui de la représentation des citoyens et du devoir d'œuvrer pour le bénéfice de l'intérêt général. Ces comptes à rendre – de nature gouvernementale à l'origine, mais s'étendant aujourd'hui aux secteurs économiques, médicaux, légaux, policiers, syndicaux et autres – font l'objet de comptes rendus que les journalistes diffusent au public, jouant ainsi leur rôle d'émissaires des citoyens. Dans une analyse des textes des divers genres journalistiques, Lochard estime que ceux qui ont une visée informative dominante, et font de ce fait plus de place à l'objectivité qu'à la subjectivité, sont plus légitimes parce qu'ils campent le journaliste «dans un rôle de rapporteur, un messager délégué par une collectivité publique à la Quête et à la transmission de données factuelles nécessaires au bien-être individuel et collectif» (Lochard 1996, 88). Dressant en quelque sorte un *continuum* des genres journalistiques distribués entre deux pôles caractérisés par la légitimité (objectivité) et la crédibilité (subjectivité), Lochard estime que les genres – dépêche, reportage, éditorial, analyse, critique, chronique, etc. – «engagent... à des degrés très variables, la légitimité de la parole journalistique. En vertu d'un principe résultant d'une image idéale du rôle social du journaliste (celle du messager), il apparaît en effet que, dès que celui-ci tend à se démarquer du rôle de "pourvoyeur", c'est bien sa légitimité identitaire qu'il met en jeu» (p. 90). Il va même jusqu'à soutenir que les genres rédactionnels plus subjectifs contribuent à délégitimer le travail du journaliste qui doit donc miser sur sa crédibilité pour avoir droit à une certaine reconnaissance sociale (p. 91). Cette dernière affirmation est certes contestable, car il semble que légitimité et crédibilité journalistiques sont deux notions plus étroitement liées que ne le suggère Lochard. Toutefois, je suis d'accord avec lui pour avancer que la légitimité sociale du journalisme est associée à son rôle social de pourvoyeur d'information. Parlant du mandat de description du journalisme d'information, par opposition au journalisme d'opinion, Breton et Proulx y voient un «contrat implicite entre le lecteur où le descripteur donne ses yeux à l'auditoire qui n'a pas accès à ce qu'il voit: les yeux du journaliste, du témoin en général, sont nos yeux et ce qu'il nous décrit doit être ce que nous verrions à sa place» (2002, 100).

La conviction profonde voulant qu'ils représentent le public guide de nombreuses démarches journalistiques, la plus évidente étant certes leur insistance à «poser des questions que les gens poseraient s'ils étaient ici», comme on peut souvent l'entendre de la part de journalistes qui insistent pour forcer des personnalités publiques à répondre à leurs questions. Allan Levine, qui a étudié l'histoire des relations entre les journalistes et les différents premiers ministres du Canada, de 1967 à 1992, va même jusqu'à prétendre que ce sont les journalistes qui se sont autoproclamés représentants du peuple et qui en ont tiré la certitude qu'ils avaient un droit d'accès au premier ministre Pierre Elliott Trudeau, ainsi qu'à ses ministres et aux fonctionnaires fédéraux (1993, 274). Dans leur étude portant sur les pratiques journalistiques et la couverture des campagnes électorales au Canada, William Gilsdorf et Robert Bernier ont également observé que la «plupart des journalistes estiment avoir un droit d'accès aux candidats, surtout aux chefs, et considèrent que ce droit est indissociable du rôle qu'ils jouent dans la société» (1991, 31-32). La rhétorique de la représentativité joue donc un rôle majeur de légitimation du travail journalistique. En France, Charon a observé que la «relation au public fonde la forme nouvelle de la légitimité des journalistes... Il est désormais question d'un journalisme qui agit par délégation du public, qui représente le public...» (1993, 89). L'importance des médias sociaux et les interactions qu'ils permettent avec bon nombre de détenteurs de pouvoir économiques, politiques ou symboliques (milieux des affaires et syndicaux, élus, artistes, journalistes, etc.) n'anéantit pas la représentativité traditionnelle des journalistes professionnels, mais elle en conteste le monopole et, dans certains cas, voudrait en réfuter la légitimité même. Le cinquième pouvoir est parfois impitoyable pour attaquer les acteurs du quatrième pouvoir.

Dans mon approche de la légitimité du journalisme, les notions de représentativité et de contrat social débouchent sur une triade complexe, constituée des concepts suivants: libertés et responsabilités, éthique et déontologie ainsi qu'imputabilité. Je propose un bref survol de ces notions qui seront par ailleurs amplement débattues en seconde partie de l'ouvrage.

LA LIBERTÉ ET LA RESPONSABILITÉ

Liberté et responsabilité forment un «vieux couple» conceptuel qu'on retrouve même dans l'esprit civique. Ainsi, le philosophe Domenach affirmera-t-il: «Pas de liberté sans responsabilité» (1994, 11). Un peu plus loin, il ajoute que la «responsabilité colle à la liberté: si celle-ci venait à s'en défaire, elle irait inévitablement vers le crime ou la folie» (p. 11). Sans entreprendre un examen philosophique exhaustif des fondements de la liberté de presse et ceux liés aux responsabilités que doivent assumer les journalistes, rappelons simplement que la liberté de presse est une extension de la liberté d'expression. Inspirée largement de la métaphore du «libre marché des idées», une croyance controversée selon laquelle la vérité s'imposera si on permet l'expression libre, sans entrave, des idées et des opinions, la liberté de presse présume que le bien-être de la société et des individus qui la composent ne peut que profiter de l'absence de contraintes et de censure, outre les «limites raisonnables» de la loi.

En accord avec la liberté de presse comme fondement normatif, les journalistes jouissent de libertés et privilèges. Par exemple, dans plusieurs pays, ils n'ont besoin d'aucun permis de travail, d'aucune reconnaissance étatique pour solliciter les commentaires de leurs concitoyens, que ces derniers soient des élus, des criminels, des scientifiques ou des témoins de faits divers sordides. Les journalistes ont aussi le droit et la liberté de traiter les sujets qu'ils veulent, même si le média pour lequel ils travaillent se réserve parfois le droit de les censurer pour différentes raisons qui ne sont pas toujours compatibles avec l'intérêt public et l'émancipation intellectuelle de leur public. Les journalistes peuvent déterminer sous quel angle ils traiteront les thèmes retenus, les questions qui seront posées, les réponses qui ne seront pas diffusées, la mise en contexte, l'importance qui sera accordée à certains faits et déclarations alors que d'autres iront aux oubliettes. Ils peuvent aussi choisir le moment de la diffusion du reportage, l'importance qui y sera accordée au milieu des autres reportages du jour, etc. Ils sont libres au sens où aucune loi ne les oblige à adopter des façons strictes de travailler, même au détriment des autres citoyens, sauf quelques rares exceptions. Outre les libertés, il y a aussi les privilèges tels la facilité d'accès aux cours de justice, aux assemblées législatives, l'accès à une foule de documents publics qui leur sont souvent acheminés de façon routinière par les organismes et institutions, leur admission à certains lieux où se déroulent des événements d'importance, et la liste n'est pas exhaustive.

Bien entendu, les contraintes objectives qui pèsent sur eux existent néanmoins, qu'elles proviennent de leur employeur, des collègues ou de leurs sources d'information. Il y a lieu de noter ici que plusieurs recherches empiriques mettent en évidence que la principale contrainte à la liberté des journalistes se retrouve à l'intérieur même de leur entreprise. Il existe en effet des médias où les journalistes sont soumis à un *corset organisationnel* (Bernier 2008) qui limite passablement leur liberté et les empêche de servir le droit du public à une information de qualité, diversifiée et intègre. Quant aux sources d'information, elles ont des stratégies, aussi précises que coûteuses dans certains cas, pour inciter les journalistes à porter attention à leurs propos dans un premier temps, et à les diffuser à l'ensemble de la société dans un second temps. Les stratégies des sources d'information visent à obtenir un effet médiatique optimal afin de mieux séduire le public pour qu'il se procure certains biens et services, ou encore pour tirer profit de l'opinion publique qui devient une ressource dans d'autres jeux, comme c'est le cas des politiciens. Dans le cas de sources d'information ayant des biens et services à vendre, les stratégies de persuasion envers les journalistes sont souvent matérielles (cadeaux, gratifications, voyages, etc.) et ont peu à voir avec l'importance réelle de l'information en jeu au regard de l'intérêt public et de l'émancipation intellectuelle.

Malgré ces contraintes, la plupart des journalistes possèdent une importante latitude professionnelle, d'autant plus qu'ils ne sont pas soumis à des codes de conduite explicites et rigoureusement appliqués de la part de leur employeur ou d'organismes qui pourraient assurer la fonction de contrôle. Bien entendu, ces libertés, ces droits et ces privilèges ne constituent pas la globalité de l'univers journalistique. Il faut aussi aborder la question des responsabilités et devoirs de la presse pour complexifier le tableau, et il faudra traiter ultérieurement des questions d'éthique, de déontologie et d'imputabilité pour le compléter.

Il serait trop facile de déléguer unilatéralement des responsabilités aux journalistes, en fonction de convictions idéologiques, politiques, voire religieuses dans certains cas. Il importe ici d'insister particulièrement sur les responsabilités fondamentales de la presse, celles sans lesquelles les journalistes perdraient toute légitimité, celles que les entreprises de presse et leurs journalistes devraient assumer en tout premier lieu avant de songer à divertir le public, ou à faire la promotion d'intérêts particuliers, qu'ils soient économiques (entreprises, commerces, etc.), politiques (partis, réformes, idéologies, etc.) ou sociaux (groupes communautaires, associations sportives, etc.). Comme on le verra plus loin, les médias doivent à tout le moins offrir des comptes rendus véridiques et complets à propos des événements d'importance pour le plus grand nombre de citoyens possible, insérer ces événements dans un contexte qui leur redonne leur sens véritable, servir de lieu d'échange des commentaires et des critiques et faire en sorte que les individus composant le public comprennent bien ce qui se passe dans leur entourage social. Dans un contexte où un média se veut impartial et prétend avant tout rendre compte des événements avant de les commenter, ses journalistes ont aussi la responsabilité d'agir de façon indépendante et honnête lorsqu'ils diffusent des informations. Ils doivent également jouer pleinement leur rôle de représentants du public, et du public seulement, auprès des détenteurs de pouvoirs susceptibles d'influer directement ou indirectement sur le sort des citoyens. Il faut que les citoyens soient informés de la façon dont on gère les affaires de la collectivité, qui sont leurs affaires en définitive, pour que la démocratie soit possible. Cette condition essentielle de la démocratie doit s'imposer de tout son poids aux journalistes, comme pour leur rappeler sans relâche qu'ils ne travaillent pas uniquement à la satisfaction de leurs désirs personnels et des actionnaires. Ces responsabilités portent à conséquence si l'on prend le journalisme au sérieux.

L'ÉTHIQUE ET LA DÉONTOLOGIE

C'est l'affrontement des concepts de liberté de la presse – y compris les excès et abus que cela peut comporter – et de la responsabilité de la presse, eu égard au contrat social, qui rend nécessaire la réflexion éthique. Celle-ci demeure ce qui nous préserve le mieux des abus de presse sans jamais nous assurer la perfection.

Il existe un ensemble de procédures et de méthodes généralement acceptées, voire revendiquées par la majorité des journalistes, des médias et les publics. On débouche alors sur l'éthique et la déontologie professionnelle, sur des systèmes de valeurs hiérarchisées qui se manifestent concrètement par des règles et des codes de déontologie. Ces codes et ces règles ont une grande importance dans le processus de légitimation, car elles permettent de s'y référer dans le cadre de l'imputabilité des journalistes, dont il sera question plus loin. On peut rendre des comptes à partir de règles et des codes déontologiques explicites, en invoquant les principes éthiques qui les sous-tendent et en démontrant avoir respecté certaines valeurs professionnelles reconnues comme essentielles. Le but de l'exercice n'est pas de faire l'unanimité, mais simplement de faire la preuve d'un comportement professionnel rationnel et responsable. Je prendrai soin, dans un prochain chapitre, de bien distinguer la morale de l'éthique, l'éthique de la déontologie et la déontologie de la morale afin de combattre une grande confusion qui est souvent présente. Pour les besoins du présent chapitre, il suffit d'annoncer que, de mon point de vue, éthique et déontologie forment un couple conceptuel stable, le raisonnement éthique servant à fonder rationnellement les pratiques professionnelles jugées désirables et acceptables. L'éthique conduit à l'élaboration de règles déontologiques dominantes, celles qui seront reconnues valides dans la grande majorité des situations professionnelles courantes, celles que l'on retrouve systématiquement quand on procède à l'analyse de très nombreux codes de déontologie, sur les cinq continents. Mais le même raisonnement éthique incitera aussi à *déroger à la règle dominante* lorsque cette règle devient aberrante, dans certaines situations particulières ; lorsque obéir aveuglément à la règle déontologique produit des résultats contraires à l'esprit de la déontologie et aux valeurs qui la fondent.

Il importe de se doter de codes de déontologie alliant rigueur et souplesse, où l'on retrouve des règles déontologiques précises et clairement énoncées, auxquelles sont associés des critères – ou des conditions – qui serviront à l'évaluation des situations justifiant qu'on déroge à la règle en vigueur. Les journalistes ont toujours le fardeau de la preuve quand ils décident de déroger aux règles déontologiques reconnues. Être en mesure de démontrer que cet écart est compatible avec les principes éthiques de leur profession est une nécessité. C'est ce qui distingue la *dérogation* à la déontologie pour motifs éthiques raisonnables et légitimes – à des fins d'intérêt public notamment – de la *transgression* à la déontologie dont la finalité est foncièrement personnelle ou égoïste et est avant tout au service d'intérêts particuliers d'individus, d'entreprises, de partis, d'associations ou de groupes de pression.

Sans verser dans un altruisme excessif, on doit reconnaître que la condition essentielle de toute réflexion éthique est le souci de l'autre, des conséquences de nos actes surtout, souci dont l'importance peut varier d'une situation à l'autre, mais qui doit toujours être présent. Ce qui n'est pas toujours le cas de la morale ou de la déontologie, pour lesquelles les impératifs du devoir l'emporteront souvent sur l'évaluation raisonnable des conséquences néfastes pour autrui. L'éthique est le lieu de la pensée complexe pouvant se trouver en opposition avec les réflexes, les intérêts particuliers, les rigidités légales, les traditions ou les comportements sédimentés.

En procédant à la reconstruction du processus de légitimation du journalisme, on ne peut passer outre aux aspects éthiques et déontologiques de la profession, puisque c'est nécessairement à travers ces considérations que se concrétisent, dans la vie de tous les jours, les libertés et responsabilités professionnelles. C'est à l'aune des principes éthiques et des règles déontologiques que s'évaluent la pertinence de recourir ou non à certaines méthodes douteuses de collecte d'information (caméras cachées, fausses identités, vols de documents) et de diffusion de ces mêmes informations (simulations, mises en scène, mensonges). C'est également en se référant à l'éthique et à la déontologie qu'on doit évaluer la pertinence et justifier, le cas échéant, l'ingérence dans la vie privée de personnalités publiques comme celle de citoyens dits ordinaires.

Le respect des responsabilités professionnelles est soumis à une analyse ou une réflexion s'inspirant obligatoirement de principes éthiques et de règles déontologiques. Mais ces règles n'auraient pu être élaborées si, à l'origine, il avait été impossible de s'entendre sur certaines responsabilités professionnelles incontournables. Ces responsabilités impliquent bien entendu certaines valeurs morales, même si cela n'est pas toujours reconnu par les journalistes qui croient trop souvent que leur métier est constitué de comportements et de choix objectifs n'ayant rien à voir avec quelque norme morale que ce soit. Comme si adhérer fortement à la vérité et par conséquent dénoncer le mensonge, valoriser l'honnêteté et démasquer imposteurs et charlatans, ou respecter l'intégrité et refuser de servir des intérêts particuliers au détriment de l'intérêt public n'étaient pas des positions morales en soi.

On comprend assez facilement l'importance que l'éthique et la déontologie professionnelles prennent dans le processus de légitimation du journalisme, et les journalistes ne peuvent s'en éloigner sans risquer de miner leur légitimité professionnelle ; sans parler de leur crédibilité auprès de leurs pairs comme de leurs sources d'information et du public, dans la mesure où ce dernier est tenu informé des dérapages éthiques et déontologiques de ceux qui, rappelons-le, sont ses représentants. La meilleure façon d'aider les journalistes à demeurer en contact avec leurs responsabilités sociales, professionnelles et déontologiques est sans doute de les soumettre eux aussi au principe d'imputabilité qui consiste simplement à leur demander de rendre compte, de répondre de leurs décisions et de leurs pratiques.

L'IMPUTABILITÉ

À titre de proposition générale, on peut avancer que la société est entièrement en droit de réclamer des comptes non seulement de la part des dépositaires de sa souveraineté politique ou économique, mais aussi des dépositaires de droits, de privilèges, de libertés et de responsabilités liés à l'information des citoyens. Pour Muller (2005), l'imputabilité renvoie au contrat social implicite entre les médias et la société. Cependant, les journalistes échappent souvent au principe même d'imputabilité qu'ils invoquent haut et fort pour forcer les autres acteurs sociaux à faire preuve de transparence devant ce que certains nomment le tribunal de l'opinion publique.

Jouissant de libertés mais devant assumer des responsabilités à l'égard du public, et au nom du public, les journalistes sont soumis au principe de l'imputabilité comme élément de leur légitimation. Ils doivent rendre des comptes en rapport avec leurs responsabilités, mais aussi relativement à leur façon d'user de leurs libertés et privilèges. En s'affirmant représentants du public, c'est-à-dire en soutenant qu'ils jouent auprès de diverses instances un rôle que leur ont délégué les citoyens, les journalistes ne peuvent se limiter à parcourir seulement la moitié du chemin. Ils ne peuvent aller simplement vers les détenteurs de pouvoirs, au nom des citoyens, y accomplir leurs tâches – notamment chercher la vérité d'intérêt public et la diffuser au plus grand nombre – sans revenir vers ceux qui les ont délégués, afin de rendre compte des actes et des gestes posés en leur nom. Les citoyens doivent pouvoir juger en connaissance de cause la qualité du travail et des comportements de ceux qui agissent à leur place et en leur nom.

Traditionnellement, les journalistes étaient plus enclins à s'expliquer auprès de leurs sources d'information, qu'ils côtoient quotidiennement, qu'auprès de leur source de légitimité, ce public bien souvent abstrait. Il s'agit là d'un thème récurrent chez les critiques des médias, notamment aux États-Unis. Dans le cadre d'un numéro spécial portant sur la critique des médias, les éditeurs du *Media Studies Journal* reconnaissaient que peu d'institutions encouragent les commentaires négatifs à propos de leurs activités et de leur production et que les entreprises de presse ne sont pas une exception. La croyance selon laquelle le marché est le meilleur indicateur du soutien ou du rejet de la part du public est répandue dans les médias qui évitent de faire face à leurs clients et fuient les moyens normaux d'imputabilité parce que cela menacerait la liberté d'expression (MSJ 1995a, 1). D'un point de vue strictement économique, Edwin Baker réfute cette croyance en faisant valoir, notamment, que le fait de choisir un média plutôt qu'un autre ne démontre aucunement que le public ne souhaiterait pas avoir mieux. Au contraire, il pourrait désirer autre chose qu'offre ce marché, ce qui le conduit à plaider en faveur de la présence de médias publics aux côtés des médias commerciaux (2002, 63-97).

Le journaliste canadien Peter Desbarats estimait que les journalistes, ces champions de la transparence gouvernementale et de l'examen public de toutes les entreprises, ont développé une «allergie professionnelle» relativement à toute suggestion relative à l'imputabilité. Il ajoute que cette question a été et demeure l'un des enjeux fondamentaux non résolus des entreprises de presse (1990, 154).

Toutefois, bien des choses ont changé ces dernières années. La montée en puissance du cinquième pouvoir a permis aux citoyens de faire entendre leurs doléances et leurs critiques ; celles-ci ne sont plus soumises au filtre sélectif et partial des médias. Grâce aux réseaux sociaux, aux blogues, aux espaces ouverts aux commentaires que l'on retrouve sur les sites Internet des médias traditionnels, ils sont maintenant des milliers à envahir l'espace médiatique. Certes cela n'est pas un gage de pertinence ou de qualité et on trouvera facilement des commentaires mal intentionnés, mal documentés, de mauvaise foi, vulgaires, intimidants et parfois violents. Mais on y trouvera aussi des milliers de citoyens respectueux, lucides, critiques qui ont des attentes élevées et justifiées envers les médias et leurs journalistes. Quand ils agissent ainsi, les citoyens constituent un cinquième pouvoir spontané, qui joue un rôle de corégulation des pratiques journalistiques (Bernier 2013). Pour la première fois peut-être, on peut y voir l'expression qualitative du fameux marché, qui n'est plus une main invisible.

Il est indéniable que le public, qui est la source de légitimité *du* journalisme dont tirent profit *les* journalistes, doit être en mesure d'évaluer, agréer ou critiquer le travail journalistique fait en son nom. La condition essentielle de cette évaluation, mais non la seule, est que le public soit informé à propos de ses informateurs. Il faut que *l'auteur* de la légitimation puisse surveiller les *acteurs* de la légitimation.

Le plus souvent, la légitimité que le public accorde aux journalistes résulte davantage de la tradition démocratique, de l'ignorance ou de l'indifférence que du consentement éclairé. Pour consentir, encore faut-il savoir à quoi on consent, ce qui n'est pas tout à fait le cas du journalisme dont on ne peut voir que les résultats finaux (comptes rendus, reportages, etc.), mais jamais ou très rarement les méthodes employées pour y parvenir (fausses identités, simulations, ingérence dans la vie privée, protection ou promotion de certains intérêts, etc.).

Un consentement éclairé du public devrait se fonder au moins sur la connaissance de deux types de comportements journalistiques : d'une part, les comportements qui ont donné lieu à la production et à la diffusion de comptes rendus et de reportages et, d'autre part, les comportements qui concernent l'occultation ou la censure de faits importants pour diverses raisons, dont celles qui ont peu à voir avec le service exclusif de l'intérêt public. Sans cette connaissance, le public n'est pas en mesure d'évaluer la loyauté des journalistes à son endroit.

Cela permet de bien saisir l'importance d'un des critères suggérés par Sissela Bok (1989) pour guider la délibération éthique, soit le «test de la publicité», qui force le journaliste désirant recourir à diverses pratiques contraires à la déontologie professionnelle – fausse identité, acceptation de cadeaux et de gratifications, simulations, etc. – à se demander s'il sera en mesure d'en informer le public dans le cadre de ses comptes rendus, sans que cela discrédite son travail. Voilà une interrogation éthique qui réintroduit la notion d'imputabilité dans le champ de la conscience du professionnel.

Sans un tel questionnement, la transparence des médias est illusoire et rend fragile l'argument voulant que le public renouvèle chaque jour sa confiance envers les journalistes et les médias, alors qu'il lui est impossible de le faire en toute connaissance de cause, de façon éclairée. Du reste, malgré le fait que le public soit souvent tenu dans l'ignorance à propos de ceux qui l'informent, il témoigne d'une méfiance assez importante à l'endroit des journalistes, comme on le verra plus loin. Les médias d'information sont de plus en plus assimilés aux institutions sociales puissantes dont se méfient bon nombre de citoyens. Il est raisonnable de croire que ce mouvement pourrait s'amplifier si un réveil déontologique ne vient pas contrecarrer les transformations journalistiques que les conglomérats provoquent dans leur recherche de profit maximal, pour le bénéfice de leurs actionnaires et dirigeants.

LE MODÈLE DE LÉGITIMATION

L'élément dominant du processus de légitimation du journalisme est certes le contrat social. Sans lui, il devient impossible d'aborder le thème de la légitimité du journalisme, laquelle dépend d'un consentement social minimal. Sans lui, pas de principe de représentativité non plus. Le contrat social renvoie à son tour aux notions de libertés et responsabilités de la presse, lesquelles ont généré les droits et les devoirs qui permettent aux journalistes de respecter les clauses du contrat social et d'être de loyaux représentants des citoyens. Ces libertés et responsabilités doivent être assumées de façon rationnelle, en fonction des valeurs sociales et professionnelles reconnues.

C'est ce qui nous conduit aux concepts d'éthique et de déontologie du journalisme, grâce auxquels on peut justifier à la fois des pratiques professionnelles courantes au regard de valeurs reconnues et de finalités avouées de la profession (servir l'intérêt public, par exemple) et justifier des pratiques marginales, contraires aux règles déontologiques, dans la mesure où les valeurs sociales et les finalités professionnelles demeurent bien servies. Comme le propose le modèle, les préoccupations éthiques et les règles déontologiques renvoient d'abord à des valeurs et principes moraux ou philosophiques. Ceux-ci inspirent divers mécanismes d'imputabilité, les principaux étant les codes de déontologie, les ombudsmans ou médiateurs de presse ainsi que les conseils de presse. Ces dispositifs prétendent assurer le contrôle ou l'autorégulation des pratiques professionnelles et peuvent conduire à des sanctions de natures diverses, lorsque la protection du public est une préoccupation réelle de la profession. On peut parler ici *d'imputabilité restreinte* et on verra plus loin les mythes et limites de l'autorégulation.

C'est également afin de s'assurer que le public et les sources d'information ne soient pas victimes de pratiques professionnelles condamnables qu'intervient un autre élément essentiel du processus de légitimation, soit *l'imputabilité générale*, par laquelle les journalistes doivent eux aussi rendre des comptes au public concernant leurs pratiques, leurs attitudes, leurs décisions et les conséquences néfastes qu'elles ont pu avoir. Du reste, l'imputabilité est intimement liée à la notion de représentativité puisque lesdits représentés, c'est-à-dire les citoyens, ont un intérêt légitime et rationnel à être tenus informés des comportements que les journalistes adoptent en leur nom. L'imputabilité est un outil essentiel pour combattre la fausse représentation et favoriser la confiance du public. Elle permet au public d'exercer sa vigilance, laquelle peut à son tour déboucher sur différentes formes de sanction, en fonction d'attentes légitimes. Les sanctions professionnelles peuvent aller de la réprimande morale – privée ou publique – à la suspension temporaire ou permanente comme cela se produit notamment aux États-Unis pour les cas de plagiat. Traditionnellement, les sanctions du public prenaient principalement les formes suivantes : lettres ouvertes, plaintes écrites ou orales adressées aux responsables des salles de rédaction, aux journalistes eux-mêmes ou aux instances chargées de faire respecter l'éthique et la déontologie professionnelles (ombudsman, conseils de presse, etc.), désaffections morale (perte de crédibilité) ou économique (perte de clientèle) ou, pour les plus fortunés du public, recours aux procédures judiciaires. Mais avec la popularité des médias sociaux, les citoyens sont les acteurs d'un cinquième pouvoir et exercent maintenant un droit de critique publique inégalé dans l'histoire du journalisme.

Processus de légitimation du journalisme

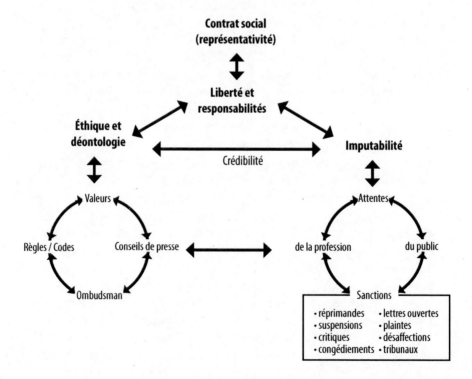

L'imputabilité professionnelle est un élément clé du processus de légitimation. D'elle relève la capacité du public de juger en connaissance de cause de la compétence des entreprises de presse et des journalistes à assumer les responsabilités liées au contrat social, à leur représentativité ainsi qu'au respect des principes éthiques et règles déontologiques faisant l'objet de consensus. Ce consensus existe bel et bien car on constate que moins d'une douzaine de règles déontologiques se retrouvent dans la très grande majorité des codes de déontologie locaux, nationaux et internationaux, énoncées différemment mais valorisant les mêmes conduites professionnelles.

LA CRÉDIBILITÉ

Le modèle tient compte de l'importante notion de la crédibilité des médias. La crédibilité des journalistes est une notion à géométrie variable, parce qu'elle est reliée à des publics différents dans leurs attentes, leurs expériences avec les médias, leurs idéologies, leurs connaissances et leurs préjugés. La façon la plus reconnue de mesurer cette notion de crédibilité demeure le sondage d'opinion. La confiance que le public a envers ceux qui l'informent peut varier grandement d'un sondage à l'autre, notamment à cause de la formulation de la question et de la période de sondage. Les résultats sont rarement réjouissants, et même souvent désolants pour les journalistes. Notons que plusieurs facteurs peuvent influer sur la crédibilité accordée aux médias, notamment les allégeances politiques, le profil sociodémographique et diverses attitudes générales. Je propose ici un bref tour d'horizon.

Aux États-Unis

Dans un ouvrage qui dresse le bilan de nombreuses années de recherche, Philip Meyer (2009) fait la démonstration que la qualité de l'information, sa crédibilité et la confiance des publics sont des facteurs qui contribuent à l'influence des journaux dans leur communauté. Pour lui, il fait peu de doute que cela se traduit par des retombées économiques favorables même s'il convient que la chose demeure très difficile à démontrer de façon absolue. Certes, ses recherches ont surtout reposé sur les quotidiens des États-Unis, principalement ceux du groupe Knight Ridder, mais cela renforce néanmoins la pertinence des questionnements liés à la crédibilité et à la confiance des publics à l'égard des médias d'information, qu'ils soient traditionnels ou émergents dans Internet.

Aux États-Unis, plusieurs sondages ont été réalisés par le Pew Research Center for the People and the Press (2008). De 1988 à 2008, ses chercheurs ont observé une perte de crédibilité générale des médias en demandant à des échantillons représentatifs de dire s'ils croyaient ou non, en tout ou en partie, l'information de différents médias. La tendance de ceux qui accordent une grande crédibilité aux médias n'a jamais dépassé 50 %, et ne cesse de décliner au fil des années. Il y a bien eu un léger regain en 2008, année électorale, mais ce gain se situait à l'intérieur de la marge d'erreur, ce qui commande la prudence. Certes, le jugement global demeure positif si on additionne ceux qui accordent une grande ou une certaine crédibilité à ce que diffusent les médias, mais là aussi la tendance générale est à la baisse, rapporte une autre étude du Pew Research Center (2012), passant de 72 % à 56 % de 2002 à 2012.

La crédibilité est certes tributaire de divers facteurs, mais des situations exceptionnelles l'affectent parfois positivement. C'est ce qui s'est passé notamment aux États-Unis à la suite des attentats du 11 septembre 2001. En novembre 2001, le critique des médias Howard Kurtz commentait un nouveau sondage qui révélait que le public était très satisfait de la couverture offerte par des médias ; le taux de satisfaction était alors à 77 %, et il avait été de 89 % à la mi-septembre. Tout de même, 30 % estimaient que les médias avaient fait trop d'erreurs dans leur couverture des menaces liées à l'anthrax. Il est fort probable que le grand patriotisme des médias américains à la suite de ces événements terribles ait momentanément gonflé le taux de satisfaction à leur égard, et il n'a été nullement surprenant de voir redescendre la courbe de la confiance dans les mois suivants.

Au Canada et au Québec

Un sondage Léger et Léger (1993) réalisé pour le compte du Forum des directeurs et directrices des communications du gouvernement du Québec, auprès de communicateurs gouvernementaux, révélait que 46,4 % des répondants affirmaient que les propos qu'ils ont tenus à un journaliste ont déjà été déformés à la diffusion, contre 40,6 % à qui cela n'est pas arrivé. La déformation a été qualifiée de bénigne dans 21 % des cas, et de notable dans également 21 % des cas.

Toujours dans la même veine, une enquête réalisée en novembre 2002 pour le compte de la Fédération professionnelle des journalistes du Québec a révélé que 52,6 % des Québécois sont d'avis que les médias disent la vérité, contre 45,2 % qui croient le contraire. Ceux qui doutent le plus de la crédibilité des médias se retrouvent surtout chez les répondants dont la principale source d'information est la radio (49,5 % de méfiance contre 43,4 % pour la télévision et 37,9 % pour les journaux). De même, chez ceux qui estiment que les médias ne disent pas la vérité, on retrouve près de 58 % de femmes, alors que les hommes représentent près de 53 % de ceux qui croient aux médias. Globalement, 58 % des hommes croient que les médias disent la vérité contre seulement 48 % des femmes, tandis que 37,3 % des hommes et 47,3 % des femmes ne croient pas que les médias disent la vérité. Somme toute, le scepticisme est nettement plus élevé chez les femmes (Bernier 2003a).

De 2009 à 2013, la Chaire de recherche en éthique du journalisme de l'Université d'Ottawa a fait réaliser un *Baromètre des médias* annuel afin de mesurer la crédibilité des journalistes québécois. Pour ce faire, nous avons utilisé les questions du *Baromètre de la confiance dans les médias*, une enquête annuelle de TNS-Soffres réalisée annuellement en France depuis 1987, pour le compte du quotidien *La Croix*. Au Québec, on constate que la télévision demeure le média jugé le plus crédible, selon des proportions qui varient entre 41 et 56 % au fil des années. Les médias d'Internet arrivent au second rang (entre 17,6 % et 23 %), mais on doit mentionner que les sites Internet d'information sont bien souvent alimentés par des médias traditionnels, dont les journaux payants, si bien que la crédibilité des médias numériques peut en bonne partie être attribuée aux médias traditionnels. Quant aux journaux payants, ils se classent troisièmes (entre 11 % et 23 %), suivis de la radio (entre 6 % et 11,3 %) et les journaux gratuits (environ 2 % annuellement). De façon plus précise, on a demandé aux répondants comment les différents médias (télévision, quotidiens, radio et Internet) racontaient les choses (comment elles se sont vraiment passées, à peu près comme elles se sont passées, il y a pas mal de différences entre la façon dont les choses se sont passées ou les choses ne se sont pas du tout passées comme le média le raconte). Le jugement public favorise la télévision avec un taux de crédibilité toujours proche de 80 % quand on additionne les deux premières réponses (vraiment ou à peu près comme elles se sont passées). Pour le journal, il varie entre 70 % et 80 % selon les années, tout comme la radio. Pour Internet, ce taux a progressivement passé de 56 % à 67 % environ entre 2009 et 2013.

Au niveau canadien, peu de recherches indépendantes sont consacrées à la question de la crédibilité. Retenons néanmoins quelques statistiques du Consortium canadien de recherche sur les médias (2008), qui est en grande partie financée par l'entreprise médiatique et dont le chercheur Marc Edge (2013) a déjà mis en doute l'indépendance. Pour aborder la notion de crédibilité, les chercheurs du CCRM ont demandé à leurs répondants de se prononcer sur l'exactitude de l'information (*En général croyez-vous que les médias rapportent exactement les faits?*) À partir de deux enquêtes réalisées en 2003 et 2008, les auteurs ont observé une diminution de la crédibilité, qui est passée de 58,7 % à 51,6 %.

Dans certains cas, les enquêtes mesurent non pas la crédibilité, mais la confiance, qui peut aussi être associée à l'objectivité ou l'intégrité, des notions qui sont rarement définies dans ce type d'enquête, certes, mais renvoient néanmoins à des catégories morales jugées importantes. Un sondage réalisé en 2002 pour le compte de la Presse canadienne révélait que 55 % des Canadiens (48 % des Québécois) faisaient confiance aux journalistes, qui se classaient loin derrière les professions de la sécurité (pompiers, policiers), de la santé (médecins, infirmières), de la justice (avocats, notaires) et même derrière les représentants de l'Église. À la même question, posée en février 2003, le sondage réalisé pour la Presse canadienne révèle un recul de 7 %, car seulement 46 % des Canadiens (46 % des Québécois) déclarent alors faire confiance aux journalistes. Ce sondage montre d'ailleurs que le taux de confiance a chuté pour toutes les professions[3]. Au Québec, les sondages successifs de Léger Marketing indiquent que la confiance du public envers les journalistes est inquiétante, car seulement 39 % des Québécois leur faisaient confiance en 2011, derrière les pompiers (97 %), les médecins (85 %), les scientifiques (79 %), et même les chauffeurs de taxi (55 %). La situation s'est un peu améliorée en 2013 avec un score de 42 %, toujours derrière les chauffeurs de taxi (52 %) et de camion (61 %), mais devant les chirurgiens plastiques et les avocats (39 %), et loin devant les maires (21 %) et politiciens (12 %). Un autre sondage réalisé en 2002 pour la Presse canadienne[4] révélait une certaine méfiance du public, car 61 % des répondants n'étaient pas d'accord avec l'énoncé voulant que « les médias canadiens proposent toujours une information objective » contre 35 % qui approuvaient cette proposition, et 62 % des répondants étaient d'avis que « les médias canadiens sont trop axés sur le sensationnalisme dans le traitement des nouvelles ».

La crédibilité, l'objectivité et la confiance que le public accorde peuvent à leur tour alimenter son respect pour certaines professions. Une enquête d'opinion publique réalisée à l'automne 1998 par la firme Angus Reid pour le compte du quotidien *Globe and Mail* et du réseau de télé-

---

3. Sondage Léger Marketing publié le 17 février 2003, réalisé auprès de 1 529 Canadiens [http://www.legermarketing.com/francais/set.html].
4. Sondage Léger Marketing, avril 2002, réalisé auprès de 1 500 Canadiens [http://www.legermarketing.com/documents/spclm/020506fr.pdf].

vision CTV[5] révélait pour sa part que les journalistes se classaient loin dans la liste des professions, puisque seulement 15 % des répondants (24 % au Québec) affirmaient avoir beaucoup de respect pour eux et 55 % un peu de respect, ce qui était similaire à des scores obtenus en 1993.

En France

En France, la situation est bien documentée et connue grâce aux enquêtes répétées en collaboration avec le quotidien *La Croix*. De 1987 à 2014, on constate que la crédibilité des médias en France est inférieure à celle des médias du Québec, quand on compare des enquêtes portant sur des questions identiques. Ainsi, alors que la télévision est le média le plus crédible dans plusieurs pays dont les États-Unis, le Canada et le Québec, il n'en va pas de même en France. Rappelons que près de 80 % des Québécois accordaient une crédibilité certaine à l'information télévisée, alors qu'en France ce taux a rarement dépassé 60 % depuis 1987 et se situait à 48 % lors de l'enquête de 2014[6]. La télévision se classe ainsi derrière radio, dont le taux de crédibilité varie entre 55 % et 60 % depuis plusieurs années, et le journal qui le devance de peu avec un taux avoisinant 52 % depuis plusieurs années aussi. On y constate aussi que le taux de crédibilité d'Internet varie entre 35 % et 37 % depuis 2010. Notons aussi que depuis 2009, aucun de ces médias n'a connu de gain de crédibilité significatif, soit au-delà de la marge d'erreur de 3,1 %.

Cela étant dit, de manière générale, les Français trouvent leurs médias d'information moins crédibles que les Québécois. En ce qui concerne le cas de la télévision, média le moins crédible en France comparativement à d'autres pays, on peut y voir la conséquence d'un contexte historique particulier. Pendant plusieurs décennies, la télévision française a été contrôlée par le pouvoir politique, ce qui a alimenté une importante suspicion à son égard, et il a fallu attendre les années 1980 pour que la concurrence propre au secteur privé puisse s'exprimer. Cet épisode de contrôle gouvernemental a contribué à alimenter une tradition critique chez bien des intellectuels (pensons à Pierre Bourdieu par exemple). Ajoutons que la télévision française est toujours considérée par plusieurs comme étant sous l'influence des dirigeants politiques. Au Québec, le système mixte (télévision publique et télévision privée) existe depuis plus de 50 ans. Par ailleurs, la Société Radio-Canada (radiodiffuseur public)

---

5. Sondage Angus Reid de novembre 1998, réalisé auprès de 1 500 Canadiens.
6. Voir [http://www.la-croix.com/content/download/1125883/37143436/version/1/file/Baromètre+confiance+média+2014.pdf], lien Internet visité le 24 janvier 2014.

semble avoir un bilan plus reluisant en matière d'indépendance politique, même si d'aucuns lui ont reproché un parti pris en faveur de l'unité nationale dans le contexte politique où la question de la souveraineté du Québec colore bon nombre de débats. Par ailleurs, la presse québécoise a une tradition de neutralité dans sa mission informative. Étant moins associée à des partis politiques ou à certaines tendances idéologiques, elle serait plus crédible que la presse française, plus orientée idéologiquement et plus partisane.

Il y a lieu d'ajouter aussi une autre considération qui nuit probablement à la crédibilité des médias d'information, soit la confiance quant à l'indépendance de leurs journalistes. Or les enquêtes de la Chaire de recherche en éthique du journalisme de l'Université d'Ottawa et du quotidien *La Croix* révèlent ici aussi des différences significatives. Quand on demande aux Québécois si, selon eux, les journalistes sont indépendants et résistent aux pressions des partis politiques, près de 50 % répondent de façon négative (de 2009 à 2013), alors que le taux de méfiance dépasse souvent 60 % en France. La situation est sensiblement la même quant à l'opinion que les gens se font de l'indépendance des journalistes envers les pressions économiques.

Ces données de quelques grands pays, loin d'être exhaustives, indiquent néanmoins que les médias et les journalistes ont des problèmes majeurs au chapitre de leur crédibilité. Bien entendu, il ne faut pas exagérer l'importance de ce problème. De tout temps, la presse a dû faire face à son lot de scepticisme, de remises en question, de critiques et même de tentatives de bâillonnement. Cependant, le rôle prépondérant joué par cette institution en fait un acteur social imposant, donc chaque dérapage est une menace, si bien que le manque de crédibilité pourrait contribuer à miner sa légitimité sociale, affaiblissant ainsi considérablement la force des arguments liés à l'utilité sociale de la liberté de presse. On l'a vu au Royaume-Uni, où le scandale des écoutes électroniques illégales du tabloïd *News of the World*, de Rudolph Murdoch, a conduit à une importante commission d'enquête publique sur l'éthique et les pratiques de la presse britannique, commission présidée par le juge Leveson. Cette commission a mené notamment au démantèlement de la Press Complaint Commission, un conseil de presse partial et inefficace (Watson et Hickman 2012), pour lui substituer plutôt un dispositif plus rigoureux et intègre, avec de réels pouvoirs de sanctions, sous l'égide d'une charte royale.

CERTAINES ATTENTES DES PUBLICS

Les notions de représentativité, de légitimité et de crédibilité de la presse et des journalistes sont en rapport avec les attentes des divers publics constituant les sociétés pluralistes et démocratiques tout comme des publics des sociétés qui aspirent à cette forme de démocratie. Il peut être risqué, sinon téméraire, de chercher à cristalliser d'une façon qu'on voudrait définitive ces attentes qui évoluent avec le temps.

À ce chapitre, il est même fort probable qu'existe un phénomène paradoxal selon lequel augmenteraient les attentes et exigences de certains segments du public à l'égard des journalistes, alors même que les médias cherchent de leur côté à séduire un public de plus en plus vaste et homogène en diluant l'information dite sérieuse, ou civique, dans des genres médiatiques plus proches du divertissement ou de la promotion. Il en irait un peu comme dans la vie politique où les électeurs sont de plus en plus exigeants, voire intransigeants avec la classe politique dont ils se désintéressent pourtant, ce qui oblige les acteurs politiques à recourir à de nouvelles formes de communication pour rejoindre et séduire leurs publics, notamment en acceptant de se plier aux jeux de l'humour et du divertissement dans les émissions télévisées qui n'ont rien à voir avec le journalisme et l'information des citoyens. Nous serions en présence de publics plus exigeants pour leurs dirigeants comme pour leurs journalistes, mais eux-mêmes moins disposés à investir les efforts nécessaires à la compréhension des grands enjeux sociaux et culturels qui doivent leur être présentés sous des formes édulcorées pour ne pas les rebuter et perdre leur patronage essentiel aux visées commerciales des entreprises de presse. C'est avec ces observations en guise de précaution qu'il convient de se pencher sur les attentes exprimées par les publics à l'endroit des médias et de leurs journalistes.

Dès 1995, Phillips et Kees ont notamment comparé les opinions du public, de politiciens et de journalistes américains à l'aide de trois sondages. Il en est ressorti que les citoyens souhaitent que les journalistes couvrent les affaires publiques en fonction des intérêts de la population et non de ceux des politiciens ; qu'ils expliquent, par exemple, en quoi les derniers événements sont bons ou mauvais pour la population au lieu de chercher à savoir s'ils sont bons ou mauvais pour les politiciens. Ces mêmes citoyens veulent des faits et non des spéculations. Si ces dernières sont nécessaires, ils souhaitent que les journalistes leur expliquent pourquoi et se réfèrent à au moins deux sources d'information pour les soutenir. Toujours selon l'enquête d'opinion, le public souhaite que les journalistes adhèrent aux valeurs professionnelles que sont l'équité, la rigueur ou l'impartialité. Il souhaite aussi que les journalistes examinent les entreprises de presse au même titre que les autres institutions. En somme, le public voudrait davantage de ce qu'il est convenu d'appeler du métajournalisme (Bernier 1995), c'est-à-dire une vigilance et une critique journalistique quant aux performances des médias d'information. En 1995, le public désirait déjà que les entreprises de presse se dotent de moyens d'échanger avec le public sur des questions d'équité et d'éthique professionnelle, ce qui semble en voie de devenir incontournable avec les médias sociaux et les exigences d'imputabilité et de transparence. Le public souhaitait finalement que la fonction de service public des entreprises de presse passe avant la recherche de profits. L'enquête révélait une importante méfiance du public américain envers les élus, les journalistes et les gens d'affaires, tous plus intéressés par le pouvoir, à leurs intérêts particuliers et à influencer le public plutôt qu'à le servir. Gordon (1995, 152) rapportait pour sa part que 71 % des répondants à un sondage estiment que les médias nuisent à la résolution des problèmes auxquels les États-Unis font face.

Il est permis de dire que depuis quelques décennies déjà, il est bien documenté que le public est loin de partager la même conception de l'information d'intérêt public mise de l'avant par les médias et leurs journalistes. Ces enquêtes montrent l'écart, parfois le gouffre, qui sépare le jugement éditorial du public de celui de journalistes (Tsafi *et al.* 2006, Tai et Chang 2002, Voakes 1997) sur divers enjeux liés à la vie privée de personnalités publiques et d'élus par exemple, ou encore que le public préfèrerait que le journaliste se comporte en « bon voisin » plutôt qu'en « chien de garde » (Poindexter *et al.* 2006).

Un sondage Léger Marketing du printemps 2002 révélait par ailleurs que seulement 35 % des Canadiens étaient d'accord pour dire que les médias canadiens « proposent toujours une information objective des événements d'actualité » et 60 % estimaient que les journalistes devraient rapporter les événements sans les commenter. Du reste, seulement 47 % des Canadiens étaient d'avis que la qualité d'information donnée au moment du sondage était supérieure à celle donnée en 1992, tandis que 32 % la croyaient supérieure et 18 % de qualité inférieure. Finalement, 62 % des répondants étaient d'accord avec l'énoncé voulant que « les médias canadiens sont trop axés sur le sensationnalisme dans le traitement des nouvelles[7] ».

---

7.   Sondage Léger Marketing, avril 2002, réalisé auprès de 1 500 Canadiens.

En France, des sondages répétés sur la confiance envers les médias révèlent que les citoyens doutent fortement de l'intégrité des journalistes. Une enquête réalisée en janvier 2014 confirmait à nouveau la profonde méfiance des Français envers leurs médias, en révélant que 71 % étaient d'avis que, généralement, les journalistes ne sont pas indépendants et ont tendance à ne pas résister aux pressions du pouvoir politique, et 74 % considéraient que ces mêmes journalistes ne parlent pas des vrais problèmes des Français[8].

En somme, les médias et leurs journalistes n'échappent pas à la crise de confiance qui touche en Occident toutes les grandes institutions, qu'elles soient sociales, politiques, religieuses ou militaires. La situation n'est certes pas désespérée, mais elle mérite qu'on la prenne au sérieux, car plusieurs sont d'avis que ce phénomène mine l'appui populaire à la liberté de presse et peut inciter ou encourager des mesures restrictives tant il est vrai qu'on ne peut évoquer la liberté de la presse sans faire référence à ses responsabilités (De Haan 2011).

Selon une enquête de l'ASNE auprès de nombreux responsables de salles de rédaction américaines, la crédibilité est une des valeurs de base du journalisme. Pour la préserver, on recommande de conserver de bonnes pratiques journalistiques, soit d'exercer en tout temps un jugement autonome, courageux et honnête, d'être à l'écoute de la diversité des problèmes réels, des tendances et des événements de leur communauté, d'aider les lecteurs à comprendre comment travaillent les journalistes, d'encourager ces derniers à utiliser leur sens critique concernant leur travail et de faire en sorte que les journalistes soient imputables relativement à leur capacité à fournir un portrait réaliste et vrai de ce qui se déroule dans leur communauté (Klos 1997).

* * *

En somme, la légitimité sociale du journalisme comme activité professionnelle est étroitement associée à la crédibilité des individus que sont les journalistes, tout comme elle repose sur les orientations éditoriales prises par les dirigeants des médias d'information. Cette crédibilité est pour sa part reliée aux attentes légitimes du public en ce qui concerne la qualité de l'information qui lui est transmise. Cette même qualité de l'information, on le verra plus loin, tient très largement au respect des

---

8.   *Opinion publique* (2014), *La profonde méfiance des Français à l'égard des journalistes et des médias*, [http://opinionpublique.wordpress.com/2014/01/21/la-profonde-mefiance-des-francais-a-legard-des-journalistes-et-des-medias/], site visité le 23 janvier 2014.

normes professionnelles reconnues, normes étroitement associées à de grandes valeurs et qui se déclinent en règles déontologiques abordant de nombreuses thématiques.

Comme tout modèle théorique, celui de la légitimation du journalisme expose les liens qui existent entre légitimité, crédibilité, éthique et déontologie, liberté et responsabilité ainsi qu'imputabilité des médias. Après avoir réalisé un survol général, il convient maintenant d'aborder de manière plus précise les éléments du modèle en se consacrant tout d'abord à lutter contre une grande confusion qui règne entre éthique, morale et déontologie.

CHAPITRE 2

La grande confusion

Connaître, réfléchir, juger : autant d'aptitudes cognitives essentielles au raisonnement moral[1]. D'où nous viennent ces facultés cérébrales, sinon de l'évolution humaine, elle-même résultante de l'évolution animale, à son tour résultante de l'évolution biologique, laquelle prend ses matériaux et virtualités organisatrices dans les propriétés des éléments chimiques ayant émergé de la longue histoire de l'univers. Je n'irai pas plus loin. Il suffit ici de reconnaître que l'éthique est une activité cérébrale particulière qui ne saurait exister sans le support biochimique qu'est le cerveau complexe d'*Homo sapiens*. Bien sûr, l'activité cérébrale n'est pas un simple « donné » biologique, il est aussi et surtout le résultat du développement cognitif et psychologique chez l'individu, qui induit le développement du jugement moral : ce dernier a fait l'objet de travaux scientifiques, dont ceux de Lawrence Kohlberg, souvent cités (Kohlberg 1984). Malgré les critiques, nombreuses et nécessaires, suscitées par sa théorie, celle-ci demeure une référence incontournable, reconnaît l'un de ses critiques qui cherche à la réfuter (Minnameier 2001). Pour les besoins du présent ouvrage qui n'a aucune prétention à la psychologie cognitive, il importe surtout de retenir la notion de développement du jugement moral. Kohlberg a élaboré un modèle selon lequel les gens passent *normalement* par une séquence déterminée du développement de leur jugement moral depuis leur enfance jusqu'à l'âge adulte. Ce développement n'est pas sans rappeler les stades logiques chez l'enfant, mis en évidence par Piaget. Du reste, il serait inspiré à la fois des travaux de Piaget et de la théorie de la justice de Rawls, dont il sera question plus loin (Rest *et al.* 2000).

Selon Kohlberg, on peut évaluer la qualité du jugement moral d'un individu en étudiant les raisons invoquées pour justifier ses actions ou

---

1. Le raisonnement moral ne doit pas être confondu avec faire la morale, qui est une tout autre question. J'en parlerai plus loin.

orienter ses décisions (Fortin 1989, 76 et suiv.). L'auteur distingue six stades dans le développement du jugement moral de l'enfance à l'âge adulte. Au *niveau préconventionnel,* le bien et le mal sont interprétés dans une perspective «purement hédoniste». Ce niveau regroupe les stades 1 et 2. Le stade 1 est celui d'une morale basée sur la peur et la punition ou encore sur l'obéissance aveugle, explique Fortin. Quant au stade 2, il fait référence à une morale fondée sur l'intérêt personnel «qui constitue le critère de bonté ou de la malice d'une action» (p. 77).

Au *niveau conventionnel,* soit les stades 3 et 4, l'individu adapte son comportement aux attentes du milieu en tenant peu compte des autres conséquences. Le stade 3 fait référence à la bonne conduite comme étant celle qui plaît aux siens, celle qui est approuvée par le milieu : «Le bon professionnel, c'est celui qui se conforme aux stéréotypes véhiculés dans la corporation» (p. 77). Au stade 4, c'est le devoir qui prime et définit la bonne action, tout en respectant l'autorité et en contribuant à maintenir l'ordre social «pour lui-même». Fortin illustre ce stade par les expressions du genre «la loi c'est la loi ; la norme c'est la norme ; le règlement, c'est le règlement» (p. 77).

Il y a finalement le *niveau postconventionnel,* avec les stades 5 et 6, où l'individu fait preuve d'autonomie quant aux principes moraux. Comme le résume bien Fortin, dans le stade 5, «le bien est défini en référence au contrat social, aux droits individuels : les règles, les normes font l'objet d'un examen critique tout en se référant à l'agrément de l'ensemble de la société» (p. 77). Au sixième stade, la personne agit en fonction de principes abstraits, et non de règles morales comme on en trouve dans les codes d'honneur ou les 10 commandements. On s'y inspire des principes «universels» de justice, égalité, fraternité, dignité humaine. «D'après Kohlberg, un tiers seulement de la population adulte parvient au stade 5 et très peu de personnes atteignent le sixième stade» (p. 77).

Sans faire l'unanimité, et parfois même contestée par certains théoriciens, cette théorie demeure pertinente ici et elle prendra son importance au moment de discuter, d'une part, de ce qui différencie l'éthique de la morale et, d'autre part, du respect des règles de déontologie journalistique, lequel respect ne peut pas être absolu et requiert une réflexion éthique autonome et créative dans des situations d'exception.

Cependant, on doit considérer avec de plus en plus de sérieux les travaux qui suggèrent que la morale, ou l'éthique selon les auteurs, a des fondements biologiques qui expliqueraient l'universalité de certaines valeurs. Cooper relate que les enfants de toutes les cultures étudiées partagent certaines valeurs universelles : ils désirent la liberté d'expression, ont besoin qu'on leur dise la vérité et veulent assumer des responsabilités sociales (Cooper 1989c, 255). Il est d'ailleurs permis de penser que c'est au cours de son processus d'évolution cognitive que l'humain en est venu à sélectionner et à adopter certains comportements qui entrent dans les mœurs, deviennent valorisés, sont nommés « valeurs » et engendrent finalement une codification des mœurs : *la* morale. Ces valeurs, associées à des comportements spécifiques, devaient avoir une utilité liée à la survie du groupe, l'*Homo sapiens* ne faisant ici que développer et exagérer des qualités existantes chez les primates supérieurs, selon Jacques Ruffié (1986b, 371). Depenau, pour sa part, veut replacer « l'homme dans la continuité des animaux sociaux, faisant l'hypothèse non d'un saut quali-tatif mais d'une gradation en complexité » (2009, 111). Il ajoutera plus loin que nous « avons certes développé des systèmes culturels et moraux plus complexes que tous ceux qui existent dans la nature, mais il ne faut pas manquer de voir que les bases proto-morales de ces facultés hors du commun nous ont été léguées par nos ancêtres primates » (p. 128).

Ruffié est d'avis que le développement du psychisme, une consé-quence directe du développement du système nerveux selon lui, a permis d'établir entre individus des liens qui aboutissent à la socialisation du groupe. Il suggère l'hypothèse que certains tabous, dont le tabou sexuel mère-fils observé chez beaucoup de primates supérieurs, sont en fait des comportements innés retenus par la sélection naturelle parce qu'ils sont biologiquement avantageux (1983a, 59). Quant aux comportements altruistes, qui caractérisent toute éthique, on peut en observer, notam-ment, chez les babouins en fuite qui emportent leurs blessés. Les compor-tements altruistes comme les soins, l'apport de nourriture, la protection apportée aux jeunes, nécessaires à la survie des sociétés humaines, dont on trouve des ébauches chez beaucoup d'oiseaux et certains mammifères, « peuvent atteindre une grande intensité chez les primates infra-humains » (Ruffié 1983b, 90). Au fil de l'évolution, ces comportements altruistes rejoignent des individus de plus en plus éloignés de la famille immédiate ; innés à l'origine, ils sont progressivement acquis, émergeant du champ biologique pour s'étendre à la sphère culturelle des sociétés. Il en irait de même des systèmes de sanction en rapport avec les transgressions morales. Les plus récentes théories en neurologie estiment que les comportements sont appris et consolidés en fonction de systèmes de récompense ou de sanction qui renforcent ou inhibent certains circuits entre réseaux de neurones, de façon à favoriser ou décourager certaines décisions (et certaines liaisons neurologiques qui y sont associées). Les sanctions agissent donc non seulement au niveau social, moral ou professionnel, mais aussi au niveau physiologique (Changeux 2004).

En somme, avant d'être une préoccupation philosophique, l'éthique est enracinée dans un substrat biologique évolutif et on ne peut pas la ramener uniquement à des concepts moraux. On doit en reconnaître le caractère fondamentalement biologique, voire sélectif, pour mieux apprécier l'importance des concepts philosophiques qui en émergent chez l'*Homo sapiens*.

Outre les aspects biologiques, cognitifs et anthropologiques de sa genèse chez l'individu et l'espèce, il faut reconnaître une genèse historique de l'éthique : c'est-à-dire le développement de l'éthique comme activité philosophique. Fink mentionne que des témoignages écrits datant de 2 500 ans font état de débats portant sur l'éthique (Fink 1988, 5) auxquels ont participé les philosophes de l'Antiquité. Dans la tradition musulmane, l'éthique a été un thème important chez plusieurs philosophes, dont les Ikhwan al-Safa, en Irak, au Xe siècle de notre ère (Molawna 1989, 140). Pour sa part, Agrawal signale que si l'éthique concernant la communication de masse existe depuis moins de 100 ans, la civilisation indienne a cultivé une éthique de la communication depuis des millénaires (Agrawal 1989, 148). Bien avant l'époque de la colonisation, on retrouvait au Nigeria une éthique qui s'appliquait aux formes de communication orale et visait essentiellement à décourager les pratiques trompeuses comme le mensonge ou (déjà !) la désinformation (Okigbo 1989). Mais cette éthique, il est vrai, en appelait aussi à des forces surnaturelles afin de s'assurer que l'honnêteté, la justice et la vérité caractérisent la communication interpersonnelle.

On voit que l'éthique, lorsqu'elle est perçue comme une préoccupation morale, a des origines débordant les barrières culturelles. Elle semble en elle-même être un invariant culturel, une constante qui transcende les époques.

J'ai désigné l'éthique « comme une préoccupation morale » parce que ce mot souvent mal utilisé a tendance à envahir des territoires sémantiques qui ne sont pas les siens. On l'associe tantôt à la morale, tantôt à la déontologie, surtout en journalisme, peut-être à cause de l'influence anglo-saxonne, le code de déontologie devenant un *code of ethics,* ce que des francophones s'empressent de traduire, à tort, par « code d'éthique ». La distinction me semble importante, car si l'on confond morale, éthique et déontologie, il deviendra vite impossible de discuter avec rigueur des pratiques professionnelles, de distinguer les règles de conduite sociales (morale) des règles de conduite professionnelles (déontologie), et l'éthique sera tantôt associée aux premières, tantôt aux secondes, et plus personne ne s'arrêtera au fait que l'éthique est justement le carrefour «philosophique» où se discutent et se hiérarchisent les valeurs ayant inspiré les règles morales et déontologiques. C'est du reste à une distinction pratique de ces trois notions que je consacrerai la suite du présent chapitre.

LA MORALE

La définition de la morale du *Petit Larousse* a la qualité d'aller droit au but. La morale y est décrite comme l'ensemble des règles de conduite en usage en société, règles à suivre pour faire le bien et éviter le mal. La version encyclopédique va plus loin : on en parle comme d'une science des mœurs, mais une science normative qui enseigne ce qu'il faut faire et ce qu'il ne faut pas faire. On dit qu'elle est normative parce qu'elle établit des normes, contrairement à la psychologie ou à la sociologie qui sont des sciences avant tout descriptives. La moralité veut régler les comportements, si bien que «donner l'image d'un être moral c'est avant tout proposer une garantie d'un être fiable» (Etchegoyen 1991, 79). Celui-ci y va de sa distinction entre morale et éthique en reprenant à son compte l'expression d'André Comte-Sponville : « La morale commande, l'éthique recommande » (Etchegoyen 1991, 79).

Sur le plan étymologique, on constate une certaine confusion puisque éthique et morale sont dérivés des mots grec *ethos* et latin *mores* qui se rapportent tous les deux aux mœurs, à la conduite de la vie et aux règles de comportement (Gaudette 1989, 23). Si la racine étymologique des termes éthique et *morale* est similaire, la distinction établie entre ces deux concepts est un phénomène contemporain selon Giroux, pour qui la morale renvoie à des ordonnances, à des prescriptions ou à des codifications inspirées par l'éthique, qui en représentent le fondement et la finalité (Giroux 1991, 120-121). Pour Weil, elle détermine ce qui est bien et mal dans toutes les sociétés humaines modernes et primitives, avec ses règles de mariage interdisant l'inceste, ses distinctions entre nourritures permises et interdites, parfois prescrites pour les besoins de cérémonies spéciales, et autres prescriptions (rapporté par Gaudette 1989, 24).

Mais dans un contexte où le postmodernisme cherche à s'imposer, la morale prescriptive connaît une dure époque. Comme le soutient Bégin, l'une des caractéristiques des sociétés pluralistes contemporaines est leur refus des anciens dirigismes et, de ce fait, elles ne reconnaissent donc plus à quiconque, du moins officiellement, le pouvoir de dire, au nom de tous, ce qui est bien et ce qui est mal. Bégin a bien résumé sa position sur ce sujet :

> « Alors que le moraliste dit à ses semblables ce qu'ils doivent faire, l'éthicien les aide plutôt à décider ce qu'ils feront. La différence n'est pas négligeable. Le premier en impose du haut de sa certitude, le second partage des outils de réflexion permettant de clarifier et de nuancer une décision qui devra être assumée par celui ou celle qui la prendra. » (Bégin 1992, 36)

On conçoit bien qu'il est difficile, voire impossible, d'aborder sérieusement la notion de morale sans se frotter à celle de l'éthique, d'où le risque de confusion.

La morale n'est pas un système dysfonctionnel. Au contraire, on lui reconnaît une grande utilité sociale. En dictant ses règles de conduite, la morale a une fonction stabilisatrice essentielle dans la société et contribue à sauvegarder la dignité humaine (Klaidman et Beauchamp 1987, 15). D'autres, tel Samuel Butler, voient la morale comme la consécration des règles communes que se donnent une société et ses citoyens, si bien que le cannibalisme devient moral dans une société qui le pratique (rapporté par Rivers et Mathews 1988, 9). Par ailleurs, l'anthropologie sociale met en évidence la cohésion des institutions ainsi que le caractère intégratif de la famille, de la morale et surtout de la religion (Laplantine 1987, 11). Pour Ruffié encore, dans toutes les sociétés, les règles socioculturelles constitutives de la morale sont indispensables à l'équilibre et à l'harmonie du groupe, ainsi qu'à l'intégration des individus qui le constituent. Il situe la morale au centre d'une triade mythe/morale/religion qui caractérise l'espèce humaine (Ruffié 1983b, 81). Ici aussi la morale est dotée d'une fonction de ciment social.

Faire le bien, a-t-on dit plus haut, mais qu'est-ce qui est « moralement bon » ? Aristote affirmait que ce qui était moralement bon contribuait au développement des potentialités humaines et à la réalisation complète de la nature profonde de chacun (Bovée 1991, 138). Mais qui est le mieux placé, en temps ordinaire, pour déterminer ce qui est bon pour lui-même, sinon l'individu en question ? Il peut certes se présenter des cas où il gagnera à être conseillé ou sera obligé d'agir d'une façon déterminée par une autorité extérieure, mais les contraintes et les conseils des uns peuvent-ils prétendre à l'universalité ? C'est précisément la question qu'il faut poser à toute morale afin de voir quelles bonnes raisons justifient ces comportements qu'on dit « aller de soi ». C'est du reste par ce retour au questionnement sur les fondements des règles de conduite que l'on retrouve le chemin de l'éthique qui est une démarche autonome opposée à l'impo-

sition de normes morales ou déontologiques par des autorités extérieures
à l'individu.

Au-delà des définitions qu'on donne de la morale, on peut se
demander si le journaliste, comme tout communicateur public, doit être
moral dans le cours de son travail. A-t-il des obligations morales ou, au
contraire, peut-il faire totalement abstraction de ces considérations ? Par
exemple, peut-il refuser de prendre des décisions mettant en jeu des valeurs
morales et chercher à se retrancher derrière le paravent de l'objectivité
(une autre valeur morale) pour tout diffuser, sans se préoccuper des
conséquences de son acte professionnel ? Avec la mondialisation de l'information, l'acte journalistique peut rapidement générer des effets au-delà
des frontières et enflammer les passions à des milliers de kilomètres,
comme on l'a vu à compter de 2005 avec la publication des caricatures
de Mahomet dans le journal danois *Jyllands-Posten*. Dans le cours de leur
dématérialisation croissante grâce à la numérisation, les médias se déter-
ritorialisent aussi (Eko et Berkowitz 2009), il y a de moins en moins de
lien entre les lieux de leur production et ceux de leur consommation.
Cette transformation majeure plaide en faveur d'un virage cosmopolite
de l'éthique du journalisme (Ward 2010), qui ne peut plus se contenter
de reposer sur des considérations et des traditions locales.

Altschull prétend que tout publier (même s'il devenait possible de
le faire à l'intérieur de l'espace limité consacré à l'information dans les
médias) consiste à faire un choix moral dépourvu de moralité. Il estime
que cela revient à éviter de prendre des décisions importantes qui devront
alors être prises par le public au moment de la réception du message
médiatique, ce qu'il fait de plus en plus en faisant connaître son mécontentement sur Internet, dans les blogues et par les médias sociaux. Ce
point de vue selon lequel « ne pas choisir c'est faire un choix » correspond
du reste aux opinions de Sartre et d'autres auteurs existentialistes (Merrill
et Barney 1975, 9). Autrement dit, le « rejet de décisions morales est en
lui-même un choix moral, et ce choix est l'amoralité, c'est-à-dire l'absence
de décisions morales » (Altschull 1980, 106-107).

En même temps, ajoute Altschull, les journalistes sont en réalité
des gardiens de la moralité parce qu'ils prêchent quotidiennement leur
propre conception de la morale en défendant des valeurs comme l'ouverture, la cohérence, l'honnêteté ou encore la responsabilité. Pippert va
même plus loin (trop loin ?) en affirmant que le journaliste doit être non
seulement un professionnel moral, mais aussi un individu moral (Pippert
1989, 26). Si cela est des plus souhaitables, peut-on vraiment en exiger
autant ? N'est-il pas préférable de limiter le débat strictement aux aspects

déontologiques et éthiques du journalisme ? À cet effet, il paraît raisonnable de croire qu'un journaliste puisse remplir convenablement ses fonctions professionnelles tout en étant par ailleurs un citoyen peu soucieux des règles morales de la société dans laquelle il vit. Par exemple, un journaliste politique peut très bien rapporter l'actualité et les débats de l'Assemblée nationale, aller ensuite au bar le plus proche, y boire abondamment, rentrer chez lui en état d'ébriété, au volant de sa voiture (ce qui met la vie d'autrui en danger et constitue un acte criminel), menacer sa conjointe, tenter de frauder l'impôt (donc le gouvernement et ses concitoyens), etc. Ces comportements socialement inacceptables n'en font pas moins un journaliste pouvant faire preuve de rigueur et d'équité, qui soit à la hauteur des exigences de la liberté responsable de la presse au sein d'une société démocratique.

Il est donc préférable de limiter mon propos à la pratique du journalisme, indépendamment des dérives personnelles qui relèvent d'instances autres. Si le journaliste doit agir en conformité avec des valeurs morales dans l'exercice de sa profession, il doit du même coup se doter d'une morale professionnelle. Il s'agira alors d'un ensemble de règles de conduite adaptées à ses fonctions, une sorte de morale restreinte ou spécifique, pouvant certes reprendre et affirmer certaines valeurs morales de la société, mais également en favoriser d'autres qui seront propres à la profession. Cela nous conduit à la déontologie.

LA DÉONTOLOGIE

La déontologie est souvent définie comme l'ensemble des devoirs que des professionnels s'imposent dans l'exercice de leurs fonctions (Giroux 1991, 121). On parle alors de règles de conduite professionnelles. Bien entendu, chez les journalistes comme pour plusieurs professions et métiers, ces règles veulent et doivent refléter certaines valeurs comme la vérité, l'intérêt public, l'honnêteté, la liberté, la compassion, l'équité, et l'énumération n'est pas exhaustive. Ce mot aux racines grecques recouvre les notions de devoir, *deon,* et science, *logos.* Il s'agit d'une «science» qui traite des devoirs à accomplir. On constate que, fondamentalement, morale et déontologie ont beaucoup d'affinités, puisque les deux s'attardent aux règles à suivre. La morale s'applique à régir la vie sociale tandis que la déontologie se limite au champ professionnel.

En dictant les actes qui doivent moralement être accomplis, la déontologie impose des obligations sans tenir compte des conséquences que cela peut entraîner chez les êtres humains (Cooper *et al.,* 1989, xv).

Kant, par exemple, considérait qu'un acte est acceptable si les intentions de celui qui le commet sont bonnes. Il ne tenait pas compte des conséquences pratiques et cherchait avant tout à préserver la dignité humaine qui ne pouvait être instrumentalisée, encore moins être l'objet d'une stratégie commerciale comme on le voit trop souvent dans la couverture des drames humains. Au contraire des utilitaristes, les «déontologues» croient que la maxime du «produire le plus grand bien pour le plus grand nombre» n'a rien à voir avec la moralité des gestes commis (Merrill 1975a, 12).

Il n'existe certainement pas de journaliste appliquant une déontologie *pure*, qui ne tient pas compte des conséquences de ses actes. D'une certaine façon, prendre en considération l'intérêt public consiste à justifier un acte par les conséquences censées être bénéfiques pour la société, ce qui caractérise la philosophie utilitariste. Le fondateur de l'utilitarisme, Jeremy Bentham, a enseigné que la déontologie pouvait réguler «les relations "marchandes" existant entre les hommes en vue d'un quelconque profit bénéficiant à l'individu et par conséquent, sous l'influence d'une main invisible, à l'ensemble de la collectivité, simple agrégat d'individus» (Fortin 1989, 72). On aperçoit ici que la déontologie, tout en étant prescription d'un devoir, peut être en même temps téléologie, c'est-à-dire recherche d'une finalité considérée comme désirable. Par ailleurs, on peut contester cette conception de la société comme étant la somme de tous les intérêts individuels. Par exemple, il est permis de faire valoir que cette vision ne tient pas compte des profits sociaux, comme la paix et la sécurité sociale, que permettent d'instaurer des mesures sociales allant à l'encontre de certains intérêts individuels, comme les taxes et impôts qui permettent, entre autres, l'assistance de l'État aux plus démunis, les rendant du même coup moins disposés aux révoltes, voire aux révolutions.

Le problème pour le journaliste soucieux de servir sa conception de l'intérêt public, aussi floue soit-elle pour l'instant mais nous y reviendrons plus loin, c'est qu'il lui est à peu près impossible de prédire avec exactitude les conséquences de ses actes dans le champ social, surtout quand ces actes sont perçus par des millions d'individus, comme le permet plus que jamais la mondialisation de l'information et de la communication. Entre l'utilitariste et le déontologue purs, se trouve une version hybride de ces deux types. Il existe des journalistes qui accordent une grande importance aux règles déontologiques, mais tiennent tout de même compte des conséquences probables de leur application (Lambeth 1986, 17). Ce journaliste libre et responsable, est au cœur du présent ouvrage, comme on le verra plus loin. Il réfute le simplisme libertarien, cette prétention à une liberté égotique coupée de la conscience, de la justice et de l'équité.

L'ÉTHIQUE

George E. Moore a observé que plusieurs philosophes trouvent adéquate la définition voulant que l'éthique se penche sur les questions du bien et du mal dans les comportements humains (cité par Hulteng 1976, 6). Gauthier est plus explicite :

> «L'éthique, c'est le domaine par excellence du dilemme et de la décision. Un problème moral se présente ordinairement sous la forme d'une pluralité d'actions possibles et sa résolution consiste à choisir une attitude donnée, à adopter une certaine ligne de conduite. Cette décision est par ailleurs véritablement éthique dans la mesure où elle cherche à échapper à l'arbitraire de l'instinct, de la passion ou de toute autre force ou pression irrationnelle. Il y a dans l'éthique une prétention et une visée à fonder en raison des normes de conduite retenues.» (Gauthier 1990, 140)

La plupart des définitions de l'éthique que proposent les auteurs tiennent compte des éléments suivants : ce qui est bien, hiérarchie des valeurs, volontarisme et rationalité. La rationalité sert à justifier des comportements qui peuvent sembler *a priori* contestables, ce qui serait pour certains auteurs l'essence même de l'éthique (Rivers et Mathews 1988, 11). Mais une approche rationnelle ne doit pas conduire à la rationalisation qui «consiste à vouloir enfermer la réalité dans un système cohérent. Et tout ce qui, dans la réalité, contredit ce système cohérent est écarté, oublié, mis de côté, vu comme illusion ou apparence» (Morin 1990, 90). Le défi de la raison est de demeurer humaine et raisonnable, de préférer la justice à la logique formelle.

Merrill a bien décrit le journaliste soucieux de l'éthique professionnelle qui s'en tient à un jugement rationnel et rejette la pensée magique, les caprices et les énoncés non fondés qu'on pourrait lui servir. Ce journaliste n'est pas sans désirs, il est celui qui ne laisse pas ses désirs occulter sa raison. Il n'est pas sans émotions, il est celui qui ne laisse pas ses émotions se substituer à sa raison. Il n'est pas sans passions, mais ses passions ne deviennent pas des caprices (Merrill 1974, 8).

En somme, l'éthique consiste essentiellement en un constant combat de soi contre soi où le meilleur l'emporte. Nous sommes souvent pris entre nos désirs et nos valeurs, nos émotions et notre raison. Être rationnel ne consiste pas à nier cet état. Cela nous permet plutôt de le reconnaître comme tel, dans un premier temps, et de ne pas nous laisser dicter nos actions par des forces psychologiques irrationnelles et potentiellement néfastes pour autrui. Car il n'est pas d'éthique qui ne tienne compte des autres. Selon Frost, tout sens moral relève de nos relations avec les autres ou, pour certains, avec leur Dieu. Sans les autres, il n'y aurait aucun dilemme moral à résoudre. Les dilemmes moraux sont le prix de notre engagement social, le prix à payer pour vivre en relation avec les autres (Frost 2000, 2). Aussitôt que nos gestes peuvent avoir un effet quelconque sur autrui, surgit une obligation éthique qui renvoie à la réflexion et chasse le réflexe. C'est la réflexion éthique à laquelle doit se livrer, par exemple, un journaliste sur le point de révéler un scandale qui ébranlera sévèrement la vie des personnes mises en cause. Il devra se demander, entre autres questions, quel est l'intérêt légitime du public à prendre connaissance de ces informations, s'il veut exercer de façon responsable sa liberté d'informer. Au-delà de décider s'il y aura diffusion ou on d'une information néfaste pour certains, l'éthique invite aussi à penser au traitement qui sera accordé à l'information, de façon à servir le droit du public à l'information sans pour autant renier la dignité humaine, sans devenir un acteur de la stigmatisation ou d'un lynchage médiatique.

Johannesen va plus loin en affirmant qu'il y a potentiellement des enjeux éthiques dans chacun des comportements humains qui comportent un choix conscient quant aux moyens à prendre pour atteindre une fin quelconque, lorsque nos actes peuvent faire l'objet d'un jugement de valeur portant sur le bien et le mal. Si nos actions ont très peu d'effets à court ou à long terme sur autrui (physiquement ou psychologiquement), elles échappent à la controverse éthique. Ainsi s'annonce l'*Homo ethicus*: l'humain capable de réflexions éthiques (Johannesen 1983, 1 et 175). Pour Gaudette, la personne qui se livre à l'effort de la réflexion éthique «répond à une tâche essentielle: se prendre en mains dans la recherche d'un accomplissement authentique, accomplissement qui ne se réalise qu'à l'intérieur d'un dynamisme ouvert (liberté), dans la solidarité (société) et selon des critères de sens (valeur) qui tient le sujet de façon absolue par l'intermédiaire de la conscience» (Gaudette 1989, 25).

On peut ramener cette conception de l'éthique dans le champ du journalisme et parler d'éthique professionnelle, une question qui n'est pas nouvelle dans l'histoire de cette profession. Ce thème a alimenté les débats en Europe occidentale dès l'apparition de la presse écrite, au début du XVIe siècle (White 1989, 40). Au Québec, dès 1834, le journaliste François-Réal Angers dut subir les foudres de Louis-Joseph Papineau, qui avait relevé une erreur dans un compte rendu et qui s'était empressé de dénoncer imprimeurs et «rapporteurs» dont le travail désavantageait les députés. Le journaliste visé «plaida son honnêteté intellectuelle et la rigueur de son éthique professionnelle» (Gallichan 1991, 173). Il s'en trouve même pour dire que l'éthique a été associée au journalisme dès l'origine de cette pratique, qui était alors essentiellement un travail de missionnariat sociopolitique (Juusela 1991, 8). On rapporte que, dans le monde anglo-saxon, les critiques à propos du manque d'éthique des journalistes ont émergé en même temps que l'avènement de la presse commerciale à laquelle on reprochait de s'attarder aux informations triviales et de délaisser l'information «sérieuse» sans se soucier de la rigueur professionnelle (Hemánus 1980, 45). De tout temps, il semble en effet que des journalistes ont tenté d'associer l'éthique, la déontologie et la professionnalisation du journalisme, aussi bien au Québec qu'en France (Le Cam 2009, Ruellan 2011).

Aux États-Unis, l'intérêt pour l'éthique du journalisme s'est manifesté pour la première fois dès les années 1920, pour ensuite décliner à compter de la décennie suivante et demeurer absent jusqu'au début des années 1970 (Anderson 1987, 341). Ce serait surtout le scandale du Watergate qui a ramené le débat sur la place publique (Ferré 1990, 218). La question a depuis gagné en popularité, ce qu'illustrent, entre autres phénomènes, la création d'une revue savante spécialisée *(Journal of Mass Media Ethics)* ainsi qu'une augmentation considérable du nombre d'écoles de journalisme offrant des cours portant sur l'éthique. Les mutations qui ont marqué le début du XXIe siècle n'ont jamais remis en cause la pertinence de ces préoccupations, sinon pour y amplifier l'importance de la transparence comme principe éthique (McBride et Rosenstiel 2014). Les écoles et programmes de journalisme ont continué à prendre de l'expansion dans bon nombre de sociétés démocratiques ou en voie de démocratisation. En même temps, les critiques des médias, des dérapages des journalistes et des abus de la liberté de la presse sont plus présentes que jamais dans l'espace public, en raison de la montée en puissance du cinquième pouvoir. Il faut toutefois reconnaître que bien des doléances et dénonciations sont basées sur des convictions, des valeurs et des principes étrangers aux normes reconnues du journalisme. Il faut espérer que le présent ouvrage contribuera quelque peu à endiguer les attaques excessives qui trahissent le plus souvent les biais de leurs initiateurs plutôt que de faire une quelconque démonstration des fautes déontologiques des journalistes.

Par ailleurs, on a déjà estimé que la popularité de l'éthique journalistique est un phénomène cyclique et éphémère qui se répéterait tous les 30 ans et se manifesterait notamment par une hausse du nombre de livres traitant de ce thème (Dennis 1989, 380). Il semble au contraire que depuis le milieu des années 1990, notamment grâce à la présence de critiques des médias traditionnels sur Internet, l'éthique des médias et l'évaluation normative des pratiques journalistiques sont devenues des sujets courants de recherche, de débats et de discussion. Bien entendu, il survient toujours des événements dramatiques ou spectaculaires qui amplifient ce phénomène, tels les attaques terroristes du 11 septembre 2001, à New York, la propagande de certains médias américains qui soutenaient inconditionnellement la volonté de George W. Bush de faire une guerre illégale à l'Irak au début de 2003, ou encore le comportement des médias qui ont rapporté, en janvier 2014, les infidélités conjugales du président de la France, François Hollande. De tels sursauts relèvent peut-être de l'indignation sélective, mais bien souvent ils font appel à des conceptions fragiles des responsabilités de la presse libre et du droit du public à une information de qualité.

Une chose semble certaine, cependant, les conflits moraux des journalistes ont longtemps intéressé le public et ceux qui le divertissent. Ainsi, depuis 70 ans, Hollywood a produit au-delà de 1 700 films dont les intrigues mettent en scène des gens des médias. De plus, un certain nombre de ces films s'attardent précisément sur des comportements douteux sur le plan de l'éthique et de la déontologie professionnelles (Christians et Covert 1980, 42).

Quant aux fonctions qu'on peut lui attribuer, l'éthique professionnelle des journalistes est étroitement liée à leurs responsabilités professionnelles, surtout dans un contexte de concurrence d'ordre économique pouvant favoriser des comportements condamnables. Ce souci de l'éthique est également indissociable du besoin de maintenir la crédibilité de la profession, comme on le verra plus loin.

On aurait par ailleurs tort de percevoir l'éthique comme un facteur d'inhibition du journalisme. Pour qui sait s'accorder du temps de réflexion, elle est liberté créative en rupture avec la rigidité déontologique ou une certaine rectitude journalistique prenant ses racines dans la tradition et le corporatisme. Par sa dimension novatrice, elle peut être perçue comme une menace chez les gestionnaires qui devront accepter que le jugement d'un journaliste lui permette d'énoncer de bonnes raisons de déroger à certaines règles déontologiques afin de servir l'intérêt public et cela, aux dépens de l'entreprise dans certaines circonstances. Dans d'autres circonstances, la réflexion éthique du journaliste s'opposera aux visées politiques, économiques ou promotionnelles de l'entreprise médiatique. Il semble donc que l'on peut soutenir avec raison que l'éthique et la déontologie du journalisme, bien qu'elles puissent rendre un peu plus prévisibles les comportements des journalistes quand ces derniers adhèrent aux normes reconnues, ne soient pas pour autant des obstacles à la qualité de l'information. On reviendra longuement sur cette question plus loin. Il faut d'abord abolir successivement la confusion entre morale et éthique, éthique et déontologie, ainsi qu'entre déontologie et morale.

MORALE ET ÉTHIQUE : LA CONFUSION

On l'a vu, ce qui distingue essentiellement la morale et l'éthique, c'est que la première dicte des règles de conduite en société tandis que la seconde privilégie l'adhésion volontaire à des valeurs hiérarchisées en système dans le but de faire le bien. Si la morale est fondée sur les valeurs et les comportements à adopter pour faire ce qui est considéré comme bien, l'éthique permet la remise en question de ces valeurs et encourage leur hiérarchisation quand elles sont en conflit, également dans le but de faire le bien, cette finalité commune ne commandant pas toujours le recours aux mêmes moyens d'une situation particulière à l'autre. Pourtant, la confusion existe entre morale et éthique.

Giroux écrit que la morale sert «à différencier, à l'aide de règles qu'elle *impose*, le "bien" du "mal", tandis que l'éthique *proposerait* un "art de vivre" […] en mettant de l'avant un certain nombre de valeurs qui sous-tendent les prescriptions de la première» (Giroux 1991, 120).

Giroux précise sa pensée en présentant l'éthique comme «exigence de l'autonomie de chacun» (1991, 20), si bien qu'on ne doit pas s'étonner que la réflexion éthique puisse nous conduire à une émancipation, un «affranchissement des consciences envers les dogmes moraux d'autrefois», surtout dans un contexte où coexistent une pluralité de conceptions du bien et du mal.

Si, autrefois, la réflexion éthique a pu assurer les fondements d'une codification des valeurs pour en faire *la* morale, cette dernière a perdu contact avec une remise en question toujours nécessaire, comme l'explique Kremer-Marietti. Elle considère qu'une fois entrée dans les mœurs et érigée en seconde nature, la morale délaisse progressivement ses rapports avec la conscience pour s'ériger en doctrine qui peut cependant être révisée par la réflexion éthique. Les moments de crise morale peuvent constituer les états d'alerte qui conditionnent la reprise de la réflexion éthique, laquelle peut contribuer à l'élaboration des fondements philosophiques d'une nouvelle morale (1987, 8).

ÉTHIQUE ET DÉONTOLOGIE : LA CONFUSION

Comme on vient de le constater, ce qui distingue la morale de l'éthique est la codification des valeurs et des principes dans la première, la réflexion et la hiérarchisation des mêmes valeurs et principes dans la seconde. La « codification » est le mot clé à mobiliser comme critère de distinction entre éthique et déontologie.

La confusion règne entre ces deux termes. Par exemple, on entend souvent parler de « codes d'éthique » alors même que l'éthique n'est pas codifiable par définition, puisqu'on « la retrouve au début et à la fin de toute problématique déontologique » (Fortin 1989, 70).

Les règles déontologiques du journalisme sont le fruit de réflexions éthiques entreprises au fil des décennies, où des valeurs et des principes divers ont été mis de l'avant, justifiés, hiérarchisés. En ce sens, la déontologie résulte de l'éthique, mais elle ne doit pas s'y substituer ou tenter d'échapper à sa remise en question qui passe par la réflexion éthique. C'est ce qui fait dire à Giroux que l'éthique professionnelle se situe en quelque sorte en amont et en aval de la déontologie : « [...] en amont, dans la mesure où elle nourrit cette dernière par des valeurs qui sont susceptibles d'évoluer ; en aval, pour que les valeurs ayant déjà été normalisées ou codifiées soient périodiquement remises en question puis révisées » (1991, 121). Selon Tremblay, l'éthique « nous situe dans le champ de la quête des valeurs, des orientations majeures à privilégier, des choix vitaux à promouvoir » (Tremblay 1989, 5).

Laissée à elle-même, la déontologie se cristallise, se sédimente et nie ses fondements pour s'autojustifier sans fin. Un principe de conduite issu d'une réflexion éthique risque de se cristalliser en règle déontologique immuable et absolue, tel un *a priori* que plus personne n'ose remettre en question : le cristal dont la structure moléculaire stable résiste aux pressions de l'environnement n'est pas adaptable aux situations particulières : il tranche. C'est la réflexion éthique qui permet de décristalliser la déontologie et de lutter contre sa sédimentation, signe avant-coureur de sa pétrification. Fortin exprime une même conviction en soutenant que faire l'économie de la réflexion éthique, qui rouvre et garde ouverte la question des finalités de la pratique professionnelle, conduit tôt ou tard à se rendre compte que les règles sont creuses, vides, « inopérantes même, si elles ne font pas appel à l'éthique, c'est-à-dire aux capacités de création et de responsabilité de ceux et celles qui y font référence » (1989, 70). Le risque de la déontologie est celui de la rigidité, d'une rectitude journalistique qu'il deviendrait risqué de défier, la sanction du groupe étant souvent la stigmatisation de celui ou celle qui aurait l'affront de ne pas être aveuglément solidaire en remettant en question certains dogmes bien établis.

C'est de la conscience individuelle que naît l'éthique, et de la conscience professionnelle qu'émerge l'éthique d'une profession, l'une comme l'autre se matérialisant dans une morale assimilable à la déontologie dans le champ des professions (Giroux 1991, 121). En somme, la morale serait une déontologie citoyenne (déontologie civique) qui prescrirait des devoirs en fonction de valeurs définies, comme la déontologie professionnelle prescrit les devoirs professionnels en fonction d'autres valeurs elles aussi définies.

En constatant l'existence de liens entre l'éthique et la déontologie, on constate aussi le gouffre qui les sépare. Vues de cette façon, ces deux notions ne devraient plus susciter la confusion… ni en être victimes.

DÉONTOLOGIE ET MORALE : LA CONVERGENCE

Si l'éthique réussit à se démarquer assez nettement de la morale et de la déontologie, ces deux dernières notions sont semblables, bien que les champs d'application qu'elles visent, respectivement la société et la conduite professionnelle, soient très différents.

Il y a en effet convergence de la morale et de la déontologie. Nous sommes ici en présence de deux systèmes de valeurs et de principes codifiés (tu ne tueras point, tu ne mentiras pas, etc.) qui ont pour fonction de régir les conduites sociales et professionnelles. Au centre de leurs préoccupations se trouve l'importance de respecter les mœurs reconnues. Pour un journaliste cependant, les valeurs morales auxquelles il adhère à titre individuel (valeurs issues de croyances religieuses ou de convictions philosophiques) peuvent entrer en conflit avec celles liées à ses fonctions professionnelles. C'est du reste un phénomène observé chez des journalistes ayant participé à une étude qualitative, selon laquelle les journalistes sont « troublés par les conflits entre leurs normes professionnelles et leur allégeance à d'autres normes morales » (Mills 1983, 593). C'est souvent lorsque le journaliste tente de contourner des obstacles rencontrés dans son travail de collecte d'information que ses valeurs professionnelles et morales risquent d'entrer en conflit ; faut-il tromper les sources d'information pour obtenir une confession, une information ? Faut-il sacrifier la vie privée pour servir le droit du public à l'information ? Si oui, jusqu'à quel point ? On voit s'affronter des valeurs : la vérité et la diffusion d'informations dans le premier cas, le respect d'un droit individuel fondamental et le service d'un droit collectif dans le second. Les questions d'éthique professionnelle portent d'ailleurs très souvent sur le caractère acceptable des moyens utilisés pour atteindre certaines finalités (Rivers et Mathews 1988, 15).

Il m'importe d'ajouter une chose, en cette fin de chapitre. Les valeurs personnelles et professionnelles ne sont pas toujours en conflit ou en convergence, elles sont même parfois tout à fait indépendantes les unes des autres. Il est des gestes qu'un journaliste peut poser et qui vont bien au-delà des devoirs professionnels (Klaidman et Beauchamp 1987, 140). Il est possible, par exemple, d'être charitable ou de porter secours à une personne en danger, rencontrée dans le cadre du travail, bien que cela ne soit pas un impératif déontologique et ne contrevienne nullement aux règles déontologiques de la profession. Un tel geste relève avant tout de l'éthique, bien entendu, et certains diraient d'une éthique de la compassion ou de la sollicitude qui ne peut jamais être un devoir.

CHAPITRE 3

La liberté responsable

La liberté de la presse est, en Occident, une valeur fondamentale. Toutefois, lorsqu'elle est conçue de façon radicale ou absolue, la voilà aussitôt mobilisée par des journalistes pour défendre leur refus de reconnaître les responsabilités inhérentes à leur liberté d'expression. Sans balise reconnue, cette notion indéfinie peut facilement cautionner l'abus, la licence en quelque sorte. Ainsi n'est-il pas surprenant que plusieurs aient réclamé une forme de responsabilité de la presse où la liberté accordée serait exercée conformément à l'intérêt public ; cela nous ramène directement à la question de la liberté responsable de la presse, ce qui a des implications déontologiques et éthiques incontournables. Cependant, cet appel à la responsabilité en contrarie plusieurs, qui y voient un obstacle à la recherche de la vérité, laquelle ne pourrait émerger que d'un libre marché des idées qui serait lui-même garanti par une presse sans contrainte aucune, c'est-à-dire une presse à laquelle on reconnaîtrait le droit aux excès comme aux abus, en présumant que les méfaits de cette liberté seront largement compensés par ses bienfaits. Voyons cela de plus près.

DE LA LIBERTÉ...

Qu'est-ce que la liberté de la presse ? Plusieurs auteurs en ont suggéré des définitions tantôt positives (ce qu'elle est), tantôt négatives (ce qu'elle n'est pas), et ont insisté sur le fait que la liberté n'est pas la licence (liberté absolue), ce qui ouvre du même coup la porte à une conception définie de la liberté, c'est-à-dire délimitée par les contraintes de la responsabilité.

Ainsi, la liberté de la presse est-elle perçue par John C. Merrill, probablement l'un des auteurs majeurs du XXe siècle en ce qui concerne la liberté de la presse, comme étant fondamentalement l'absence de tout contrôle extérieur aux entreprises de presse, ce qui revient à parler d'autonomie de la presse (1974, 26). Il s'agit d'une définition négative de la

liberté puisqu'elle est fondée sur l'absence de contrôles extérieurs. Dans
un ouvrage collectif consacré à la liberté de la presse, Paquet écrit qu'elle
passe « par le refus de toute contrainte au niveau des méthodes et des
moyens, hormis celles imposées par la loi à tous les citoyens également »
(1986, 78). Hobbes représente ce courant, lui qui affirme « que la liberté
n'est autre chose que l'absence de tous les empêchements qui s'opposent
à quelque mouvement », mais il poursuit en admettant que l'individu
libre doit se soumettre aux lois (1982, 189 et 202). Pour d'autres, la liberté
est une absence d'obstacles qui implique le libre choix de nos actions,
lequel choix est plus important que les actions elles-mêmes (Christians
1989, 7). On est même allé jusqu'à dire que la liberté de la presse est
équivalente à une absence de toute obligation à l'exception de celle d'être
fidèle à l'intérêt public (Glasser 1986, 90).

Ces définitions négatives sont fondées sur l'absence de contraintes
et plaident implicitement pour un laisser-faire qui n'aurait de limites que
celles que les journalistes, à titre individuel, s'imposent volontairement.
Les journalistes seraient donc les seuls arbitres pour décider de leurs
comportements dans un cadre légal minimal. Cette conception ressemble
à la théorie économique libérale selon laquelle le marché, laissé à lui-même,
s'autorégulera et corrigera ses excès. Mais le laisser-faire économique a
des incidences majeures pour les démunis de la société, pour les plus
vulnérables qui en sont souvent les victimes et ont besoin d'une intervention étatique en leur faveur, comme l'indique la fameuse formule de
Lamennais : « Entre le fort et le faible, c'est la liberté qui opprime et c'est
la loi qui libère » (cité par Périer-Daville 1989, 109). *Laissé à lui-même,*
le marché favorise ceux qui le contrôlent, ceux qui ont réussi à s'appro-
prier des positions dominantes, et on peut dire que le marché devient
structuré et favorise ceux qui y ont déjà une position privilégiée. Il est
contrainte et domination davantage que liberté et autonomie. Ce qui est
vrai de l'économie l'est aussi de la liberté d'une presse qui doit ménager
les puissants, qui en sont souvent les propriétaires ou les financiers, et « à
sa honte… n'est libre qu'envers les faibles et les gens isolés » (Balzac
1991, 27).

Face à ce courant à tendance libertarienne, il s'en trouve pour
soutenir que l'usage éclairé de cette liberté est au cœur même de l'éthique
et de la déontologie du journalisme (Juusela 1991, 4), ce qui suppose que
tout n'est pas permis sous prétexte de liberté, car l'éthique implique des
choix réfléchis pouvant tantôt justifier un acte, tantôt convaincre de ne
pas l'accomplir. John Stuart Mill, que nombre de libertariens aiment citer
pour justifier leur thèse, a bien balisé la liberté individuelle qui ne devient

du ressort de la société que lorsqu'elle concerne les autres (1990, 74-75). Quant à la liberté d'expression, et par extension la liberté de la presse, que certains voudraient sans limites, même avec ses excès, Mill écrit que les opinions devaient être exposées avec calme et honnêteté. Il était d'avis que « les opinions perdent leur immunité lorsqu'on les exprime dans des circonstances telles que leur expression devient une instigation manifeste à quelque méfait » (p. 145). Cela nous ramène à la célèbre phrase qu'on attribue à Voltaire sans trop savoir s'il en est le véritable auteur : « Je ne suis pas d'accord avec vos idées, mais je me battrai pour que vous puissiez les exprimer », mais encore faut-il savoir que Voltaire lui-même n'hésitait pas à chercher à faire taire certains de ceux qui, comme l'éditeur Grasset, critiquaient trop sévèrement ses œuvres (Marlin 2002, 206). Même Milton, qui menait une lutte de tous les instants contre la censure, se disait néanmoins d'accord pour censurer les catholiques romains et les athées, rappelle également Marlin (p. 208). Bref, il y a lieu de se méfier des apôtres d'une liberté d'expression qu'ils sont prêts à refuser à leurs contradicteurs.

Pour plusieurs, la liberté d'expression constitue une permission non seulement d'exprimer leurs idées, mais de les exprimer de n'importe quelle façon, sans égard aux autres et à leurs droits. Cet absolutisme est rejeté par Merrill, qui a modifié de façon importante sa vision des choses au fil des années, au point de plaider pour l'usage responsable de la liberté de presse qui doit tenir compte des droits et libertés des autres (1989, 238). Il y a chez les absolutistes de la liberté d'expression, adhérant à l'école du First Amendment des États-Unis, un refus de la pensée complexe propre à la conception de la liberté responsable, laquelle intègre à la fois libertés et devoirs, principes moraux et conséquences réelles, souci du bien commun et de la dignité des individus. Il ne faut peut-être pas se surprendre que ces absolutistes se retrouvent le plus souvent à défendre les pouvoirs établis – qu'ils soient économiques, politiques ou médiatiques – lorsque ceux-ci abusent de leur pouvoir au détriment des plus faibles et des plus vulnérables.

Outre ces définitions à caractère négatif, fondées sur l'absence de contraintes *a priori*, il y a celles qui reposent plutôt sur la nature positive de la liberté. Ainsi, Glasser plaide pour une conception de la liberté fondamentalement plus large, où les individus sont considérés comme libres seulement quand ils peuvent atteindre des buts communs qu'ils ne pourraient pas atteindre seuls. Dans ce contexte, la liberté ne serait pas seulement l'absence de contraintes, elle nécessiterait la présence de moyens d'émancipation parce que, comme l'a déjà fait valoir Arendt en 1963, assurer la liberté d'un individu en abolissant les contraintes n'équivaut pas automatiquement à assurer la liberté individuelle de participer à la vie de la société (Glasser 1991, 243).

Pour les philosophes de l'Antiquité, la liberté n'avait pas la signification moderne des droits privés et civils, ceux-ci visant en quelque sorte à protéger l'individu de l'État. Elle signifiait plutôt la liberté de participer à la vie publique, de faire partie de la sphère publique (Peters et Cmiel 1991, 202). Une société peut-elle se qualifier de libre si on s'y contente de limiter les contraintes, sans offrir du même coup des incitatifs favorisant la participation à la vie publique : par exemple, garantir un accès égal à l'instruction et à la culture comme outils d'émancipation ? La liberté se mesure-t-elle à l'aune du laisser-faire ? Faut-il limiter la liberté de ceux qui menacent les libertés des autres, au nom de l'équité et de la justice ? C'est ce que propose notamment John Rawls, pour qui le principe de liberté mène au principe de responsabilité (1994, 239).

Quelle que soit la définition qu'ils en ont, la liberté de presse est une valeur de grande importance pour les journalistes. Ils l'associent étroitement à leur liberté d'expression. La liberté d'expression serait le mythe fondateur du journalisme, selon Giroux (1991, 118), si bien que les journalistes la voient comme une valeur intouchable. Il en donne pour exemple le cas de journalistes québécois qui ont catégoriquement refusé de condamner les propos injurieux d'un animateur radiophonique en invoquant la liberté d'expression. Dans un tel contexte, cette dernière devient une idéologie immunisée contre le raisonnement éthique. On y refuse *a priori* d'envisager que d'autres valeurs puissent à l'occasion justifier une mesure disciplinaire qui serait alors venue du Conseil de la radiodiffusion et des télécommunications canadiennes (CRTC). Plusieurs années plus tard cependant, en 2004, le même CRTC a retiré la licence de diffusion d'une station radiophonique de Québec (CHOI-FM) pour sanctionner les abus de certains de ses animateurs, forçant le propriétaire à vendre sa licence à un autre média.

Pour certains, la liberté d'expression est passée au statut de mythe, on l'a sacralisée, et malheur à quiconque tente de la remettre en question, de la relativiser : on ne relativise pas l'absolu ! Au terme d'une analyse de cas portant sur une station radiophonique de Québec (CHRC-AM), prise à partie par le quotidien *Le Soleil,* qui avait tenté de lui faire perdre son permis de diffusion, Giroux observe que la station a voulu jouer le rôle de défenderesse de la liberté d'expression. Cela s'est fait avec :

> « ... l'aval de la presse québécoise, sans égard au fond de l'affaire, dans une perspective éthique. [...] On a pu, de cette façon, éluder un

important débat à propos des limites qu'il faut assigner à la liberté d'expression, dans une société comme la nôtre, lorsqu'elle est exercée d'une façon irresponsable» (p. 126).

Dans le cas de CHOI-FM, on a pu assister à une même lutte pour imposer une conception absolutiste de la liberté d'expression, bien que cette fois des voix discordantes se soient manifestées aussi bien dans les médias traditionnels que sur Internet.

Ces cas illustrent bien la notion de liberté d'expression comme mythe journalistique intouchable que l'on retrouve abondamment aux États-Unis, au Canada et en Europe. Certes, les journalistes reconnaissent abstraitement qu'elle a des limites mais ils préfèrent bien souvent laisser la justice s'en occuper, évacuant ainsi toute réflexion éthique et augmentant les probabilités d'une jurisprudence qu'ils dénonceront par la suite. La liberté de la presse pourrait n'être, finalement, qu'un argument qu'on brandit selon l'intérêt du moment, au lieu d'une valeur dont on accepte pleinement d'assumer les conséquences. Valéry disait que le mot liberté était de ceux qui ont plus de valeur que de sens, ce à quoi Etchegoyen ajoute qu'ils «sont l'objet de détournements subtils et souvent dangereux, surtout quand leur valeur est le résultat d'un besoin» (1991, 80). À la fois critique de la presse américaine mais promoteur de plusieurs mécanismes d'autorégulation inspirés du modèle anglo-saxon, Bertrand reconnaissait que les «médias ont toujours tendance à invoquer le Premier Amendement pour défendre leurs intérêts et à l'occulter quand c'était les droits d'organes contestataires et, plus banalement, ceux de publics minoritaires qui se trouvaient menacés» (1982, 34).

LA RHÉTORIQUE DE LA LIBERTÉ DE LA PRESSE

Il existe donc une rhétorique de la liberté de la presse selon laquelle c'est lorsqu'il n'y a aucune contrainte que cette dernière s'affirme le mieux et avec les meilleurs résultats à long terme. Les contraintes auxquelles font généralement allusion les adeptes de cette rhétorique proviennent surtout de l'État. Quant à celles inhérentes aux lois du marché, on se contente d'y faire allusion comme à un moindre mal. Les contraintes économiques ne sont pourtant pas sans influence sur les politiques rédactionnelles des médias, mais, encore une fois, on tient pour acquis que cela ne peut pas être malsain pour la société, malgré les erreurs de parcours (admises comme des *bavures* et des *anecdotes* sans grande importance). Les études ne manquent pourtant pas qui décrivent les influences organisationnelles orientant les méthodes de collecte d'informations, la définition de la «nouvelle» et sa présentation. Ces études[1] suggèrent notamment que les contraintes pesant sur la liberté d'action des journalistes sont aussi à l'intérieur des entreprises de presse qui les emploient: ce sont des contraintes économiques, sociales et bureaucratiques.

Une importante recherche menée sur le phénomène de la convergence des médias au Québec, auprès de 385 journalistes syndiqués des principaux groupes médiatiques, a révélé que pour un grand nombre de journalistes, il ne fait pas de doute que la concentration et la convergence des médias menacent leur liberté, bien davantage que les tribunaux. On observe que chaque conglomérat médiatique cherche en quelque sorte à embrigader ses journalistes pour en faire de fidèles employés, au détriment de leur liberté d'expression. Cet embrigadement se manifeste notamment par la promotion des produits, des filiales ou des collègues du groupe médiatique pour lequel on travaille, mais aussi par la critique, partisane dirait-on, des médias concurrents. Cela n'est pas sans poser de véritables problèmes éthiques qui minent la crédibilité des journalistes et des entreprises de presse. Il ne faut donc pas s'étonner que la grande majorité des journalistes demandait une intervention gouvernementale pour limiter la concentration de la propriété de la presse, qui est au cœur du phénomène de la convergence (Bernier 2008). Si la liberté d'entreprise *de* presse existe, il faut admettre qu'elle contraint la liberté *de la* presse que pourraient exercer les journalistes employés par ces entreprises, comme c'est le cas dans tous les pays démocratiques, y compris les États-Unis (Merrill 1989, 34-35).

D'une certaine façon, cette distinction lexicale importe peu, mais le phénomène de «liberté sous contrôle» qu'elle évoque doit être discuté. Dans un ouvrage qui s'est imposé comme une référence, Edward Herman et Noam Chomsky ont rigoureusement élaboré un modèle selon lequel les principaux médias américains sont des outils de propagande au service des intérêts des États-Unis. Selon eux, les médias américains se comportent de la même façon que ceux de systèmes totalitaires: ils permettent et encouragent le débat, la critique et la dissidence aussi longtemps que ceux-ci demeurent à l'intérieur d'un système de présuppositions et de principes compatibles avec le consensus des élites. Ces deux auteurs

---

1.   Des études sur les sources d'information et leurs relations avec les journalistes suggèrent aussi que l'autonomie des journalistes est relative en raison de l'obligation de négocier avec leurs sources afin d'atteindre leurs objectifs. On peut donc dire que la liberté des journalistes est entravée par des facteurs extérieurs. Voir notamment Bernier (2000), Charron (1994), Ericson *et al.* (1989 et 1987), Gans (1979) ou Tunstall (1971).

décrivent un système idéologique si puissant qu'il est largement intégré par les individus sans que ceux-ci en soient vraiment conscients (1988, 302). Sauf quelques cas d'exception, la critique et la dissidence ne doivent pas déborder ce système, le remettre radicalement en question, car le journaliste le fera à ses risques. Ce cadre d'analyse est partagé par bon nombre d'auteurs critiques des Amériques et d'Europe qui insistent sur la fonction idéologique des médias d'information qui sont des acteurs importants d'un *establishment* capitaliste qui donne aux journalistes l'illusion de la liberté (Fisque 1992, 287). Dans la même lignée, la politologue Anne-Marie Gingras fait valoir que les journalistes, dans « leur désir d'être libres… en viennent à considérer leurs contraintes organisationnelles comme des conditions de travail naturelles » (1999, 6). On y parle aussi des médias comme d'instruments de contrôle et des producteurs d'illusion (Kellner 1990, 11). Si on peut reprocher à l'approche critique d'insister davantage sur la dénonciation globale que sur une fine compréhension de la complexité des facteurs en cause, elle a cependant l'incontestable avantage de mettre en évidence les limites réelles de la liberté de presse. Ces limites sont souvent occultées par les journalistes qui refusent d'admettre pleinement les conséquences pratiques et quotidiennes de leur statut de salarié au service d'importantes entreprises capitalistes qui ont des intérêts à défendre, soit par l'amplification de certains faits de société superficiels, soit par l'omission d'enjeux politiques et sociaux cruciaux.

La rhétorique de la liberté de la presse peut tolérer le caractère contraignant des limites imposées par la justice, mais elle refuse souvent toute référence éthique et déontologique comme principe formel de contrôle ou de sanction. Or, laisser à la justice le soin de définir la liberté d'expression est une arme à double tranchant. C'est admettre que les limites de la loi dictent le cadre de la réflexion éthique, alors que l'éthique transcende les lois et peut nous convaincre, dans des situations précises, d'en déroger, justement quand ces lois semblent limiter de façon injustifiée la liberté d'expression. En affichant un respect absolu pour les contraintes de la loi, les médias se replient frileusement sur un légalisme confortable du genre que dénonce Merrill, qui y voit surtout une façon d'éviter de prendre des décisions courageuses (1989, 214). Il est indiscutable que la réflexion éthique est au cœur de l'usage que l'on fait de la liberté de la presse. En refusant de considérer les conditions de l'usage de cette liberté, les entreprises de presse et les journalistes se privent d'un solide outil intellectuel pouvant être d'une grande utilité pour justifier les dérogations aux lois lorsque cela doit se produire, et ainsi se prémunir contre des sanctions injustifiées quand les dérogations ont servi de façon importante l'intérêt public sans sacrifier de façon inconsidérée les droits et libertés des individus mis en cause. La réflexion éthique mène à des normes déontologiques qui devraient inspirer les tribunaux confrontés à des litiges opposant individus et médias, comme cela est de plus en plus le cas dans divers pays de tradition anglo-saxonne, au lieu de laisser les juges décréter la déontologie comme en France.

LA BELLE MÉTAPHORE

Au cœur de la théorie libertarienne de la presse réside une métaphore, celle du libre marché des idées, selon laquelle la vérité émergera d'une libre circulation des idées. Une métaphore est bien plus que le procédé stylistique par lequel on «transporte» un mot de l'objet qu'il désigne d'ordinaire à un autre objet auquel il ne convient que par une comparaison sous-entendue, selon *Larousse*. Si les philosophes positivistes ont déjà cru que la métaphore n'était utile que pour faire passer des émotions, une conception encore partagée par plusieurs aujourd'hui, il a été démontré depuis qu'elle «travaille davantage au niveau cognitif qu'affectif» (Cyr 1990, 222).

Boudon considère la métaphore «comme un acte symbolique [...] destiné à produire un effet de mobilisation» (1986, 36). Elle représenterait ainsi «l'opération par excellence sur laquelle reposerait la construction et la séduction des idéologies. Il est vrai que bien des notions idéologiques (l'exploitation de l'homme par l'homme, la main invisible, la lutte des classes) sont des métaphores, et que bien des mythes sont des systèmes de métaphores» (p. 74). C'est ainsi qu'on pourrait ajouter une autre métaphore à cette brève énumération, celle du libre marché des idées qui, pour emprunter une analogie, est à la liberté d'expression ce que la main invisible d'Adam Smith est au libéralisme économique.

Ayant par ailleurs la fonction de favoriser la compréhension, la métaphore permet de nous transporter d'un domaine qui nous est connu à un domaine inconnu ou méconnu. Plus il est difficile de comprendre une chose, en raison de sa nouveauté ou de sa complexité, plus la métaphore pourra s'avérer utile. On aperçoit tout de suite que le choix de la métaphore utilisée n'est pas sans importance puisqu'il dépend de lui que l'on ait une compréhension juste ou erronée de l'idée ou du phénomène à découvrir.

L'analogie et la métaphore sont de merveilleux outils de connaissance, d'apprentissage et de communication aussi longtemps qu'elles sont reconnues comme tels. Mais elles perdent sur-le-champ ces qualités en devenant des discours inconscients de leur nature, cherchant alors à faire passer pour réel ce qui n'est finalement que stratégie cognitive. Ainsi, les idées métaphoriques qui alimentent certaines œuvres fictives peuvent également fournir un éclairage différent qui nous aidera à mieux comprendre notre réalité quotidienne, et en ce sens seront porteuses de connaissance. Mais le risque est de les admettre comme des énoncés vrais et d'adapter notre comportement en conséquence. Une métaphore «endormie» est celle qui a lentement glissé vers un type non métaphorique parce que ceux qui l'emploient ne sont plus conscients de sa nature première. Comme l'indique Boudon, elle est devenue une *catachrèse,* c'est-à-dire une métaphore non perçue comme telle (1990, 333). Dans ce cas, la métaphore devenue catachrèse risque de devenir source d'erreur cognitive. Elle n'est plus évaluée à sa juste valeur. Elle est surévaluée ou sous-évaluée, mais toujours mal évaluée.

Finalement, la métaphore inappropriée, sélectionnée de mauvaise foi, volontairement présentée dans le but de convaincre, ne relève plus de la simple technique de persuasion mais de la manipulation. Bien instruits de la nature de la métaphore comme de ses déviations, de ses fonctions et de ses effets pervers, nous pouvons maintenant aborder celle qui nous intéresse particulièrement : le libre marché des idées.

L'ORIGINE DU LIBRE MARCHÉ DES IDÉES

Tirant son origine d'un ouvrage publié en 1644 par le poète anglais John Milton, *Aeropagitica* (Fink 1988, 7 ; Christians et Covert 1980, 41), cette métaphore allait engendrer la philosophie libertarienne de la presse, qui s'est développée en Amérique du Nord et en Angleterre à la fin du XVIIᵉ siècle et au début du XVIIIᵉ.

Cette philosophie affirme la capacité des gens à faire des choix rationnels et à prendre les décisions pertinentes si l'information nécessaire est disponible grâce à une presse libre. La presse devait alors éclairer le public, protéger les libertés individuelles et s'opposer à toute tentative visant à l'asservir (Fink 1988, 8). Cette conception s'est répandue dans la plupart des démocraties occidentales où les journalistes avaient l'obligation de fournir en idées et en opinions les citoyens qui étaient ainsi en mesure de faire des choix rationnels et éclairés dans la conduite de leurs affaires.

La métaphore du libre marché des idées a connu un grand succès depuis trois siècles. On y a souvent eu recours pour combattre les tentatives des gouvernements qui désiraient supprimer la liberté d'expression

(Glasser 1986, 83-84). Enracinée dans la tradition des droits naturels[2], cette philosophie a plus tard bénéficié du soutien des partisans d'une certaine conception darwinienne de la sélection des idées, selon laquelle seules les meilleures idées survivent dans un milieu où les individus peuvent librement faire leurs choix. Même s'ils ne peuvent en prédire les effets ultimes, les partisans de cette théorie postulent que la « main invisible » du libre marché favorise nécessairement les meilleures options.

Ainsi comprise, la métaphore du libre marché des idées admet que la presse peut aussi bien être irresponsable que responsable, publier des faussetés ou des vérités. Pour le libertarien radical[3], cela ne change rien car les citoyens sont des êtres rationnels capables de différencier le vrai du faux (Goodwin 1986, 7). Selon cette métaphore souvent érigée en dogme, les techniques de manipulation de l'opinion publique, comme la désinformation, n'auraient pas plus d'importance ou d'effet que la diffusion de la vérité, puisque ultimement cette dernière va triompher.

On se rend vite compte de la fragilité de cette théorie. Fondée sur le postulat que les citoyens sont des êtres rationnels, elle laisse croire que la rationalité est un état permanent, alors qu'elle est en lutte continuelle avec l'émotion. S'en remettre à la rationalité des citoyens pour légitimer la publication de faussetés en présumant qu'en émergera la vérité témoigne d'une méconnaissance de la nature humaine. L'*Homo sapiens* est aussi l'*Homo demens* aux prises avec ses dimensions irréductibles à la raison.

UNE MÉTAPHORE FONCTIONNELLE

La métaphore du libre marché des idées n'est pas dénuée de vertus sociales, la principale étant de faire valoir une certaine conception de la société qui serait ouverte aux opinions et aux idées, ainsi qu'aux débats qu'elles peuvent susciter. Le libre marché des idées doit donc servir à la bonne santé d'une société démocratique en stimulant les débats au lieu de gaver les citoyens d'opinions prédigérées, a déjà exprimé Dana Bullen, directeur adjoint du World Press Freedom Committee, en parlant de

---

2. Selon Marquiset, les droits naturels, innés en chacun de nous, ont toujours été reconnus à travers les âges comme les lois non écrites formant ce que Cicéron nommera une «doctrine conforme à la nature, répandue chez tous les hommes, constante et éternelle» (1965, 12). Parmi les droits naturels, on retrouve les droits à l'existence, à l'intégrité corporelle et à la santé.

3. Il importe de préciser que le libéralisme regroupe des tendances plus «douces» auxquelles on pourrait associer, par exemple, des philosophes comme John Rawls ou Ronald Dworkin, et des tendances plus radicales que représentent bien Robert Nozik et Friedrich Hayek.

l'organisation d'une presse libre en Pologne. Il plaidait alors pour l'instauration d'un libre marché des idées et de garanties constitutionnelles semblables au Premier Amendement, au lieu de l'élaboration de documents de 25 pages contenant des restrictions et des valeurs sociales (Aumente 1991, 42).

Les journalistes qui s'inspirent de cette métaphore «croient que le bouillonnement des idées, thèses et invectives sur la place publique médiatique, y inclus les bavures, partialités et attitudes partisanes est indispensable à la vie démocratique» (Demers 1992, 62). Dans la théorie politique américaine, rappelle Bertrand, «il est fondamental que le peuple souverain soit informé et que toutes les opinions entrent en concurrence sur "le libre marché des idées". L'équilibre des pouvoirs exige par ailleurs qu'une institution indépendante contrecarre et contrebalance les trois branches du gouvernement» (1982, 29).

LA MÉTAPHORE AU PILORI

À l'encontre des chantres de la métaphore du libre marché des idées, des auteurs émettent des critiques souvent sévères, qui la remettent radicalement en question. Entman est de ceux-là. Dans *Democracy Without Citizens,* Entman affirme en premier lieu que la presse états-unienne est censée favoriser la démocratie en stimulant l'intérêt politique des citoyens et en leur fournissant l'information dont ils ont besoin pour juger leurs gouvernements. Mais il constate que la presse n'est pas libre d'agir en ce sens. Limités par les goûts de ses publics et dépendants des élites politiques pour obtenir leurs informations, les journalistes participent à un système d'information caractérisé par l'interdépendance – des journalistes et de leurs sources, des médias et des annonceurs – qui n'est pas un libre marché des idées. Dans les faits, les médias ne parviennent pas à concrétiser la conception idéale d'une presse libre qui agit comme éducatrice civique et gardienne de la démocratie (1989, 3).

Par ailleurs, Entman rappelle que la métaphore du libre marché des idées postule qu'une circulation suffisante d'idées permettra au public de choisir celles qui représentent correctement la réalité ou favorisent l'intérêt public. Mais ce modèle n'explique pas pour quelles raisons les médias favoriseraient nécessairement les «bonnes» idées plutôt que les «mauvaises», pas plus qu'il ne précise comment le public pourra distinguer les unes des autres. L'auteur ajoute ne pas avoir d'indices lui permettant de croire que la véracité ou la qualité d'une idée est la valeur première qui est prise en compte dans le processus de production et de consommation

de nouvelles journalistiques (p. 22). Il rejoint en cela la position de John
Stuart Mill pour qui l'affirmation «selon laquelle la vérité triomphe
toujours de la persécution est un des mensonges que les hommes se plai-
sent à transmettre – mais que réfute toute expérience – jusqu'à ce qu'ils
deviennent des lieux communs» (1990, 102-103). Mill voit dans l'idée
d'une vérité triomphante une «pure sensiblerie» et soutient que souvent
les «hommes ne sont pas plus zélés pour la vérité que pour l'erreur»
(p. 104-105).

   Un autre aspect de la critique d'Entman concerne le public qui
devrait, selon la métaphore, diversifier ses sources d'information, en
s'exposant à plusieurs médias, et s'intéresser à chacune des différentes
catégories de nouvelles – locales, nationales, internationales – ainsi qu'aux
commentaires et éditoriaux. Mais la réalité est tout autre, selon diverses
études dont il rendait compte, lesquelles révélaient que pas plus de 15 %
des Américains répondaient aux critères d'une utilisation variée et atten-
tive des médias afin de bien se renseigner sur les affaires publiques (p. 24).
Ce portrait date d'une époque caractérisée par une moins grande variété
et un accès moins facile aux sources d'information. Internet a radicalement
changé la donne et la grande popularité des médias sociaux, conjuguée à
la mobilité permise par la technologie, offre à qui le souhaite un accès et
une diversité inégalés dans l'histoire des médias. Toutefois, cela ne semble
pas encourager nécessairement une utilisation citoyenne ou démocratique
puisque les médias les plus populaires sont le plus souvent ceux qui
accordent le moins d'importance à la couverture des grands enjeux,
auxquels ils substituent des thématiques superficielles et sensationnalistes.
Par ailleurs, il semble que les citoyens les plus jeunes, et souvent les plus
connectés sur Internet et les médias sociaux, soient moins intéressés par
l'information civique que leurs aînés (Kohut 2013).

   D'autre part, Entman fait valoir que le succès de la pratique du libre
marché dans le domaine économique n'a pas son corollaire sur le plan des
idées (p. 91). Il fait aussi remarquer que les théoriciens n'ont pas vraiment
expliqué pourquoi il faudrait présumer que la compétition économique
des entreprises de presse favorise leur contribution à la réalisation de ce
que représente la métaphore du libre marché des idées, soit la multiplication d'idées différentes et nouvelles parmi lesquelles les citoyens pourraient
faire un choix. À cet effet, il observe que les médias qui s'approchent le
plus de l'idéal évoqué par la métaphore du libre marché des idées ne sont
pas les grands journaux ou réseaux de télévision, mais plutôt les médias
qui existent en marge des règles du marché conventionnelles et sont souvent
méconnus du public. Ce qui caractérise ces médias, c'est qu'ils n'ont

généralement pas – ou peu – le mandat de générer des profits (p. 107-108). Cet argument est devenu encore plus pertinent maintenant que les médias sont de plus en plus happés par les mouvements de concentration et de convergence des grands conglomérats nationaux et internationaux qui doivent se plier aux appétits sans fin (et sans faim!) des actionnaires qui exigent des rendements toujours plus élevés sur leurs investissements. Cette pression économique se fait ressentir jusque dans les salles de rédaction où elles influencent le type de dirigeants qui seront promus, les priorités de couverture qui seront privilégiées et même, dans bien des cas, le profil des journalistes qui seront embauchés, remerciés ou isolés pour cause de non-conformisme. Il ne fait aucun doute que le mode de propriété (public ou privé) et les attentes plus ou moins grandes des actionnaires ou propriétaires influencent la production journalistique. Bien souvent, les journalistes sont impuissants à se libérer du *corset organisationnel* qui les contraint à produire des contenus superficiels, en rupture avec leurs conceptions nobles de l'information civique et démocratique (Bernier 2008).

Entman ajoute que plusieurs ont supposé, toujours sans l'expliquer, que la recherche de profits inciterait les entreprises de presse à privilégier un journalisme de plus grande qualité (p. 93). Ce n'est pourtant pas le cas puisque les principaux médias s'adaptent aux goûts des publics et, dans le cas des médias électroniques par exemple, en viennent à remplacer des émissions d'information par des émissions de divertissement. Le mandat économique des médias serait ainsi une contrainte additionnelle jouant en défaveur de la concrétisation de la métaphore. De plus, le libre marché favorise la concentration de la propriété qui à son tour favorise la convergence sans pour autant améliorer la qualité ou la diversité de l'information, tout en menaçant son intégrité car « la grande majorité des recherches permettent d'affirmer que la concentration de la propriété et la convergence des médias posent de grandes probabilités de détournement de la mission démocratique du journalisme, afin de servir les intérêts particuliers des entreprises commerciales que sont les conglomérats médiatiques. Les données scientifiques sont probantes à cet effet » (Bernier 2008, 75-76).

Il existe d'autres objections à la théorie du libre marché des idées. L'une d'elles rappelle que, lorsqu'il est question de notions comme la vérité ou la qualité, les partisans du libre marché font preuve du plus extrême subjectivisme en s'en remettant à la règle de la majorité (la meilleure idée aura le plus grand nombre d'adhérents). Cette posture équivaut à enlever tout leur sens à des mots comme « vérité », « bon », « pertinent » ou « sensé ». Comme le soutient Boudon, contrairement aux suggestions de Feyerabend et Habermas, «certaines questions méritent de ne pas être soumises au suffrage universel», lui qui rapporte certaines expériences où la majorité des participants ont fait le mauvais raisonnement, ce qui les a conduits à l'erreur plutôt qu'à la vérité (1986, 57).

Une autre objection, soulevée par Schauer, est originale en ce sens qu'elle se rapporte au temps. La théorie du libre marché ne retient pas ce facteur, comme s'il était sans conséquence sur le fonctionnement de la société d'attendre qu'une «bonne» idée soit reconnue et adoptée par la majorité (rapporté par Glasser 1986, 89) avant de la concrétiser. Baker fait lui aussi valoir que, si le marché peut assurer à long terme l'élimination de ce qui est considéré comme néfaste (en ce qui a trait aux régimes politiques notamment), il n'est pas de grand secours pour ceux qui vivent concrètement les problèmes et qui sont privés des avantages auxquels ils ont pourtant droit (Baker 2002, 131). Une telle attitude fait perdurer des idées populaires au détriment d'idées moins populaires, indépendamment de leurs qualités intrinsèques bénéfiques pour l'évolution de la société, ce qui n'est pas sans conséquences néfastes lorsque les idées populaires en question s'opposent, par exemple, à l'instruction publique, à la séparation des pouvoirs temporels et religieux, à la vaccination obligatoire ou encore à l'enseignement de la théorie de l'évolution dans les écoles. Voilà autant d'oppositions basées sur des idées populaires qui ont longtemps endigué l'émancipation des consciences et laissé perdurer la souffrance humaine. On pourrait répliquer que c'est justement grâce au libre marché que les moins bonnes idées ont finalement dû céder la place à de meilleures. À cela, on peut répliquer qu'il ne faut pas confondre liberté d'expression et tyrannie de la majorité, quand celle-ci cause des retards importants qui n'ont que des désavantages pour la société. Laisser les opinions et les idées s'exprimer, être communiquées librement, n'est pas du tout la même chose que d'accepter *a priori* que les opinions et les idées les plus répandues soient nécessairement les meilleures. Il y a un glissement injustifié du qualitatif au quantitatif. Sur le libre marché dont nous parle la métaphore, les qualités et les bienfaits potentiels de certaines opinions et idées peuvent être des propriétés nécessaires pour que celles-ci soient reconnues et adoptées, mais ces propriétés ne peuvent entraîner à elles seules la reconnaissance publique. D'autres forces que la raison s'exercent: l'émotivité, l'esthétique, les passions, les tensions sociales, les difficultés économiques, le pouvoir politique ou économique des promoteurs de certaines idées favorables à leurs intérêts de classe, etc.

Alléguer que la meilleure idée ou une opinion juste emportera nécessairement l'adhésion des citoyens vivant dans un libre marché des idées, c'est prétendre à l'infaillibilité, car une opinion réduite au silence ou ignorée de tous peut très bien être vraie, pour paraphraser Mill (1990, 140).

Le libre marché des idées a cependant de grandes qualités indéniables, il faut le reconnaître. Morin soutient que les conditions prescriptives de la société (comme la normalisation ou l'*imprinting*) n'imposent pas des idées nécessairement fausses, tandis que les conditions permissives (comme le libre marché des idées) peuvent favoriser le débat critique et la lutte contre l'erreur : « Mais les idées qui jaillissent dans les conditions permissives ne sont pas nécessairement vraies. [...] on peut déterminer les conditions favorables à la lutte contre l'erreur, mais non y trouver la vérité » (1991, 86). Dans son quatrième tome de la *Méthode,* qu'il consacre exclusivement aux idées, Morin soutient qu'en ce qui concerne les conceptions du monde, qu'elles soient philosophiques ou théoriques, « il n'est pas de principe de sélection, naturelle ou culturelle, en faveur de la vérité » (p. 87) :

> « Nous avons appris que la sélection sociologique, culturelle, noologique des idées n'obéit que rarement à leur vérité, et qu'elle peut au contraire être impitoyable pour la recherche de la vérité. Ce n'est pas la sélection des meilleures, c'est la sélection des plus frappantes » (p. 244).

Il est donc erroné de croire que le libre marché des idées est une condition suffisante à l'émergence de la vérité, alors qu'il en est simplement une des conditions nécessaires. Encore faut-il qu'un tel marché existe vraiment, ce qui est fortement contesté. En réalité, les principaux pourvoyeurs et diffuseurs de ce marché, les médias privés à vocation commerciale, sont antipathiques aux idées peu orthodoxes, à un point tel qu'il pourrait être fondé, au nom même des conditions nécessaires à un véritable libre marché, à intervenir légalement pour s'assurer que ces idées impopulaires soient diffusées afin qu'elles puissent concurrencer les idées et opinions privilégiées par les responsables des médias. La « sélection » des idées se fait non pas dans la société, comme le propose la métaphore, mais en amont du débat public, c'est-à-dire dans les médias qui ont pourtant le mandat d'alimenter la société afin qu'elle devienne véritablement le libre marché des idées nécessaire à la démocratie (Ismach 1989, 8). La « sélection » des idées effectuée en amont du débat social, surtout en situation de concentration de la propriété de la presse, « ne peut manquer d'avoir un effet nocif sur la pluralité de l'information et des opinions » (Coryell 1989, 131). En toute honnêteté, il y a lieu d'ajouter que les citoyens peuvent plus que jamais s'inscrire publiquement en faux contre cette sélection des faits et des idées qui seront médiatisés, en contester la pertinence, l'exactitude ou la véracité. Condamnés au silence de tout temps, au point de les considérer faussement comme passifs, les publics ont la capacité de réagir dans l'espace public grâce aux blogues, à Twitter ou Facebook, au point de contraindre parfois les médias les plus importants à davantage d'imputabilité, comme on le verra plus loin.

Par ailleurs, certaines idées n'ont même pas un réel accès au marché, tellement les critères économiques des médias les désavantagent. Au milieu du XIXe siècle, il se trouvait déjà des responsables politiques qui misaient sur la mission de rentabilité économique des médias pour filtrer et contrôler les opinions dissidentes. Par exemple, le chancelier libéral de l'Échiquier britannique, sir George Lewis, considérait que les lois du marché économique allaient favoriser les journaux qui respecteraient la ligne de pensée des annonceurs, ce qui a sérieusement affaibli les journaux qui militaient pour les classes ouvrières, constatent Herman et Chomsky. Pour ces derniers, le poids des annonceurs est plus déterminant pour la survie des journaux que le nombre de lecteurs. Ils donnent des exemples de journaux à très fort tirage qui n'ont pas survécu à l'insuffisance d'annonceurs (1988, 14). Dans un contexte économique et technologique qui favorise la gratuité de l'information, en espérant agréger un nombre suffisant de consommateurs sur diverses plateformes, le poids des annonceurs augmente considérablement les risques de défavoriser les idées et les enjeux peu populaires au profit de contenus divertissants et sensationnalistes. La valeur commerciale de l'information peut s'imposer au détriment de son intérêt public et de sa pertinence.

Par ailleurs, Glasser en vient à la conclusion que, techniquement parlant, les individus vivant en démocratie ont seulement le droit de parler *en* public: parler *au* public exige des moyens de communication et ces moyens (les médias) ne sont pas du domaine public, ils relèvent de l'entreprise privée. Il perçoit un gouffre béant entre la liberté d'expression et la liberté de la presse, ce gouffre étant plus grand aux États-Unis qu'ailleurs. Il y a plusieurs années, cette situation obligeait les gens, à titre individuel ou collectivement, à recourir aux seuls moyens de communication qui leur restaient pour se faire entendre et afficher publiquement leur mécontentement: le piquetage, les manifestations, la distribution de pamphlets, etc. Internet a radicalement changé la donne à ce chapitre depuis près de 20 ans. Au-delà des critiques qui dénoncent l'utopie démocratique et l'illusion technologique de certains discours visionnaires, il est indéniable que le réseau des réseaux offre maintenant un accès inégalé à l'espace public pour quiconque possède certaines ressources minimales, dans nos sociétés occidentales du moins. On ne compte plus les sites Internet consacrés à la défense d'enjeux moraux, environnementaux, économiques, politiques ou sociaux traditionnellement ignorés ou occultés par les médias commerciaux traditionnels. L'envahissement de l'Irak par les forces américaines et britanniques, au début de 2003, a illustré de façon magistrale le pouvoir démocratique qu'Internet remet entre les mains d'individus qui ont ainsi pu offrir, au public motivé à échapper à la propagande des réseaux de télévision, d'autres versions des conséquences dramatiques de cette guerre illégale et illégitime. Certes, Internet est à la fois la source de mensonges, de rumeurs, de demi-vérités, de stratégies de désinformation et de propagande de la part d'une multitude d'acteurs, mais il permet aussi l'expression de la parole vraie, du témoignage sincère et d'un humanisme qui échappe aux lois traditionnelles du marché puisque dans bien des cas, les créateurs des messages acceptent de supporter eux-mêmes les coûts de diffusion de leurs messages sans même espérer le moindre profit économique.

On peut finalement critiquer l'efficacité concrète de la métaphore pour la permissivité qu'elle accorde aux journalistes. En effet, plusieurs allouent peu d'importance aux conséquences de leurs reportages puisque, conformément aux principes du libre marché des idées, ils se croient tenus de publier toutes les informations en leur possession afin que la sélection se fasse en aval, par le public (Christians et Covert 1980, 41). Premièrement, il y a quelque chose de trompeur dans cette prétention puisque le métier de journaliste impose toujours un important travail de sélection des faits pertinents à la compréhension de l'événement. Du reste, quand ce travail est réalisé non dans le but d'accroître la compréhension mais plutôt de tirer profit ou d'exploiter commercialement le caractère dramatique d'un événement, on associe cela à du sensationnalisme médiatique.

Il y a donc toujours un travail de sélection de l'information au cœur de la pratique journalistique qui contredit le discours de ceux cherchant à faire croire que leur rôle n'est que de transmettre machinalement les faits et témoignages qu'ils ont observés et recueillis. Un premier travail de sélection est donc réalisé en aval du public, sinon à son insu. Deuxièmement, il ne fait aucun doute que ce travail de sélection est exercé avec une plus grande rigueur, voire une plus grande rigidité quand les enjeux risquent d'être majeurs pour l'ordre établi, comme on l'a de nouveau constaté dès les premiers jours de l'envahissement de l'Irak en mars 2003, quand les grands médias américains ont refusé de présenter des images de leurs soldats morts au combat tout comme celles montrant les ravages des frappes aériennes sur la population civile. Troisièmement, l'organisation même des entreprises de presse, les impératifs de leur mission économique, de plus en plus exigeants du reste, font en sorte que bon nombre de faits, d'opinions et d'événements sont littéralement ignorés ou occultés. Ils se retrouvent dans l'angle mort de l'information. C'est le plus souvent le cas d'enjeux sociaux majeurs tels la protection de l'environnement, la défense réelle des droits des consommateurs, la question des inégalités sociales, la criminalité des cols blancs ou l'évasion fiscale des grandes sociétés, le rôle des firmes de relations publiques dans la mise à l'ordre du jour de certaines questions, etc. (Hackett et Gruneau 2000, 10). Il y a là une autre réfutation de la rhétorique de ceux qui utilisent la métaphore du libre marché pour justifier ou tenter de faire croire qu'il appartient au public, au bout du compte, de faire ses choix, puisque de tels choix ne peuvent être réalisés dans un contexte d'entière liberté et de diversité.

Cela conduit naturellement à aborder la question des responsabilités des journalistes et de la responsabilité sociale de la presse. Nous verrons que les journalistes doivent assumer trop de responsabilités si l'on se base sur la liste non exhaustive de celles qui leur sont attribuées ici et là. Mais nous verrons aussi que la presse ne peut pas échapper à sa responsabilité sociale et qu'il ne faut pas nécessairement opposer cette dernière à la liberté de la presse.

LES GARDE-FOUS DE LA LIBERTÉ

Il faut distinguer liberté et licence. Elle renvoie ici aux excès de l'exercice de la liberté, ce qui conduit notamment à l'abus de presse, même si de tels abus sont souvent contestés en fonction des préférences des protagonistes. La licence est l'autorisation illimitée donnée aux individus de poursuivre leurs propres caprices, tandis que la liberté « s'entend au contraire comme la recherche d'un contenu éthique donné à l'indépendance individuelle et pouvant servir de principe régulateur des relations sociales », soutient Bouretz, dans sa préface à *De la liberté* de John Stuart Mill (1990, 42).

Les excès existent, nul ne peut en douter. La presse occidentale est parfois sans scrupules, a déjà déploré le physicien et dissident soviétique Andreï Sakharov, qui relate certaines de ses mauvaises expériences dans ses *Mémoires* (1990, 479). Woodrow ajoute que c'est paradoxalement l'excès de liberté, bien davantage que la menace de censure, qui cause un problème au journaliste consciencieux et que, sous prétexte d'avoir conquis la liberté de tout dire, on dit n'importe quoi (p. 121, 153). Même aux

États-Unis, où règne le Premier Amendement, la loi reconnaît que certaines circonstances justifient la limitation de la liberté d'expression ou de la presse, par exemple quand sont mis en cause la sécurité nationale, les droits des accusés ou la réputation des personnes. De même, la Cour suprême y a consacré différentes normes éthiques qui influencent et limitent les pratiques journalistiques (Bezanson 2003, Watson 2008). Bien que distincts, il y a interdépendance entre le droit et l'éthique. On pourrait difficilement concevoir la légitimité d'un système légal qui ignorerait les principes moraux ayant émergé de la réflexion éthique. D'autre part, l'exercice du jugement moral caractérisant l'éthique ne peut faire l'économie des contingences légales, mais il n'est pas tenu de s'y limiter s'il existe de bonnes raisons de déroger à la loi. C'est du reste ce qu'ont fait les fondateurs du journalisme en Amérique du Nord lorsqu'ils ont, pour la première fois, publié des journaux sans attendre l'*imprimatur* royal.

Par ailleurs, on sait que la liberté de la presse s'est démarquée de la liberté d'expression dès le XVIIIe siècle, quand on a fait valoir qu'elle devait servir l'intérêt public (Klaidman et Beauchamp 1987, 127), ce qui confirmait en même temps un contrat social fondé sur une certaine responsabilité, soit servir un intérêt public certes indéfini, mais qui peut être mieux cerné par le recours à certains critères, comme on le verra plus loin.

C'est du reste l'affrontement de ces deux concepts, une presse libre avec ses excès et une presse dévouée à ses responsabilités sociales, qui devient la condition nécessaire de la réflexion éthique, laquelle préserve aussi bien de la licence que de la servilité. Dans le vocabulaire de Max Weber, on parlerait d'une éthique de la conviction face à une éthique de la responsabilité. Le journaliste qui adhère à l'éthique de la conviction est d'abord guidé par ses convictions morales et «n'a pas à se soucier des conséquences qui peuvent en résulter», tandis que le journaliste guidé par une éthique de la responsabilité pose des actes dont la finalité est «davantage rationnelle, en ce sens que l'agent social est soucieux et se sent concerné par les conséquences prévisibles de son comportement» (Gosselin 1992, 76). Le second journaliste, selon Gosselin, prend soin d'examiner les moyens à sa disposition et les conséquences désirables ou indésirables de son action «parce que sa conscience lui interdit de se décharger sur les autres des effets néfastes de sa conduite» (p. 77).

MÉDIAS (TROP!) RESPONSABLES

Les débats éthiques entourant les droits et les responsabilités de la presse en Europe occidentale ont commencé dès l'apparition de la presse écrite, à la fin du XVᵉ et au début du XVIᵉ siècle (White 1989, 40). Il y a le plus souvent deux façons de gouverner la conduite des médias d'information : les contraintes légales, dont relèvent les cas de diffamation par exemple, et les contraintes normatives relevant de l'éthique et de la déontologie, dont le but est de s'assurer que les responsabilités du journalisme ne seront pas soumises, entre autres, aux impératifs de la concurrence entre médias (Williamson 1979, 63). L'encadrement moral que procurent les aspects éthiques et déontologiques du métier est le plus souvent mis en place dans un contexte d'autorégulation professionnelle. De tels mécanismes existent de longue date en Europe et en Amérique du Nord et s'établissent de plus en plus dans bon nombre de pays du vaste continent africain. Ces mécanismes, le plus souvent, font valoir à la fois l'importance de la liberté et des responsabilités des journalistes, bien que leur efficacité soit loin d'être démontrée, comme on le verra plus loin.

Cependant, la liste des devoirs de la presse est parfois abusive, si bien qu'il est permis de soutenir que les responsabilités sociales des journalistes sont nombreuses, si nombreuses dans certains cas qu'il semble presque impossible de tant exiger d'un même individu, aussi vertueux soit-il. À titre démonstratif, il y a lieu de faire le tour des responsabilités dont il est généralement question chez les auteurs.

Pour Tunstall, la responsabilité sociale de tout journaliste digne de ce nom est aussi importante que celle des universitaires (1971, 9). De plus, le journaliste doit être véridique (Pippert 1989, 14) et ne pas recourir à la tromperie, aussi bien à l'égard du public qu'à l'endroit de son employeur (Cooper 1989a, 33). Cooper rapporte que les codes de déontologie étudiés par Bruun prescrivent des devoirs tels le respect du secret professionnel, la poursuite des objectifs de la communication de masse, le respect de la vie privée, le refus de gains personnels et l'interdit de recourir au plagiat. Dans 98 % de ces codes, on reconnaît que la diffusion de la vérité est l'une des responsabilités de la presse (p. 34). La profession journalistique pourrait même avoir la responsabilité de délivrer des permis de travail à ceux qui en feraient la demande, sur une base volontaire, sans que cela soit considéré comme une atteinte à la liberté de la presse (Youm 1990, 121). Mais ce n'est pas tout, la liste des responsabilités est à peine entamée. Il s'en trouve une foule d'autres, par exemple la responsabilité de fournir un compte rendu véridique, équitable et compréhensif des événements (Hulteng 1976, 12). Goodwin ajoute que ce travail doit être réalisé de façon « aussi agressive que possible », sans préciser jusqu'où cette agressivité doit aller (1986, 65).

D'autres auteurs défendent une position qu'on pourrait qualifier de « chrétienne » en affirmant que la responsabilité sociale de la presse passe nécessairement, et essentiellement, par la défense des démunis et des marginaux de la société (Christians 1986, 110) et la diffusion des points de vue des minorités (Gilmore et Root 1975, 34).

Elliott, pour sa part, relève sept obligations souvent attribuées aux médias : être honnête, juste et impartial dans la présentation des nouvelles ; servir de porte-parole aux opprimés ; faire connaître la nouvelle à tout prix ; être les yeux et les oreilles du public ; être sensible à la situation des personnes qui font l'objet ou qui sont sources de nouvelles ; exercer un rôle de chien de garde des gouvernements ; et disposer de l'autonomie suffisante pour faire des choix moraux personnels (cité par Gauthier 1990, 138). Les journalistes devraient aussi préserver la liberté de la presse au bénéfice des prochaines générations (Rivers et Mathews 1988, 28). Sauvageau contribue à cette liste des obligations de la presse en affirmant que « la responsabilité du journaliste est de respecter suffisamment son public pour croire qu'il peut s'intéresser aux enjeux difficiles et qu'il appartient aux médias de les lui expliquer sans l'ennuyer » (1986, 222). Dans le même ordre, une recension des prescriptions adressées aux journalistes par de multiples acteurs sociaux, dont les journalistes eux-mêmes, considèrent le journalisme comme une fonction sociale noble en démocratie. « Les différents prescripteurs sont d'avis que les messages journalistiques doivent avoir diverses propriétés : être sérieux, porter sur des sujets d'intérêt public plutôt que de servir des intérêts particuliers, être objectifs notamment et respecter le principe de la séparation des genres » (Bernier 2005a, 34).

De son côté, Olen fait valoir que la responsabilité et la probité signifient plus que le rejet d'un parti pris inacceptable. Pour lui, le sensationnalisme, qui consiste à insister trop fortement sur l'aspect émotif et dramatique d'un événement, est aussi une atteinte à la responsabilité sociale si cet élément est déterminant dans la décision de diffuser un reportage (1988, 107). Le journaliste responsable devrait donc s'en tenir loin. Chez Juusela, le journaliste doit aussi tenir compte de valeurs comme la paix, le désarmement, la résistance à la guerre, le développement international, l'amitié et, bien entendu, la liberté (1991, 13). Merrill plaide pour une conception « éthique » de la responsabilité du journaliste sur le plan international, qui devrait favoriser la coopération sociale plutôt que la confrontation sociale (1980, 114). Ce qui n'est pas très loin de la visée globalisante et cosmopolite de Ward (2010), lequel considère que les frontières étant plus effacées que jamais, la diffusion de la production journalistique échappe au localisme, ce qui limite, par exemple, le patriotisme des journalistes devenus citoyens du monde et partenaires d'un contrat social sans frontière.

Morton soutient pour sa part que ce sera toujours le rôle du journaliste responsable de mettre en lumière les travers de la société plutôt que ce qui y fonctionne bien. Il se demande du même coup pourquoi un journaliste devrait perdre de son « précieux temps » à parler aux gens de ce qui va bien puisque, les choses devant bien aller en principe, il est inutile d'en faire mention (1991, 50). Ce dernier raisonnement paraît simpliste car le journalisme, qui doit rendre compte de la réalité sociale, ne peut pas occulter son côté performant, fonctionnel et, disons le mot, positif, au profit d'une réalité morbide, noire, dysfonctionnelle. Autrement il crée une fausse impression globale de la société, exactement comme ces bulletins télévisés qui insistent à outrance sur les délits criminels et laissent ainsi croire à leur auditoire que l'environnement est beaucoup plus dangereux qu'il ne l'est en réalité. Cela renvoie à la notion d'incubation culturelle, élaborée par le célèbre chercheur George Gerbner. Outre la question du caractère positif ou négatif de l'information, le journaliste devrait avant tout privilégier l'intérêt public, le souci de la vérité, la rigueur dans l'exécution de son « art », qui n'est pas dénué de responsabilités professionnelles, comme l'a d'ailleurs soutenu Lambeth (1986, x).

Au chapitre des « responsabilités » dont la compatibilité avec l'intérêt public peut paraître plus que fragile, on a déjà soutenu que la raison d'être des journalistes dans une société démocratique est de « publier des informations qui nuisent au bon fonctionnement des gouvernements » (Falardeau 1992, 9). Voici un exemple d'éthique de la conviction où la « cause » l'emporte sur les conséquences. On peut soutenir, au contraire, que l'intérêt public n'est pas toujours bien servi par la diffusion d'informations qui nuisent aux autorités politiques, surtout quand ces informations empêchent un gouvernement d'appliquer des mesures bénéfiques à la population, ou le contraignent à le faire à des coûts supérieurs, nécessitant ainsi des ressources qui auraient pu être utilisées ailleurs à bon escient. Par exemple, en temps de guerre, est-il vraiment d'intérêt public de *devoir* nuire au gouvernement en révélant à l'avance le jour, le lieu et l'heure d'une opération militaire, et menacer ainsi la vie de plusieurs concitoyens, affliger leurs familles, priver éventuellement la société de jeunes citoyens qui, à leur retour, auraient pu généralement contribuer à la prospérité de tous ?

Louis W. Hodges soutient quant à lui que la presse doit assumer les responsabilités inhérentes à ses quatre fonctions : dans sa fonction politique, informer les citoyens des gestes et des décisions des gouvernements ; dans sa fonction éducative, exposer et promouvoir les échanges d'idées et d'opinions, faire connaître la vérité ; dans sa fonction utilitaire, canaliser l'information concernant les faits sociaux ; enfin, dans sa fonction sociale et culturelle, refléter la société dans laquelle nous sommes, avec ses héros et ses *vilains*, refléter nos valeurs, etc. (1986, 21).

En ce qui concerne plus précisément la fonction éducative, le philosophe John Stuart Mill a énoncé quatre raisons pour justifier les responsabilités des médias bénéficiant de la liberté de la presse : premièrement, c'est par la discussion que l'on peut parvenir à corriger une erreur de jugement ; deuxièmement, même si une affirmation est véridique, sa remise en question est essentielle pour qu'elle conserve sa vitalité et ne prenne pas le statut de dogme ; troisièmement, la discussion peut compléter les vérités partielles qui émergent de la majorité des opinions que nous nous formons ; quatrièmement, un public privé de débats et d'opinions viendrait à méconnaître leur importance, ce qui contribuerait à l'implantation de dogmes et non à la circulation des idées (Hodges 1986, 21). Par ailleurs, il existe d'autres classifications où les responsabilités sociales de la presse regrouperaient *surtout* les fonctions d'information, d'éducation et de leadership, alors que les fonctions d'information, de divertissement et de recherche du profit relèveraient de la doctrine libérale de l'information (Charron 1990, 304).

Une chose est certaine : les journalistes ont en leur possession un important pouvoir. Le produit de leur travail peut avoir des effets majeurs sur la vie des gens, sur le plan individuel ou collectif, sur la réputation de l'un et les décisions de l'autre. Ils ont par conséquent une obligation éthique de disposer de ce pouvoir de façon responsable (McGillivray 1990, 29). Abuser de leur liberté pourrait ultimement provoquer des réactions légitimes dans le public, réactions potentiellement néfastes pour les journalistes et pour la liberté d'expression elle-même (Merrill 1989, 39). Il revient aux journalistes de faire les choix moraux relativement à ce qu'il convient de publier ou de diffuser (Klaidman et Beauchamp 1987, 12), la distinction entre ce qui est « convenable » et ce qui ne l'est pas étant certes un sérieux problème à affronter, non à éviter. Ce travail implique souvent une analyse des affirmations recueillies, la prévision des conséquences probables et l'évaluation consciencieuse des valeurs en jeu (Johannesen 1983, 6).

On le constate, ce n'est pas la prescription des responsabilités sociales des journalistes qui manquent! Il est certes impossible de tenir compte de toutes celles énoncées ici. Il est également impossible de n'en pas tenir compte du tout. Nous verrons plus loin que les codes de déontologie viennent en aide aux journalistes en leur fournissant des règles de conduite afin qu'ils assument le mieux possible les responsabilités que leurs différentes associations ou organisations ont reconnues comme pertinentes. Nous verrons également que ces codes, si utiles par ailleurs, peuvent menacer l'intérêt public autant que des droits individuels, et qu'il faut alors renoncer aux automatismes déontologiques que dictent les règles de conduite dominantes, et rouvrir la réflexion éthique qui permet de déroger à la règle déontologique en tenant compte de valeurs fondamentales et des principes qui en découlent.

DÉFINIR LA RESPONSABILITÉ SOCIALE

Heureusement, les définitions de la responsabilité sociale des médias sont moins nombreuses que les prescriptions qu'elle encourage. Malheureusement, elles sont toutefois plus diffuses et *verbeuses*. Par exemple, Lloyd définit vaguement la responsabilité sociale par rapport à la nécessité de contribuer au progrès social (qu'il ne définit cependant pas) et à l'objectif d'accroître la liberté des individus. Les individus devront accepter les obligations qu'ils ont envers la société, en retour des bénéfices qu'ils en retirent (1991, 202).

Une autre façon de définir ce concept passe par la distinction entre responsabilité et son imputabilité des médias, deux termes pouvant être confondus si on n'y prête pas assez d'attention. La question de la responsabilité concerne la détermination des besoins sociaux que les journalistes doivent combler, tandis que celle de l'imputabilité vise les dispositifs mis en place afin que les journalistes rendent des comptes et justifient leur travail au regard des responsabilités qu'on leur a attribuées. La responsabilité se rapporte à la conduite, l'imputabilité concerne les résultats (Hodges 1986, 13-14) et les méthodes utilisées. Hodges poursuit sa distinction entre responsabilité et imputabilité en précisant que parler de la première revient à parler du contenu de « nos devoirs et obligations morales, de la substance de ce que nous devons faire ». Parler de la seconde nous amène à nous demander qui détiendra le pouvoir de demander aux journalistes, par la persuasion ou la menace, de rendre des comptes (1986, 14). Pour Hodges, la question de la responsabilité précède logiquement celle de l'imputabilité. Malgré ces distinctions, constate l'auteur, lorsque la question de la responsabilité est évoquée devant les journalistes américains, ceux-ci sautent immédiatement à la question de l'imputabilité et se mettent sur la défensive, invoquant le Premier Amendement de la Constitution des États-Unis. Hodges conclut que la notion de responsabilité est associée à l'énoncé suivant : plus nous avons le pouvoir ou l'occasion d'influencer les autres, plus nous avons de devoirs moraux (1986, 16).

La distinction entre responsabilité et imputabilité n'est pas toujours aussi claire, cependant, car selon certains la première notion contient la seconde. Ainsi, plaide Johannesen, outre le respect de ses devoirs et de ses obligations, pour être jugée responsable la presse devrait aussi rendre des comptes et accepter d'être évaluée en fonction de critères préétablis (1983, 6). L'auteur ne précise cependant pas à qui la presse doit rendre des comptes et qui déterminera les critères de son évaluation. Selon Pritchard (1991, 74), derrière la question de l'imputabilité de la presse se dresse une présomption, à savoir que les journalistes et les entreprises adopteront des comportements que la société sera disposée à qualifier de responsables s'ils savent qu'ils auront à rendre des comptes à certaines instances (conseil de presse, ombudsman, etc.). Nous consacrerons plus loin un chapitre à la question de l'imputabilité et aux dispositifs reconnus (conseils de presse, ombudsman, médiateurs, etc.), ainsi qu'à leur efficacité plus que douteuse.

LA COMMISSION HUTCHINS

L'idée voulant que la presse ait des responsabilités sociales semble remonter au début du siècle dernier pour observer une première fois ce que Fink qualifie de « développement majeur » de cette notion. On assista alors à l'émergence d'une conscience communautaire chez les responsables de journaux, qui se traduisit chez les journalistes et les propriétaires par la conviction que les responsabilités à l'égard de la société étaient des corollaires de la notion de liberté de la presse (1988, 9).

Mais de façon plus explicite et formelle, il aura fallu attendre le rapport de la Commission Hutchins, en 1947, pour se faire dire que la liberté de la presse était en danger pour trois raisons majeures : premièrement, parce que malgré la croissance et la multiplication des médias, l'accès y était de plus en plus difficile pour les citoyens désireux d'exprimer leurs idées et opinions ; deuxièmement, parce que ceux qui y avaient accès étaient de moins en moins représentatifs de la population en général et répondaient moins bien à ses besoins ; troisièmement, parce que les médias

avaient parfois recours à des pratiques que la société condamne et que si
cette situation devait perdurer, il y aurait inévitablement des pressions
pour que la liberté de la presse soit régie et contrôlée (Fink 1988, 10).
Cela évoque la relation entre légitimité et liberté de la presse, explicitée
en début d'ouvrage. Dans une certaine mesure, les deux premières raisons
sont toujours réelles pour les grands médias institutionnels et traditionnels,
même si on les retrouve maintenant sur Internet. Cependant, les citoyens
peuvent intervenir plus que jamais dans le débat public par les blogues,
les médias sociaux et les lieux d'interactivité que permettent les sites
Internet des médias. Quant à la troisième raison, soit les abus de presse,
elle demeure toujours d'actualité. On l'a constaté avec le scandale des
écoutes électroniques illégales et de la corruption de fonctionnaires et
policiers, survenue en Grande-Bretagne avec le tabloïd *News of the World*,
qui a dû fermer ses portes et a conduit à la création d'une commission
d'enquête présidée par le juge Brian Leveson pour évaluer notamment
les pratiques et l'éthique des médias britanniques et émettre des recommandations, dont la création d'un dispositif de corégulation des médias
pour remplacer une autorégulation défaillante (Frost 2012a, 2012b).
Dans l'ombre de ce scandale, se produisent quotidiennement des abus de
presse moins médiatisés, mais qui n'en affectent pas moins l'opinion que
peuvent s'en faire des centaines, voire des milliers de citoyens qui refusent
d'être injustement victimes d'une presse qui nie ses responsabilités.

Parmi les obligations dont le respect peut servir de critère d'évaluation du niveau de responsabilité sociale des médias, la Commission
Hutchins suggérait les suivantes : fournir un compte rendu véridique et
complet des événements de la journée ainsi que du contexte qui leur
donne sens ; servir de lieu d'échange des commentaires et des critiques ;
présenter et expliquer les objectifs et les valeurs de la société et, finalement,
permettre au public de bien comprendre ce qui se passe (Lambeth
1986, 7).

Le concept de la responsabilité sociale n'est pas sans soulever des
objections que nous allons aborder ici et développer plus loin. Selon
Merrill, il existe au moins trois théories de la responsabilité sociale : il y
a d'abord celle où ce concept est légalement défini par le gouvernement,
celle où la responsabilité sociale est professionnellement définie par le
milieu de la presse lui-même et enfin, la théorie où elle est définie et
déterminée de façon pluraliste et individualiste par les journalistes. Merrill
a déjà soutenu que la troisième théorie, dite libertarienne, était la plus
compatible avec les valeurs, l'idéologie, la tradition et la Constitution des

États-Unis (1986, 49), mais il a par la suite modifié son point de vue, comme on le verra.

Ces trois théories peuvent être énoncées autrement, de façon plus formelle par exemple, comme l'a fait Hodges (1986, 17-18). Selon ce dernier, il existe trois genres de relations qui obligent à avoir des responsabilités envers les autres : les relations assignées (ordres donnés de A à B par exemple, de façon autoritaire) ; les relations contractées (où A et B s'entendent pour échanger des obligations et des responsabilités) ; les relations autoimposées (où A décide lui-même de ses responsabilités envers les autres). On a vu plus haut que notre approche est de nature contractualiste, qui insiste sur l'existence d'un contrat social entre le public et les médias où l'on reconnaît à la fois des libertés et des droits, des privilèges et des responsabilités. Bien entendu, ce contrat s'inscrit dans un cadre général libéral qui accorde une grande importance au respect de la liberté de la presse sans toutefois lui accorder une valeur absolue.

ATTEINTE À LA LIBERTÉ

Les discours relatifs à la responsabilité sociale de la presse, on l'a vu, ont suscité des réactions chez Merrill, qui estime que la théorie libertarienne doit prévaloir en cette matière. Ainsi, ce sont les journalistes qui devraient, à titre individuel, déterminer leurs obligations et leurs responsabilités. Cela ne doit pas être l'œuvre des gouvernements ou des organismes professionnels, encore moins des groupes de pression. Cet important auteur de la littérature relative à l'éthique et à la déontologie du journalisme a longtemps considéré que n'importe quel effort visant à rendre la presse responsable et imputable constituait une dangereuse négation de la liberté. Si la société, un conseil de presse, un juge, un jury ou n'importe quel groupe extérieur au journalisme revendique le pouvoir de définir ce que doit être la responsabilité de la presse, c'est que la liberté aura été perdue (1974, 83). Bien des années plus tard, Merrill a de nouveau fait valoir ses craintes devant le regain de popularité de la notion de responsabilité sociale de la presse :

> « [...] je prévois des temps difficiles pour la liberté de la presse comme pour la liberté dans la presse. Il y a à l'œuvre des forces plus ou moins subtiles qui cherchent à transformer la presse (et ses journalistes) en un système gentil, inoffensif, institutionnalisé et professionnalisé, où au nom du plus grand bien de la société, la coopération et le "jeu d'équipe" seraient de règle, et où le mot liberté ferait figure de grossièreté. » (Merrill 1986a, 214)

Dans ce cadre d'analyse, sans doute fortement inspiré de relents de la guerre froide et de lutte idéologique contre la menace du totalitarisme soviétique, il n'était pas surprenant de voir Merrill en arriver à la conclusion que la notion de responsabilité sociale de la presse n'est qu'un pas franchi en direction d'un système autoritaire ou communiste (1974, 37). Dans une société libre, faisait-il valoir, il revient à chacun de définir la notion de responsabilité. Il a même ramené le débat à un énoncé d'un simplisme désarmant : si l'on aime une action, elle nous paraît responsable, si on ne l'aime pas, elle devient irresponsable (1986b, 51). On verra plus loin que l'opinion de Merrill a évolué grandement par la suite.

La conception de la responsabilité sociale comme une menace à la liberté de la presse est partagée par plusieurs théoriciens et praticiens des médias. Cave, qui fut longtemps responsable du magazine américain *Time*, se demande s'il est possible que plus de deux siècles après la déclaration constitutionnelle américaine qui garantit une presse libre de tout contrôle extérieur, la menace provienne de la volonté des journalistes de se contrôler eux-mêmes. Il concluait que la presse doit continuer d'assumer une obligation, soit l'exercice vigoureux de la liberté (1989, 113). Sa façon de présenter le problème est caractéristique de celle de bon nombre de journalistes, de juristes au service de médias et d'observateurs en ce sens qu'il perçoit très bien que deux valeurs s'opposent (responsabilité et liberté) mais ne cherche pas à en avoir une vision complexe où l'une *et* l'autre seraient reliées. Il préfère plutôt constater leur opposition tout en admettant qu'il peut exister une zone grise (qui ne sera évidemment pas recherchée, analysée et présentée), mais il n'ose pas s'y aventurer et en vient à la conclusion qu'il faut privilégier la valeur traditionnelle, la conception libertarienne de la presse en l'occurrence.

Cette position est parfois exprimée autrement. Par exemple, l'approche libertarienne impliquant des choix individuels, il est souvent reconnu que cela laisse place aux excès, mais ces excès sont tolérés parce que ceux d'une presse libre « sont préférables à la propreté d'une presse servile. Une presse trop encadrée perdrait sa vitalité et son utilité sociale » (Laplante 1986, 44). L'analyse d'un tel argument révèle l'existence d'un *a priori* qui veut qu'une presse encadrée soit nécessairement et obligatoirement trop encadrée et, partant, servile. Or, cette affirmation est loin d'être démontrée et ce n'est pas en se référant aux modèles totalitaires qui ont effectivement marqué le XXe siècle, aux hypothèses maximalistes en quelque sorte, qu'on peut réfuter pour autant des hypothèses minimalistes ou modérées de contrôle, où les médias sont incités explicitement à faire preuve de plus de responsabilité au lieu de leur reconnaître une liberté voisine de l'arbitraire. Klaidman et Beauchamp reconnaissent que, mises à part les poursuites pour diffamation, les conséquences négatives du travail des journalistes conduisent rarement à des sanctions, même lorsque le bénéfice pour le public n'est pas à la hauteur du mal causé à certains. Cette situation est tolérée en raison de l'axiome énoncé plus haut, à savoir que les effets négatifs du contrôle de la presse seraient plus importants que les effets négatifs générés par les excès d'une presse libre de tout contrôle. Mais les auteurs soutiennent que cet axiome ne libère aucunement les journalistes de leur responsabilité morale, qui consiste à éviter le mal inutile qu'ils pourraient infliger aux sujets de leurs articles, qu'il s'agisse de leurs sources, des institutions ou du public en général (Klaidman et Beauchamp 1987, 94).

Bien entendu, il n'existe pas *une* façon d'accéder à la responsabilité, tout comme il n'y a pas un unique chemin qui nous mène à Rome. On peut prendre différents chemins, dont certains s'avéreront des culs-de-sac et exigeront de revenir sur ses choix. Cette métaphore vise à faire comprendre deux choses : premièrement, il faut se rendre à Rome, c'est-à-dire accéder à un entendement consistant et rationnel de ce qu'est la responsabilité sociale ; deuxièmement, il n'existe pas une seule route, c'est-à-dire un seul et unique raisonnement, pour atteindre cet objectif. Du reste, l'éthique est souvent une question d'imagination et de délibération qui nous permettra de déterminer des conduites optimales où le devoir d'informer pourra être honoré sans sacrifier arbitrairement les valeurs fondamentales de nos sociétés : vie privée, réputation, liberté et autonomie, etc. L'imagination permet d'envisager et d'évaluer plusieurs options, de les comparer, de se mettre à la place d'autrui, etc. Prétendre le contraire, imposer une voie royale, un itinéraire unique nous menant à la responsabilité reviendrait à imposer à la presse un système déontologique rigide et réducteur, ce qui serait contraire aussi aux traditions occidentales de ces derniers siècles en ce qui concerne la liberté de la presse. De plus, un tel système serait difficilement applicable et pourrait devenir un obstacle à la libre circulation des idées (McManus 1992, 205). L'existence de plusieurs chemins conduisant à la responsabilité sociale est un signe de souplesse qui ne doit pas être confondu avec la mollesse intellectuelle du relativisme où tous les chemins se valent sans qu'il soit besoin de les justifier de façon rationnelle.

Pour en finir avec l'exposé des critiques de la responsabilité sociale de la presse, en voici une dont la radicalité peut avoir des allures de caricature si l'on oublie tous les excès qu'elle peut autoriser. Tiré d'un éditorial du *Wall Street Journal* paru il y a près de 80 ans, cet extrait cité par

Shaw serait toujours conforme selon le point de vue libertarien de
nombreux membres de la communauté journalistique et de propriétaires
de médias :

> « Un journal est une entreprise privée qui ne doit rien au public, lequel
> ne lui accorde pas de privilège en retour. Il n'est par conséquent nulle-
> ment concerné par l'intérêt public. Il est simplement le bien de son
> propriétaire qui vend un produit manufacturé à ses risques et périls. »
> (Shaw 1984, 9)

Plutôt que de présenter la responsabilité sociale comme une atteinte
directe à la liberté de la presse, on devrait la considérer comme une forme
raisonnable et rationnelle de régulation de la liberté d'expression dont les
abus font des victimes réelles. Cette liberté sise au cœur des sociétés
démocratiques protège la liberté de diffuser des informations véridiques
et d'intérêt public, d'exprimer ses opinions et ses idées. Les responsabilités
attribuées à la presse, on l'a vu, ne sont pas des consignes de silence et de
censure, mais des appels à l'ouverture : donner une image représentative
de la société, faire connaître les points de vue et la situation des démunis
et des marginaux, surveiller le gouvernement, etc. Quand les responsabilités reconnues font référence à des énoncés restrictifs, ce n'est du reste
jamais ni les opinions ni les idées qui sont en cause, mais bien des informations dont l'utilité sociale est minimale alors qu'est considérable leur
pouvoir de nuisance inutile ou injuste. C'est le cas, par exemple, de
l'identité des victimes de crimes sexuels, de l'envahissement de la vie privée
sans que cela ne soit socialement pertinent, de la diffusion d'informations
fausses qui menacent la réputation, etc. De telles restrictions n'empêchent
aucunement l'expression d'idées et d'opinions des journalistes, elles ne
font que reconnaître aux citoyens le droit au silence ou à l'anonymat dans
la conduite de leurs affaires personnelles, elles les protègent contre la
tentation inquisitoire de médias qui y trouvent avant tout un matériau
dont la valeur commerciale l'emporte sur toute autre considération.

Il y a lieu d'être très attentif aux arguments présentés par ceux qui
voient automatiquement une atteinte à la liberté de la presse lorsqu'il est
question des responsabilités de la presse. Il faut exiger de ceux-ci des
explications claires afin qu'ils démontrent quelles opinions et quelles idées
sont réellement en danger, quels débats sont vraiment évités par l'existence
des responsabilités sociales de la presse. Il faut aussi se demander si leurs
motivations profondes et inavouées ne sont pas d'un autre ordre, si la
responsabilité de la presse ne constitue pas plutôt une menace pour des
intérêts (économiques, politiques, idéologiques, etc.) étrangers à la libre
circulation des idées, des opinions et des informations relatives aux faits

sociaux significatifs. Car ces responsabilités sont un rempart de protection du citoyen et de la société contre les dérives et dérapages réels qui menacent aussi bien la légitimité des médias d'information que les droits et libertés des citoyens.

Par ailleurs, il fait peu de doutes que la théorie de la responsabilité sociale des médias d'information indispose grandement les propriétaires et dirigeants de ces entreprises qui ont le plus souvent des visées commerciales. En effet, chez certains, une presse libre et responsable « représente une menace réelle et substantielle pour les propriétaires, parce qu'elle menace de prolonger la liberté de presse au-delà des privilèges de la propriété » (Giroux 1991, 135). Conscients de ce qu'ils perçoivent comme une menace, les propriétaires de médias, aux États-Unis comme dans de nombreux pays, se sont presque toujours opposés à la création de méthodes et des groupes de surveillance de l'action des médias en matière de responsabilité sociale.

Un indice du peu de considération que les propriétaires et gestionnaires ont déjà eu, et ont encore dans certains cas, face à leurs responsabilités sociales nous vient de Meyer, qui a mené une étude auprès de membres de l'American Society of Newspaper Editors (ASNE). Quand il leur a demandé de hiérarchiser les 10 valeurs soumises à leur réflexion, les cadres de la rédaction de différents médias ont privilégié la santé financière et l'image de la compagnie avant les services à la communauté (1987, 121). Ces dernières décennies, le mode de gestion des entreprises de presse a accentué l'importance de leur mission économique et il est raisonnable de croire que la santé financière demeure l'élément dominant de leurs préoccupations. Mais il semble de moins en moins certain que celle-ci puisse s'imposer au détriment de certaines obligations sociales et professionnelles dont l'ignorance risque de ternir gravement l'image de l'entreprise. Comme on le verra plus loin, la montée en puissance d'un cinquième pouvoir, celui des publics comme corégulateurs des médias, de façon spontanée ou organisée, force de plus en plus les entreprises de presse à considérer l'éthique et la déontologie comme un indicateur de bonne gouvernance.

RESPONSABILITÉ ET LIBERTÉ

Les concepts de responsabilité et de liberté ne s'excluent pas mutuellement. À ceux qui se croient contraints de choisir entre l'une *ou* l'autre, proposons une approche de type complémentaire – et respectueuse de la complexité du réel – qui intègre l'une *et* l'autre, tout en reconnaissant que ces deux notions demeurent d'une certaine façon concurrentes et antagonistes. C'est dans cet esprit que Klaidman et Beauchamp soutiennent que les journalistes américains qui acceptent la liberté que leur concède le Premier Amendement de la Constitution des États-Unis sont moralement tenus de favoriser l'intérêt public, bien qu'ils puissent le faire en fonction de leur jugement (1987, 131). En fait, les deux volets du Premier Amendement seraient justement la liberté et la responsabilité, et en voulant être responsables les journalistes ne feraient que rendre hommage à la liberté (Rivers et Mathews 1988, 6). Reconnaissant que les relations entre ces deux concepts sont difficiles, ces auteurs font tout de même valoir que la meilleure défense de la liberté, de nos jours, de la part de la presse, est la responsabilité (p. 126). John C. Merrill a finalement adhéré à cette vision complexe en parlant lui aussi de «liberté responsable», et du besoin de réconcilier ces deux concepts (1989, 2), après avoir fait une «confession publique» de ses erreurs des années passées dans le camp libertarien. Selon Merrill, la responsabilité a un contenu éthique et il écrira même que la liberté journalistique sans préoccupations éthiques est aussi inutile que de vivre sans cerveau (p. vii). Non seulement responsabilité et liberté sont complémentaires, elles seraient même inséparables, prétend Swearingen pour qui, sans liberté, il n'y aurait aucun besoin de responsabilité, la première engendrant nécessairement la seconde (1984, 102). Ce type de discours – qui cherche à équilibrer liberté de presse et utilité sociale de la presse tout en tolérant de nombreux écarts – est souvent mal reçu dans les pays influencés par la conception américaine absolutiste de la liberté de presse, ce qui fait dire à Giroux que «les journalistes ont tendance, en général, à subordonner leur fonction sociale à leur liberté d'expression» (1991, 129).

Finalement, bon nombre de critiques de la théorie de la responsabilité sociale de la presse, et vraisemblablement du concept de liberté responsable, ignorent ou préfèrent ignorer que dans les sociétés d'économie de marché, libres et démocratiques, le principal obstacle à la liberté des journalistes et au droit du public à l'information n'est plus l'État, ni les tribunaux, mais bien les intérêts économiques des médias. En contestant, parfois avec férocité, aussi bien la notion de responsabilité que les principes éthiques et les règles déontologiques qui en découlent, ils occultent volontairement ou non le fait que ce sont justement ceux dont ils défendent les intérêts – propriétaires et dirigeants – qui devraient être les premiers visés par leurs comportements liberticides.

Selon Hulteng, la théorie libertarienne de la presse repose sur la diversité des sources de diffusion des opinions et des idées dans la société comme moyen de favoriser l'émergence de la vérité, ce qui nous ramène à la métaphore du libre marché des idées examinée plus haut. Mais, ajoute-t-il, à partir du moment où la propriété de la presse est de plus en plus concentrée entre de moins en moins de mains, cette théorie n'est plus de mise. Ces dernières années, de nombreuses recherches ont mis en évidence que la concentration de la propriété et la convergence des médias appartenant à des intérêts privés, surtout dans un contexte de crise du modèle économique traditionnel, sont considérés par les journalistes eux-mêmes comme les véritables obstacles qui nuisent à leur liberté. Cela est tellement vrai que plusieurs demandent l'intervention des gouvernements pour leur permettre de retrouver l'autonomie et la liberté auxquelles ils aspirent afin de servir le droit du public à une information de qualité (Bernier 2008).

CHAPITRE 4

Les codes de déontologie

Si l'on fait abstraction de l'influence des tribunaux, il existe principalement trois instruments pour baliser les pratiques des journalistes : les codes de déontologie, les ombudsmans ou médiateurs de presse ainsi que les conseils de presse. Ce sont en premier lieu les codes de déontologie qu'il est pertinent d'examiner dans le présent ouvrage, lequel s'articule sur l'importance de *déroger à la règle déontologique dominante*, aussi longtemps que l'on puisse justifier de telles dérogations. Quant aux ombudsmans, médiateurs de presse et conseils de presse, ce sont principalement des lieux de surveillance des pratiques professionnelles dont les analyses et les décisions se fondent, ou devraient se fonder, sur des règles déontologiques reconnues. Ils sont autant de dispositifs d'imputabilité que nous examinerons plus loin. Pour l'instant, il convient de mieux connaître les fonctions, les qualités et les défauts des codes déontologiques, ainsi que leurs limites.

On peut constater leur omniprésence aux quatre coins du monde, mais comment peut-on définir ce qu'est un code de déontologie ? Il faut avant tout écarter la tentation de recourir à *une seule* définition qui simplifie à outrance le propos ; il est préférable de regrouper quelques définitions pour en dégager ensuite l'essentiel.

Dans le domaine qui nous intéresse, un code de déontologie fait appel à des règles de production de l'information et à des règles de conduite relatives aux relations que les journalistes ont avec leurs sources, leurs collègues, leur employeur et le public. Les codes de déontologie ont donc des visées substantielles qui concernent le contenu, et relationnelles, qui concernent les gens. Le code énonce ce qui est considéré comme étant des *devoirs* professionnels. Ces règles de conduite sont définies soit par des individus, soit par des associations, soit par des entreprises. Même la loi s'en mêle, dans certains cas (Van der Meiden 1989, 88), ce qui n'est pas incompatible s'il faut en croire le juge Dufour, qui est d'avis que le droit et les normes déontologiques volontaires sont de nature différente, «mais il y a une interpénétration entre ces deux sortes de normes» (1990, 30).

Meyer fait remarquer que les codes de déontologie écrits par des comités sont généralement représentatifs de ce que l'ensemble de la profession pense de ses obligations en matière de comportements professionnels. Mais ces codes écrits cohabitent souvent avec des codes tacites, non écrits, dont les journalistes sont parfois inconscients. Ce second type de code est plus difficile à décrire et à analyser, mais il est aussi le plus puissant des deux (Meyer 1987, 17).

Une autre façon de définir ce qu'est un code de déontologie consiste à énumérer ses attributs, la définition devenant une description. C'est ce que fait Cooper lorsqu'il énonce les cinq attributs qui devraient caractériser un code de déontologie pour les médias. Le code doit être: *concret*; *représentatif* et *spécifique* des valeurs et des pratiques de l'univers auquel il s'applique; *intentionnel*, c'est-à-dire élaboré de façon consciente et souvent laborieuse au bout d'un processus de réflexions, de négociations, de révisions et de critiques qui peut demander des années de travail; il doit transporter un certain degré de *sens* par son symbolisme, sa formulation et son inspiration (1989a, 30).

En somme, on pourrait définir le code de déontologie comme un ensemble de règles de conduite professionnelles adoptées volontairement ou imposées par une autorité extérieure. Ces règles sont des énoncés formulés de façon consciente (on retrouve ici l'intentionnalité) qui cherchent à rendre le journaliste responsable au regard de son mandat social. Idéalement, ces règles devraient constituer un code concret et représentatif des valeurs et des pratiques des professionnels auxquels il s'adresse et avoir du sens pour ces professionnels. On voit l'ampleur du défi émergeant de cette définition.

LES FONCTIONS DES CODES

Ces définitions introduisent une autre dimension des codes de déontologie, soit leurs fonctions. Qu'en attend-on exactement? Est-ce une façon de se donner bonne conscience? Veut-on réellement protéger le public contre des pratiques professionnelles condamnables? Ou bien est-ce simplement une opération de relations publiques visant à promouvoir une image du journalisme comme profession s'opposant aux conceptions «ouvrières» de ceux qui y voient tantôt un art, tantôt un métier, une simple activité lucrative ou, au contraire, une vocation? Les avis à ce sujet sont assez partagés, mais implicitement on attribue diverses fonctions aux codes de déontologie. En faisant le tour de la littérature, on recense au moins huit fonctions attribuées aux codes de déontologie et, bien entendu, certaines sont plus importantes et évidentes que d'autres.

Sauvegarder la crédibilité

Juusela est d'avis qu'une des raisons d'être de la déontologie du journalisme, en pays démocratiques, est le maintien de la confiance du public à l'égard des moyens de communication de masse. En faisant valoir l'importance de la bonne conduite professionnelle, on suggère du même coup que les journalistes sont conscients de leurs responsabilités (1991, 7). En ce sens, on aurait raison, comme le fait notamment Williamson, de dire que la déontologie professionnelle est profondément enracinée dans le désir de protéger la crédibilité de la profession et des entreprises de presse (1979, 69). Cette fonction serait même l'une des principales raisons qui expliquerait le regain d'intérêt manifesté par la profession à l'égard de la déontologie (Sanders et Chang 1977, 3). Il est cependant permis de croire que le principal facteur de la crédibilité des journalistes demeure l'exactitude des informations qu'ils diffusent (Scott 2005).

Protéger l'image

Certains auteurs soutiennent que les journalistes n'ont commencé à se préoccuper de leurs responsabilités morales qu'à compter du moment où leur image a perdu de son lustre auprès de l'opinion publique (Ferré 1990, 218). Cet argument prend du poids quand on observe, comme l'a fait Meyer, que les trois principaux codes de déontologie aux États-Unis[1] ont en commun le souci de préserver les apparences (à propos des conflits d'intérêts surtout), ce qui soulève une hypothèse qu'il juge troublante : les gens des journaux considèrent la déontologie comme étant fondamentalement une question de relations publiques plutôt qu'une préoccupation de faire le bien en soi (1987, 9). Meyer estime même qu'un code de déontologie qui se préoccupe des apparences est condamné à ne pas atteindre son objectif, soit protéger l'image de la profession, car les discussions tournent autour de ce qui *paraît* mal au lieu de se pencher sur ce qui *est* mal. S'en remettre au point de vue des lecteurs pour juger des questions déontologiques est une grave erreur, croit-il (p. 20). Cette

---

1.   Soit les codes de l'American Society of Newspaper Editors (ASNE), de la Society of Professional Journalist, et de l'Associated Press Managing Editors (APME).

fonction de sauvegarde de l'image est reprise par Hixson (1980, 134), qui soutient par ailleurs que les codes sont rarement mis en application : en somme, leur véritable fonction serait d'exister simplement et de faire savoir qu'ils existent.

Valoriser le caractère professionnel

Une autre fonction des codes de déontologie est de contribuer à professionnaliser une activité, un métier ou un art. Olen est d'avis que la raison d'être d'un code est de définir la mission, les objectifs et les valeurs d'une profession, et d'établir les règles de conduite professionnelles qui en découlent. L'existence de valeurs communes et des normes correspondantes constitue généralement un des traits caractéristiques des professions. Olen précise qu'en se dotant de codes, les journalistes tentent d'améliorer leur statut professionnel (1988, 29). Selon Fortin, le code déontologique est considéré comme « un moyen d'accréditation de la corporation ou de la profession dans la société ; le code est alors perçu comme un moyen de promotion sociale de l'organisation » (1989, 73). Les codes serviraient donc à valoriser le caractère professionnel du journalisme. Il ne faut donc pas s'étonner de constater que les démarches pour affirmer l'identité professionnelle des journalistes soient le plus souvent accompagnées de textes normatifs.

Protéger le public

La protection du public contre un usage irresponsable, antisocial et propagandiste des médias est une autre des fonctions reconnues aux codes de déontologie (Juusela 1991, 7 et Fortin 1989, 73). Cette présumée protection est au cœur de la théorie fonctionnaliste qui a tenté d'expliquer l'introduction, l'application ou la reformulation des codes de déontologie dans différentes professions au cours des XIXᵉ et XXᵉ siècles. La théorie fonctionnaliste, dite du « service public », s'appuyait sur l'argumentation selon laquelle la qualité des services offerts par différents professionnels ne pouvait pas être évaluée par un juge, ou même prétendre être constante d'une activité à l'autre. Dans ce cas, il revient aux professionnels visés, présumés les plus compétents pour ce faire, d'élaborer un code de déontologie afin de protéger le public contre d'éventuelles pratiques néfastes (White 1989, 51). En ce sens, ces codes ont une valeur devant symboliser une confiance sacrée entre le public et ces professionnels dont l'expertise et les services sont importants pour le bien-être de la société (p. 52-53). Giroux est d'avis que la protection du public passe aussi par la transparence et l'imputabilité des journalistes face au public, afin que ce dernier soit mieux en mesure de connaître et d'évaluer leurs pratiques professionnelles (1991, 132).

Protéger la profession

Il serait naïf de croire que la noble intention de protéger le public n'en cache pas une autre, que certains qualifieraient de corporatiste, soit protéger la liberté de la profession, quand ce ne sont pas ses privilèges. En Grande-Bretagne, par exemple, des pressions d'une opinion publique parfois hostile à l'égard de la presse ont incité les députés (qui s'en sont parfois réjouis) à élaborer et même à voter des lois limitant certaines pratiques de la presse. C'est cette menace d'intervention qui a motivé les professionnels des médias à se réformer eux-mêmes, le plus souvent par l'élaboration de codes de déontologie ou de règles portant sur les devoirs professionnels (Bertrand 1989b, 274). Cependant, l'expérience de l'auto-régulation en Grande-Bretagne est considérée depuis plusieurs années comme un échec (O'Malley et Soley 2000). Cela a été cruellement mis en évidence avec le scandale du *News of the World*, déjà évoqué plus haut. Lorsque surviennent des crises causées par des dérapages journalistiques, le premier réflexe est souvent d'invoquer l'existence de codes de déontologie pour attester du sens des responsabilités des médias. Mais bien souvent, la discussion en reste là et il est bien difficile de savoir si la transgression aux normes sera sanctionnée.

Protéger le journaliste

En énonçant des règles de conduite professionnelle claires et précises, les codes peuvent également protéger les journalistes contre les pressions et les sanctions des employeurs qui voudraient les forcer à adopter des pratiques irresponsables, des comportements humiliants ou à commettre toute action qui irait à l'encontre de leur conscience (Juusela 1991, 7-8). C'est ainsi que les codes de déontologie, en protégeant contre des représailles arbitraires, permettent aux consciences de s'émanciper. Par exemple, le *Guide de déontologie des journalistes québécois*, adopté en 1996 au terme d'un débat et de consultations ayant duré près de trois ans, comprend une clause de conscience selon laquelle les journalistes « ne doivent pas être contraints de recourir à des pratiques contraires à l'éthique et à la déontologie de leur profession, pas plus qu'ils ne peuvent rejeter le blâme de leurs propres actions sur les autres » (FPJQ 1996, 24). Naji résume divers textes déontologiques et en arrive à dire que cette clause de conscience « doit prémunir le journaliste également contre l'exécution de tout acte professionnel ou l'expression de toute opinion, que ses convictions et sa conscience refusent » et il en fait une question de protection de l'intégrité morale du journaliste (Naji 2002, 56). Abordant la question dans une perspective à la fois sociologique et normative, Lemieux est d'avis que l'existence de « textes de référence » tels les chartes et codes de déontologie peut à la fois protéger le public contre les abus de presse, mais aussi protéger les journalistes contre certaines sanctions qui pourraient provenir du public ou de leurs supérieurs hiérarchiques (2000, 454).

Freiner ou susciter la compétition

Dans un système économique de type libéral comme celui qui caractérise les grandes démocraties de la planète, la compétition est une valeur économique dont les qualités et les bienfaits supposés ou reconnus sont presque passés au rang de mythe sacré. Ito et Hattori estiment que, si la compétition améliore généralement la qualité des produits de consommation, il n'en va pas de même pour les *produits* des entreprises de communication chez lesquelles les mécanismes de compétitivité ne fonctionnent tout simplement pas. La compétition, quand elle n'est pas freinée ou tempérée, peut conduire les journalistes à adopter des pratiques dommageables pour le public. En réponse à ces conditions particulières, les codes de déontologie ont une fonction d'autorégulation et d'autodiscipline pour les journalistes (1989, 168). Toutefois, White suggère que les dirigeants des médias peuvent recourir aux codes déontologiques afin de stimuler la compétence de leurs employés, et cela, dans le but d'améliorer la position de l'entreprise sur un marché compétitif (1989, 55). Pour de nombreux journalistes cependant, la concurrence représente un facteur de dégradation de la qualité, de la diversité et de l'intégrité de l'information. Cela s'explique notamment par le fait que les journalistes ne bénéficient pas d'une réelle autonomie professionnelle à cause de leur statut d'employés soumis à des directives et injonctions hiérarchiques, ou comme pigistes contraints par les attentes de leurs clients.

Uniformiser les pratiques

Codifier, c'est prescrire des normes. En ce sens, il ne faut pas s'étonner de trouver dans les codes de déontologie une fonction d'uniformisation des pratiques professionnelles, ce qui ne doit pas être considéré comme un appauvrissement dans la variété et l'originalité des conduites possibles. Cette uniformisation est étroitement reliée aux responsabilités sociales de la presse, au respect des droits et libertés des citoyens, au service de l'intérêt public, etc. On verra plus loin que la réflexion éthique peut mener à déroger aux normes prescrites dans la mesure où cela est justifiable auprès de tiers grâce à des raisons d'agir partageables, si bien que l'uniformisation n'est jamais absolue. Elle couvre la vaste majorité des pratiques journalistiques mais tolère une marge raisonnable et raisonnée de déviance.

LES CONDITIONS D'EXISTENCE DES CODES

Plusieurs auteurs ont abordé la question des conditions d'existence des codes de déontologie. Un survol de la littérature fait ressortir deux conditions capitales : la *reconnaissance* et la *représentativité*. Ces conditions, ou l'une d'entre elles selon les différents contextes sociaux et politiques, ne sont pas suffisantes à elles seules pour susciter la création de codes, mais elles semblent du moins nécessaires et incontournables dans le processus d'élaboration de codes de déontologie.

La reconnaissance

Comme le soutiennent pertinemment, entre autres, Erickson et Fleuriet (1991, 285), un code doit être reconnu autrement que comme un simple assemblage d'énoncés prescriptifs. Il doit être plus qu'une collection de clichés. Idéalement, il devrait être reconnu par tous les journalistes et refléter leurs valeurs. Selon Couture, qui reprend la même idée, un « principe dont il serait impossible de montrer qu'il serait délibérément et en toute connaissance de cause choisi par un groupe d'individus, n'a aucune chance de se qualifier comme [un] principe susceptible d'être mis en pratique » (1991, 7). Elle ajoute que le praticien qui veut implanter dans son secteur une règle d'action « à laquelle il a lui-même, délibérément et après mûre réflexion, décidé de se conformer [...] doit d'abord s'assurer que cette règle est susceptible de remporter l'adhésion de ses collègues [...] » (p. 10), ce qui réintroduit à nouveau la notion de raison d'agir (ou de ne pas agir) partageable par un tiers.

Il en irait de la déontologie comme il en va de la loi, qui est une autre forme de codification des règles de conduite à observer en société. Pour qu'un code, légal ou déontologique, puisse aspirer à une quelconque légitimité chez ceux qu'il vise, il faut qu'il y ait « adéquation entre les normes produites et leur acceptation sociale véritable » (Chemillier-Gendreau, 1991, 18). La reconnaissance par tous ou par la très grande

majorité des gens visés est une solide garantie de légitimité et une condition nécessaire pour justifier l'existence d'un code (déontologique ou
criminel), ce qui n'exclut aucunement la possibilité de transgression de
ses règles. Marquiset faisait valoir qu'il ne suffit pas que le code stipule
que l'homicide sera puni pour qu'il ne s'en commette pas (1965, 23).
Ainsi est-il illusoire de croire qu'un code, même reconnu et légitime, soit
une garantie absolue contre toute transgression.

L'adéquation

La condition de l'adéquation est clairement exprimée par Gieber
et Johnson, selon qui les normes et la réalité ne doivent pas être en conflit
(1961, 296). Les codes sont généralement conçus par des professionnels
qui ont incubé longuement les règles de conduite s'y retrouvant. En ce
sens, leurs conditions d'existence sont intimement reliées aux conditions
sociales qui ont modelé leurs auteurs. Les codes seront d'autant plus
facilement acceptés qu'ils refléteront les conditions actuelles de vie, même
si ces conditions sont des conséquences d'événements éloignés dans le
temps. C'est pourquoi, quand on veut évaluer l'adéquation des codes, on
doit tenir compte de plusieurs facteurs présents et passés : légaux, économiques, politiques, sociaux, religieux, culturels et ethniques, psychologiques (en ce sens que les codes reflètent la pensée et, partant, le
fonctionnement cognitif d'individus et de groupes), anthropologiques,
symboliques, linguistiques, environnementaux, nationaux, émotifs
(Cooper 1989b, 233-235). Les codes doivent être adaptés à ceux qui
devront s'y plier, et ces derniers doivent pouvoir s'y retrouver, reconnaître
que les règles sont représentatives des valeurs dominantes. Dans le contexte
des grandes mutations technologiques et économiques qui marquent le
journalisme depuis près de 20 ans, les règles déontologiques traditionnelles
liées à la vérité et l'exactitude, ou encore à l'intégrité ont été l'objet de
remises en question radicales. Par exemple, pourquoi exiger qu'une information soit exacte quand on peut la corriger rapidement en ligne, ce qui
n'était pas le cas des journaux ou des bulletins de nouvelles ? En matière
d'intégrité, la règle déontologique proscrivant les conflits d'intérêts a pour
sa part été confrontée au principe de transparence et à la règle de divulgation de situations où le journaliste, amateur ou professionnel, se retrouvait justement dans une telle situation conflictuelle. Cela est surtout le
cas pour les médias en ligne, les blogues, voire les pages Facebook animés
par un ou quelques individus qui vont en quelque sorte se faire les promoteurs d'entreprises, d'organisations ou d'associations en échange de
revenus. Ce qu'il faut retenir de tels exemples, c'est que la motivation

pour ignorer ou rejeter les règles déontologiques traditionnelles est le plus souvent servir les intérêts particuliers des journalistes, en facilitant leur tâche plutôt qu'en la compliquant. Ce n'est pas le droit du public à une information de qualité ou intègre qui légitime de telles velléités de transformation. Il peut donc exister une tension, voire une opposition entre le contenu éthique d'une règle déontologique et son adéquation aux contraintes matérielles vécues.

LES POUR ET LES CONTRE

Bien entendu, la nécessité des codes de déontologie pour les journalistes ne fait pas l'unanimité, tant s'en faut. Ce qui est remarquable dans ce débat, c'est la qualité et la pertinence des principaux arguments qui militent ou bien en faveur ou bien en défaveur de l'existence de ces codes. Cela oblige du reste à tenir compte de cette réalité. Un recensement des arguments soulevés par les deux clans indique, de façon assez nette, que la majorité des arguments et des auteurs recensés plaident en faveur des codes de déontologie. Mais cela ne constitue pas une justification de l'élimination pure et simple des arguments minoritaires, puisque leur pertinence peut se révéler dans des situations exceptionnelles.

Arguments favorables

Un argument important en faveur des codes de déontologie est qu'ils sont, métaphoriquement parlant, des phares dans la nuit, c'est-à-dire qu'ils indiquent les chemins à suivre pour ne pas s'échouer sur des rives inhospitalières. En ce sens, un code est un instrument qui permet d'exprimer et d'indiquer ce qui est considéré comme une conduite responsable (Klaidman et Beauchamp 1987, 26). Un code de déontologie permet aussi au journaliste de mieux faire le lien entre l'abstrait et le concret, l'abstrait étant la situation type dont fait état la règle déontologique et le concret étant la situation vécue par le professionnel. En passant de l'un à l'autre dans le but de les comparer, le journaliste est en mesure de mieux se situer. Il a des repères pour lui venir en aide, même si l'on doit constater qu'il existera toujours un écart entre les idéaux et les pratiques. Selon Thomas Nilsen, les codes suggèrent des idéaux reflétant des convictions profondes qui ont pris forme dans nos moments de réflexion les plus calmes (1974, 15), dans des circonstances propices qui n'ont rien à voir avec celles où il nous faut agir plus ou moins rapidement.

Par ailleurs, on a fait valoir que les codes permettent une certaine prédiction des comportements qui donne à l'avance une idée de la façon d'agir des journalistes (Merrill 1980, 114). Du reste, fait valoir Stepp (1991, 24), le public est fondé à attendre des journalistes qu'ils agissent selon des règles de conduite codifiées, et le modèle de légitimation présenté en début d'ouvrage tient compte de ces attentes. Dans cet esprit, un code de déontologie devient une référence pour l'action, mais également une référence pour le journaliste et le public. Un code diffusé a aussi l'avantage de pallier les carences de l'oral (Etchegoyen 1991, 135), tout en favorisant les discussions sur les pratiques professionnelles adoptées (Meyer 1987, 20 et Johannesen 1983, 145). Richard Crable (1978) a évoqué une utilité argumentative des codes formels qui offrent des normes impersonnelles à partir desquelles les adversaires et les partisans de certaines pratiques peuvent discuter de la valeur éthique de ces dernières. Grâce à Internet, les médias peuvent plus que jamais diffuser les normes qui les gouvernent, mais il n'est pas toujours facile de pouvoir localiser ces textes normatifs sur les sites des médias.

Un code a par ailleurs la qualité d'être inspiré de l'expérience de situations, d'époques et d'individus différents. Ainsi, les problèmes professionnels les plus fréquents peuvent être résolus plus facilement, avance Johannesen, qui reconnaît du même coup que les situations complexes et nouvelles exigeront toujours des efforts de réflexion et une prise de décision (1983, 145). C'est le cas, par exemple, des revendications à un « droit à l'oubli » qui est un nouveau défi éthique né de l'accès public aux archives des médias, comme on le verra plus loin. Pour de nombreux médias, il est encore très difficile d'identifier les principes éthiques pouvant leur inspirer des règles de conduite équitables.

Éviter l'ingérence gouvernementale, qui pourrait se manifester par l'imposition de conseils de presse, d'ombudsman ou de codes déontologiques étatiques, est aussi un argument en faveur de l'élaboration de codes par et pour des entreprises de presse, qui pourraient le faire de façon individualisée, ce qui correspondrait à leur désir maintes fois exprimé de ne pas être prises en charge par l'État (Shaw 1983, 13). Cet argument peut sembler paradoxal à première vue parce qu'il substitue à un code, celui de l'État, un autre, celui de l'entreprise de presse. Mais sa valeur réside dans le fait que l'élaboration d'un code par les entreprises de presse diminue les probabilités et la pertinence d'une ingérence gouvernementale (Johannesen 1983, 145). Pour être plus précis, le présent argument en faveur d'un code de déontologie a pour effet de désigner *qui* devrait idéalement se charger de la rédaction dudit code.

Pour sa part, Fortin estime que la pertinence, voire la nécessité de réglementer les pratiques professionnelles se révèle d'elle-même quand «on prend conscience de l'impact social que peut avoir la délinquance professionnelle» (1989, 66). C'est dans cet esprit que Paul Janensch, qui a été rédacteur en chef pour le groupe de presse Gannett, a déjà insisté pour que les médias adoptent des codes écrits et que tous les gens engagés dans la production de l'information sachent ce qui est permis et ce qui ne l'est pas (Goodwin 1986, 6).

Frank Scott, qui fut le premier professeur de journalisme à l'Université de l'Illinois, a déjà fait valoir, dès 1924, que pour être reconnu comme une profession, le journalisme devrait se doter d'un code de déontologie afin que les charlatans y soient aussi marginalisés qu'ils le sont dans des professions comme la médecine et le droit (Christians et Covert 1980, 2).

Un journaliste québécois, Yves Gagnon, fait pour sa part valoir qu'un premier avantage est de créer un environnement professionnel de qualité puisque la simple existence des documents écrits que sont les codes aiderait à instaurer un climat «qui favorise la recherche constante d'une meilleure information et surtout d'une information plus responsable» (1986, 62). En l'absence d'un code faisant l'objet d'un consensus, comme c'est le cas dans plusieurs médias, il revient à chaque journaliste d'assumer la lourde responsabilité d'adopter une conduite compatible avec l'éthique professionnelle (Fink 1988, 12). En ce sens, la présence d'un code allège ce fardeau, sans en libérer complètement le journaliste, qui doit adapter ces règles à la praxis.

Gagnon estime également que les codes déontologiques facilitent l'intégration des jeunes journalistes qui s'identifient rapidement au journal, à ses orientations, à ses politiques et à ses contraintes. Comme l'explique la philosophe Angèle Kremer-Marietti dans *L'éthique*, «les habitudes que donnent les bonnes lois sont la disposition réalisant la vertu à une fréquence élevée» (1987, 29-30). Il importe donc que le journaliste soit avisé des normes et des attentes de sa profession si l'on veut qu'il adopte des pratiques conformes (Hulteng 1976, 2). Troisièmement, poursuit Gagnon, «on évite […] le conditionnement arbitraire qui s'opère dans beaucoup de journaux par les décisions des chefs de pupitre, rédacteurs en chef et directeurs, plus aptes souvent à juger selon les traditions, sinon l'humeur du moment, ou la tête du journaliste» (p. 62-63). Un quatrième avantage relevé par cet auteur est d'«obliger une justification "a priori" de toute décision allant apparemment à l'encontre du code» (p. 63). Cela exige un travail de réflexion qui élève une barrière à l'encontre de comportements impulsifs. Avec la dématérialisation de bon nombre de médias et la dispersion, parfois même la disparition des salles de rédaction, les codes de déontologie peuvent suppléer à l'absence de la sociali- sation professionnelle, d'autant plus que dans certains cas, cette socialisation cherchait à imposer la reproduction de pratiques contraires à l'éthique sur la seule base d'un conservatisme douteux.

Pour sa part, en se limitant au plan strictement moral, Christians remarque que, depuis Hippocrate, les codes ont souvent servi de labora- toire pour examiner la question de l'imputabilité professionnelle et favoriser des règles prudemment justifiées, de préférence aux décisions *ad hoc* prises en situation de crise. Selon lui, la recherche en ce domaine suggère de plus en plus clairement que les codes de déontologie élaborés de manière minutieuse et rigoureuse peuvent aider à susciter une conscience de groupe et à créer un tissu moral au sein de structures professionnelles (1991, 10). Si cela est vrai, on peut difficilement trouver meilleur argument en faveur de l'existence de codes déontologiques.

Les arguments les plus forts en faveur des codes sont certes la protection du public contre les pratiques professionnelles néfastes, l'édu- cation des nouveaux journalistes, leur fonction de phare pour le travail du journaliste ainsi que de repère pour la critique des médias d'informa- tion, que celle-ci provienne de journalistes, d'intellectuels ou du grand public. Dans ce dernier cas, la déontologie peut constituer une protection pour les journalistes victimes d'attaques abusives par Internet et les médias sociaux.

Arguments défavorables

Des rédacteurs en chef de médias américains ont relevé depuis longtemps au moins trois désavantages majeurs des codes, le principal étant qu'ils inhiberaient le jugement personnel des journalistes, lesquels ne peuvent faire preuve d'autant de souplesse qu'il serait souhaitable (65 %). Un autre désavantage retenu par 32 % des répondants est que les règles de conduite ou normes sont trop floues et générales. Enfin, la présence de codes est perçue comme une source potentielle de problèmes juridiques par 7 % des rédacteurs, qui craignent que la justice s'en inspire dans ses jugements (Wulfemeyer 1990, 987). Reprenons un à un ces trois désavantages qui servent d'arguments principaux aux opposants. On fera ensuite état de la position de ceux qui dénoncent les codes comme des outils de domination et d'inhibition de changements structurels des médias.

La critique selon laquelle les codes de déontologie seraient trop rigides a déjà été soutenue par Merrill. Selon lui, même si les journalistes doivent se doter de certains principes de base ou règles de conduite, ils devraient avoir la capacité de s'en écarter dans des situations et des contextes particuliers (1980, 111). Ce point de vue rejoint un des principes au cœur du présent ouvrage, soit la pertinence de *déroger aux règles déontologiques dominantes*, soit les règles généralement reconnues en journalisme, comme on le verra au chapitre suivant.

L'argument relatif à la rigidité des codes s'impose et mérite qu'on s'y attarde. Toutefois, plutôt que d'y voir un mur infranchissable, il faut s'en servir comme d'un tremplin. En effet, si une règle de conduite peut proscrire certains comportements considérés comme injustifiés ou abusifs, elle peut en même temps stimuler l'imagination et encourager la recherche de solutions originales, de la même manière qu'une contrainte grammaticale ou syntaxique conduit parfois à la production de textes originaux, voire poétiques. Le cadrage normatif du travail journalistique concerne souvent le recours injustifié à certains moyens ou artifices (procédés clandestins, usage de sources anonymes, plagiat, etc.) ou encore proscrit certaines situations, tels les conflits d'intérêts. Il se prononce très rarement sur le contenu expressif de l'acte journalistique, sinon pour protéger raisonnablement la réputation et la vie privée, ou ce qu'il en reste en cette ère de médias sociaux. Par exemple, la règle qui prescrit d'identifier les sources d'information, sauf circonstances exceptionnelles, doit encourager à multiplier les démarches pour documenter une information, et non à abandonner la recherche si les sources sont réticentes à s'exprimer publiquement. Bien entendu, cela signifie d'y consacrer plus d'ardeur, d'y investir plus de temps et de ressources. Bien entendu, le journaliste sera moins « productif » sur le plan quantitatif, mais il y gagnera une qualité indéniable. Ici aussi l'éthique et la déontologie sont des facteurs qui favorisent l'excellence et la bonne gouvernance des organisations.

Fortin a pour sa part la profonde conviction que les codes sont inopérants et inutiles s'ils ne font pas appel à la créativité de ceux et celles qui s'y réfèrent. « Ils ne doivent pas être considérés comme une "table de la Loi" mais plutôt comme des instruments au service de la responsabilité individuelle et collective de ceux et celles dont ils régissent la pratique professionnelle » (1989, 67).

À l'opposé de ceux qui trouvent les codes trop rigides, certains leur reprochent d'être trop flous et, partant, difficilement applicables. C'était le défaut de la *Charte du journalisme* de la FPJQ, selon Giroux, qui y voyait sans plus une déclaration de principes : « Aussi, la fonction sociale des journalistes y est-elle énoncée comme celle qui consiste à "servir le droit du public à l'information" » (1991, 128). Cette charte a été remplacée

par le *Guide de déontologie* de 1996 (amendé en 2010)[2], qui fait preuve
à la fois de rigueur et de souplesse en offrant des critères de réflexion qui
permettent d'en justifier la dérogation, mais on pourrait faire le même
reproche à la *Charte du journaliste* de France, écrite en 1918 et modifiée
en 2011 pour devenir la *Charte d'éthique professionnelle des journalistes*[3],
sous les auspices du Syndicat national des journalistes. Outre qu'elle
alimente la confusion entre l'éthique et la déontologie, cette charte déontologique prescrit ce qu'un « journaliste digne de ce nom » doit ou ne doit
pas faire, mais ses injonctions y sont à la fois trop vastes et trop générales
pour permettre une utilisation pratique à l'abri des débats sémantiques.
Certes, elles reposent sur des principes éthiques forts, mais les règles qu'elle
prescrit sont tantôt rigides sans ouverture aux exceptions (*Garde le secret
professionnel et protège les sources de ses informations*), tantôt floues pour ce
journaliste digne qui « *Proscrit tout moyen déloyal et vénal pour obtenir une
information* », « *Exerce la plus grande vigilance avant de diffuser des informations d'où qu'elles viennent* » et « N'use pas de la liberté de presse dans
une intention intéressée ».

Parmi les problèmes juridiques que pourraient causer les codes de
déontologie, il y a celui d'un possible conflit, aux États-Unis à tout le
moins, avec le Premier Amendement qui protège la liberté d'expression
(Christians et Covert 1980, 3). Mais il existe un autre ordre de problèmes
selon divers critiques : l'avocat d'un plaignant, dans une cause de diffamation par exemple, pourrait avoir recours aux codes des entreprises de
presse poursuivies afin de convaincre le juge que les journalistes ont
transgressé leurs propres normes professionnelles. Cette possibilité a
convaincu les avocats de plusieurs entreprises de presse qu'il valait mieux
ne pas avoir de code écrit que de voir celui-ci être utilisé en justice contre
les intérêts de l'entreprise, constate Meyer, qui condamne cet abandon
de la responsabilité sociale et de l'éthique au profit de considérations
juridiques (1987, 17). Il fait aussi observer que les avocats ne sont pas
très bien placés, du reste, pour être de bons conseillers en matière d'éthique
et de déontologie du journalisme. Par ailleurs, il est bien reconnu que les
procès intentés contre les médias coûtent presque toujours plus cher qu'ils
ne rapportent, comme l'a observé une commission d'enquête en Australie,
dont le rapport note qu'en raison de ses coûts importants (jusqu'à
500 000 $) et des limites aux dommages imposés par les tribunaux (parfois
50 % de cette somme), les poursuites en diffamation n'y constituent pas

---

2.   Voir [http://www.fpjq.org/index.php?id=82], lien visité le 5 mars 2014.
3.   Voir [http://www.snj.fr/IMG/pdf/Charte2011-SNJ.pdf], lien visité le 5 mars
      2014.

un rempart efficace contre les excès journalistiques. De plus, ce que désire souvent la personne diffamée, c'est une réparation rapide des dommages à sa réputation, ce qui n'est pas le cas avec les poursuites en diffamation. Finalement, de telles poursuites sont compliquées et complexes, ce qui décourage bien des individus (Finkelstein 2012, 152).

Il y a lieu d'ajouter que le recours aux tribunaux, dont on ignore empiriquement l'ampleur, est un phénomène qui semble surtout attribuable au fait que les individus accordent de plus en plus d'importance au respect de leurs droits individuels, dont le droit à la réputation et à la dignité. Plusieurs chercheurs sont d'avis que le fait de faire confiance à quelqu'un est un élément fondamental de l'interaction sociale, et le fait d'avoir une bonne réputation est le signal donné aux autres indiquant que nous sommes dignes de confiance et qu'ils peuvent interagir avec nous. Comme le signale Craik (2009), la réputation d'une personne n'existe que dans l'idée que les autres s'en font, individuellement ou collectivement. Whitmeyer (2000, 190) estime qu'il existe un consensus selon lequel la réputation d'un acteur social soit un facteur capital de la confiance que lui accorde un autre acteur, puisque la réputation est une information reliée à l'évaluation que l'on peut se faire quant à la capacité de l'autre (un professionnel par exemple) d'accomplir éventuellement certaines actions (nous soigner, nous conseiller, etc.). Pour corroborer l'hypothèse selon laquelle la bonne réputation est un facteur attrayant en société, Jones et Shrauger (1970) ont eu recours à un devis expérimental qui leur a permis de confirmer que les sujets qu'ils ont questionnés ont trouvé plus attrayants les individus qui leur étaient présentés comme ayant une bonne réputation et qui affichaient une bonne estime de soi. Pour les besoins de leur recherche, ils définissaient la réputation comme une évaluation qui est faite de la valeur d'une personne. Ils estiment avoir démontré que la réputation a une incidence directe sur l'attirance interpersonnelle et sur l'opinion que l'on se fait de ceux qui jouissent d'une bonne réputation.

Cette dernière repose sur plusieurs variables, dont bien entendu ce que diffusent les médias traditionnels tout comme les médias sociaux et les blogues. Cet enjeu n'est donc pas limité au journalisme professionnel, car tout citoyen est passible d'être confronté aux conséquences de ses attaques contre la réputation d'autrui. Mais compte tenu de la gravité des conséquences causées par une forte médiatisation, les médias et leurs journalistes sont souvent accusés. À la différence du citoyen lambda, les journalistes professionnels bénéficient d'une certaine clémence des tribunaux qui reconnaissent l'importance de leur rôle social et démocratique, tout comme ils peuvent compter sur le soutien de leur employeur pour les défendre. De plus, ils sont guidés par des principes éthiques et des règles déontologiques qui leur indiquent les pratiques à privilégier tout comme celles à éviter.

Dans une perspective normative, John Rawls affirme que l'estime de soi doit être considérée comme un bien premier qu'un humain désire avant toute autre chose, au même titre que les droits et libertés, le pouvoir de profiter de certaines opportunités, de revenus et du bien-être (1994, 92, 440 et suiv.). Selon cet important philosophe contemporain, un « bien » est déterminé par ce qui apparaît rationnellement le plus avantageux à long terme dans des circonstances favorables. Un individu est heureux s'il peut plus ou moins réaliser ses aspirations et les biens premiers sont les biens fondamentaux auxquels il aspire. L'estime de soi joue un rôle capital pour Rawls selon qui rien n'a plus de valeur sans elle, ou si des choses ont de la valeur pour nous, nous n'avons plus la volonté de nous y engager. Tout désir et toute activité deviennent vides et vains, et nous sombrons dans l'apathie et le cynisme (p. 440).

Un juge québécois ne disait pas autrement quand il affirmait que l'honneur et la réputation sont :

> « ... parmi les choses les plus importantes pour un être humain. Elles font partie des éléments fondamentaux de la dignité humaine. Les attaques contre l'honneur et la réputation peuvent affecter gravement le moral et la santé d'une personne, annihiler l'image positive qu'elle a d'elle-même et que les autres en ont, détruire à jamais sa confiance en soi et l'affecter gravement financièrement, sinon la ruiner. Elles peuvent, en fait, détruire purement et simplement un individu » (Sénécal 1997, 8).

Compte tenu de l'importance croissante accordée au respect de leurs droits, les individus tolèrent de moins en moins de se soumettre passivement aux aléas d'un droit collectif qui serait le droit du public à l'information, ou encore de plier l'échine au nom du respect absolu de la liberté de presse. Quand ils sont convaincus d'avoir été traités injustement par des journalistes au service d'entreprises de presse dont la mission première est de rapporter des profits intéressants à leurs actionnaires, les victimes d'abus de presse sont moins disposées qu'autrefois à accepter leur sort. Ce phénomène paraît irréversible alors que la crédibilité des médias demeure peu enviable. Si la crainte quant à l'instrumentalisation légale des codes de déontologie peut être compréhensible de la part de ceux qui ont le mandat de défendre les entreprises de presse, ou de ceux qui travaillent au sein des médias, elle doit être relativisée car l'existence de normes reconnues peut empêcher les tribunaux de fixer, au cas par cas, de nouveaux devoirs professionnels aux journalistes. C'est du reste ce qui se dégage d'un courant juridique international qui, pour juger certains litiges civils ou criminels, accorde de plus en plus d'importance à l'adéquation de la conduite des journalistes avec les règles déontologiques reconnues, plutôt que de laisser les tribunaux inventer de façon plus ou moins arbitraire des devoirs professionnels. Les journalistes sont moins confrontés à une obligation de résultat (la vérité par exemple) qui refuse le droit à l'erreur de bonne foi, et de plus en plus à une obligation de moyens, lesquels sont justement au cœur des codes de déontologie.

Par ailleurs, pour certains adhérents de la théorie critique, qui privilégient une approche d'inspiration marxiste dans leur étude des médias, la professionnalisation et les codes de déontologie constituent des mécanismes idéologiques dont la fonction première est de créer une fausse impression de consensus dans la société capitaliste, outre qu'ils inhibent le processus des changements structurels (White 1989, 56). Dans cette optique, les codes seraient avant tout des stratégies de protection de l'ordre établi, de puissants garde-fous contre le changement. Au contre-argument selon lequel ceux qui s'opposent le plus radicalement aux codes de déontologie sont justement de grands propriétaires capitalistes (qui ont le plus à gagner dans le maintien du *statu quo*, et qui devraient de ce fait imposer des codes de déontologie pour se protéger des changements), les auteurs critiques répliquent que cela n'est qu'une tolérance admettant les écarts sans conséquences, mais interdisant toute transgression radicale des règles du jeu. À leurs yeux, le système tolère des écarts mais pas le « déviationnisme » lorsque celui-ci peut engendrer des mouvements difficiles à contenir.

Finalement, dans une perspective d'inspiration social-démocrate, Christians et Covert sont d'avis que, si les codes de déontologie ont pu procurer une certaine respectabilité à la profession pendant les années 1920, ils deviennent souvent, de nos jours, des paravents servant surtout à protéger des intérêts particuliers et à repousser les menaces de réglementation de l'État (1980, 33-34).

LES LIMITES DES CODES

On doit constater à la fois la pertinence et les limites des codes en général. Même un code très répandu comme celui de la Society of Professional Journalists demande une bonne dose de jugement discrétionnaire de la part des journalistes, note Olen, qui l'a longuement étudié

(1988, 6). Il y a aussi observé deux limites importantes qui concernent
1) les difficultés pouvant surgir quand le journaliste tente d'agir conformément aux règles du code et 2) l'absence de thèmes importants, ce qui
lui fait dire que ce code, comme n'importe quel autre, peut constituer un
bon point de départ et soulever les bonnes questions, mais qu'il n'est pas
en mesure de fournir toutes les réponses (p. 13). La dernière révision de
ce code remonte à 1996, alors que de nouveaux défis ont surgi avec
Internet et l'accès public aux archives qui peuvent stigmatiser des individus
ayant été injustement traités dans le cadre d'articles et de reportages non
corrigés ou mis à jour.

Une autre limite n'a rien à voir avec le travail des journalistes car
elle est inhérente aux codes, quels qu'ils soient, parce qu'ils sont en quelque
sorte des systèmes fermés qui tolèrent très mal les contestations. Les
systèmes fermés en général, qu'ils soient des codes, des idéologies ou des
religions au sens sectaire du mot, offrent à leurs adhérents un ensemble
cohérent d'explications, permettent de façon sélective les expériences qui
les valideront, et suppriment les sentiments qui pourraient les remettre
en question. Krippendorf a très justement remarqué que dans un système
fermé, tout (les observations, les jugements, les réflexions, les pensées,
etc.) concourt à la conservation du système, à sa reproduction, si bien
que ces systèmes «se défendent constamment contre les perturbations
venues de l'extérieur» (1991, 177). Les codes de déontologie n'échappent
pas *naturellement* à cette règle, en ce sens qu'ils incitent leurs adhérents à
développer des automatismes comportementaux qui peuvent nuire à
l'intérêt public, détruire des réputations, causer des torts inutiles dans des
situations données. Il en va ainsi, par exemple, de la règle qui prescrit aux
journalistes de défendre la confidentialité de certaines sources, alors même
que celles-ci ont instrumentalisé un média pour tromper le public, ou
pour assouvir une vengeance.

Dans le même esprit critique, on pourrait rappeler les huit critères
que Boudon énumère pour distinguer les idéologies des autres systèmes
de croyance[4]. Parmi ceux-ci, certains s'appliquent aux codes de déontologie

---

4.   Les idéologies se signalent par: «le caractère explicite de leur formulation, leur
      volonté de rassemblement autour d'une croyance positive ou normative particu-
      lière, leur volonté de distinction par rapport à d'autres systèmes de croyances passés
      ou contemporains, leur fermeture à l'innovation, le caractère intolérant de leurs
      prescriptions, le caractère passionnel de leur promulgation, leur exigence d'adhé-
      sion et, finalement, leur association avec des institutions chargées de renforcer et
      de réaliser leurs croyances en question» (Boudon 1986, 34). Voir également, à ce
      sujet, Edgar Morin (1975), qui aborde la question du «système immunitaire» des
      idéologies politiques dans son *Autocritique*.

qui sont, de fait, formulés de manière explicite, cherchent à rassembler des professionnels autour d'une croyance positive ou normative particulière, sont gérés par des associations ou des institutions chargées de renforcer et d'appliquer ces croyances normatives et sont souvent fermés à l'innovation. Pour plusieurs critiques, la fermeture, ce repli sur soi, cette autoréférence, est ce qui caractérise le plus fondamentalement les codes de déontologie. Il est vrai que cette limite est inhérente à leur nature, mais elle ne devrait pas en être une pour l'agent moral qui a la possibilité, sinon le devoir dans certains cas, de «sauter la clôture» et de découvrir de nouvelles frontières, comme le lui permet le raisonnement moral qui caractérise l'éthique.

Une autre limite des codes est relevée par Couture. Elle réside dans leur impossible applicabilité à toutes les situations, dans tous les cas (1991, 4). Les codes prescrivent des règles de conduite en rapport avec des situations typiques qui ne peuvent que s'apparenter aux cas réels. Bien souvent, les exceptions leur échappent, surtout lorsque ceux qui voient à l'application des codes refusent de reconnaître et d'admettre leurs limites.

Par ailleurs, on doit constater, avec Merrill (1989, 289), qu'aucun code de déontologie n'a encore proposé de règles de conduite qui puissent rallier l'ensemble de la profession, et ce, bien que la pratique du journalisme professionnel s'articule autour de quelques piliers normatifs que la plupart admettent comme valables (intérêt public, vérité, exactitude, équité, intégrité, etc.). Selon Merrill, la principale raison de ce phénomène est que, dans les pays pluralistes, les objectifs et les méthodes des journalistes sont diversifiés. Dans un tel système, un code portant sur les pratiques est toujours relégué au statut d'ornement. Cette affirmation semble excessive car les codes de déontologie ont une utilité pratique, comme on l'a vu en prenant connaissance des arguments qui leur sont favorables. Les journalistes s'y réfèrent dans leurs débats et justifications.

Finalement, le caractère flou des codes de déontologie n'a pas seulement valeur d'argument pour leurs opposants. Il peut aussi devenir une limite à leur efficacité. Hemánus est d'avis que les tentatives visant à formuler des règles déontologiques ont souvent abouti à des énoncés vagues et de peu d'utilité (1980, 46). On peut en effet se demander quelle est l'utilité d'une collection de prescriptions dont le sens et la portée laissent place à de multiples interprétations. En ce sens, les codes qui énoncent des règles de conduite sont plus opérationnels que les chartes qui se contentent de principes.

Il faut par ailleurs avoir des attentes réalistes quant à l'incidence des codes de déontologie sur les comportements réels. Leur bilan n'est pas universellement positif, certains ne contenant aucune sanction pouvant susciter l'imputabilité des journalistes, d'autres tombant dans l'oubli peu après leur adoption ; on a même observé que plusieurs journalistes travaillent sans le savoir pour des médias qui possèdent un code de déontologie (Boeyink 1994b, 2). Les études ne sont par ailleurs pas catégoriques quant à l'influence des codes sur les pratiques des journalistes. Certains chercheurs ont pu observer une telle influence (Anderson 1987), alors que d'autres ont été incapables de montrer des différences mesurables entre les journalistes soumis à de tels codes et ceux qui ne l'étaient pas, face à des cas hypothétiques (Pritchard et Morgan 1989, Watson 2008, von Krogh 2008b, Puddephatt 2011).

Au terme de son étude comparative de trois quotidiens américains, Boeyink est d'avis qu'il faut analyser la valeur des codes autant par leur contenu que par le climat de la salle de rédaction où ils s'appliquent. Il ajoute que les codes influent sur les pratiques dans la mesure où ils sont pris au sérieux par l'organisation de travail, où les journalistes sont encouragés à s'y référer par leurs supérieurs ou par une culture favorisant les discussions qui portent sur l'éthique et la déontologie professionnelle (Boeyink 1994a, 901-902). Les gestionnaires de médias sont pour leur part inégalement doués pour aborder ou susciter de telles discussions professionnelles, ce à quoi fait référence la distinction entre *intention* éthique et *compétence* éthique (Black et Steele 1991, 4). Des chercheurs soulignent qu'un grand défi des journalistes est de respecter leur déontologie alors même que les pressions patronales les obligent souvent à des comportements opposés (Finkelstein 2012, Puddephatt 2011).

La présence de codes fait toutefois la différence en matière de sanctions, car plus de journalistes sont réprimandés ou mis à pied pour des transgressions à l'éthique et à la déontologie professionnelle dans les organisations possédant un code que dans celles n'en possédant pas, ce qui témoigne à nouveau de l'importance d'un environnement favorable à ces questions. Les médias où l'on observe une sensibilité aux questions éthiques ont certaines des caractéristiques suivantes : les gens en autorité montrent leur attachement à des normes élevées, les entreprises ont des normes claires et articulées, les discussions à propos de sujets controversés sont encouragées dans la salle de rédaction, car les bonnes décisions émergent souvent de salles où la culture encourage les débats et les réflexions relativement à des situations controversées (Boeyink 1994b, 3).

Aux frontières de la déontologie : l'éthique

(déroger à la règle déontologique dominante)

> « […] si les solutions, à leur tour, se prêtaient à une codification absolue, il n'y aurait, pour ainsi dire, plus de place pour la réflexion dans le cours de l'action. »
>
> Jocelyn Beausoleil

Nous avons vu qu'il existe de bons arguments en faveur de l'élaboration et de l'application de codes de déontologie, mais ils ne doivent pas occulter les arguments pertinents qu'invoquent les opposants à l'implantation de ces codes en journalisme. Les premiers font par exemple valoir l'importance des règles déontologiques pour créer un tissu moral et inculquer des conduites professionnelles responsables aux nouveaux venus et maintenir, voire améliorer, la crédibilité de la profession auprès de l'opinion publique. On pourrait ajouter que les codes de déontologie, qui explicitent des règles de conduite compatibles avec les attentes du public, contribuent fortement à protéger la légitimité sociale du journalisme. Les seconds soulignent, entre autres, que ces codes ne peuvent s'adapter à l'ensemble des situations rencontrées dans la réalité, qu'ils peuvent inhiber l'imagination et même constituer des atteintes à la liberté de la presse s'ils sont trop limitatifs.

On conçoit ici la problématique, pour ne pas dire la dialectique complexe qui caractérise ce débat. Pour plusieurs, l'absence de consensus clair en la matière justifie en soi le *statu quo,* c'est-à-dire la perpétuation d'un système où les pratiques journalistiques sont marquées par un laisser-faire généralisé, même s'ils admettent que cela peut engendrer des abus contre lesquels le public n'a aucune protection formelle autre que les coûteux recours devant les tribunaux pour les plus puissants, les plus riches ou les plus déterminés. Le *statu quo* est une stratégie conservatrice qui contourne le problème plus qu'il ne le résout, si l'on admet que les abus engendrés par ce système constituent un problème, ce qui est sans doute le point de vue des victimes de ces abus.

Il faut pourtant aller au-delà de cette dialectique et tenter d'élaborer un système de pratiques journalistiques qui pourrait s'enrichir des contradictions, travailler plutôt à les intégrer au lieu de les retourner dos à dos ou de n'en retenir qu'une catégorie et de rejeter les autres, comme le font souvent les tenants et les adversaires des codes de déontologie.

Les arguments invoqués par les deux parties étant souvent des jugements de valeur impossibles à vérifier d'une part, plus ou moins justes d'autre part, nous devons constater l'antagonisme fondamental sur cette question et nous mettre en quête d'un système complexe en intégrant la déontologie et l'éthique.

On se rappellera que l'éthique est en quelque sorte le processus générateur de la déontologie. C'est à partir d'un raisonnement éthique, sans doute pas toujours reconnu comme tel, qu'ont émergé certaines valeurs de base qui sont devenues progressivement des normes, lesquelles ont inspiré les règles des codes de déontologie. Ce labeur éthique réalisé en amont de la déontologie doit aussi s'effectuer en aval quand la règle déontologique est incapable d'aider le journaliste à surmonter les difficultés de situations particulières ; c'est ce que j'appelle savoir *déroger à la règle dominante*. La règle dominante est la règle déontologique explicite, celle qu'on intègre au code de déontologie parce qu'elle semble s'appliquer dans la plupart des situations et qu'elle respecte surtout les principes professionnels de base. Elle est aussi celle qui obtient le plus large consensus au sein de la profession, notamment par sa présence récurrente dans de nombreux textes normatifs.

C'est lorsque surgissent des situations particulières, singulières et uniques, voire extrêmes, que la règle dominante peut faire défaut et devenir aberrante et «contre-productive» si elle pousse l'acteur à privilégier des pratiques professionnelles conformes à la déontologie, mais contraires à certaines valeurs estimées plus importantes que d'autres (sauver la vie de quelqu'un, par exemple, quitte à cacher momentanément une information au public). Pour ne pas être dominé par cette règle dominante, pour échapper à la tentation de l'orthodoxie, il devrait donc y avoir place pour la dérogation à la règle, mais cette dérogation ne doit pas être arbitraire, sinon elle devient transgression et faute professionnelle. Au contraire, la dérogation doit être le fruit d'une réflexion éthique rationnelle qui aura pris au moins quelques critères en considération et permettra de se justifier à un tiers. Comme l'écrivait Stuart Mill, il est préférable que les hommes suivent intelligemment la coutume (les règles déontologiques pour les besoins de notre propos), « quitte à dévier à l'occasion [plutôt] que de s'y conformer aveuglément et mécaniquement » (1990, 151). Cette adaptation est nécessaire parce que le futur n'est jamais la répétition parfaite et intégrale du passé et qu'il est rarement « la pure et simple continuation du présent » (Boudon 1986, 153). Beausoleil a fait ressortir cette caractéristique fondamentale de la pratique normale de toute profession qui « conduit à faire face à des situations marquées par l'incertitude, la complexité, l'unicité, la variabilité, l'imprévisibilité, l'indétermination, etc., situations impossibles à traiter entièrement dans un cadre préétabli » (1992, 228).

Si l'on a pu concevoir la déontologie comme un système fermé, il faut recourir à l'éthique pour rendre ses frontières poreuses, sans que celles-ci deviennent une passoire ou un filet dont les mailles, trop larges, permettraient n'importe quelle pratique professionnelle arbitraire. C'est dans cet esprit que Demers écrira que l'engagement éthique doit être à la fois souple et contraignant, « il ne peut pas n'être que souplesse » (1991, 60). On pourrait dire de la déontologie ce que Bergson a déjà dit de la morale qui lui apparaissait comme fermée ; elle enferme en imposant des comportements obligés. L'éthique, souligne Bourgeault, est par contre essentiellement ouverte, elle « ouvre et déploie des horizons, sur lesquels la liberté créatrice et responsable fera se profiler dessins, projets, luttes […] » (cité par Giroux 1991, 121).

Cette alliance de la règle déontologique et de la réflexion éthique constitue la dimension morale la plus stimulante pour tout journaliste qui souhaite accomplir, de façon autonome, une fonction sociale de première importance, soit servir le droit du public à une information de qualité essentiel à la vie démocratique, au respect de la dignité humaine, à l'épanouissement individuel et à la vie collective.

L'éthique ouvre les frontières de la déontologie, mais cette ouverture s'articule sur des critères qui sont des charnières, ce qui signifie du même coup que l'éthique peut également interdire de transgresser la règle dominante si les critères préétablis ne sont pas respectés. La frontière éthique est à la fois ouverte et fermée, alors que la déontologie et la morale seraient des rideaux de fer imposant leurs limites. Giroux estime ainsi que

« l'éthique professionnelle se situe, en quelque sorte, en amont et en aval de la déontologie » (1991, 121).

Le même auteur soutient que la réflexion éthique portant sur les pratiques professionnelles en journalisme est impérative « afin que la déontologie demeure vivante, malgré sa codification, et pour qu'elle ne devienne pas un simple répertoire d'intentions louables, au demeurant stériles » (p. 129). Pour reprendre les expressions de Boudon (dans *L'idéologie*), la déontologie doit demeurer une « boîte blanche », ce qui veut dire qu'on doit avoir accès aux fondements, aux raisons qui soustendent ses règles, quitte à les remettre en question, sinon elle devient une « boîte noire » contenant des normes et des règles qui semblent venues de nulle part et dont les fondements demeurent inconnus, et qui sont d'autant plus difficilement discutables (1986, 122 et suiv.). En somme, la déontologie ne doit devenir ni doctrine, ni vulgate.

L'arrimage éthique/déontologie a l'avantage d'éviter que les pratiques journalistiques stagnent. L'éthique nous procure du même coup le méta-point de vue du système déontologique. Il faut effectivement tenter d'adopter un point de vue externe au système déontologique pour en évaluer la pertinence sur le plan théorique et, par conséquent, sur le plan pratique. Ce point de vue critique est impossible à atteindre quand on demeure à l'intérieur d'un système dont les règles s'autojustifient (Krippendorf 1991, 179) et renvoient l'une à l'autre.

L'éthique devient ici, avec ses valeurs et leur hiérarchisation comme avec ses critères, un méta-système de références permettant d'observer, de critiquer et de réformer les codes de déontologie dont les règles peuvent mal vieillir si elles se réfèrent à des valeurs et à des visions du monde n'ayant plus cours. Par exemple, dans un univers marqué par l'abondance et la rapidité de l'information, par une hyperconcurrence entre conglomérats médiatiques plus puissants que jamais, est-il pertinent de revisiter la pertinence de règles et de pratiques qui permettent d'identifier sans restriction des individus accusés de délits ou de fautes mais dont la culpabilité n'est pas prouvée ? Quel principe de justice permet de ne pas prendre en compte le stigmate persistant qui peut peser sur ceux qui auront été innocentés par la justice, alors que les archives en ligne vont perpétuellement raviver cet épisode ? Existe-t-il des pratiques novatrices qui permettent à la fois d'informer le public tout en atténuant les effets négatifs injustifiés ? Voilà certains des questionnements où l'éthique vient remettre en question des façons de faire et le *statu quo*, à la lumière des évolutions et des transformations aussi bien technologiques que culturelles.

Il faut reconnaître et saluer une frontière éthico-déontologique. Une frontière est le lieu où «s'effectue la distinction et la liaison avec l'environnement. Toute frontière [...] est, en même temps que barrière, le lieu de la communication et de l'échange. Elle est le lieu de la dissociation et de l'association, de la séparation et de l'articulation. Elle est le filtre qui à la fois refoule et laisse passer» (Morin 1977, 204).

Premiers gardiens de cette frontière, les journalistes se trouvent devant des choix difficiles car il leur revient le plus souvent de déterminer quelles pratiques sont acceptables ou non, alors même que cette évaluation met en cause leurs intérêts particuliers, ceux de leur entreprise et de leur groupe. L'intérêt public, le respect des droits et de la dignité humaine tout comme la qualité de l'information risquent d'être détournés, ignorés ou instrumentalisés si ces gardiens ne sont pas contraints par des normes fondées en raison, s'ils n'adhèrent pas à une certaine conception de la liberté responsable des médias. Les échecs répétés à ce niveau, et le refus de mettre en doute des pratiques héritées d'un autre temps, peuvent devenir autant de prétextes, ou de justifications, pour resserrer les contraintes et limiter la marge de manœuvre des journalistes. Or, rien ne prouve que cela serait nécessairement néfaste à la vie démocratique dans une société libre et ordonnée, malgré les prétentions théoriques d'une rhétorique libertarienne alimentée – amplifiée et répercutée – par ceux dont elle sert les intérêts économiques ou idéologiques. Les médias sont plus puissants que jamais et la rhétorique libertarienne, héritée des débuts de la presse devant combattre les censures royales et religieuses, est davantage un artefact hérité d'un âge révolu qu'un dispositif théorique adapté aux nouvelles réalités. Elle repose notamment sur une vision égocentrique et simplificatrice qui veut s'imposer au sein d'une société complexe caractérisée par la multiplicité d'intérêts légitimes qui exigent la recherche d'équilibres et de compromis raisonnables.

UN DÉRAPAGE CONTRÔLÉ...

Déroger à la règle déontologique dominante, c'est reconnaître le droit à la dérogation des règles de conduite professionnelles. Cette dérogation ne doit pas prendre les allures de caprices, de délinquances puériles ou de déviances systématiques, comme en convient Merrill, qui ajoute que le journaliste doit savoir adhérer solidement à des règles déontologiques et en dévier uniquement après y avoir pensé très sérieusement (1989, 198). Pour déroger aux règles déontologiques, on doit être en mesure de faire valoir de «bonnes raisons» qui convaincraient des gens raisonnables que le comportement adopté était optimal dans les circonstances.

L'adhésion/dérogation tient du dérapage contrôlé: cela implique, premièrement, que l'on a conscience de déraper; deuxièmement, que l'on sait déraper sans perdre le contrôle; troisièmement, qu'on pourra facilement rétablir la trajectoire en tout temps. On pourrait comparer cette forme de désobéissance déontologique à la désobéissance civile, laquelle est une infraction à la loi qui peut se justifier sur le plan moral, comme le dit Bovée en faisant référence aux actes de désobéissance civile ayant eu lieu pendant la guerre du Viêtnam, aux États-Unis (1991, 137).

Le dérapage contrôlé peut même entraîner dans son sillon une redéfinition de la culture. Le fondement rationnel justifiant la dérogation d'une règle peut échapper à la précarité de l'instant pour devenir la nouvelle norme, justement parce que l'état des choses a changé et que la règle remise en question s'est révélée, à la réflexion, obsolète.

Ce dérapage contrôlé est presque obligatoire à un moment ou à un autre si l'on reconnaît qu'aucune norme ne peut être applicable à toutes les situations et que les exceptions sont tout à fait possibles et souhaitables. C'est lorsque nous nous heurtons à ces exceptions que nous avons besoin d'une bonne maîtrise de nos outils de réflexion éthique afin d'éviter les dérapages catastrophiques, pour les autres autant que pour nous.

L'éthique nous vient en aide lorsqu'on sort des sentiers battus et des règles déontologiques dominantes devenues inefficaces, momentanément ou pour toujours. Cet environnement non balisé exige le recours à une marge d'autonomie intellectuelle que procurent les critères éthiques généraux et spécifiques qui seront présentés et mobilisés plus loin. Il suffit pour l'instant de reconnaître la nécessité de ces critères et de garder à l'esprit que le journalisme à son meilleur se manifeste souvent dans des situations limites qui impliquent des décisions éthiques risquées (Goodwin 1986, 355). Cette souplesse (qui n'est ni mollesse ni relativisme) s'oppose à la passion fanatique et irraisonnée de la déontologie devenue doctrine, ou d'une obsession de la vertu qui a causé bien plus de dommages aux humains et à la société que la somme des vices, comme l'a soutenu Raymond Brickberger (cité par Rivers et Mathews 1988, 193).

Le problème inhérent à l'éthique est que le journaliste est à la fois douanier et voyageur, il fixe les normes et est l'objet de ces normes. Cela laisse prise à un arbitraire et à une rationalisation excessive au terme de laquelle le douanier se métamorphose en contrebandier cherchant à se convaincre, et à convaincre les autres, qu'il est un voyageur sans reproche, fondé à passer la frontière. Il peut tenter de faire croire *post facto* que son dérapage était contrôlé, bien qu'il ait heurté inutilement des gens lors de son embardée. La meilleure défense contre les tentatives de justification reposant sur des arguments fallacieux demeure le recours à l'argumentation fondée en raison. C'est pourquoi le journaliste responsable doit sérieusement analyser les conséquences probables et prévisibles de ses pratiques, soupeser les risques et avoir conscience des valeurs en jeu (Johannesen 1983, 6). C'est ainsi qu'il se dotera d'un cadre d'action rationnel. Comme l'a bien fait valoir Merrill, la pire chose qui puisse survenir à un journaliste est d'en arriver à un point où il ne croit plus en la raison. Selon lui, la raison est « indiscutablement le noyau dur de la philosophie du journalisme authentique » (1975b, 126). Elle permet de formuler des raisons d'agir susceptibles « d'amener un individu à adopter, dans la pratique, un certain comportement », argumente la philosophe québécoise Jocelyne Couture (1991, 6). Elle ajoute que des :

> « … croyances rationnelles (des savoirs) concernant l'état du monde, concernant la capacité physique et matérielle pour l'individu concerné d'adopter ce comportement et concernant les conséquences probables que peut avoir son adoption interviennent certainement dans une telle décision. Mais il ne suffit pas qu'une action lui paraisse faisable et que ses conséquences puissent être calculées pour qu'un individu se décide à la poser. » (p. 6-7)

La décision d'agir d'une façon plutôt que d'une autre « fait appel à des savoirs mais aussi à des anticipations rationnelles concernant autrui, et peut-être même surtout, aux préférences réfléchies et bien pesées que les individus entretiennent par rapport à un ensemble d'options possibles » (p. 6-7). Se pose alors la question de l'option à retenir et de celles à rejeter, ce qui soulève d'autres questions du genre « Comment établir la supériorité d'une option éthique sur les autres ? Quelle est celle qui s'appuie sur les meilleurs arguments ? Laquelle se soustrait le mieux aux contre-exemples ? Quelle est celle dont les présupposés sont les plus fiables ? » (p. 9).

On voit bien que la raison est essentielle pour la réflexion éthique qui nous oblige à faire face aux orientations majeures à privilégier, faire face « aux choix vitaux à promouvoir » (Tremblay 1989, 5) et, finalement, complique souvent les choses au lieu de les simplifier à cause des « exigences d'une liberté et d'une responsabilité difficiles à assumer » (Fortin 1989, 68). Mais c'est justement ce qui est fascinant quand on s'y arrête. Au-delà de la recherche du *scoop*, des exclusivités, du sentiment de participer à l'histoire qui se fait, et justement en raison de ces facteurs, le métier de journaliste professionnel est le lieu privilégié de la réflexion éthique solidement amarrée à la réalité quotidienne. Peut s'y développer une riche mais exigeante symbiose de la théorie et de la pratique.

DE LA SOUPLESSE...

Déroger à la règle dominante est un dérapage déontologique contrôlé, avons-nous convenu. Cela fait appel à une importante qualité : la souplesse, qu'il ne faut surtout pas confondre avec la mollesse. La souplesse nous permet de faire face aux obstacles, de les contourner, de réviser nos idées préconçues, de déroger aux règles de conduite si cela nous semble justifié. Tandis que la mollesse est cette facilité à se laisser porter par les événements, à plier l'échine sous le poids des obstacles que l'on perçoit comme immuables, à accepter les arguments d'autorité, etc. Quant à la rigidité, qui n'est pas la rigueur, ce serait la disposition contraire de la mollesse et consisterait à se rabattre systématiquement sur les règles déontologiques pour justifier ses pratiques professionnelles en tenant pour acquis que ces règles ne peuvent que conduire à de bons résultats en ignorant les valeurs et principes qui sous-tendent et justifient ces règles.

En fait, si les journalistes ont de bonnes raisons de s'en remettre dans la plupart des cas aux règles déontologiques reconnues, ils doivent aussi discerner les situations échappant à ces règles et faire preuve d'une relative souplesse, qui n'est pas une souplesse relativiste où toutes les situations et options se valent. La souplesse relativiste justifierait l'adoption arbitraire d'une pratique à partir d'un seul critère polymorphe : le *penchant naturel* tantôt pour la gloire et l'honneur, tantôt par esprit de vengeance, tantôt par parti pris politique, etc.

Les journalistes doivent tenir compte de la situation et du contexte, mais aussi des valeurs en jeu, des conséquences, des règles déontologiques pertinentes, des arguments et des critères à retenir ou à rejeter. Merrill a proposé une règle de conduite à ce sujet : «Ayez quelques principes universels et fondamentaux qui dictent votre conduite, mais soyez capables d'en dévier si vous croyez pouvoir atteindre de meilleurs résultats en ce faisant» (1980, 111). Selon lui, le journaliste doit prendre en considération les composantes éthiques particulières des situations se présentant à lui et modifier ses principes quand sa conscience l'exige. La nuance qu'il fait est importante en ce sens qu'il parle de composantes éthiques que les journalistes doivent prendre en considération et non pas des dimensions pécuniaires, carriéristes, idéologiques ou partisanes de ces situations.

Par ailleurs, Merrill est d'avis qu'il faut réunir les préoccupations déontologiques (les devoirs) et téléologiques (les conséquences) du journalisme. Il reconnaît ainsi que les conséquences prévisibles peuvent justifier une dérogation aux règles déontologiques. Quant à Meyer, il croit même que cette souplesse est une caractéristique des journaux soucieux de l'éthique, où l'on se méfie des comportements déontologiquement acquis, au sens behavioriste du mot, pour favoriser des pratiques réfléchies et adaptées aux situations (1983, 54). Il est d'avis que les journalistes qui adoptent toujours les règles déontologiques dominantes, et se croient du même coup responsables, sont en réalité des êtres insensibles. Meyer affirmera, quelques années plus tard, que rien ne permet mieux à un journaliste d'exercer son jugement moral que de devoir affronter un cas d'exception (1987, 24). Il suggère que les entreprises de presse pourraient mettre à l'épreuve leur code de déontologie en les confrontant à des cas d'exception, réels ou hypothétiques, afin de voir jusqu'où ils favorisent la réflexion éthique.

On a affaire ici à une éthique en partie situationnelle qui tient compte des règles déontologiques dominantes et de leurs conséquences de façon à en évaluer la pertinence d'une situation à l'autre. Elle s'oppose aussi bien à l'orthodoxie déontologique qu'à l'arbitraire relativiste.

CRITÈRES GÉNÉRAUX

Le plus souvent, le journaliste n'a pas trop de mal à adopter une conduite respectueuse des règles déontologiques qui soient en même temps compatibles avec les principales valeurs de sa profession : intérêt public, liberté, vérité, équité, rigueur, intégrité, etc. Dans de tels cas, le questionnement éthique n'est pas nécessaire, bien qu'il ne soit jamais superflu en principe. Les choses se corsent cependant lorsque se présente une situation suscitant un conflit de valeurs, par exemple quand un journaliste se demande s'il doit dire toute la vérité au risque de menacer la vie de quelqu'un ; quand il se demande s'il doit accorder l'anonymat à une source qui se livre à une attaque en règle contre une personnalité quelconque, celle-ci ne pouvant connaître qui lui en veut ainsi et quels avantages cette personne en retire ; quand il a l'occasion de tirer un profit personnel d'une information qu'il est seul à détenir, etc. On devine déjà que la réflexion éthique tiendra compte de valeurs professionnelles et individuelles. Dans certains cas, le journaliste devra décider s'il adopte une conduite professionnelle, qui le privera d'une gratification personnelle, au profit de l'intérêt public. S'il opte pour les gratifications personnelles au détriment de l'intérêt public, il pourra difficilement nier cette transgression au terme d'un raisonnement qui aura mis au jour aussi bien les valeurs en jeu que l'importance qu'il accorde à chacune d'elles.

La hiérarchisation des valeurs fait appel à des critères généraux et spécifiques. Les critères sont généraux quand ils inspirent l'ensemble des conduites professionnelles. Ils deviennent spécifiques quand ils s'appliquent à une ou à quelques règles déontologiques précises, pertinentes en fonction des situations concrètes. La suite du présent chapitre sera avant tout consacrée aux critères généraux. Les critères spécifiques seront énoncés dans les prochains chapitres, lorsque nous aborderons successivement des thématiques précises liées aux piliers du journalisme.

Les critères généraux se présentent un peu comme un exercice de maïeutique, c'est-à-dire que le journaliste peut y faire appel sous leur forme interrogative et y répondre selon ses connaissances. Devant une situation complexe qui échappe aux injonctions déontologiques, le journaliste peut ainsi se questionner. De façon générale, Goodwin suggère sept questions que les journalistes devraient se poser quand ils font face à un problème éthique (1986, 24-25). Ces critères mobilisent aussi bien les règles déontologiques que la prise en compte des conséquences prévisibles, l'imagination, l'intégrité, l'imputabilité et la transparence.

- *Que fait-on habituellement dans des cas semblables?*
- *Qui en tirera profit et qui en subira les effets?*
- *Existe-t-il de meilleures options?*
- *Pourrai-je me regarder encore dans un miroir?*
- *Pourrai-je me justifier auprès des autres, du public?*
- *Quels principes ou valeurs dois-je mettre en pratique?*
- *Est-ce que cette décision convient au type de journalisme auquel je crois, ou à mes convictions personnelles à propos de la vie et de la façon dont les gens devraient se comporter les uns envers les autres?*

La méthode Goodwin est un bon exemple des critères généraux dont il faut tenir compte en matière de questionnement éthique. On y trouve d'abord une référence à la règle dominante (*Que fait-on habituellement dans des cas semblables?*), puis le journaliste se demande si cela sert l'intérêt public ou l'intérêt de particuliers (*Qui en tirera profit et qui en subira les effets?*). Il se demande ensuite s'il y a des solutions meilleures, qui pourraient donner les mêmes résultats, ou des résultats semblables, mais avec des conséquences moins néfastes (*Existe-t-il de meilleures options?*). En se demandant s'il pourra encore se regarder dans un miroir, le journaliste cherche à savoir si ce qu'il s'apprête à faire est honteux à ses yeux ; peut-être n'a-t-il pas trouvé de « meilleures options » et qu'il se résigne petit à petit à adopter une pratique professionnelle à la limite de l'acceptable (cacher la vérité, tromper, etc.). Après s'être demandé s'il pouvait justifier pour lui-même son acte, le journaliste se demande ensuite s'il pourra faire de même avec les autres, et parvenir à leur expliquer et à partager ses raisons d'agir, ce qui l'oblige du même coup à préciser ses arguments.

Voici le journaliste arrivé à la phase délicate où il se trouve devant plusieurs principes et valeurs qui s'opposent *(Quels principes ou valeurs dois-je mettre en pratique ?)* : il devra mettre de l'ordre et hiérarchiser tout cela. Finalement, retour à lui-même *(Est-ce que cette décision convient au type de journalisme auquel je crois, ou à mes convictions personnelles à propos de la vie et de la façon dont les gens devraient se comporter les uns envers les autres ?)* ; à cette étape, il se demande si les résultats de sa réflexion éthique sont compatibles avec sa vision du monde, ce qui peut le conduire aussi loin que l'abandon de la profession de journaliste si les exigences de l'intérêt public, par exemple, se révèlent régulièrement en conflit avec ses valeurs personnelles profondes (valeurs religieuses, philosophiques, familiales, etc.).

Parmi les critères généraux que nous venons de voir, il s'en trouve un sur lequel plusieurs auteurs insistent. On pourrait le nommer le « test de la publicité ». Chez Goodwin, il est formulé dans la question suivante : « *Pourrai-je me justifier auprès des autres, du public ?* » Bovée est d'avis qu'il est souvent trop facile de justifier pour soi-même ses actes (1991, 142). Le vrai test, pour lui, est la capacité du journaliste de justifier ses actions auprès d'autres personnes qui pourraient être touchées par ces actes ou seraient des juges impartiaux.

Cela nous amène à la question des effets néfastes du travail des journalistes dont on peut difficilement faire abstraction dans un contexte éthique. Klaidman et Beauchamp, empruntant une perspective utilitariste, croient que si le dommage créé par un acte journalistique est contrebalancé par un bienfait supérieur, comme faire état de cas de corruption ou avertir le public de ne pas acheter un produit quelconque qui s'est révélé nocif, alors cet effet néfaste est un effet secondaire acceptable, comme, en médecine, l'amputation d'une jambe est généralement considérée comme un effet secondaire acceptable d'un traitement qui évitera la mort (1987, 93). Les deux auteurs donnent l'exemple de la prise d'otages du vol 847 de la TWA, pendant laquelle les journalistes américains ont gardé sous silence une information importante, à savoir que des passagers étaient membres de l'Agence nationale de sécurité des États-Unis (National

Security Agency). S'ils avaient diffusé cette information qui, en soi, avait plusieurs des caractéristiques d'une «bonne nouvelle[1]», les journalistes auraient mis en danger la vie de ces passagers : ils ont pour cette raison décidé de priver le public de la «bonne nouvelle» (p. 135).

Les deux mêmes auteurs reviennent au principe de l'ataraxie et notent que les philosophes ont souvent fait valoir que l'obligation d'éviter de faire du mal à autrui était plus forte que l'obligation de faire du bien. Ils estiment cependant que cette position doit être remise en question et évaluée au bien-fondé des situations. Ils évoquent l'exemple d'une situation où la réputation d'une personne peut être malmenée pour les besoins d'un reportage important. Pour eux, l'importance du dommage causé et le degré des risques courus doivent être mis en relation directe avec le bénéfice public du reportage. L'obligation des journalistes est de soupeser les bénéfices et les effets négatifs de l'acte envisagé et ceux des autres actes possibles (p. 136). Voilà un exemple typique de la réflexion basée sur la théorie utilitariste.

Cette réflexion conduit à un autre critère général dont les journalistes devraient tenir compte et qui s'énoncerait comme suit : moins un journaliste est confiant que les bénéfices supposés de ses actes deviendront réalité, plus il devrait se mettre en quête de solutions de rechange aux moyens envisagés, même si les résultats peuvent ne pas être aussi concluants (Bovée 1991, 141). Olen suggère un autre critère général, portant sur les droits fondamentaux des individus, dont doit tenir compte le jugement moral. Il estime que, si l'acte que s'apprête à accomplir un journaliste viole les droits fondamentaux d'un individu, cela suffit pour remettre très sérieusement en question cet acte. Il faut vraiment que le journaliste fasse valoir qu'il a privilégié une valeur encore plus fondamentale que les droits individuels.

Quant aux gouvernements, Olen affirme qu'ils n'ont pas de droits fondamentaux, leurs droits étant secondaires à ceux des individus, ce qui laisse plus de latitude aux journalistes quand ils ont à traiter de questions les mettant directement en cause (1988, 39).

Lambeth suggère pour sa part des critères généraux qui recoupent partiellement ceux de Goodwin. D'après Lambeth, cependant, ces critères

---

1.   Parmi les critères de sélection utilisés par les journalistes pour juger de la valeur journalistique d'un événement, qui deviendra une «nouvelle», on trouve les suivants : sa simplicité, son aspect dramatique, la mise en scène de personnalités qui s'affrontent, son caractère inattendu et, surtout, qu'il puisse s'harmoniser à une vision des choses largement répandue dans la société, à des évidences en quelque sorte, sinon la nouvelle risque de n'être point comprise ni admise (Ericson *et al.* 1987, 140-148).

devraient être considérés dans le cadre de conversations professionnelles portant sur l'éthique, au lieu d'être des outils intellectuels utilisés «sur le terrain» (1986, 160), deux fonctions qui ne sont aucunement incompatibles selon nous, au contraire, puisque la théorie et la pratique doivent entrer en symbiose et s'alimenter mutuellement. Les critères de Lambeth sont les suivants :

- *Prévoir les conséquences principales et/ou probables des actes professionnels et déterminer leur importance dans la prise de décision.*

- *Déterminer les parties qui seront touchées par les décisions éthiques : les sources, le public, les journalistes visés, leurs collègues et la profession en général.*

- *Réduire au minimum les risques que la décision soit fondée simplement sur des impressions personnelles ou sur des caprices.*

- *Faire connaître quelles valeurs ont été retenues dans la prise de décision en situation de conflit de valeurs ou lorsque les conséquences sont peu prévisibles.*

- *Élaborer un document pour les cas vraiment difficiles et importants afin que les autres puissent s'y référer, s'en inspirer et en tirer profit dans les prochaines discussions.*

De leur côté, Black, Steele et Barney (1995, 18), proposent 10 «bonnes questions qui font de bonnes décisions éthiques» :

- *Que sais-je ? Qu'ai-je besoin de savoir ?*

- *Quels sont mes objectifs journalistiques ?*

- *Quelles sont mes interrogations éthiques ?*

- *Quelles politiques organisationnelles et règles professionnelles dois-je considérer ?*

- *Comment puis-je intégrer d'autres personnes, avec des approches et des idées différentes, dans le processus de prise de décision ?*

- *Quelles sont les parties prenantes, ceux et celles qui seront affectés par ma décision ? Quelles sont leurs motivations ? Lesquelles sont légitimes ?*

- *Qu'en serait-il si les rôles étaient inversés ? Comment je réagirais si j'étais à la place de l'une de ces parties prenantes concernées ?*

- *Quelles sont les conséquences possibles de mes actions à court et à long terme ?*

- *Quelles sont les options pour maximiser mon obligation de vérité et minimiser les conséquences néfastes, les dommages ?*

- *Puis-je clairement et complètement justifier mon raisonnement et mes décisions ? À mes collègues ? Aux parties prenantes ? Au public ?*

Le recours aux critères n'est pas une garantie absolue contre une mauvaise décision. L'erreur d'appréciation est toujours possible. Leur raison d'être est de permettre une démarche cohérente et rationnelle qui évitera les doubles standards et les décisions arbitraires ne pouvant que mal servir l'intérêt public et la crédibilité de la profession, malgré le fait que ces doubles standards et décisions arbitraires puissent rapporter des bénéfices économiques importants aux journalistes et aux médias. Dans cette optique, Meyer a fait remarquer que les entreprises de presse ne pourront présenter un dossier éthique positif si leurs employés sont engagés dans un perpétuel concours de popularité, car les décisions éthiques sont souvent les moins populaires (1987, 198-199), surtout quand elles font appel à des pratiques professionnelles qui dérogent aux règles déontologiques dominantes.

Le recours aux critères dans un processus de réflexion n'est pas la seule forme de délibération éthique. Il existe bien d'autres traditions et méthodes, dont la casuistique. Signalons aussi la boîte de Potter (Christians, Rotzoll et Fackler 1987, 229-230), qui est en réalité une procédure de résolution de dilemme moral qui oblige à prendre en considération, pour chaque cas, une définition factuelle de la situation, l'examen des valeurs (professionnelles, morales, etc.), l'identification des principes qui s'appliquent (dire la vérité, respecter la vie privée ou le droit, la réputation, etc.) et se termine par le choix de l'allégeance ou de la loyauté (à l'employeur, au droit du public à l'information, à une croyance intime qu'on ne peut surmonter, etc.).

Peu importe le modèle ou l'approche retenue, la délibération éthique est un obstacle aux dérives médiatiques, aux demi-vérités, aux conflits d'intérêts, à l'abus de confiance, etc. C'est probablement une des raisons pour lesquelles elle est souvent ignorée ou marginalisée dans bon nombre d'organisations médiatiques et sans doute aussi chez plusieurs journalistes amateurs (blogueurs notamment) pour lesquels la conviction, la partisannerie, le prétexte à faire de l'humour douteux, la mauvaise foi même l'emportent sur le respect du droit du public à une information de qualité.

La plus grande fraude intellectuelle, le plus grand abus moral des communicateurs, quels qu'ils soient, sera toujours de prétendre servir le public quand, en réalité, ils veulent s'en servir, sinon l'asservir.

Les piliers du journalisme

L'intérêt public et la vie privée

L'un des premiers devoirs des journalistes est de diffuser une information qui soit d'intérêt public. Plusieurs textes savants et professionnels ainsi que bon nombre de codes de déontologie font une référence explicite à cette norme professionnelle. Aux États-Unis, par exemple, le réseau public de radio (National Public Radio ou NPR) affirme que sa force comme entreprise repose sur du journalisme de haute qualité, indépendant et dédié à l'intérêt public (NPR 2012). Ce principe premier est reconnu depuis plus de 20 ans par l'Associated Press Managing Editors, qui affirme que le droit du public à connaître des faits d'importance est souverain, si bien que les journaux ont la responsabilité spéciale, à titre de représentants de leurs lecteurs, d'être les chiens de garde vigilants de leur intérêt légitime (APME 1994). Le *Guide de déontologie des journalistes du Québec* est également explicite à cet effet :

> « Les journalistes servent l'intérêt public et non des intérêts personnels ou particuliers. Ils ont le devoir de publier ce qui est d'intérêt public. Cette obligation prévaut sur le désir de servir des sources d'information ou de favoriser la situation financière et concurrentielle des entreprises de presse. » (FPJQ 1996, 4)

Il n'est pas utile de faire une recension exhaustive des textes normatifs qui prescrivent aux journalistes de servir l'intérêt public. Le principal débat se trouve quant à la définition de cette notion en journalisme. Le premier piège à éviter, justement, serait de lui accoler une définition précise et abusivement restrictive. Le second piège à éviter est de refuser de dresser les contours de cette notion qui renvoie inévitablement à la substance du travail journalistique dans les sociétés démocratiques. Un premier pas est de reconnaître la nature utilitariste de cette notion, et d'être conscient des menaces qu'une conception trop relativiste ou trop large peut faire peser sur différents droits individuels relatifs à la vie privée et la réputation, pour ne signaler que les plus évidents. C'est pourquoi la question de l'intérêt public d'une information ne justifie pas toujours sa diffusion car elle se frotte parfois à des considérations plurielles qu'il serait par trop simpliste et inique d'ignorer. Ajoutons aussi que dans l'évaluation du niveau d'intérêt public d'une information, conformément à l'approche utilitariste, les intérêts particuliers des médias et de leurs journalistes ne doivent pas être pris en compte dans le calcul des avantages et des inconvénients. Il y a en effet une forte dimension altruiste dans l'utilitarisme qui exige l'impartialité de ceux qui évaluent l'intérêt public d'une information.

* * *

Définir les contours de l'intérêt public en journalisme n'est pas tâche facile, et pourtant cette notion est la première invoquée par les médias et les journalistes pour justifier leurs choix, même lorsque ces choix conduisent à des comportements criminels comme cela a été le cas lors du scandale britannique des écoutes illégales au sein de l'empire de Rupert Murdoch. Qu'en disent les médias et journalistes? L'ombudsman de la Société Radio-Canada a déjà fait valoir que cette notion « embrasse… toute information qui pourrait être utile au citoyen pour bien comprendre un événement ou une situation susceptible d'avoir, pour lui, une signification sociale, politique ou économique », tout en ajoutant « qu'il ne faut pas confondre intérêt public avec curiosité publique » (SRC 1993-1994, 65). L'éditorialiste québécois André Pratte affirme pour sa part que l'intérêt public « exige que l'information élargisse les horizons de la population pour lui permettre de mieux se situer, de mieux comprendre le monde et la société dans laquelle elle vit. Au contraire, une information qui cherche seulement à attirer de nouveaux clients les renvoie constamment à eux-mêmes, tels que la société les a moulés » (2000, 144).

Pierre Fortin a pour sa part interrogé des journalistes québécois à ce sujet et, selon eux, une information serait d'intérêt public :

> « …lorsqu'elle concerne "un plus grand nombre de gens que les acteurs de l'événement lui-même", lorsqu'elle est utile à la "formation du jugement d'un citoyen dans l'exercice de ses responsabilités démocratiques" ou encore "si elle est susceptible d'avoir un impact sur le quotidien des citoyens", "un impact concret pour la communauté".
>
> Une nouvelle est également d'intérêt public lorsque sa diffusion "aide l'auditeur ou le lecteur à saisir ce qui se passe dans la société" ou lorsque "le lecteur peut y trouver matière à s'améliorer et la société à changer".

Une nouvelle est d'intérêt public... parce que "l'information [qu'elle donne] peut susciter des débats" ou "faire progresser des débats".

[...]

Une information revêt également un caractère public si elle concerne "un homme public dans l'exercice de son travail public" et lorsqu'elle "a rapport aux fonds publics", qu'elle met en cause du financement collectif [...] le fonctionnement des institutions sociales (école, justice, système de santé) et des institutions privées sollicitant un appui du public.» (1992, 74-75)

Au Royaume-Uni, la Press Complaint Commission y incluait notamment les considérations suivantes : déceler et révéler des crimes ou de sérieuses irrégularités, protéger la santé et la sécurité publiques, éviter que le public ne soit trompé ou induit en erreur par les gestes ou les déclarations d'individus ou d'organisations[1].

L'information d'intérêt public est un enjeu démocratique qui ne saurait être monopolisé par les médias et les journalistes. D'autres acteurs ont aussi leur mot à dire, et parmi ceux-ci on retrouve les tribunaux. Dès le début du XXe siècle, le juge Rivard, de la Cour d'appel du Québec, consacrait un ouvrage à la liberté de la presse et insistait largement sur la notion de l'intérêt public qui :

«... n'est pas nécessairement tout ce à quoi le peuple s'intéresse ; par malheur, le peuple nourrit toujours une certaine curiosité malsaine à l'endroit de ce qui est scandaleux ; ce n'est pas cela qui détermine ce dont il est légitime de l'entretenir. [...] Le peuple a donc besoin de connaître, et il a droit de connaître, et il est d'intérêt public qu'il connaisse et qu'on lui apprenne les faits pertinents aux débats dont il est l'arbitre, aux procès dont il est en quelque sorte le juge, à l'élection dont il est le ministre. Est donc d'intérêt public, sous notre régime démocratique, tout ce qu'il est utile de connaître pour porter sur l'administration de la chose publique un jugement éclairé et pour faire entre les hommes et les entreprises qui sollicitent les suffrages ou le crédit populaires un choix judicieux.» (1923, 83)

La plus récente jurisprudence internationale dans l'univers anglo-saxon a élaboré le concept de communicateur responsable portant sur des questions d'intérêt public, le communicateur pouvant être aussi bien le journaliste amateur, un blogueur qu'un journaliste professionnel. Sans définir ce qu'est l'intérêt public, on revient encore aux considérations d'informations pour lesquelles le public a un intérêt légitime, un «intérêt

---

1. Voir *Editors' Code of Practice* de la PCC [http://www.pcc.org.uk/cop/practice.html], lien visité le 12 mars 2014.

véritable à être au courant du sujet du matériel diffusé», opine la Cour suprême du Canada (Grant c. Torstar, 2009)[2]. Comme de nombreux autres textes journalistiques ou juridiques, ce tribunal en profite pour réaffirmer qu'il ne saurait y avoir de confusion entre cet intérêt public et la curiosité publique, le voyeurisme: «L'intérêt public peut découler de la notoriété de la personne mentionnée, mais la simple curiosité ou l'intérêt malsain sont insuffisants.»

Nicole Vallière a déjà résumé ce que les prescripteurs légaux ont pu dire au sujet de l'intérêt public de l'information journalistique. Selon elle, l'acception légale de l'intérêt public est plus restrictive que l'acception journalistique, qui est caractérisée par un flou conceptuel et stratégique qui permet de diffuser des informations concernant des événements dont la portée sociale est de très faible importance. La juriste mentionne les sujets suivants: les affaires de l'État comme la politique étrangère ou intérieure, le comportement des fonctionnaires, les discussions entourant des réformes, toutes les lois pouvant être adoptées par les élus, les taxes et impôts, etc.; l'administration de la justice, incluant les comportements des parties ou des témoins, le verdict des jurys, le déroulement des procès aussi longtemps qu'il s'agit de comptes rendus et non de commentaires tant que le procès n'est pas terminé; les institutions politiques et les administrations locales, ce qui fait référence aux conseils municipaux, les institutions consacrées aux soins de santé et à l'éducation, les services publics, etc.: les affaires religieuses, comme le fonctionnement ou l'administration des paroisses, le comportement des religieux, les débats théologiques, etc.; les livres, films, les arts et l'architecture, le théâtre, les concerts et autres divertissements publics, ce qui d'une certaine façon diminue l'écart pouvant exister entre acception légale et acception journalistique de l'intérêt public en information; les autres situations qui interpellent le public, notamment lorsque des individus acquièrent le statut de «personnalité publique» par leurs comportements, leurs déclarations, leurs inventions, leurs biens ou leur influence dans le déroulement des affaires relatives à ce qui est d'intérêt public (Vallière 1981, 92-93).

Finalement, signalons une distinction rarement abordée par les journalistes, celle qui permet de différencier l'intérêt public d'un thème et l'intérêt public des énoncés qu'ils diffusent en rapport à ce thème. Par exemple, les questions de la dette nationale, de certaines transactions entre des élus et des entreprises, de la dégradation des hôpitaux ou des écoles sont autant de thèmes dont l'intérêt public ne fait aucun doute. Mais

---

2.   [http://scc-csc.lexum.com/scc-csc/scc-csc/fr/item/7837/index.do]

diffuser des informations erronées, inexactes ou de nature à induire le public en erreur concernant des questions aussi légitimes a pour effet d'enlever tout intérêt public à l'article, au reportage ou au commentaire journalistique. Il faut bien distinguer le niveau macro d'une information, soit son thème, de son niveau micro, qui renvoie plutôt aux rhèmes[3]. L'analyse qui permet de se prononcer sur l'intérêt public – en tout ou en partie – d'une information doit se faire aussi au niveau du rhème et non seulement du thème.

LES CRITÈRES DE L'INTÉRÊT PUBLIC

En s'inspirant des raisons évoquées par les journalistes québécois de l'enquête menée par Fortin, ainsi que de ceux provenant d'autres références, on peut énoncer les critères permettant de déterminer ce qui est d'intérêt public :

- *l'information concerne un grand nombre d'individus ;*
- *l'information est plus bénéfique que néfaste pour le plus grand nombre ;*
- *l'information est utile pour éclairer les citoyens dans les choix qu'ils ont à faire quant à leurs comportements politiques, sociaux, économiques, religieux et autres ;*
- *l'information favorise la participation à la vie démocratique ;*
- *l'information concerne le fonctionnement d'institutions publiques ou l'utilisation de fonds publics ;*
- *l'information est de nature émancipatrice ;*
- *l'information ne profite pas seulement à quelques-uns au détriment du plus grand nombre ;*
- *l'information a un lien démontrable avec la sphère publique.*

En analysant les productions journalistiques à la lumière de ces critères, on peut établir dans un premier temps si elles sont d'intérêt public ou non. Il devient également possible d'évaluer leur degré d'intérêt public, en fonction du nombre de critères respectés ou de l'importance relative de ces critères d'une situation à l'autre. On peut ainsi distinguer les infor-

---

3.   «Le terme de *thème* est utilisé dans l'analyse textuelle pour désigner le point de départ d'un énoncé, ce dont on parle ; le terme de *propos* (ou *rhème*), pour désigner ce qu'on dit du thème, c'est-à-dire les informations nouvelles par rapport au point de départ de l'énoncé». ACADÉMIE DE NANCY-METZ, Fiche de terminologie lexicale [http://www.ac-nancy-metz.fr/enseign/lettres/Inspection/Annexes/acc6_terminologie_gram_fr_lv.htm], lien visité le 12 mars 2014.
      Devant les tribunaux civils, ces aspects peuvent servir à déterminer la faute professionnelle du journaliste.

mations importantes des informations triviales et constater que la plupart des reportages diffusés par les médias satisfont à un ou plusieurs des critères de l'intérêt public, même si, dans bien des cas, on y trouve des éléments étrangers à ces mêmes critères. Cela permet de soutenir que des reportages puissent être considérés globalement comme étant d'intérêt public, même si l'on y découvre des éléments d'information qui auraient mérité d'être rejetés au moment de la rédaction parce qu'ils ne répondent pas aux critères de l'intérêt public. Ces critères, finalement, permettent de procéder à une première évaluation de la qualité de l'information journalistique. Ils surmontent l'obstacle d'une impossible définition formelle de ce qu'est l'information d'intérêt public en dressant un contour indéfini, sans pour autant être infini.

Précisons cependant deux choses. Premièrement, le caractère d'intérêt public d'une information ne fait pas obligation de traitement journalistique. En effet, les journalistes et les médias ne sont pas tenus de traiter de tous les sujets d'intérêt public, le choix relevant d'une liberté éditoriale reconnue de longue date. En principe, le pluralisme médiatique devrait permettre la présence d'un large éventail dans le traitement des thèmes d'intérêt public, en fonction des missions que se donnent les médias et des publics qu'ils cherchent à fidéliser. Dans les faits, cependant, la mission économique des entreprises de presse a pris une importance telle depuis la fin du XXᵉ siècle, notamment en raison de l'obligation de satisfaire des actionnaires toujours plus gourmands, voire insatiables, que les médias commerciaux cherchent bien souvent à fidéliser le même type de public – celui qui est reconnu pour sa capacité économique à consommer –, ce qui a pour effet de privilégier le traitement médiatique de certains thèmes porteurs (sports, faits divers, chroniques d'humeur, spectacle, etc.) au détriment d'autres enjeux sociaux moins séduisants (politique, travail et syndicalisme, sciences, etc.). Les journalistes ont donc la liberté du choix des thèmes d'intérêt public qu'ils aborderont, mais il va de soi que de tels choix sont passibles d'être analysés et critiqués, voire dénoncés, surtout quand ils témoignent d'une posture partisane trop prononcée ou encore quand l'information se fait propagande et manipulation de l'opinion publique. La liberté de choisir les thèmes abordés peut parfois être un prétexte pour tenter de camoufler des cas de censure et de silences stratégiques incompatibles avec les fonctions sociales et l'utilité démocratique que revendiquent ces mêmes journalistes et leurs médias.

Deuxièmement, le fait qu'un sujet ou un thème soit d'intérêt public ne justifie pas qu'on puisse en traiter sans égard aux autres normes professionnelles du journalisme. En fait, si tel était le cas, les codes et guides déontologiques ne comporteraient qu'un seul article fondé sur l'intérêt public. Or, il en va tout autrement, puisque les règles de l'art reconnues imposent d'autres devoirs professionnels que traduisent les normes déontologiques dérivées des principes éthiques de vérité, de rigueur et d'exactitude, d'équité, d'impartialité et d'intégrité du journaliste et de l'information qu'il diffuse. Ainsi, on aurait tort de ne considérer le journalisme que comme porteur de vérités d'intérêt public sans se soucier des méthodes utilisées pour accéder à l'information, méthodes qui ne sont pas toujours respectueuses des valeurs sociales, des droits et des libertés individuelles que les journalistes prétendent justement défendre.

En réalité, l'éthique de l'information journalistique tient compte à la fois de la notion d'intérêt public du sujet ou du thème du reportage *et* du traitement qui en est fait, car un traitement journalistique qui transgresse quelques-uns ou l'ensemble des principes de vérité, de rigueur, d'exactitude, d'équité, d'impartialité et d'intégrité aura pour conséquence de mal informer le public, voire de le tromper, et le public n'a aucun intérêt rationnel à être mal informé, sans compter les effets néfastes injustifiés que cela peut avoir pour les individus, les groupes ou les organisations publiques et privées mis en cause par les journalistes.

L'analyse de différents textes normatifs (codes et guides de déontologie, chartes, politiques d'entreprise, etc.) permet de distinguer deux grandes catégories de normes journalistiques. Il y a d'une part celles qui s'intéressent à la substance même des messages. Elles se penchent aussi bien sur le fond que sur la forme de l'information journalistique en prescrivant des propriétés précises (vérité, exactitude, intégrité, etc.). D'autre part, il y a les normes qui portent sur les relations que les journalistes entretiennent avec les autres membres de la société (leurs sources, le public, ceux qui sont mis en cause par l'information, etc.). Ces deux grandes catégories de normes substantielles et relationnelles sont présentes dans tous les textes déontologiques en journalisme.

L'IMPORTANCE DE LA VIE PRIVÉE

Le droit à la vie privée est une valeur très importante dans les sociétés occidentales modernes, pour ne pas dire fondamentale, puisqu'on la retrouve dans bon nombre de textes constitutionnels. Dans l'exercice de son travail, cependant, le journaliste peut être amené à empiéter sur la vie privée des gens. Plusieurs des choix éthiques auxquels il doit faire face sont en rapport avec la vie privée des individus : jusqu'à quel point peut-il s'immiscer dans la vie privée de quelqu'un sous prétexte de recueillir de l'information? Quelle différence entre vie privée et intimité? Les informations diffusées sur les médias sociaux sont-elles de nature privée? Une personnalité publique est-elle privée de toute vie privée? Ces questions invitent à la réflexion éthique si on prend au sérieux la question de la vie privée. Et les réponses varieront en fonction de plusieurs facteurs dont l'importance varie d'un cas à l'autre.

Une chose semble assurée, le public considère que le respect de la vie privée est un principe important, ce qui explique que bon nombre des plaintes déposées devant les tribunaux civils ou différents mécanismes d'autoréglementation (conseil de presse, ombudsman) dénoncent la transgression de ce principe. Cela ne laisse pas indifférent les législateurs, même aux États-Unis, où le Congrès devait se pencher sur au moins 40 projets de loi différents à ce sujet en 2003 (Halstuck 2003, 60).

Frost insiste à plusieurs reprises pour dire que la mort tragique de la princesse Diana a été un catalyseur des critiques contre les médias et des tentatives de faire adopter des lois plus sévères, notamment en ce qui concerne l'invasion de la vie privée (Frost 2000, xii). Il faut noter que cet intérêt n'est pas nouveau. En Grande-Bretagne, la National Union of Journalists (NUJ), fondée en 1907 pour améliorer surtout les conditions de travail des journalistes tout en se penchant sur des questions relatives à la conduite professionnelle de ses membres, a reconnu dès 1931 les problèmes relatifs à l'invasion de la vie privée par des journalistes, mais elle reconnaissait aussi que cela était souvent le résultat des pressions subies en raison de la concurrence économique (O'Malley et Soley 2000, 42). La concurrence économique est souvent le moteur de dérapages médiatiques.

En France, une loi du 11 mai 1869 visait à « protéger la vie privée des citoyens contre les indiscrétions des journalistes », mais elle a été remplacée par la loi du 29 juillet 1881 qui a fait en sorte que la vie privée « n'était plus protégée contre les publications indiscrètes que par les principes généraux du droit civil… » (Rivard 1923, 23). En 2014, un débat passionné, et amplifié dans les médias par des considérations partisanes et idéologiques, s'y est engagé quand le magazine *Closer* a dévoilé les infidélités du président François Hollande. Dans ce pays, la protection légale de la vie privée est considérable et conduit régulièrement à des condamnations des tribunaux.

Les enquêtes d'opinion révèlent le plus souvent que le public s'objecte à l'envahissement de la vie privée des citoyens, aussi bien en Grande-Bretagne (Fink 1988), qu'aux États-Unis lors de l'affaire Clinton-Lewinsky

(RTNDA 1998), qu'en France (Missika 1989). Un sondage réalisé en janvier 2014 à la suite des révélations de *Closer*, pour le compte du *Journal du dimanche* (JDD 2014) a révélé que 77 % des Français considéraient que cette liaison de Hollande avec l'actrice Julie Gayet relevait de la vie privée, et seulement 23 % y voyaient une affaire de nature publique.

Aux États-Unis, le droit à la vie privée n'est pas explicitement reconnu dans la Constitution mais, depuis le début du siècle, les décisions des juges convergent vers l'acceptation d'un concept juridique soutenant que les citoyens ont droit à la quiétude (Goodwin 1986, 236). Cependant, Meyer est d'avis que le droit à la vie privée est directement en conflit avec le Premier Amendement qui, selon lui, commande aux médias de trouver les faits et de les publier, en dépit des répercussions négatives pour certains individus, afin d'éclairer la collectivité. Il reste à trancher sur la nature des faits reliés à la vie privée pouvant éclairer la collectivité, une tâche qui implique de se poser certaines questions relatives à l'intérêt public, comme on le verra plus loin.

Depuis plusieurs années, les Français souhaitent également que la liberté d'information respecte la vie privée et ils sont majoritairement d'accord pour laisser la loi décider en cette matière au lieu de laisser cette question entre les mains des journalistes (Wolton 1990, 18). Une enquête réalisée en 1999 pour le compte du Conseil supérieur de l'audiovisuel, et portant spécifiquement sur le respect de la vie privée des « hommes publics », indique que les Français croient majoritairement (59 %) que celle-ci est moins bien respectée qu'auparavant. Pour 51 % des répondants, les principaux responsables sont certains médias « qui veulent avant tout augmenter leurs ventes et leur audience » (CSA 1999). Toutefois, le public est divisé quant aux décisions que cela nécessite, car 48 % des répondants étaient d'avis qu'il valait mieux « garantir la liberté d'expression même s'il y a parfois des dérapages », alors que 47 % étaient d'avis qu'il « faut contrôler plus strictement le respect de la vie privée même si cela restreint la liberté d'expression ». Il faut interpréter ces résultats en tenant compte qu'il est ici question de personnages publics (politiques, grands patrons, vedettes du cinéma ou de la chanson, etc.). De même, il y a lieu de croire que le soutien favorable à plus de contrôle des médias augmenterait si l'on y parlait de victimes de drames ou de citoyens anonymes plutôt que de personnalités publiques. Du reste, plusieurs auteurs sont d'avis que le droit à l'information doit être limité par d'autres droits, dont celui à la vie privée (Olen 1989, 45 ; Barroso Asenjo 1989, 72 et Sauvageau 1992, 11).

Malgré la pluie de critiques qui s'abat sur eux, particulièrement maintenant qu'ils sont au centre des échanges sur les médias sociaux, il convient de rappeler que les journalistes ne sont pas tous ces «vautours» assoiffés de nouvelles ou ces professionnels de l'invasion de la vie privée que l'on se plaît trop souvent à dépeindre. Pour la plupart, aborder la vie privée de personnalités publiques, sans une invitation explicite de ces dernières, est une pratique peu fréquente. Mais ils sont invités à le faire de plus en plus, car bon nombre de ces personnalités se dévoilent plus ou moins sur leur page Facebook, par leurs commentaires sur Twitter, ou des photos Instagram. Comment reprocher à un média de diffuser, dans le cadre de sa couverture électorale, la photo compromettante d'un candidat qui pose nu et affiche cela sur son compte Facebook? Certes, cette diffusion n'est pas sans intérêt commercial, sinon partisan pour un média, mais il arrive que cet intérêt particulier soit compatible avec le droit du public à l'information, avec son droit de pouvoir évaluer le jugement et la personnalité de celui qui veut le représenter.

Il y a cependant une importante différence entre ce type de nouvelle et l'intrusion dans la vie privée des victimes de crimes, d'accidents ou de celle de leurs familles éplorées, qui n'ont jamais demandé à se retrouver dans l'espace public. Si Olen reconnaît d'emblée que leur témoignage peut être intéressant et que leurs émotions font partie de l'événement, il ne voit pas ce qui justifie, sur le plan de l'intérêt public, l'exploitation de leurs états d'âme par les médias qui en font leurs manchettes. Il considère que les personnes deviennent alors des moyens et non des fins, et est d'avis que les journalistes devraient demander à ces personnes la permission de les filmer ou de les enregistrer et ne pas insister en cas de refus (1988, 71). Du reste, l'amplification de l'effet médiatique de certains drames ainsi que les dommages importants et parfois inutiles que cela comporte pour ceux qui sont à la fois victime des aléas de la vie et de la soif des médias commerciaux pour ce genre de sujets, ont suscité une réflexion éthique qui tient compte de la vulnérabilité de certains individus et la recherche de leur consentement éclairé de la part des journalistes, comme on le verra dans le chapitre consacré à l'équité. Il importe de faire la distinction entre les personnages publics, qui sont habitués aux journalistes et à leurs méthodes de travail, et les autres membres de la société, sans aucune expérience des relations avec les journalistes, qui se retrouvent subitement plongés dans l'actualité, surtout lors d'événements tragiques. Certains codes de déontologie se préoccupent de cette distinction et enjoignent les journalistes de se montrer prudents avec les personnes de la seconde catégorie, alors que la personnalité publique a une *expectative* de vie privée moins élevée que le citoyen ordinaire (Christians *et al.* 2001, 114).

Le consensus est très large relativement à la retenue qui devrait caractériser le travail des journalistes dans les enquêtes sur la vie privée des personnes. Il existe cependant au moins une voix discordante, celle de l'ex-doyen du Philip Merrill College of Journalism de l'Université du Maryland, Reese Cleghorn. Celui-ci fait valoir l'importance pour une société d'avoir des journalistes en mesure de fournir un portrait de la condition humaine, ce qui comprend la misère ou le chagrin causé par la perte d'un être cher. Il soutient que l'intrusion dans la vie privée peut parfois s'avérer profitable pour la société ; par exemple, le témoignage de parents éplorés par le décès de leur fils à la guerre ajouterait à notre compréhension de la guerre (Goodwin 1986, 260). Ici encore, en l'absence de consentement éclairé, on constate la présence de l'utilitarisme.

L'intrusion dans la vie privée peut aussi se faire par l'intermédiaire de la technologie. Selon Steele, le respect de la vie privée s'étend aux données disponibles sur des supports informatiques divers auxquels les journalistes pourraient accéder (Steele et Cochran 1998). L'arrivée des nouvelles technologies, notamment la multiplication de caméras et microphones mobiles, a de quoi inquiéter fortement ceux qui se soucient de préserver la vie privée des citoyens, même lorsqu'ils se trouvent dans des endroits publics (Pavlick 1998). La diffusion en ligne de telles images, par un média d'information, risque de miner gravement le droit à la vie privée. Inquiet, le Poynter Institute recommande déjà aux cyberjournalistes de se montrer prudents dans leur utilisation des banques d'information numérisées, notamment pour respecter le droit à la vie privée des gens quand aucun intérêt public ne justifie la dérogation à ce principe. Dans le même sens, il faudrait s'assurer que les informations se trouvant dans ces banques de données soient mises à jour pour en assurer l'exactitude. Les responsables des médias sont également invités à ne pas faire le commerce des informations personnelles qu'ils détiennent (Poynter 1997).

Les formes de journalisme assistées par ordinateur peuvent par ailleurs conduire à des dérapages majeurs, menaçant le droit à la vie privée des gens, signalent Steele et Cochran (1998b), compte tenu de l'abondance des banques de données informatisées que peuvent explorer clandestinement les journalistes spécialisés.

Une autre source d'inquiétude est reliée à la présence de publicité interactive lorsqu'elle côtoie le contenu journalistique affiché à l'écran.

Certains y voient une menace potentielle à la vie privée des usagers et suggèrent que les médias d'information devront prendre des mesures pour protéger leur public, notamment en l'avisant de l'utilisation possible d'informations obtenues à son insu lorsqu'il visite les sites des annonceurs.

On s'inquiète aussi de la collecte d'informations relatives aux visiteurs des sites Internet, toujours à leur insu, grâce à divers moyens techniques qui permettent de découvrir les préférences des individus. En vertu du principe de transparence souvent mis de l'avant par les médias pour protéger le public contre d'éventuels abuseurs, il serait possible d'aviser explicitement les internautes de l'existence de moyens de s'informer à leur sujet comme de l'utilisation qui sera faite de ces informations.

VIE PRIVÉE ET INTÉRÊT PUBLIC

La vie privée est-elle obligatoirement en opposition avec l'intérêt public? Pour répondre à cette question, il faut d'abord en définir les contours comme cela a été fait plus haut en ce qui concerne l'intérêt public. Comme l'affirme Gandy, il n'existe pas une définition de la vie privée qui puisse contenir tous les aspects de cette importante réalité sociale (1989, 59).

De façon générale, on pourrait proposer, avec Peters et Cmiel (1991, 200), que ce qui est public se caractérise par une ouverture, une visibilité, un accès général et collectif, tandis que la notion de privé exprime la fermeture, l'opacité, l'individualité. Ainsi, les informations et les faits relevant du domaine public seraient associés à l'État et aux institutions et organismes dont une des fonctions est la régulation des rapports sociaux, tandis que ceux relevant du domaine privé seraient associés à la personnalité, à l'individu, à l'intimité. Un peu dans la même veine, le juge Thomson avance que l'intérêt public regroupe les informations qui devraient concerner le citoyen raisonnable d'une société, ce qui exclut les informations relatives aux faits et gestes privés ayant des conséquences sociales négligeables (cité par Strentz 1978, 62). Juusela étend cette « protection » aux documents, parce que le fait qu'un document est accessible à des tiers ne signifie pas qu'il puisse être publié automatiquement par les entreprises de presse (1991, 60).

Il faut malgré tout reconnaître que distinguer la sphère publique de la sphère privée est une opération parfois très difficile, surtout quand on constate les relations étroites qui unissent les institutions publiques (comités, ministères) et le secteur privé, par l'intermédiaire de programmes de subvention, de comités de consultation, etc. Mais Bouretz est cependant d'une précieuse aide dans cette tâche quand il fait valoir que la séparation des sphères privée et publique préserve à la fois l'autonomie des projets individuels et la possibilité de leur mise en communication (1990, 52), ce qui laisse en somme à l'individu la liberté de décider quelle information privée il accepte de partager avec les autres.

Pour certains, la vie privée aurait une géométrie variable d'un individu à l'autre. Dans son livre *Privacy and Freedom*, le professeur Alan F. Westin définit la vie privée comme l'ensemble des informations personnelles qu'un individu ne communiquerait qu'à sa discrétion (1967, 7). Westin reconnaît le même droit aux groupes et aux institutions, ce qui semble pour le moins contestable, surtout quand ces groupes et institutions fonctionnent en tout ou en partie à l'aide de fonds publics et, bien souvent, invoquent l'intérêt public pour justifier leur existence, comme le font, par exemple, les organismes de charité.

On ne peut pas non plus se satisfaire d'une définition de la vie privée qui en ferait un espace absolu secret. Ce serait plutôt le « droit que quelqu'un possède de délimiter son espace intime », selon un jugement que cite Lake (1991, 107). Si ce droit existe bel et bien, poursuit Lake, cela signifie que les individus doivent être en mesure de contrôler les informations qu'ils considèrent comme personnelles. C'est un peu ainsi que réfléchit Lou Hodges quand il propose de voir chaque individu au centre d'une série de cercles concentriques. Dans le plus petit cercle se trouvent des informations intimes que nous n'avons révélées à personne ; dans le deuxième cercle, les informations que nous ne sommes disposés à partager qu'avec une seule personne puis, dans l'autre cercle, les informations que l'on accepte de communiquer à certaines personnes ; viennent, enfin, les informations qu'on accepte de partager avec tous. L'enjeu de la vie privée n'est pas tellement le nombre de personnes qui ont accès à ces différents cercles, mais bien le contrôle que nous avons sur ceux qui y ont accès, surtout en ce qui concerne les cercles contenant les informations les plus intimes (Media Studies Center 1998, 13). De son côté, la philosophe Arendt « oppose l'espace privé à l'espace public. Le premier est de l'ordre du vécu, de l'intime, de l'affectif, de l'amour ou de l'amitié entre deux individus ; l'autre relève de ce qui est commun à une pluralité d'individus qui débattent, décident et agissent ensemble » (Piotte 1997, 585). Dans un contexte marqué par l'explosion des médias sociaux, il semble que plusieurs ignorent les frontières entre ces différents cercles concentriques et livrent à des publics, dont ils ne peuvent tout à fait contrôler l'accès, des informations de nature à leur nuire, sinon les humilier des mois et des années plus tard.

À la lumière de ces considérations, on peut sans trop de problème suggérer que tout comportement qui ne relève pas d'une fonction sociale quelconque (travail, bénévolat, activités sociales, etc.), qui n'a pas de conséquence indésirable pour autrui et qui ne viole pas les lois peut être considéré comme étant du domaine de la vie privée. La vie de famille, les relations de couple, certaines activités de loisirs sont ainsi du domaine privé. Cette façon de concevoir la vie privée rejoint en partie celle du juriste français Lindon, qui « étend la notion de vie privée à la vie familiale, la vie amoureuse, l'image, les ressources, les loisirs et peut-être même la vie professionnelle et la santé » (Vallières 1985, 94). Encore faut-il avoir pris les mesures pour protéger le caractère privé de ces informations.

On verra cependant plus loin que la reconnaissance des éléments de la vie privée, et d'un droit à la vie privée dans certaines sociétés, ne constitue pas un blindage absolu contre les intrusions du journaliste qui servent clairement l'intérêt public. Cette porosité de la vie privée est du reste abordée dans plusieurs codes de déontologie.

La règle déontologique dominante : respecter la vie privée

Le thème de la vie privée est repris dans bon nombre de codes de déontologie. Selon Barroso Asenjo (1989), le respect du droit à la vie privée se retrouvait dans 52 % des codes nationaux et internationaux pendant les années 1980. Les choses ont évolué depuis. Par exemple, l'association japonaise des éditeurs de journaux a adopté en juin 2002 un texte déontologique reconnaissant officiellement le respect de la vie privée parmi les devoirs des journalistes, réagissant ainsi à la critique publique. Hafez (2002) a pour sa part constaté que la protection de la vie privée, déjà largement reconnue en Occident, était considérée comme encore plus importante dans les pays du Proche et du Moyen-Orient, en Afrique du Nord et dans la majorité des pays musulmans d'Asie.

Aux États-Unis, Goodwin signale que les codes de déontologie des médias américains tiennent peu compte de la vie privée (1986, 262), ce que Steele et Black (1999) ont en quelque sorte confirmé dans leur analyse de 33 codes de déontologie américains, puisque seulement un code sur quatre abordait clairement ce sujet. Ils observent cependant que les codes qui tiennent compte de ce devoir lui accordent une grande importance. Toutefois, cette notion est souvent abordée indirectement dans les sections consacrées à l'éthique, au devoir de minimiser les conséquences néfastes, ou encore quand il est question d'aborder des informations personnelles, même celles qui ont été partagées sur Internet et les médias sociaux (Whitehouse 2010).

* * *

Il existe en journalisme une distinction devenue classique entre les concepts d'intérêt public et d'intérêt *du* public ; le premier faisant référence au bien-être de la société et de ses membres, le second à la curiosité des gens. Certains journalistes font appel à l'intérêt *du* public pour justifier leur intrusion dans la vie privée, que ce soit celle des personnalités publiques et politiques ou celle de citoyens « ordinaires » affligés par des drames. Comme c'est le cas pour bien des arguments énoncés par les journalistes, celui-là est fragile et semble reposer sur des préjugés, des impressions personnelles ou des considérations qui n'avantagent qu'eux et leurs médias. Dans une recherche menée pour la BBC et d'autres institutions médiatiques britanniques, Morrison et Svennevig (2002) observent que l'absence d'une définition opérationnelle de ce qu'est l'intérêt public permet aux journalistes de tenter de se justifier pour des reportages qui ne sont nullement d'intérêt public, mais renvoient davantage à la curiosité publique.

Cependant, quand on aborde la question de façon plus méthodique et rigoureuse, on se rend compte de la fragilité de l'argument de l'intérêt *du* public. Les Britanniques, s'ils semblent avoir un appétit insatiable pour la vie privée des membres de la famille royale et autres personnalités, sont plus pudiques quand il s'agit de la vie privée de familles ordinaires victimes de drames. L'enquête de Morrison et Svennevig (2002) repose notamment sur un sondage d'opinion qui indique que moins les gens ont de responsabilités publiques ou de comportements de nature à menacer l'intérêt public (risque pour la santé, fraudes, sécurité, crimes, etc.), moins le public souhaite une couverture médiatique les concernant. Cette enquête confirme les résultats d'un autre sondage réalisé auprès de téléspectateurs britanniques qui « révèle que la grande majorité pense qu'il ne faut pas montrer des cadavres à l'écran, que dans les cas de catastrophe ou d'un attentat on doit "ménager les familles en évitant de les interviewer" et qu'il ne faut même pas filmer une cérémonie mortuaire » (Woodrow 1990, 154).

S'il est facile de trancher dans les cas impliquant des citoyens « ordinaires », qu'en est-il pour les personnalités publiques en général ? Voilà une question plus complexe, notamment parce que certaines personnalités publiques, dont les vedettes et les artistes, n'hésitent pas à utiliser les hauts et les bas de leur vie privée pour mousser leur carrière. Ce faisant, elles utilisent leur liberté de disposer d'informations personnelles les concernant, conformément avec la définition de la vie privée. C'est de cette même liberté qu'elles jouissent quand, pour se protéger de conséquences jugées néfastes, elles décident de ne pas laisser les médias envahir leur vie privée. Les journalistes tentent souvent de justifier leur décision de chercher et diffuser des informations de nature privée sous prétexte qu'une personnalité publique n'aurait pas hésité à en dévoiler certains aspects. Ils estiment, en quelque sorte, que celle qui a la liberté d'ouvrir une porte n'aurait pas ensuite la liberté de la refermer, même si dans les deux cas la personnalité publique peut avoir de bonnes raisons de procéder ainsi. Au lieu de considérer comme des privilèges les moments où ils peuvent accéder facilement à la vie privée de quelqu'un, les journalistes y voient en quelque sorte un droit acquis, un précédent, voire une cause de jurisprudence à laquelle ils font appel quand cet accès leur est refusé.

Le journaliste peut-il, sans questionnement aucun, prétendre tirer profit des deux types de situations évoquées ci-dessus, ce qui revient à nier le droit d'un individu de déterminer dans quelles circonstances il livrera ou gardera pour lui des informations personnelles? Le journaliste peut-il ne pas tenir compte de la dignité humaine parce que la personne visée, qui en est la dépositaire ultime, ne s'en est pas trop préoccupée en d'autres temps? On saisit la pertinence du questionnement inhérent à la question de la vie privée. Si les réponses ne sont pas toujours évidentes, ces questions, elles, sont incontournables. Il est raisonnable de conclure que les individus ont l'entière liberté de garder pour eux des informations personnelles qui n'ont aucune conséquence sur autrui, et que cette liberté doit pouvoir s'exercer en toute quiétude, sans pressions extérieures. Cette liberté, comme toutes les autres, est cependant limitée par la nature des informations en cause et par les conséquences possibles de leur diffusion pour d'autres personnes, surtout si ces dernières ne consentent pas à accepter ou à subir ces conséquences.

Les personnalités publiques constituent une vaste catégorie de gens sur laquelle il existe peu de données fiables pouvant nous indiquer ce que pense le public en ce qui concerne leur droit à la vie privée. Mais il existe une sous-catégorie de personnalités publiques qui a fait l'objet de quelques enquêtes empiriques, celle regroupant les personnalités politiques. Ces personnalités et leurs familles n'échappent pas au regard des journalistes, une surveillance médiatique qui s'étend souvent jusque dans leur vie privée. Dans le cas des élus, les journalistes articulent souvent les deux arguments de l'intérêt public et de l'intérêt *du* public pour justifier leur comportement. Mais qu'en pense justement le public[4], au nom duquel les journalistes prétendent agir?

Avant tout, il faut rappeler que le public est généralement d'accord avec le journalisme d'enquête, mais n'accepte pas que les journalistes emploient toutes les méthodes imaginables pour atteindre leurs objectifs. Du reste, les gens accordent moins d'importance au journalisme d'enquête que les journalistes eux-mêmes, selon une analyse des résultats de neuf enquêtes effectuées auprès de lecteurs de journaux (Burgoon *et al.* 1983). À partir d'une liste de huit fonctions possibles des journaux, le public a classé l'importance du journalisme d'enquête au sixième rang, alors que, selon des enquêtes similaires réalisées auprès de journalistes, ceux-ci l'inscrivent au deuxième rang. Sans nier l'importance de cette fonction associée à la métaphore du journalisme comme chien de garde, se pourrait-il que les publics préfèrent plutôt avoir des journalistes qui seraient comme de bons voisins et les informeraient sur les choses importantes au niveau local? C'est ce que laisse croire la recherche de Poindexter, Heider et McCombs (2006), qui ont exploré un modèle journalistique de proximité, lequel prend en considération les inquiétudes, les souhaits, les enjeux significatifs pour les publics plutôt que de chercher à leur imposer des enjeux souvent fabriqués par des sources qui veulent en tirer profit, ou par des médias qui y trouvent leur avantage économique ou politique. À l'aide d'un sondage effectué auprès de 600 adultes du sud-ouest des États-Unis, réalisé en 2001, les chercheurs ont voulu savoir ce qui était le plus important pour le public: le journaliste chien de garde, le journaliste bon voisin, le journaliste impartial et exact ou le journaliste rapide. Ils ont observé que les caractéristiques du journaliste comme bon voisin ont été les plus populaires. Quelles sont-elles? Se préoccuper de la communauté, parler des gens et des groupes intéressants, comprendre la communauté et faire état de solutions à ses problèmes.

Le journaliste peut difficilement recourir à l'argument de l'intérêt *du* public pour justifier une enquête impliquant son intrusion dans la vie privée. Il devra plutôt argumenter sur le terrain de l'intérêt public, en recourant notamment aux critères énoncés plus haut et à ceux présentés plus loin, selon les procédés auxquels il aura recours. En effet, et contrairement à l'intérêt *du* public, qui peut être défini par différentes méthodes, dont les sondages d'opinion, la question de l'intérêt public ne peut pas

---

4. Rappelons qu'au sein de «ce» public, coexiste une pluralité de publics et que l'usage du singulier vise avant tout à favoriser la lecture.

se ramener à un concours de popularité auprès des gens. Les mesures gouvernementales peuvent ne pas être populaires, mais cependant viser l'intérêt public. Il en va de même de certaines pratiques journalistiques plus délicates, comme les différentes formes de tromperies que nous verrons dans le chapitre portant sur l'équité.

Pour en revenir aux personnalités politiques, il est permis d'avancer que le public n'est pas aussi friand de leur vie privée que pourraient le croire certains journalistes. Cette assertion est corroborée par au moins deux études. La première est fondée sur un sondage Gallup réalisé à l'échelle des États-Unis, en août 1989, auprès de 1 507 adultes, pour le compte du *Times-Mirror*. Elle révèle que les lecteurs de journaux et les téléspectateurs sont carrément mécontents de la couverture des scandales relevant de la vie privée des leaders politiques (Robinson et Ornstein 1990, 34). La seconde étude est nettement plus intéressante, car on demandait aux gens de décider si oui ou non ils publieraient les informations qui leur étaient suggérées. C'est à partir des choix effectués par 415 adultes de l'Alabama, sélectionnés au hasard, que Stovall et Cotter ont constaté que le public n'était pas indifférent aux questions concernant la vie privée des élus. Les chercheurs ont d'abord remarqué que les répondants étaient capables de distinguer les informations relevant de la vie privée et celles concernant la vie publique. Par ailleurs, le public interrogé était nettement disposé à publier les informations publiques, mais il l'était moins en ce qui concerne celles relatives à la vie privée (1992, 102). Par exemple, 88 % de leurs répondants étaient favorables à la publication d'une nouvelle qui divulgue qu'un élu a reçu des dons de la part de gens désirant influencer le gouvernement, 85 % étaient en faveur de la publication d'une information concernant les problèmes de consommation d'alcool ou de drogues de la part d'un élu, ou qu'un élu a trouvé un emploi dans la fonction publique pour un membre de sa famille (77 %). Mais le taux d'approbation chute quand on aborde la question de l'homosexualité d'un élu (54 % en faveur de la publication), des relations extraconjugales d'un élu (47 %), les avoirs financiers du conjoint de l'élu (24 %) ou encore concernant le fait qu'un membre de la famille d'un élu est aux prises avec de sérieux problèmes de consommation d'alcool ou de drogues (24 %).

Une recherche similaire a été réalisée en Angleterre par Morrison et Svennevig (2002), dans laquelle on demandait aux gens quelles informations étaient d'intérêt public ou de nature privée. Ici aussi, sont considérées comme d'intérêt public les informations relatives à des comportements antisociaux, à des fraudes, à des décisions de tribunaux,

aux transgressions de devoirs professionnels, aux pratiques qui menacent la sécurité publique et à certains faits divers impliquant des personnalités publiques (accidents, drames, etc.). Toutefois, il en va autrement d'informations de nature privée concernant, par exemple, la santé d'une personnalité publique (un acteur par exemple), les agendas de politiciens décédés indiquant qu'il avait eu une ou des liaisons amoureuses, le fait que la fille d'une célébrité soit saoule dans un endroit public, ou la rumeur concernant la vie amoureuse d'une actrice de cinéma.

En général, les recherches témoignent de l'accroissement de la «pudeur publique» au fur et à mesure que l'information s'éloigne des fonctions officielles et se rapproche des préoccupations personnelles. Ainsi peut-on se demander sur quels critères reposent ces décisions. On peut croire qu'elles relèvent du sens commun, d'impressions générales et de règles morales, comme en témoignent notamment les réponses portant sur l'homosexualité et les relations extraconjugales de la personnalité politique, encore que ces enquêtes datent de 1992 et 2002, alors que le niveau de tolérance change au fil des années. De même, deux autres enquêtes réalisées en 1998 par le Center for Survey Research and Analysis pour le compte du *Radio Television News Director's Foundation* ont révélé que 69 % des répondants étaient d'avis que les médias étaient allés trop loin dans leur couverture de la vie privée du président Bill Clinton au sujet de ses relations avec la stagiaire Monica Lewinsky, alors que 56 % des responsables de l'information interrogés ont soutenu être allés juste assez loin dans cette couverture, indiquant à nouveau le hiatus séparant le public et les journalistes sur cette question. Une enquête réalisée en 2003 pour le compte du même organisme indique encore une fois que le public est plus sévère que les journalistes à propos de la couverture de la vie privée des personnalités publiques, même si 42,6 % des répondants disaient alors que les médias allaient aussi loin qu'ils le croyaient utile (opinion partagée par plus de 78 % des journalistes interrogés) ; il y avait tout de même 38 % des Américains qui répondaient que les médias allaient trop loin (contre seulement 7,7 % des journalistes). Les jeunes répondants étaient les plus critiques à ce sujet (RTNDF 2003, 27).

Sans prétendre à l'exhaustivité, ces résultats d'enquête indiquent clairement que l'appel au nombre ne peut pas constituer une justification morale pour les journalistes qui souhaitent passer outre à la règle du respect de la vie privée, même lorsqu'il s'agit de personnalités publiques. Du reste, la volonté de la majorité ou du grand nombre ne saurait justifier en soi le fait de nier les droits fondamentaux des individus. Il arrive toutefois que certains éléments de la vie privée méritent d'être portés à l'attention du grand nombre, lorsque celui-ci possède un intérêt légitime à en être informé. Le recours à des critères spécifiques pour délibérer sur chacun de ces cas est essentiel.

CRITÈRES SPÉCIFIQUES

Même si l'on semble assister à une réduction de la sphère privée, en raison du partage en ligne de nombreuses informations personnelles (date d'anniversaire, statut conjugal, orientation sexuelle, croyance religieuse, photographies intimes parfois, etc.), bon nombre de citoyens refusent de se révéler de la sorte, tout comme ils refusent d'être injustement exposés au regard public. Ils sont encore très nombreux ceux qui évitent les médias sociaux, ou y limitent les révélations de nature privée. On peut penser qu'ils seront très nombreux, au cours des prochaines années, ceux qui regretteront d'avoir été trop volubiles et chercheront à retrouver un peu d'anonymat et de discrétion. Le respect du droit à la vie privée est intimement lié à une autre valeur explicite et fondamentale de nos sociétés occidentales, soit le respect de la personne, de sa dignité. Il faut avoir de justes motivations pour agir à l'encontre de ces valeurs qui sont parfois inscrites dans les chartes des droits et ont force de loi. Ces motivations que le journaliste croit détenir, il doit les soumettre à quelques tests pour en évaluer la validité selon ses capacités et ses connaissances, et afin d'éviter l'arbitraire.

•   *Le caractère public de l'information est-il clairement établi et isolé de la vie privée?*

Il s'agit ici d'évaluer s'il y a un recoupement de ces deux sphères afin de mieux situer à laquelle appartient l'information que l'on souhaite divulguer.

•   *Les faits en cause se sont-ils déroulés dans un endroit public?*

Une réponse positive à cette dernière question laisse présumer que la personne visée a, d'une certaine façon, volontairement et implicitement renoncé au caractère privé (ou intime) de ses gestes ou de ses déclarations, bien que cela ne puisse pas pour autant justifier d'en faire une exploitation médiatique excessive. Cependant, des événements peuvent survenir dans un endroit public indépendamment de la volonté de la personne (un accident de la route par exemple), et ceci ne doit pas nécessairement justifier une médiatisation, surtout si les informations ou les illustrations peuvent être embarrassantes.

•   *Les faits considérés servent-ils davantage, ou surtout, l'intérêt public ou l'intérêt du public?*

Il s'agit ici d'un test de pertinence inévitable. Il permet de réfléchir sérieusement à cette question qui devient parfois confuse dans le feu de l'action lorsqu'on croit tenir une bonne histoire « croustillante » qui satisfait la curiosité du public.

- *Quel bienfait le public pourra-t-il probablement retirer de ces révélations?*

On retrouve ici le calcul des avantages et inconvénients propres à la pensée utilitariste associée à la notion d'intérêt public.

- *Les informations concernent-elles des gestes illégaux commis dans un lieu privé et ont-elles des conséquences néfastes et non désirées pour des individus?*

Cette question peut s'appliquer, par exemple, à des comportements sexuels sanctionnés par la loi mais mettant en cause des adultes consentants. À ne pas confondre gestes illégaux et comportements marginaux ou inusités. Pensons au cas du président de la Fédération internationale de l'automobile, Max Mosly, dont les ébats sadomasochistes avec des prostituées avaient été révélés, et illustrés, par le maintenant défunt tabloïd britannique *News of the World*, en 2008. Cela a valu au journal une condamnation de 76 000 euros pour violation de la vie privée.

- *Les informations concernent-elles des gestes commis dans un lieu privé mais contrevenant directement au mandat officiel et public de l'individu?*

Sans faire de ce critère une condition suffisante à la divulgation des informations, il peut être pertinent de signaler que ceux qui, par exemple, votent les lois ou les font appliquer sont aussi ceux qui les transgressent.

- *Les sources savent-elles vraiment à qui elles ont affaire?*

Certains codes de déontologie exigent du journaliste qu'il se nomme clairement et qu'il soit courtois auprès des gens peu habitués aux médias, surtout lors d'événements tragiques et de drames qui sont souvent reliés à la vie privée (décès accidentel d'un enfant, par exemple).

- *L'information émane-t-elle de la personne visée ou de sources ayant plus ou moins accès aux informations de base?*

Cette question peut être pertinente quand il s'agit du bilan de santé de quelqu'un et que les sources qui s'expriment n'ont pas un accès direct au dossier médical, comme c'est souvent le cas lorsqu'un chef d'État est malade et que tout le monde y va de son diagnostic et de ses pronostics sans autres informations que les données épidémiologiques et statistiques reliées aux pathologies en cause.

Au terme de cette réflexion, le journaliste peut encore avoir des doutes quant à l'intérêt public des informations en sa possession. Le respect de la personne étant une valeur fondamentale de notre société, il est raisonnable de dire qu'en cas de doute, le respect de la vie privée devrait l'emporter. Toutefois, si le journaliste en arrive à la conclusion qu'il est justifié de s'intéresser à la vie privée de quelqu'un et de diffuser des informations qui en relèvent, il ne doit pas pour autant agir sans délicatesse. Comme le mentionnait Robert Giles, alors au *Detroit News*, il y a la façon de le faire. Il recommandait entre autres choses au journaliste de faire savoir aux gens qu'il était désolé de devoir agir de la sorte. De plus, le journaliste serait bien venu de ne pas poser de questions insipides, de ne pas forcer les portes ni harceler les gens. Il vaut mieux tenter d'établir une relation de confiance et s'assurer que les sources comprennent bien de quoi il retourne (cité par Goodwin 1986, 261).

* * *

PUBLIER OU NE PAS PUBLIER

Malgré l'existence d'une certaine posture voulant qu'il faille publier tout ce qui est publiable (le célèbre « *Print all that fits!* » du *New York Times*), des auteurs soutiennent que l'éthique est mieux servie quand le droit à l'information et les droits individuels sont pris en compte, au lieu de nier systématiquement les seconds au profit du premier (Hulteng 1976, 65). Cela ramène la notion de liberté responsable qui s'oppose au discours, pour ne pas dire à la vulgate, selon laquelle le rôle du journaliste est de tout publier, et tant pis pour les victimes laissées sur son passage!

Quelques exemples liés à des circonstances extrêmes suffisent à démontrer que la règle du « tout est publiable » est une position intenable sur le plan éthique, surtout quand des vies humaines sont en jeu : « N'alertez pas la police ou quiconque d'autre [...] la vie de votre fils en dépend! » ; tel était le message que pouvaient lire les parents de deux jeunes garçons enlevés dans la ville d'El Paso, au Texas, en mai 1985. Mis au courant de cette missive, les médias locaux ont accepté de se taire et de ne pas souffler mot de cette histoire pendant 56 heures, soit le délai qui fut nécessaire pour que les deux enfants retournent chez eux sains et saufs. D'autre part, le cas déjà signalé des policiers américains au nombre des otages de terroristes qui avaient détourné un avion de la TWA est un exemple maintes fois cité dans la littérature. Les médias avaient alors accepté de ne pas révéler leur présence à bord, car cela aurait sans doute signifié leur arrêt de mort. De même, lors de la crise des otages, en Iran, quelques journalistes savaient que des membres de l'ambassade américaine s'étaient réfugiés à l'ambassade du Canada, mais ils ont attendu que tous soient en sécurité avant d'en faire état dans les journaux. Il arrive que les médias doivent cacher momentanément la présence de forces policières sur les lieux d'un drame, et même l'existence d'un tel drame (un enlèvement ou une menace quelconque).

Malheureusement pour les journalistes, et pour ceux dont ils parlent, qu'on désigne parfois sous l'appellation de *victimes* des pratiques journalistiques, la situation ne se présente pas toujours aussi clairement. Il n'est pas toujours d'une grande évidence intellectuelle et morale que la publication d'informations causera ou non un grave préjudice. Prenons l'exemple d'un organisme de charité qui fonctionne très bien, qui vient en aide à des milliers de gens et qui se prépare à amorcer sa campagne annuelle de collecte de fonds au moment où un journaliste apprend que ses anciens administrateurs avaient dérobé quelques dizaines de milliers de dollars avant d'être congédiés. La situation est maintenant corrigée, mais publier l'information à ce moment peut compromettre la campagne de financement, et de ce fait causer un préjudice aux milliers de personnes nécessiteuses qui verront diminuer l'aide à leur endroit. Par ailleurs, les personnes qui ont contribué à cet organisme par le passé étaient assurées que leurs dons iraient aux gens dans le besoin, bien que ce ne fût pas toujours le cas. En ce sens, les donateurs ont été trompés et sont en droit de le savoir afin de rectifier leur tir si nécessaire et juger en toute connaissance de cause s'ils contribueront de nouveau à cette œuvre. Le journaliste doit-il publier ou ne pas publier? Doit-il le faire avant la campagne, pendant la campagne ou après la campagne? Qui aidera-t-il et à qui nuira-t-il? Voilà un dilemme moral entre le devoir de diffuser une information vraie et celui de servir l'intérêt du plus grand nombre.

Un autre facteur intervenant dans la prise de décision est ce que Meyer nomme le «coût psychologique» de la diffusion d'un reportage (1987, 28). Ce coût psychologique serait plus élevé pour les journalistes des petites communautés que pour leurs collègues des grandes villes. Les premiers étant physiquement et souvent culturellement plus près des gens dont ils parlent, ils seraient plus enclins à la rétention d'informations touchant la vie privée, certes, mais aussi le domaine public. Il faut savoir qu'il existe une forme de *pression communautaire* dans les milieux plus ruraux ou semi urbains, milieux caractérisés par une plus grande proximité et un réseau d'influences plus directes. Moins lourde que la pression sociale, et plus subtile aussi, elle n'a rien à voir avec une chape de plomb ou un quelconque déterminisme social, moral ou religieux. Elle n'est pas non plus la soumission à l'autorité, ni un conformisme strict. Elle résulte en bonne partie de la perception qu'ont les acteurs des attentes de leur communauté ; cette perception repose sur leur expérience concrète et influence leurs pratiques professionnelles. Elle se manifeste surtout lors des interactions des journalistes avec leurs sources, leurs publics élargis (souvent indifférenciés) et leurs publics restreints (amis, famille, etc.). La pression communautaire favoriserait des modèles de journalistes tantôt promoteurs, tantôt militants ou activistes, pour reprendre les catégories de Zabaleta *et al.* (2008). On peut aussi croire que la loyauté envers leur communauté est une valeur éthique importante qui a des effets sur les pratiques des journalistes dans certains milieux. Dans ces milieux, respecter l'éthique et la déontologie du journalisme est souvent plus exigeant que dans les grands médias des grands centres urbains.

Il est légitime de ne pas tout publier, mais les raisons sous-tendant cette décision ne sont pas nécessairement toutes aussi valides les unes que les autres quand on les examine du point de vue du rôle social du journaliste. Ne pas publier un reportage parce qu'il ne peut qu'aggraver sérieusement la situation d'une personne ou d'un groupe sans pour autant servir l'intérêt public peut être une décision responsable et défendable, mais ne pas le faire parce que ceux qui seraient touchés risquent de perdre certains privilèges ou avantages si la société en savait davantage à leur sujet est une décision plus contestable, de la part d'un professionnel dont on attend un comportement compatible avec l'intérêt public.

Il y a par ailleurs des informations de nature privée dont la divulgation ne concerne pas l'intérêt public, ou le concerne très indirectement, et sans que cela soit démontré clairement. On peut penser aux causes de décès de personnalités publiques victimes de maladies transmises sexuellement ou par l'usage de seringues contaminées, tel le SIDA, ou encore quand il est question de révéler comment et pourquoi une personnalité s'est suicidée.

La question de publier ou de ne pas publier se pose également dans le cas d'informations concernant l'orientation sexuelle des personnes connues. Outre le respect de la vie privée, l'anathème qui menace les « déviants » est un argument de poids en faveur du silence des médias sur ce sujet. C'est ainsi que les journalistes n'hésiteront pas à parler de la conjointe d'un député hétérosexuel mais hésiteront à parler du conjoint d'un député homosexuel. Du reste, ce dernier est généralement moins visible dans les rencontres officielles et publiques que ne l'est la conjointe hétérosexuelle. Mais ce silence contribue-t-il à maintenir l'intolérance sociale, alors que publier indifféremment les cas hétérosexuels et homosexuels pourrait « normaliser » ce phénomène ? Serait-il préférable pour l'intérêt public de publier ces informations en espérant que cette pratique mette fin à des préjugés qui sont source de malheur pour des millions d'individus ? Ce bienfait public justifie-t-il de sacrifier les droits de quelques individus qui ne sont pas volontaires pour un tel sacrifice ?

CRITÈRES SPÉCIFIQUES

Il y aurait avantage à ce que les médias généralisent le questionnement éthique à l'ensemble de leurs pratiques qui risquent vraisemblablement d'avoir des conséquences néfastes dans la vie des gens. Cette préoccupation prend tout son sens à partir du moment où une entreprise de presse énonce implicitement ou explicitement que son rôle social est avant tout de contribuer positivement au bien-être collectif. Dans ce contexte, tout publier est, on le sait, une position injustifiable. Il y a des informations dont la publication peut être dévastatrice pour des individus sans pour autant servir l'intérêt public, et il est permis de croire qu'il peut être nuisible d'exposer inutilement les «citoyens» à des risques, à des malheurs importants. Il serait donc pertinent de considérer certains critères spécifiques lorsque des situations délicates se présentent, au lieu de s'en remettre à des décisions arbitraires.

- *S'agit-il essentiellement de retarder la publication d'information afin de ne pas mettre en danger la vie de personnes ?*

Si c'est le cas, la décision est facile à prendre entre l'intérêt public et la protection de vies humaines, surtout qu'un délai de quelques heures, jours ou semaines ne devrait pas modifier le cours de l'histoire de la société, tandis qu'une vie sacrifiée est perdue à jamais.

- *Le fait compromettant à révéler est-il chose du passé et a-t-il des liens avec le présent ?*

Cette question peut se poser dans le cas d'individus ayant un dossier criminel et qui se voient confier des mandats exigeant l'administration de fonds publics. Un individu qui a payé sa dette à la société, comme on dit, doit-il souffrir de sa faute toute sa vie quand aucun indice sérieux ne laisse croire qu'il serait enclin à répéter ses méfaits ? En l'absence de tels indices, quelles sont les raisons valables de rappeler ses antécédents et de lui faire payer sa dette à nouveau en s'attaquant à sa réputation ? Agir de la sorte revient-il à nier le droit à la réhabilitation ? En quoi cela est-il relié aux fonctions ou enjeux du présent ?

- *Publier risque-t-il de porter un préjudice grave à des tiers innocents et ce préjudice est-il clairement contrebalancé par des gains et un bien-être amélioré chez d'autres ?*

Dans le cas exemplaire de l'organisme de charité présenté plus haut, cette question est pertinente car elle oblige le journaliste à se demander si les démunis de la société ne vont pas payer gravement pour la faute des autres (les anciens administrateurs) sans pour autant dédommager les donateurs (lesquels précisément?) qui ont vu leur argent détourné de l'objectif humanitaire.

- *Est-ce l'intérêt public qui dicte de publier ou de ne pas publier ou plutôt la crainte de briser des liens avec des sources d'information, d'être sanctionné par l'employeur ou pour avantager des tiers?*

On aborde ici la question de l'autocensure, qui peut inciter des journalistes à ne pas publier des informations par crainte de sanctions de la part de leurs sources d'information ou de leur employeur. À première vue, le journaliste a peu de bonnes raisons de se taire pour ces considérations, car celles-ci vont à l'encontre de sa liberté d'expression et de son autonomie professionnelle. Mais ces deux notions sont soumises à l'appréciation personnelle des journalistes, et on peut malheureusement s'attendre à des décisions où le journaliste privilégie quelques intérêts personnels au détriment de ce qu'il estime habituellement être l'intérêt public. Dans certains cas, il peut au contraire diffuser une information pour nuire à des tiers ou en favoriser d'autres, dans le cadre d'une élection par exemple.

Il y a par ailleurs de bonnes raisons de ne pas publier une information tellement la présomption est forte contre sa diffusion, surtout quand elle risque de causer un préjudice à ceux qui sont en cause : rumeur, accusation non fondée, demi-vérité, etc. Ces types d'information font appel à des valeurs professionnelles comme la rigueur, l'exactitude et l'équité autant qu'à des valeurs morales comme l'honnêteté ou le respect des autres.

* * *

MATIÈRE À DÉLIBÉRATION

Cas 1: M. Arès est candidat au titre de maire d'une grande ville et de récents sondages s'entendent pour dire qu'il tire de l'arrière dans les intentions de vote et risque peu de déloger le maire sortant, lui aussi candidat. Alors qu'il ne reste que quelques jours avant le jour du vote, une source vous informe que le candidat Arès, aujourd'hui âgé de 40 ans, a obtenu un pardon en rapport avec une condamnation pour violence conjugale il y a 20 ans, avec une ancienne conjointe. Le pardon est la suspension du casier judiciaire accordée par le gouvernement et qui prouve que le citoyen a purgé sa peine et est depuis longtemps respectueux des lois. Vous êtes en mesure de confirmer la véracité de ces informations après avoir enquêté et vous êtes prêt à publier la nouvelle qui sera connue à deux jours de l'élection. Vous savez que cela aura sans doute des conséquences négatives importantes pour le candidat, qui n'aura peut-être pas le temps de s'expliquer publiquement de façon convenable. Il y en aura aussi pour ses jeunes enfants issus d'une nouvelle union plus récente. Votre conception du devoir vous dicte de publier cette information mais, d'un autre côté, les faits datent de plusieurs années et le candidat n'a plus jamais eu d'autres démêlés avec la justice. Par ailleurs, votre média est proche du maire sortant et la divulgation de cette information peut sembler à plusieurs comme une façon d'aider le maire. Que faire ? Est-ce que vous publiez tout de même la nouvelle ? Attendez-vous après l'élection ? Décidez-vous de garder le silence le plus complet ? Quels critères pouvez-vous utiliser pour délibérer ? De quelle façon tentez-vous de concilier le droit du public à l'information et le droit à la vie privée si ces deux principes sont en opposition ? Est-ce équitable ? Votre décision est-elle un déni du droit à la réhabilitation ?

Cas 2 : Un jeune enfant qui s'amusait sur le bord de la rivière longeant la propriété familiale fait une chute dans l'eau et se noie. Vous arrivez sur les lieux au moment où les secouristes retirent le corps et tentent malgré tout des manœuvres de réanimation cardiorespiratoire. Dans une voiture de police, vous apercevez une femme en pleurs, le visage contre la vitre et sa physionomie affichant une très grande détresse. Il ne fait pas de doute qu'il s'agit de la mère, ce qui vous sera confirmé plus tard par les policiers. Vous décidez de photographier cette scène dramatique mais, au moment d'utiliser les photos pour illustrer l'article relatant l'événement, un débat s'engage avec certains de vos collègues qui trouvent inacceptable d'utiliser une telle image, car cela viole en quelque sorte le droit à la vie privée de la mère éplorée. D'autres seraient d'accord pour la publier, mais en petit format, dans une page intérieure du journal, alors qu'un troisième groupe soutient que la photographie est exceptionnelle, qu'elle illustre parfaitement un drame humain de grande intensité et que la majorité des lecteurs vont aimer la regarder, ce qui justifie sa mise en évidence à la une. De plus, la photo a été prise sur la voie publique. Pour débattre de la question, vous devez confronter les principes de l'intérêt public et de la vie privée, en tenant compte de la vulnérabilité de la mère éplorée. À quelle conclusion en venez-vous ?

Cas 3: Un commandant de bord d'un avion gros porteur transportant 304 passagers et membres d'équipage réussit à faire atterrir son appareil en panne d'essence sur une île au milieu de l'océan Atlantique, après un long vol plané. Il est aussitôt acclamé par les médias. Les gouvernements et l'administration municipale de sa ville natale annoncent qu'ils vont lui décerner divers honneurs. Quelques jours plus tard, des pilotes d'avion d'une compagnie concurrente vous informent que le commandant de bord en question a déjà fait plusieurs mois de prison aux États-Unis pour avoir importé de la drogue à bord d'un avion de brousse. Cette information vous est confirmée par divers documents et par l'employeur du commandant de bord qui en était informé. Le commandant de bord a obtenu son pardon depuis longtemps et n'a jamais récidivé depuis. Que faites-vous: taisez-vous cette information? La publiez-vous en première page? Le passé criminel du commandant de bord est-il d'intérêt public? A-t-il un lien quelconque avec son exploit?

Cas 4: En naviguant sur Internet, vous tombez sur un article publié dans un journal étranger qui rapporte les propos d'un petit criminel lié à la mafia, propos selon lesquels il serait complice d'un homme d'affaires multimillionnaire de votre ville dans une importante opération de blanchiment d'argent. Vous n'êtes pas en mesure de vérifier la crédibilité de ce criminel étranger car l'enquête policière n'est pas terminée et son procès n'a pas encore eu lieu. Néanmoins, l'homme d'affaires accepte de vous rencontrer pour se défendre de toutes ces accusations et affirme être absolument étranger à toute cette histoire où on a probablement utilisé son nom pour impressionner d'autres complices. L'homme d'affaires vous demande de ne rien publier pour l'instant et d'attendre que tout soit tiré au clair dans l'autre pays. Que faites-vous? Vous retenez l'histoire jusqu'à ce qu'elle ait un dénouement à l'étranger? Vous publiez en mettant bien en évidence les démentis de l'homme d'affaires de votre ville? Si vous décidez de publier, cela pose-t-il un problème d'équité, puisque votre article va inévitablement susciter des doutes?

CHAPITRE 7

Le devoir de vérité

Depuis toujours, journalisme et vérité sont indissociables. La recherche et la diffusion d'informations véridiques d'intérêt public sont au cœur d'une des règles déontologiques fondamentales au journalisme. Des auteurs y voient l'une des responsabilités sociales de la presse (Cooper *et al.* 1989, 33), d'autres un devoir inaliénable (Ryan 1986, 27), un impératif moral inhérent à toutes les formes de communication (Etchegoyen 1991, 171-172) ou une question de respect (Pippert 1989, 14). Le journaliste a été décrit comme un messager de «vérités utiles» (Lambeth 1986, viii) et, dans plusieurs sociétés occidentales, la responsabilité de faire connaître la vérité serait le fondement de la liberté de presse (Pippert 1989, 14). Diffuser la vérité peut même devenir l'exercice d'un pouvoir où le journaliste est l'incarnation du droit du public à une information vraie (Nordenstreng 1989, 280). S'inscrivant en faux contre le cynisme de certains eu égard aux médias, Frost associe lui aussi le journalisme avec une démarche de recherche et de vérification conduisant à la diffusion d'informations véridiques (2011, 68). On le voit, ce ne sont pas les formulations qui manquent. Le journaliste serait donc un professionnel passionné par la vérité, c'est du moins ce qu'il faut croire quand on constate la récurrence de cette valeur dans les codes de déontologie de plusieurs pays et cultures. Mais qu'est-ce que la vérité? Est-elle toujours une nouvelle, et une nouvelle est-elle toujours vraie? Où et comment chercher la vérité et, une fois qu'on croit l'avoir découverte, qu'en faire? La publier à tout prix ou tenir compte des conséquences de sa publication, et accepter parfois de la taire? Et la taire à quelles conditions? Voilà sommairement l'itinéraire du présent chapitre.

LA RÈGLE DÉONTOLOGIQUE : DIRE LA VÉRITÉ

Boudon, qui s'intéresse particulièrement aux idéologies, étend cette soif de vérité à l'ensemble de l'humanité quand il écrit qu'une valeur parmi tant d'autres «demeure stable et sûre, si stable et si sûre qu'elle paraît être indépendante de tout conditionnement historique et social et pouvoir... Cette valeur s'exprime par le fait que la plupart des hommes préfèrent inconditionnellement la vérité à son contraire» (1986, 291).

Le philosophe et journaliste français Jean-François Revel exprime cette idée de différentes façons, mais toutes convergent quand il écrit que le devoir du journalisme est le service de la vérité ou tout au moins «le ferme propos de la servir» (1997, 419). Il ajoute plus loin que la «seule justification professionnelle des journalistes... comme des historiens, des enseignants, des philosophes, des intellectuels en général consiste à remplir cette mission : connaître et faire connaître la vérité» (p. 599). Revel affirme également que la démocratie ne peut pas vivre sans :

> «...une certaine dose de vérité. Elle ne peut pas survivre si cette vérité en circulation tombe au-dessous d'un seuil minimal. Ce régime, fondé sur la libre détermination des grands choix par la majorité, se condamne lui-même à mort si les citoyens qui effectuent ces choix se prononcent presque tous dans l'ignorance des réalités, l'aveuglement d'une passion ou l'illusion d'une impression passagère» (p. 12).

Dans un tout autre contexte, John Rawls traite de l'importance fondamentale de la justice et des droits fondamentaux des individus dans les sociétés démocratiques, et poursuit en affirmant que vérité et justice ne peuvent faire l'objet de compromis, la seule justification d'une injustice étant d'en éviter une plus dommageable (1994, 3-4). Spécialiste européen en matière de déontologie journalistique, Daniel Cornu est pour sa part d'avis que la vérité est la «valeur centrale de l'information. [...] Pour qu'elle soit bonne, la presse doit en outre faire place à l'exigence de vérité : des informations exactes, vérifiées, présentées de façon équitable, des opinions exposées avec honnêteté et sans préjugés, des récits journalistiques véridiques et soucieux d'authenticité» (1997, 41). On perçoit chez Cornu une vision systémique de la vérité qui met en interaction plusieurs normes professionnelles. Kovach et Rosenstiel suggèrent quant à eux neuf principes fondamentaux du journalisme et affirment que la vérité est la première obligation professionnelle des journalistes (2001, 12-13).

Selon Pippert, la responsabilité de faire connaître la vérité serait le fondement de la liberté de la presse dans plusieurs sociétés (1989, 14). C'est en tout cas ce qu'a reconnu la Commission Hutchins, dès 1948, qui a placé le devoir de donner un compte rendu vrai et compréhensible des événements du jour, dans un contexte qui en fait émerger le sens, parmi les cinq normes à partir desquelles on peut évaluer la responsabilité de la presse (Lambeth 1986, 7). Olen est même d'avis que cela fait partie du contrat social implicite entre les journalistes et le public (1988, 20).

Quand on considère la place accordée à la vérité chez l'ensemble des auteurs s'intéressant au journalisme, on n'est pas étonné de constater que presque tous les codes de déontologie reconnaissent le fait que la vérité doit être au cœur du travail journalistique. Par exemple, après avoir analysé le contenu de codes de déontologie des 24 pays membres de la Commission de sécurité et de coopération en Europe (CSCE), Juusela a observé que les trois catégories de règles déontologiques qui reviennent le plus souvent sont, dans l'ordre, la vérité, l'impartialité et le droit à la correction des erreurs (1991, 27). Quant au devoir de vérité, il implique aussi bien des attitudes critiques à l'égard des sources d'information que la rigueur dans le titrage des articles, en passant par la correction des erreurs, ce qui, à nouveau, témoigne de l'importance d'avoir une vision systémique de la vérité en journalisme, qui tienne compte des autres piliers du journalisme, notamment celui de la rigueur et de l'exactitude.

Dans la vision systémique, tout le journalisme ne se résume pas à la vérité d'une information. Celle-ci doit aussi être d'intérêt public, c'est-à-dire que le public doit avoir un intérêt légitime à la connaître, à en être informé. Cette obligation peut conduire le journaliste à taire des informations vraies qui ont trait à la vie privée de citoyens anonymes ou de personnalités publiques, mais qui ne satisferaient que la curiosité du public. De plus, la collecte de l'information, comme sa diffusion et son suivi, ne peut faire l'économie d'autres devoirs professionnels liés aux normes de la rigueur, de l'exactitude, de l'équité, de l'impartialité (pour le journalisme d'information) et de l'intégrité. Il faut ainsi tenir compte des éléments contextuels essentiels à la compréhension de l'information présentée, tout comme des moyens utilisés pour l'obtenir ou des avantages indus qu'elle procure à certains au détriment des autres. Il s'agit en somme de se demander si l'on a affaire à la vérité qui éblouit ou à celle qui éclaire, celle qui aveugle ou celle qui ouvre plutôt les yeux.

Cette façon de considérer la vérité conduit à privilégier la schématisation systémique suivante qui fait état des piliers normatifs du journalisme. Pour les besoins de la schématisation, seuls quelques thèmes associés aux normes fondamentales sont illustrés, mais les prochains chapitres permettront une visite beaucoup plus détaillée des pratiques et thèmes pertinents à chaque pilier normatif. On observera que les normes et les thématiques qui leur sont généralement associées sont entourées de traits afin de souligner qu'une thématique peut être associée plus étroitement à une autre norme que celle qui lui est le plus régulièrement reconnue. Par exemple, la norme professionnelle de la rigueur et de l'exactitude – généralement associée aux questions du raisonnement valide, de l'argumentation rationnelle, de la vérification des informations et de la rectification des erreurs – peut devenir une question d'équité si la rectification d'une erreur ne se fait pas rapidement et exhaustivement à la suite de la diffusion d'une information erronée (*devoir de suite*). En effet, le refus de corriger rapidement une erreur fait perdurer la conséquence négative que l'information fausse a engendrée, notamment en ce qui concerne la réputation de ceux mis en cause par l'information. Dans certains cas, l'équité pourrait même justifier qu'une information vraie soit retirée des archives d'un média, comme l'y invitent ceux qui revendiquent le *droit à l'oubli*.

Schématisation systémique des piliers normatifs du journalisme

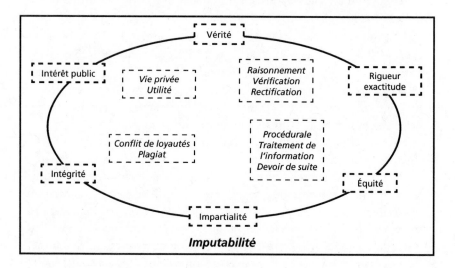

Cette schématisation systémique s'oppose au discours de certains qui voudraient que la vérité de l'information soit le seul critère d'évaluation, d'analyse et de critique du travail journalistique. La quête de la vérité pourrait ainsi justifier toutes les méthodes employées pour avoir accès à l'information. L'approche systémique implique au contraire que toute vérité n'est pas toujours bonne à dire, tout comme elle implique que la démarche journalistique n'est pas soumise à l'arbitraire eu égard aux moyens employés. Par ailleurs, le journaliste ne peut échapper à l'obligation de reddition de compte, c'est en ce sens qu'il est imputable de ses pratiques et de leurs conséquences. Cette imputabilité est plus que jamais présente pour les journalistes professionnels dont le travail quotidien est soumis à la vérification, l'analyse et la critique de citoyens fort actifs sur les médias sociaux et Internet. Notre vision systémique est du reste conforme aux normes journalistiques reconnues et maintes fois affirmées dans les textes déontologiques et les jugements des tribunaux civils des sociétés démocratiques qui cherchent un équilibre entre la liberté d'expression et la protection des droits des citoyens.

Derrière le souci de recherche et de diffusion de la vérité, il existe un postulat selon lequel les médias sont indépendants et ont le mandat de faire connaître le vrai au lieu de simplement refléter la vision du monde que les puissants groupes sociaux aimeraient bien faire prévaloir (Herman et Chomsky 1988, xi). Mais cela n'est pas toujours facile, car les journalistes sont tiraillés entre ce mandat et le besoin impérieux des médias de faire des profits (Dennis 1989, 377), besoin qui contribue, au dire de plusieurs, à détourner la fonction première des journalistes en démocratie, à les faire passer de « chiens de garde » à amuseurs publics. Ils sont aussi aux prises avec des contraintes au sein de leur propre média, ce qui limite parfois leur liberté de diffuser des informations véridiques et d'intérêt public. À l'opposé, ils ont souvent la conviction que leur média est plus intéressé aux informations ludiques, attrayantes, superficielles et lucratives, surtout dans un contexte où l'information est abondante et qu'il est de plus en plus nécessaire de chercher l'attention de publics sollicités de toutes parts (Bernier 2008).

Plus qu'un devoir, la vérité peut devenir une obsession chez certains journalistes qui croiraient absolument la détenir. On pense ici à un genre journalistique d'opposition systématique, fondé sur des convictions religieuses ou politiques radicales, un journalisme de combat qui est parfois aveugle aux nuances et sourd aux arguments opposés pourtant valides. Un journalisme où la vérité *du* journaliste devient sa cause, et le pousse à la proclamer, la louanger et la prétendre garante de lendemains meilleurs. Conway croit que Nietzsche aurait mis en garde les journalistes contre la tentation de devenir les prêtres des temps modernes qui sacraliseraient leur « vérité libératrice » et s'en feraient les seuls interprètes au lieu de rendre leurs publics plus autonomes, c'est-à-dire capables d'interpréter eux-mêmes la vérité (1991, 224).

QU'EST-CE QUE LA VÉRITÉ ?

La notion de vérité a certaines propriétés caractéristiques, dont celle d'être physiquement insaisissable, ce qui incite tout de suite à la prudence. Mais il ne faut pas se laisser arrêter par un si grand obstacle; au contraire, il cache des choses importantes.

Il est vrai que le concept de *vérité* peut être une norme abstraite, une source de débats philosophiques pouvant être tantôt stimulants, tantôt stériles. Mais la vérité qui s'applique au journalisme est plus modeste, plus restreinte et, surtout, empirique. En fait, on devrait plutôt parler de *fragments de vérité* qui seraient des propositions ou des affirmations vraies, concernant des éléments isolés et limités de la réalité, sans toutefois se livrer à une décontextualisation ayant pour effet d'induire le public en erreur, comme nous le verrons au chapitre consacré à la rigueur et l'exactitude. Il n'est donc pas question d'exiger que le journaliste possède une connaissance totale et véridique d'une réalité globale, ce qui serait incompatible avec les contraintes du métier (temps et espace) et, surtout, incompatible avec la finitude humaine. Cependant, il est exigé du journaliste qu'il communique correctement, sans parti pris inavoué, de façon compréhensible, rigoureuse, équitable et honnête les fragments de vérité auxquels il aura eu accès au terme d'entrevues, de recherches documentées, de rencontres et de vérifications rigoureuses. Le prestigieux quotidien de Londres, *The Times*, exprimait sensiblement la même idée dès 1852 en affirmant que le devoir du journaliste est le même que celui de l'historien, soit rechercher la vérité avant tout, s'en approcher autant que possible, et la présenter à ses lecteurs (Cockerell *et al.* 1984, 233).

Il y a ici une posture de modestie et de réalisme qui ramène la notion de vérité à sa dimension empirique et observable. Comme l'affirmait Popper à la suite de Tarski, la vérité « met en cause les énoncés, les faits et un certain rapport de correspondance entre les premiers et les seconds » (1979, 186-187). Ce que le journaliste entend, voit ou sent est nécessairement la référence de ce qu'il va diffuser. Dans ce sens, il est lui aussi soumis à la tradition empirique que l'on associe généralement à la science et à certains courants de la philosophie (Adam 1993, 28) bien qu'il ne maîtrise généralement (et malheureusement) pas les outils conceptuels et méthodologiques nécessaires à toute prétention scientifique ou philosophique.

Au *New York Times*, la notion de vérité a un contenu précis : elle est l'explication idéale des faits qui sont des phénomènes réels. Ce que le président américain dit est un fait, expliquer ce qu'il a voulu dire devient la vérité. C'est la différence entre avoir connaissance d'un fait et le comprendre, fait valoir Olen, qui insiste sur les distinctions à faire entre les événements et leur signification, les événements et leur explication, et, finalement, entre ce qui est observé et ce qui ne l'est pas (1988, 43).

On ne peut donc exiger du journaliste une connaissance totale et véridique du *réel*, mais on peut exiger qu'il communique de façon compréhensible et honnête les fragments de vérité mis au jour au terme d'une démarche rigoureuse. Les auteurs qui se penchent sur les devoirs du journaliste insistent davantage sur la diffusion de la vérité que sur l'accès à la vérité, bien que la première soit conditionnée en partie par le second. En partie, parce que le journaliste peut avoir accès à la vérité, ou à des fragments de vérité, mais décider de ne pas la diffuser, ou de la diffuser partiellement, à cause d'autres facteurs et valeurs d'importance. Par ailleurs, l'accès à la vérité est souvent un chemin laborieux parsemé d'embûches de natures diverses (politiques, administratives, stratégiques, etc.)

Il ne fait pas de doute que rechercher la vérité est une tâche difficile pour le journaliste, surtout qu'il a de plus en plus souvent affaire à des spécialistes qui « travaillent » l'information avant de la lui communiquer. Le rôle prépondérant de ces communicateurs est indéniable et, dans certains cas, leurs documents de presse, communiqués et autres initiatives sont à l'origine de plus de la moitié de la matière rédactionnelle que nous offrent les journaux. En toute justice, même si la rhétorique des journalistes voue aux gémonies les relationnistes, ces derniers sont essentiels aux médias, qui peuvent ainsi profiter de leur disponibilité tout comme de leurs documents afin de favoriser la production d'information, surtout dans un contexte de diffusion permanente et instantanée. Journalistes et professionnels des relations publiques sont condamnés à une cohabitation marquée par la collaboration, l'affrontement et la négociation permanente dans un contexte de confiance limitée et de suspicion généralisée, où le relationniste met souvent en doute la bonne foi ou l'impartialité de son vis-à-vis, qui le lui rend bien en mettant en doute la sincérité et l'authenticité du premier. Pour illustrer cette relation un peu tordue, il suffit de rappeler que le sous-secrétaire permanent du ministère britannique des Affaires étrangères, Lord Tyrrell, a déjà déclaré aux journalistes qu'ils faisaient une erreur en pensant que le gouvernement britannique leur mentait, mais qu'ils en faisaient une bien plus grande en pensant qu'il leur disait la vérité ! (Sigal 1974, 131)

On conçoit bien les obstacles se dressant devant les journalistes. Mais doit-on seulement les considérer comme les victimes des ruses de leurs sources ? Cela serait trop facile. Ils sont parfois des victimes consentantes, sinon des complices de ces ruses qui, finalement, ne laissent qu'une catégorie de victimes sur le terrain : le citoyen. Par exemple, dans leur désir d'accéder à quelques fragments de vérité, dont l'importance reste encore à déterminer et à la condition de ne pas tous les révéler, on a reproché aux journalistes de s'être rendus complices des mensonges du pouvoir politique, américain surtout, en acceptant la formule des *pools* lors de la guerre du Golfe de janvier et février 1991 (Ramonet 1991b, 11). Les journalistes savaient pertinemment que la « vraie » guerre était ailleurs et que leur travail était d'en rendre compte à leurs auditoires, mais ils ont préféré accepter la formule des *pools* qui les rendait plus facilement manipulables. Des critiques du même ordre ont été répétées à l'hiver 2003 à l'endroit des journalistes qui ont accepté les règles d'embrigadement de l'armée américaine qui envahissait illégalement l'Irak.

Un autre exemple de la quasi-complicité des journalistes est fourni par Berthiaume : en ne prenant pas la peine d'analyser les chiffres qu'on lui fournit, ou le texte du communiqué qu'on lui remet, « le journal non seulement sert naïvement (?) les intérêts de certains groupes sociaux, mais surtout il confère aux discours de ces groupes la qualité de nouvelle et marque leurs propos du sceau de la vérité » (1981, 28). La recherche de la vérité ne peut se limiter à la diffusion des informations fournies sur un plateau d'argent, il faut tester leur validité empirique et logique, adopter une attitude où toute information est une hypothèse attendant sa vérification pour se donner une valeur de vérité, pour paraphraser Brief (1992, 42).

Malgré toute sa bonne volonté, une démarche rigoureuse, une méthode quasi impeccable, le journaliste, comme tout être humain, atteint ses limites et doit admettre que des pièces lui manquent, mais seulement après avoir fait l'effort de chercher ces pièces. Dans certaines situations, on constatera, comme Morin, que l'on ne peut pas échapper au principe d'incertitude généralisée (1990, 60). Il faut aussi reconnaître que le journaliste n'a pas en main les pouvoirs formels de la loi, par exemple, pour découvrir la vérité, si bien que cela a pu convaincre Christians et Covert que la quête de la vérité et le métier de journaliste ne sont pas synonymes (1980, 31).

Faisant preuve d'un certain scepticisme quant à la capacité des journalistes à accéder à la vérité, Epstein a observé que le problème des journalistes est qu'ils sont rarement en position d'établir eux-mêmes la vérité, puisqu'ils doivent le plus souvent s'en remettre à des sources d'information qui ont des intérêts précis à parler ou à se taire (1975, 60). Il rappelle à cet effet l'opinion de Lippmann, pour qui vérité et nouvelles journalistiques ne coïncident qu'à de rares occasions, comme pour le compte final d'une partie de baseball ou les résultats des élections. La réalité serait en général trop complexe pour se retrouver intacte, dans toute sa vérité, dans les médias. Epstein reconnaît que l'écart entre la vérité et la nouvelle est principalement dû aux contingences du métier de journaliste : limites de temps, d'espace et de ressources. Avec l'émergence de nouveaux outils de recherche (banques de données, logiciels de traitements statistiques, archives, accès à des sources spécialisées, etc.) et grâce aux médias disponibles sur Internet, ces obstacles sont en partie contournés et on peut affirmer que les journalistes ont plus que jamais les moyens technologiques d'offrir une information de qualité à leurs publics. Toutefois, les voilà contraints plus que jamais à la rapidité, à alimenter plusieurs plateformes, à un effort de simplification ou à des contraintes organisationnelles et commerciales qui sont autant de menaces à la qualité, la diversité et l'intégrité de l'information.

Ceux qui n'espèrent pas avoir plein accès à la vérité par l'intermédiaire des journalistes sont sages et lucides. Ce n'est pas à partir uniquement de comptes rendus provenant de journalistes pressés de produire quelques paragraphes que le citoyen peut espérer obtenir une vision cohérente du monde. S'il ne se fie qu'aux médias d'information, sa compréhension du monde sera faussée. Ses préjugés, ses *a priori*, ses craintes et ses erreurs d'interprétation combleront les vides. Mais s'il délaisse complètement cette forme de connaissance instantanée, généralement assez respectueuse des fragments de vérité recueillis, le citoyen se prive d'une source de renseignements, d'interrogations, d'étonnements sans lesquels sa connaissance du monde se trouve rapidement pétrifiée, dépassée, obsolète. Il doit idéalement adopter une méthode complexe de connaissance du réel, qui intègre l'Histoire et les histoires, le permanent et l'éphémère, tout en sachant très bien que la nouvelle de l'heure n'est souvent qu'une vaguelette sur l'océan de l'histoire humaine. Et par surcroît il doit être conscient que, parfois, l'histoire du jour modifiera le cours de l'histoire.

Le dernier problème qui se présente est que la vérité n'est (malheureusement?) pas toujours le critère absolu sur lequel s'établissent les croyances des citoyens. Le professeur de psychologie Albert T. Proffenberger, de l'Université Columbia, est même d'avis que les croyances sont principalement déterminées par les sentiments, les émotions et les désirs, si bien qu'on en viendrait à «croire ce en quoi on a besoin de croire» (Streckfuss 1990, 977). Dans ce contexte, le travail des journalistes, aussi brillant soit-il, risque de n'avoir qu'une utilité : fournir ici et là des fragments de vérité que les gens sélectionneront en vue de solidifier leurs croyances et de contester celles des autres. C'est du reste ce que les médias sociaux accordent bien souvent en permettant de s'abonner à des gens ou à des groupes dont on partage les convictions ou les idéologies, et en s'efforçant de fuir ce qui s'y oppose. Cette exposition sélective était plus difficile à réaliser à l'époque des médias généralistes traditionnels, qui offraient des contenus plus variés afin de satisfaire partiellement le plus grand public possible. Avec la multiplication des médias et leur spécialisation, accompagnée d'une adhésion souvent affective ou idéologique aux comptes Facebook ou Twitter, il est possible de restreindre le spectre des informations et opinions qui pourraient bousculer nos convictions. Cette adhésion sélective pourrait même les renforcer. Cette crainte, exprimée régulièrement, fait cependant peu de cas du fait que les médias sociaux, pour ne parler que de leur cas, sont aussi de puissants vecteurs d'informations et de points de vue diversifiés diffusés sur le mode viral.

Toute la vérité ?

Tenons maintenant pour acquis que le journaliste peut, dans certains cas, découvrir la vérité, ou des fragments de celle-ci. Reste encore à se poser une question cruciale : doit-il toujours la rendre publique ? La vérité est-elle toujours bonne à dire ? Si l'on ne s'en tient qu'à la règle déontologique dominante, cela va de soi, puisque la vérité est une valeur importante que le journaliste doit servir. Mais cette valeur peut entrer en conflit avec d'autres, comme la sécurité de l'État, la protection de la vie humaine, quand ce n'est pas simplement le respect de la vie privée ou de la dignité. Ainsi doit-on, encore une fois, tenir compte du devoir de vérité autant que des conséquences de sa diffusion, et reconnaître que s'engager à dire la vérité en tout temps, dans toutes les situations, est une promesse impossible à respecter sur le plan éthique.

Klaidman et Beauchamp sont d'avis que si les journalistes, comme les universitaires et les scientifiques, sont dévoués à la découverte de la vérité, ils ne sont pas obligés de la diffuser à n'importe quel prix (1987, 39). Selon eux, les journalistes omettent régulièrement de diffuser certaines informations soit pour ne pas blesser quelqu'un, soit pour assurer de bonnes relations avec leurs sources d'information. Dans ce dernier cas, c'est la dimension stratégique qui l'emporte sur la réflexion éthique.

La vérité peut être à la fois une bonne et une mauvaise chose. Bovée rappelle que la vérité est une bonne chose, car elle nous permet de mieux développer notre potentiel humain et que sans elle les relations sociales seraient impossibles (1991, 138). Il soutient qu'en l'absence de considérations spéciales il est préférable d'admettre que la vérité est préférable au mensonge. On pourrait suggérer *a contrario* que les relations sociales seraient également impossibles si chacun se mettait à dire ses quatre vérités à autrui !

On l'a vu au chapitre précédent, il ne suffit pas que l'information soit vraie pour qu'elle puisse satisfaire aux normes journalistiques reconnues, elle doit aussi être d'intérêt public, être utile pour les citoyens dans leurs choix politiques, sociaux, économiques, religieux et culturels, pour ne nommer que les thèmes les plus communs. Il y a donc des vérités inutiles qu'il est préférable de ne pas publier, ou que l'on publiera au risque de diffamer, car la vérité d'une affirmation ne saurait tout excuser. Le juriste Philippe Merlin, dit Merlin de Douai, affirmait déjà, au début du XIXe siècle, que « si, sous le prétexte qu'on ne dit que la vérité, on était libre de divulguer ce qu'on sait sur le compte d'autrui, ce prétexte donnerait lieu à des discordes et à des haines perpétuelles » (Rivard 1923, 87).

Non seulement toute vérité n'est-elle pas nécessairement bonne et utile à communiquer, mais il peut aussi survenir des cas exceptionnels où le journaliste sera moralement fondé à mentir, en dernier recours, afin de servir une valeur supérieure. Sensible à cette perspective, Sissela Bok a consacré un ouvrage majeur à la question et il convient de s'y attarder. Elle reconnaît qu'il peut exister de bonnes raisons de mentir dans certaines circonstances et propose des critères qui balisent cette pratique, comme nous le verrons plus loin. Elle donne l'exemple du mensonge qu'on pourrait dire à une personne mourante afin de l'apaiser, en lui affirmant par exemple que ses enfants se sont réconciliés, que des problèmes importants sont réglés, etc. Selon Bok, la question du mensonge réside également dans l'intention d'induire en erreur et non seulement dans la vérité des affirmations que l'on fait (1999, 6). On peut induire les autres en erreur par la parole, par les gestes, par l'apparence (uniforme), par le silence (mentir par omission), etc. Bok distingue tromperie et mensonge, la première étant tout message intentionnel qui vise à induire en erreur, tandis que le mensonge est une affirmation fausse et intentionnelle. À son avis, le mensonge est une forme de tromperie. Quand les gens diffusent des informations fausses en les croyant vraies, ils peuvent être fatigués, mal informés, mal compris, mal articulés, intoxiqués ou dupés par les autres, mais aussi longtemps qu'ils n'ont pas l'intention de mentir ou d'induire les autres en erreur, ils n'agissent pas de manière trompeuse. Leurs affirmations peuvent être fausses, mais ils ne le savent pas. Voilà, de son point de vue, pourquoi l'intention de tromper est fondamentale pour déterminer si le comportement est condamnable.

En journalisme, cette distinction est importante car les journalistes victimes de stratégies de manipulation peuvent involontairement induire leurs publics en erreur, sans en avoir l'intention. Il serait mal avisé de leur en faire un reproche s'ils ont pris les précautions raisonnables et nécessaires pour vérifier la véracité des propos qu'ils vont relayer, surtout quand celle-ci est de nature incriminante. Nul n'est tenu à la perfection, ce qui ne peut toutefois pas être considéré comme une permission de se comporter de manière négligente. La meilleure protection contre la manipulation demeure la rigueur intellectuelle et l'absence de complaisance envers toutes les sources d'information, sans toutefois sombrer dans le cynisme. Du reste, il y a quelque chose d'antinomique entre journalisme et cynisme, dans la mesure où le premier cherche à diffuser des informations véridiques et utiles, alors que le second nie l'existence même de telles informations. Bien souvent, on confond la pensée critique, qui est exigence intellectuelle, avec le cynisme, qui est une démission morale et intellectuelle.

Par ailleurs, Bok n'accorde pas le même poids moral à toutes les formes de mensonges. Ainsi reconnaît-elle une forme de mensonge, les mensonges blancs (*white lies*), qui seraient la forme la plus courante et la moins grave. Selon elle, ces mensonges bien intentionnés ne causent de préjudices à personne et sont de peu d'importance sur le plan moral (p. 57-58). On y retrouve des formules de politesse (*content de vous voir!*), des conventions sociales (*veuillez agréer l'expression de mes sentiments les meilleurs*), des excuses factices (*je ne peux pas me rendre à votre réception* alors qu'en réalité je ne veux pas) ou encore des compliments feints (se montrer flatteur dans une lettre de recommandation alors qu'en réalité on est moins chaud à l'égard de la personne recommandée).

On serait tenté de croire que Bok n'accorde qu'une valeur instrumentale à la vérité, mais il n'en est rien. Au contraire, chez elle, l'importance qu'on lui accorde va toujours demeurer fondamentale pour ceux qui se demandent quel genre de personnes elles veulent être, comment traiter les autres et soi-même. Au contraire des utilitaristes, très nombreux chez les journalistes qui justifient les moyens utilisés en fonction des résultats obtenus, Bok fait valoir que la plus sérieuse erreur de calcul qu'une personne fait quand elle évalue la possibilité de mentir est de se limiter à une analyse coûts/bénéfices d'un cas particulier ou isolé, en décidant de mentir parce que les gains semblent plus élevés que les pertes. En agissant de la sorte, on risque de s'aveugler soi-même quant à l'effet qu'un tel mensonge peut avoir sur notre intégrité, notre estime de soi et les menaces qu'il fait peser sur les autres. En somme, le calcul ne tiendrait pas compte de tous les coûts réels liés au fait de mentir. Pour Bok, il vaut certes toujours mieux ne pas mentir. Toutefois, dire la vérité, en tout temps, comporte aussi des coûts importants qu'il ne faut pas négliger. Par exemple, il peut y avoir des croyances importantes (quoique fausses) sans lesquelles les gens auraient du mal à faire face aux difficultés de la vie, si bien que certaines vérités leur seraient très pénibles à supporter. Pensons à la question de l'infidélité dans un couple, même un couple formé de personnalités publiques. Au nom de quel intérêt public un journaliste pourrait-il dévoiler une telle information véridique?

Bok considère par ailleurs que les différentes formes de tromperies sont autant de façons de priver les autres de leur liberté de choisir en les plaçant dans une situation désavantageuse. Puisque nos choix reposent toujours sur notre estimation d'une situation, il en résulte l'importance d'être bien informé afin de pouvoir agir en connaissance de cause. Ainsi, si l'information donne du pouvoir, le mensonge influence la répartition du pouvoir dans une société, il augmente celui du menteur et affaiblit celui de ses victimes (p. 19). On comprend mieux l'importance du devoir de vérité des journalistes à l'égard du public qu'ils ont le devoir de servir.

La tromperie aurait un effet de coercition puisqu'elle permet à l'un d'exercer un pouvoir indu ou injustifié sur l'autre, qui se retrouve en position de faiblesse ou de dépendance par le simple fait de croire le menteur. Pour la philosophe, cela attaque de front l'autonomie des humains et tout mensonge doit donc être justifié. Elle ajoute que les menteurs ont tendance à sous-évaluer les conséquences à long terme de leurs actes, conséquences aussi bien pour eux que pour la confiance mutuelle que nous devons avoir pour vivre en société, dans le but de favoriser une certaine coopération sociale bénéfique à tous. Ces conséquences seraient cumulatives et durables. De plus, elle estime qu'il est difficile de s'en tenir au mensonge unique et considère que, le plus souvent, un mensonge en prépare un autre (p. 24-25).

Cette conception pousse Bok a considérer la vérité comme un bien social fondamental ne pouvant être contourné qu'exceptionnellement. L'exemple classique est celui de l'homme contraint de mentir à celui qui est à la recherche de sa prochaine victime afin de soulager sa rage ou pour se venger. Faut-il mentir en prétendant ne pas savoir où se trouve l'éventuelle victime, et ainsi lui sauver la vie, ou bien dire la vérité et permettre à l'enragé d'assouvir sa vengeance? Bien qu'il soit extrême, cet exemple suffit à lui seul à démontrer la nécessité morale de mentir dans les circonstances exceptionnelles. En fait, il n'y a que dans des systèmes de croyance très rigides (religions, sectes, idéologies, etc.) que de telles exceptions sont refusées, sous prétexte qu'elles ont des conséquences pires que la mort (la trahison de la cause, la pureté qui conduit à la vie éternelle, le péché, etc.) (p. 44).

Des conséquences du mensonge

Reconnaître qu'il puisse y avoir de bonnes raisons de tromper et de mentir est à la fois une solution et un problème moral au sens fort du terme ; solution car elle libère de tout absolutisme que voudrait imposer une déontologie orthodoxe, mais problème car elle fait face aux responsabilités que comporte la liberté de juger et de choisir. En effet, emportés par leurs passions, leurs convictions et leurs intérêts, les journalistes pourraient être tentés de favoriser une interprétation pour le moins généreuse, sinon arbitraire, de cette liberté d'agir. Or le défi posé à la réflexion éthique surgit à cet instant même où l'on voudrait se croire libéré de toute contrainte. Il impose de se poser la question des circonstances spéciales et exceptionnelles qui justifieraient l'usage raisonné et responsable des différentes formes de tromperies et procédés clandestins les plus courantes en journalisme (fausse identité, caméras ou microphones cachés, simulations ou manipulations numériques des images, etc.) et sur lesquels on reviendra plus loin.

L'une des premières considérations s'imposant à quiconque veut mentir est de tenter de mesurer ou de peser les conséquences de ce geste, une façon de faire souvent associée aux utilitaristes. Il ne fait aucun doute que ce calcul demeure toujours risqué, en plus d'être souvent téméraire, car il recèle implicitement la prétention de connaître les conséquences de nos mensonges, lesquelles peuvent être classées en trois catégories. Il y a d'abord les conséquences prévisibles parce que directes, rapidement observables et anticipées par nos expériences et notre connaissance des choses et des relations humaines. Viennent ensuite les conséquences vraisemblables plus ou moins directes et observables et, finalement, les conséquences imprévisibles, qui peuvent être directes ou indirectes, rapidement observables ou non, mais qui se produisent par un jeu de circonstances qu'il aurait été à peu près impossible ou déraisonnable de supputer ou de deviner à l'avance. Une conséquence prévisible du mensonge est certes la perte de crédibilité ou de fiabilité qui attend l'auteur de la tromperie lorsque sa victime en prend conscience. Une conséquence vraisemblable pourrait être la tristesse ou la perte d'estime de soi chez la personne trompée qui découvre ainsi combien il peut être facile d'abuser d'elle et de déjouer sa vigilance, ou encore qui pensait être en mesure de mieux protéger sa vie privée ou celle de personnes qui lui sont chères. Quant

aux conséquences imprévisibles, elles peuvent être multiples et dramatiques, en fonction de l'importance des informations dévoilées grâce à ce
subterfuge. Dans les cas extrêmes, dépression profonde, agression violente
ou suicide peuvent en résulter.

Sans sombrer dans un *conséquentialisme* extrême, il importe de
noter, finalement, que les mensonges ne sont pas neutres. Ils ont toujours
des effets négatifs, ne serait-ce que par le tort qu'ils nous causent aux yeux
des autres ou le fait qu'ils privent les autres de leur autonomie, de leur
liberté (Bok 1999, 50).

LES CONDITIONS NÉCESSAIRES À LA VÉRITÉ

Vérité et intérêt public sont l'essence du journalisme, les conditions
nécessaires de sa légitimité sociale et d'une immunité juridique très
importante, sans jamais être absolue, dans les sociétés démocratiques.
Nous avons vu qu'il existe des critères qui aident à apprécier l'intérêt
public d'une information. Ces critères ne sont pas exhaustifs et peuvent
certes être enrichis, mais ils respectent la représentation mentale que les
journalistes se font des informations d'intérêt public. Ils sont en quelque
sorte les conditions que devrait respecter l'information journalistique,
par opposition à l'information que nous acheminent les autres professionnels de la communication publique que sont les publicitaires, les
relationnistes, les porte-parole, etc. Dans un contexte d'abondance où
coexistent, sur Internet et les médias sociaux, informations, opinions,
rumeurs, stratégies de propagande et de désinformation, sans compter
les excès de partisannerie et l'absolutisme de certaines convictions morales
et religieuses, le communicateur professionnel, dont le journaliste, a des
obligations déontologiques fondamentales et incontournables de vérité
et d'intérêt public. Ce sont les propriétés fondamentales de leur travail,
à défaut de quoi ils ne sauraient revendiquer quelque légitimité sociale
que ce soit, encore moins tenter de se prévaloir de privilèges quelconques
ne pouvant être justifiés que par le service du droit du public à une information de qualité, diversifiée et intègre.

La vérité de l'information journalistique repose également sur un
ensemble de conditions dont certaines sont évidentes, tandis que d'autres
peuvent paraître étonnantes à première vue, mais prennent toute leur
importance quand on constate que leur absence attaque radicalement le
caractère véridique de l'information journalistique. Au chapitre des
conditions évidentes et, dirions-nous, tout à fait conformes à l'intuition,
on retrouve la rigueur et l'exactitude qui sont des normes professionnelles

récurrentes dans les textes déontologiques. Ces normes sont reliées à différents enjeux et protègent contre certains pièges ou débordements liés notamment au raisonnement, à la méthodologie et l'argumentation, tout en prescrivant des devoirs tels le respect des citations et la rectification des erreurs. Elles feront l'objet d'un prochain chapitre.

Les conditions de la vérité intuitivement moins évidentes sont reliées aux principes de l'impartialité, de l'équité et de l'intégrité journalistiques. Il arrive certes que ces principes soient interreliés, ou qu'ils soient connectés à l'intérêt public comme on le verra pour certains thèmes associés à l'intégrité journalistique, mais les besoins de l'analyse, de l'explication et de la démonstration nous obligent à en faire une présentation séquentielle qui en facilite la compréhension et améliore grandement l'utilité pratique pour les journalistes.

Il importe ici de clarifier une contradiction apparente en ce qui concerne la vérité en journalisme. Le devoir du journaliste est de diffuser une information à la fois vraie et d'intérêt public. Pour y parvenir, il se doit d'être rigoureux et exact, impartial à défaut d'être objectif comme on le verra plus loin, intègre de façon à servir de manière désintéressée l'intérêt public par opposition au service intéressé d'intérêts particuliers. Il se doit aussi d'être équitable envers ses sources d'information, tout comme il doit l'être au moment de procéder à la sélection des informations qui seront retenues et à la façon dont elles seront présentées au public. L'équité journalistique permet de lutter contre les informations qui ont des apparences de vérité mais qui trompent néanmoins le public en lui présentant une perspective tronquée ou mutilée des événements relatés ou des gens dont il est question. Cependant, l'équité envers les sources d'information n'est pas un carcan moral ou déontologique, et le journaliste peut justifier la dérogation au principe de la vérité dans ses relations avec ses sources d'information, toujours dans des circonstances exceptionnelles. Il existe des situations où le journaliste est justifié, et doit également se justifier, d'avoir recours à diverses formes de tromperies, à des procédés clandestins qui lui permettent d'avoir accès à divers acteurs, de recueillir des informations essentielles et importantes. Si le journaliste peut exceptionnellement ruser et tromper afin de servir le droit du public à une information importante et vraie, il va de soi que ce même objectif lui interdit de mentir au public auquel il livre le fruit de son travail, peu importe qu'il s'agisse d'informations factuelles ou d'opinions, de critiques et de commentaires sur l'actualité. L'apparente contradiction liée à la vérité est donc résolue par le fait que l'information livrée au public doit être véridique de façon à ne pas induire en erreur le public et si le journaliste peut exceptionnellement mentir, ruser et tromper pour y arriver, il doit toujours être en mesure de se justifier, comme on le verra plus en détail. Il a le devoir de ne révéler que ce qui est vrai sans être moralement obligé de toujours révéler ce qui est vrai, le plus rapidement possible, surtout quand une telle divulgation fait courir des risques majeurs pour les individus et les collectivités sans apporter avec elle un bienfait quelconque.

Ce sont ces conditions de la vérité et de l'intérêt public de l'information journalistique, ainsi que les thèmes et enjeux qu'elles soulèvent, qui meublent les prochains chapitres. Cette façon de présenter la question semble inédite, bien que les composantes soient pour la plupart connues et reconnues de longue date. En procédant de la sorte, on propose les étapes d'une démarche journalistique conforme aux normes déontologiques et aux principes éthiques en journalisme. Cette démarche est du même coup une méthode objective qui n'est pas sans similitude avec la méthode scientifique en sciences sociales, à la différence que la recherche scientifique accorde beaucoup plus d'importance à la validation de ses outils méthodologiques, à leur fidélité et à l'exposé des fondements théoriques qui conduisent à la formulation d'hypothèses de travail. Chez le journaliste, les événements naturels ou socialement construits de l'actualité déterminent largement les sujets dont il sera question dans les médias et la formulation d'hypothèses est largement intuitive ou impressionniste, ce qui ne devrait nullement plaider en faveur d'une démarche objective au sens qu'elle ne varie pas en fonction de considérations arbitraires, commerciales ou idéologiques.

CRITÈRES SPÉCIFIQUES DE LA DIFFUSION DE LA VÉRITÉ

Il a déjà été reconnu que la volonté aveugle de sacrifier les gens à la vérité a toujours été le danger d'une éthique qui se soustrait à la vie (Galligan cité par Beauchamp 1988, 130). Une telle préoccupation est proche de la conception camusienne de la soif de justice qui ne doit jamais être une tentative de justification de comportements inhumains. Albert Camus, au temps de *Combat* lorsque la France était occupée par l'arme allemande, acceptait la censure militaire sur les nouvelles pouvant servir à l'ennemi, par exemple (Camus 2002, 203). Chez Camus, il n'existe pas de liberté sans responsabilité. On admet volontiers qu'il n'est pas toujours facile de décider s'il faut dire ou taire la vérité, tout comme on reconnaît qu'il n'existe pas de règle universelle à ce propos, ce qui nous oblige à évaluer les situations séparément, pour ce qu'elles sont réellement (Juusela 1991, 13).

L'un des critères relevés chez les auteurs qui ont réfléchi sur ce sujet est la sécurité nationale. Klaidman et Beauchamp sont d'avis que les journalistes sont fondés à ne pas diffuser des informations obtenues si celles-ci sont des secrets d'État (1987, 39). Le journaliste devrait alors se demander si son devoir de divulguer la vérité ne met pas en cause la sécurité de l'État. Le problème est ici de savoir si ce que le gouvernement nomme « sécurité de l'État » mérite bien cette appellation ou bien s'il s'agit plutôt d'un prétexte sans fondement. Le journaliste peut ne pas être d'accord avec le gouvernement et il devrait même tenter de savoir exactement quelles sont les conséquences négatives invoquées avant de décider si oui ou non il publiera certaines informations. Il doit pouvoir aussi distinguer la sécurité de l'État de celle du parti politique au pouvoir, chose que ne font pas toujours ceux qui sont aux commandes du gouvernement.

Différant passablement de la question de la sécurité nationale, mais relié au bien-être de l'État, est le critère de l'intérêt public. Il est des vérités qui, sans révéler des secrets militaires, peuvent toucher à l'intérêt de l'État et, partant, à celui de ses citoyens. Par exemple, faut-il révéler le contenu d'un budget quelques heures avant son dévoilement officiel, au risque de favoriser la spéculation ou d'obliger le gouvernement à modifier ses politiques fiscales en catastrophe sans prendre le temps d'en évaluer les conséquences chez les contribuables ? Peut-être est-il suffisant de révéler qu'il a été possible pour certains de se procurer ce document, qui doit demeurer secret jusqu'au moment de son dévoilement par le ministre responsable.

Un autre critère est la protection de la vie humaine (Klaidman et Beauchamp 1987, 39). Lambeth affirme à ce sujet qu'un journaliste doit toujours divulguer la vérité, sauf quand cela menace la vie de quelqu'un (1986, 23). Ce critère est à la fois spécifique et général, car on peut l'appliquer à plusieurs règles déontologiques. Il est ainsi tout à fait possible que le silence, voire le mensonge, soit une décision justifiable puisqu'elle vise à promouvoir des valeurs supérieures, comme la protection de la vie (Bovée 1991, 138).

Un quatrième critère est l'évaluation du *besoin de connaître*. C'est ce critère que l'ex-ambassadeur français François de Rose a mis de l'avant pour évaluer s'il était valable de publier dans un journal la technique de fabrication de la bombe à hydrogène. Il y voyait la « considération essentielle » qu'il fallait retenir dans ce cas. On peut en effet se demander si le public avait besoin de connaître cette technique, et si ce besoin était plus important que les risques associés à sa divulgation. Un tel débat peut être tranché en faveur de la diffusion de cette information sur les plans juridique et déontologique, mais on peut douter qu'il en aurait été ainsi au terme d'une réflexion éthique. Le besoin de connaître est lié au besoin légitime de savoir et il y a tout lieu de croire que certaines informations échappent à ce critère, bien qu'elles soient attrayantes et sans doute avantageuses sur le plan commercial ou dans le cadre de joutes politiques partisanes.

Les quatre critères spécifiques de la diffusion de la vérité suggérés plus haut ne sont pas exhaustifs. Mais ils sont difficilement contournables sur le plan éthique, car ils cherchent à évaluer les conséquences sociales et humaines des pratiques journalistiques tout en permettant de développer de solides arguments pour justifier les décisions qui seront prises. Bien souvent, ces critères plaideront en faveur de la diffusion de la vérité, même lorsque cela déplaît aux puissants de ce monde. Il faut espérer que ces mêmes critères sauront aussi bien convaincre les journalistes de ne pas sacrifier les autres dans leur quête de *scoops* et de gloire. Ces critères prennent toute leur pertinence dans les situations corsées. Quand diffuser la vérité comporte des risques, on peut se poser les quelques questions suivantes :

- *Met-elle en danger la sécurité de l'État et de ses habitants ?*
- *Sert-elle ou dessert-elle l'intérêt public ?*
- *Met-elle en danger des vies humaines ?*
- *Répond-elle à un important besoin de connaître ?*

* * *

MATIÈRE À DÉLIBÉRATION

Cas 1 : Une violente tempête sévit sur l'agglomération urbaine depuis quatre jours, privant d'électricité la presque totalité de ses habitants. Néanmoins, à la chaîne d'information en continu et dans l'ensemble des autres médias, la couverture journalistique de la situation de crise se poursuit et la majorité des citoyens ont accès à l'information grâce à des radios à piles, à des génératrices, aux médias sociaux par leurs appareils mobiles et aux contacts téléphoniques avec des membres de la famille et des amis vivant dans des régions épargnées par la tempête. Vous êtes le journaliste à l'antenne et un de vos collègues de la régie vous fait part d'une information vérifiée indiquant que les réserves d'eau de la ville sont au plus bas, puisque les génératrices alimentant en énergie les pompes ne suffisent plus à la tâche. Vous avez donc une information vraie et d'intérêt public que vous pouvez communiquer à votre public, mais votre collègue vous fait savoir que les responsables de la sécurité civile sont d'avis que la diffusion de cette information va inciter les gens à se faire des provisions d'eau et qu'il n'y en aura plus pour les jours à venir et, surtout, pour combattre d'éventuels incendies majeurs. Que faites-vous? Diffusez-vous l'information à la fois vraie et d'intérêt public ou bien la taisez-vous? Si vous la taisez, allez-vous en informer le public plus tard ou bien restera-t-il ignorant de votre décision? Quelles valeurs et quels critères sont en cause?

Cas 2 : À titre de journaliste radiophonique affecté à la couverture de faits divers, vous êtes appelé à vous rendre dans une municipalité de banlieue où des policiers et des pompiers sont en train d'établir un périmètre de sécurité autour d'un immeuble dans lequel une mère dépressive a séquestré sa fillette de 18 mois et menace de mettre le feu à son bain contenant de l'essence afin de se donner la mort. Vous savez que la mère a proféré cette menace à une amie, lors d'une conversation téléphonique, et que cette dernière a alerté les services de sécurité. Dès votre arrivée à proximité du périmètre de sécurité, le porte-parole du corps policier vous informe, tout comme vos collègues des autres médias, que la mère dépressive ne sait pas que policiers et pompiers ont été alertés et qu'ils souhaitent procéder avec discrétion afin de ne pas prendre le risque de provoquer un geste impulsif dramatique. Cette consigne vous interdit de rendre compte de la situation sur les ondes par crainte que la mère ne soit à l'écoute. Si vous suivez la consigne, votre public sera privé d'une information à la fois vraie et d'intérêt public puisque l'événement mobilise les forces de l'ordre. Que faites-vous? Si vous acceptez de ne rien diffuser mais qu'un journaliste concurrent, volontairement ou par mégarde, diffuse l'information en question, estimez-vous être libéré de la contrainte du silence ou bien gardez-vous néanmoins le silence? Jusqu'à quel moment?

Cas 3 : Vous êtes le spécialiste des affaires économiques d'un important média et une source vient de vous apprendre qu'une compagnie d'assurances est aux prises avec d'importantes difficultés financières qui l'empêchent de respecter toutes ses obligations envers ses fournisseurs, ses créanciers et une partie de son personnel, bien qu'elle parvienne à verser à ses clients les paiements réclamés à juste titre, car la direction a décidé d'accorder la priorité à sa clientèle. Dans le cadre de votre démarche de vérification des informations, vous communiquez avec le président-directeur général qui vous confirme le tout et qui vous demande de ne pas divulguer cette information car il prévoit pouvoir corriger la situation d'ici quelques semaines. Il vous avise que le fait de diffuser cette nouvelle aura pour conséquence prévisible de faire fuir plusieurs clients et de porter le coup de grâce à la compagnie qui devra congédier ses employés et ne pourra pas payer tous ses créanciers. Que faites-vous ? Publiez-vous l'information malgré tout ? Pourquoi ? Existe-t-il d'autres solutions que la publication immédiate ?

CHAPITRE 8

La rigueur et l'exactitude

Les notions de rigueur et d'exactitude sont étroitement associées à la vérité, dont elles sont en quelque sorte les conditions nécessaires. Dire le vrai exige rigueur et exactitude. Généralement, l'exactitude fait référence à des erreurs que l'on pourrait qualifier d'*objectives,* tandis que la notion de rigueur réfère à des erreurs d'interprétation ou de raisonnement plutôt considérées comme des erreurs *subjectives.*

Rigueur et exactitude sont des caractéristiques associées à la démarche intellectuelle du journaliste, nécessaires à la qualité des opérations logiques, des raisonnements et des interprétations qui fondent leurs jugements et dictent leurs comportements professionnels. À titre d'exemple, la rigueur consiste à ne pas faire dire à des chiffres ce qu'ils ne disent pas, ce qui arrive souvent, notamment quand des journalistes interprètent des sondages d'opinion et croient que ces outils de mesure d'une certaine conception de l'*opinion publique* peuvent prédire des événements, des résultats, des comportements, des attitudes, alors que tel est rarement le cas. La rigueur, c'est aussi de ne pas établir de relations de cause à effet entre deux phénomènes sans avoir méticuleusement vérifié si une telle relation existe réellement et si elle est davantage explicative que d'autres causes en présence. Elle se manifeste aussi dans la qualité de l'argumentation et de l'exemplarité des témoignages offerts au public comme on le verra plus loin, tout comme elle enjoint au professionnel soucieux de bien servir le public de ne pas mélanger les genres journalistiques afin de ne pas induire en erreur les gens. Quand la complexité est présente, la rigueur consiste souvent à mieux se documenter, à faire appel à des spécialistes, à ne pas tirer de conclusions reposant sur des bases fragiles.

Quant à l'exactitude, elle concerne plutôt la véracité de détails et de faits : un nom, une adresse, l'orthographe d'un nom de rue ou de ville, l'indication précise du secteur où est survenu l'accident, le rappel historique d'un événement qui explique le fait divers ou la nouvelle loi qui entre en vigueur, etc. Le devoir d'exactitude est aussi important que celui de la rigueur, mais il demande davantage de recherche, d'enquête et de vérification que de raisonnement. Toutefois, ce dernier ne peut s'exercer convenablement en l'absence de faits indiscutables.

De tous les reproches adressés aux journalistes, ceux ayant trait aux manques de rigueur et d'exactitude sont les plus fréquents, sans doute parce que ce sont les plus perceptibles pour le public. Quand il prend connaissance de comptes rendus et de commentaires, surtout ceux traitant d'un thème qu'il connaît bien, le citoyen en arrive souvent à se dire que le journaliste a oublié une foule de petits détails, parfois l'essentiel dans les pires cas, et qu'il ne dit rien de l'histoire non officielle, celle qui explique bien des comportements et déclarations officielles. C'est que le journaliste doit s'en remettre ultimement à des sources d'information et que celles-ci omettent souvent de dévoiler de tels détails. Frost, pour qui la qualité de l'information repose notamment sur la vérité et l'exactitude, souligne que la plupart des gens achètent des journaux ou consomment des médias d'information parce qu'ils y cherchent de l'information fiable et exacte, si bien que tout média qui prétend fournir une information de qualité devrait faire en sorte de s'assurer de la fiabilité de ses sources d'information (2000, 33). Dans le nouvel écosystème médiatique, les journalistes sont constamment soumis à la vigilance des publics qui réagissent spontanément, parfois injustement et de façon abusive ou intimidante à leurs inexactitudes comme à leur interprétation des événements. Il y a des attentes normatives fortes de la part des publics quant à la rigueur et l'exactitude des journalistes, attentes renforcées par les médias et les journalistes qui s'engagent à diffuser de l'information véridique.

Mais le défi est des plus exigeants compte tenu des entraves réelles qui pèsent sur le travail des journalistes. Parfois, le journaliste décide de ne pas faire mention de certains détails parce que les contraintes de temps et d'espace le forcent à se limiter à quelques éléments qu'il croit les plus pertinents à la compréhension du public. L'important est que les détails retenus soient véridiques et le plus éclairants possible. L'absence de détails est le plus souvent sans conséquence et ne remet pas en cause la légitimité de la presse, bien qu'elle puisse éroder la crédibilité des comptes rendus que d'aucuns jugeront incomplets. Dans d'autres cas, des erreurs mineures se glissent, malgré la bonne foi et les précautions du journaliste : mauvais prénom, âge incorrect, date confondue, orthographe déficiente, etc. On peut parler d'un manque de rigueur bénin, même s'il est préférable de l'éviter ou de tenter honnêtement de corriger ultérieurement ces erreurs de parcours. Ces dernières sont parfois inévitables car il s'insère une foule de facteurs entre l'origine d'une information et sa diffusion : la formulation originale peut être confuse, ceux qui la communiquent peuvent causer de la distorsion, il peut se révéler des imperfections dans les canaux de communication utilisés, le journaliste peut mal la comprendre et la mésinterpréter ; ceux qui assurent sa diffusion peuvent la modifier pour des raisons techniques, etc. On doit donc reconnaître que des erreurs peuvent survenir de bonne foi, malgré la vigilance et la vérification, mais ce ne sont pas celles-ci qui se trouvent au cœur de notre propos. Il y a des égarements qui portent davantage à conséquence que l'erreur anecdotique, et plusieurs moyens de les éviter existent pour qui prend au sérieux le journalisme et la qualité de l'information à laquelle ont droit les citoyens de la démocratie.

Comme l'a écrit le sociologue Raymond Boudon, paraphrasant lui-même Tocqueville, «nous ne pouvons tester par nous-mêmes qu'un petit nombre des questions sur lesquelles la vie sociale nous impose d'avoir une opinion» (1995, 493), de là l'importance d'une information de qualité de la part des journalistes, car elle supplée à l'impossibilité pour tous d'avoir une connaissance directe des choses qui ont ou risquent d'avoir une incidence sur le cours de leur vie, sur leurs décisions et opinions de toute nature. On ne saurait minimiser l'importance capitale d'une telle considération sans attaquer les fondements mêmes du journalisme.

Les devoirs de rigueur et d'exactitude sont des normes professionnelles qui s'incarnent dans des règles déontologiques qu'on retrouve dans toutes les sociétés démocratiques. Par exemple, les versions 1975 et 1994 du code de déontologie de l'Associated Press Managing Editors (APME), aux États-Unis, font référence à la responsabilité des journaux (et des journalistes par extension) qu'on associe notamment à l'équité, à la rigueur et à l'honnêteté. La partie du code consacrée à la rigueur journalistique poursuit en affirmant que les médias doivent se prémunir contre les inexactitudes, les négligences, les biais ou les distorsions liés aux exagérations, aux omissions ou aux manipulations technologiques. Le comité de déontologie de la même organisation américaine ajoutait, sous la rubrique du «contexte», que les informations doivent être présentées dans un contexte historique et factuel approprié afin d'assurer la transmission d'un portrait de la situation qui soit équitable et exact (APME 1994).

Le code de déontologie de la principale association de journalistes états-uniens, la Society of Professional Journalists, prescrit à ces derniers le devoir de vérifier l'exactitude des informations provenant de toutes leurs sources et de se montrer vigilants afin d'écarter toute erreur due à l'inadvertance. Bien entendu, on y interdit également toute distorsion délibérée de l'information (SPJ 1996). Ces normes sont réitérées dans le projet de code de déontologie en chantier en 2014[1]. Ce projet ajoute que ni la brièveté ou la rapidité ne peuvent excuser les inexactitudes ou en atténuer l'importance. Des injonctions similaires sont présentes dans des textes déontologiques en Europe (Charte de Munich de 1971, Charte d'éthique professionnelle des journalistes en France de 2011, etc.).

De même, le *Code de déontologie* du Conseil de presse du Québec affirme à son tour que les «organes de presse et les journalistes ont le devoir de livrer au public une information complète, rigoureuse et conforme aux faits et aux événements» (CPQ 2013), ce qui ne peut être interprété que dans le sens d'une information exempte d'omissions majeures et pertinentes à la compréhension des faits et événements rapportés par les journalistes[2]. Dans son analyse des décisions de cet organisme d'autorégulation journalistique, Deschênes observe que l'exactitude de l'information «est une exigence primordiale du CPQ, selon lequel la presse doit apporter les correctifs nécessaires dans les meilleurs délais possibles et remédier rapidement aux torts que des erreurs et inexactitudes peuvent causer» (1996, 66).

Le *Guide de déontologie des journalistes du Québec*, qui est peut-être le plus anglo-saxon des textes déontologiques francophones, reprend l'essentiel de ces règles dans son chapitre consacré aux questions de vérité et de rigueur. On y dit que les journalistes «ont l'obligation de s'assurer de la véracité des faits qu'ils rapportent au terme d'un rigoureux travail de collecte et de vérification des informations» (FPJQ 2010). Au même chapitre, le *Guide* ajoute que les journalistes «doivent situer dans leur contexte les faits et opinions dont ils font état de manière à ce qu'ils soient compréhensibles, sans en exagérer ou diminuer la portée» (FPJQ 2010).

La rigueur et l'exactitude sont au nombre des principes journalistiques pouvant être mis à rude épreuve compte tenu de l'instantanéité de l'information du cyberespace. C'est du moins ce que croient un grand nombre de responsables de journaux ayant un site Internet (Arant et Anderson 2000). La rigueur journalistique impose notamment d'évaluer la crédibilité et l'expertise des sources d'information, un objectif qui se

---

1.   Voir [http://blogs.spjnetwork.org/ethics/2014/03/27/ethics-code-revisions-our-first-draft/], lien visité le 31 mars 2014.
2.   Voir particulièrement [http://conseilpresse.wpengine.com/code/responsabilites-de-la-presse/les-exigences-a-legard-du-respect-du-droit-a-linformation/], lien visité le 31 mars 2014.

complique passablement quand les journalistes utilisent Internet pour chercher des informations qu'ils rapporteront au public sans toutefois être toujours en mesure d'en évaluer la qualité. De plus, la vive concurrence que se livrent les médias peut facilement encourager la diffusion précoce d'informations fragmentaires, sinon erronées, tandis que des faits importants ne sont pas encore connus ou disponibles. Cela implique-t-il que la norme de la rigueur et de l'exactitude devra être diluée pour se conformer aux nouvelles contraintes du métier? Pas nécessairement, semble-t-il, même si certains penchent vers cette *mutation* normative.

D'une certaine façon, les médias en ligne permettent plus que jamais de suivre le déroulement d'un événement grâce aux hyperliens (qui renvoient le public aux sources primaires, aux organisations dont il est question, etc.) et grâce aux archives. Cela pourrait accroître la rigueur et l'exactitude de l'information disponible, puisque le public n'est plus captif du traitement journalistique d'un événement.

Par ailleurs, les cyberjournalistes devront vivre avec la tension créée entre le respect strict des règles déontologiques de la rigueur et de l'exactitude, d'une part, et le désir de diffuser les premiers les informations qu'ils possèdent, d'autre part. Cette tension est peut-être nouvelle pour bon nombre de journalistes de la presse écrite, mais elle est vécue depuis toujours par les journalistes d'agence de presse, de la radio et de la télévision. En tout état de cause, Lasica suggère que la question à se poser demeure la suivante: *Qu'est-ce qui sert le mieux les intérêts des lecteurs et du public tout en demeurant équitable pour ceux dont il est question* (Lasica 2001a)? Par ailleurs, le Poynter Institute insiste pour que chaque hyperlien soit revu régulièrement pour en assurer la pertinence et l'exactitude (Poynter 1997).

De son côté, Robert Cauthorn, vice-président au *San Francisco Chronicle*, présente la situation de façon tout à fait différente. Selon lui, les médias traditionnels, surtout les journaux, publiaient dans un contexte d'autorité, c'est-à-dire qu'à chacune de leur édition, ils diffusaient l'information la plus exacte et rigoureuse disponible au moment de publier, ce qu'il nomme *Authoritative Moment*. À l'opposé, les nouveaux médias sont dans un processus de mise à jour continuelle des grands événements retenant l'attention des journalistes, ce qu'il nomme le *Big Now*, lequel serait une vue du monde moins fiable parce qu'elle se produit avec très peu de décalage temporel sur les événements réels, sinon en temps réel. Il estime que le public est conscient de cette fragilité, qu'il sait avoir affaire à des informations partielles, passibles d'être révisées ou contredites, si bien qu'il ne serait pas victime de ce processus. Cauthorn ajoute que le

public a besoin des deux dimensions de l'information, l'autorité et l'instantanéité (Lasica 2001b). Il suggère en somme que les normes de rigueur
et d'exactitude de l'information soient revues à la baisse dans un contexte
de mouvance continuelle à laquelle le public s'adapterait sans en être
victime, ce qui repose sur un postulat qui demeure à vérifier, à savoir que
les attentes réelles du public en matière d'information journalistique
seraient moins exigeantes que ne le suggèrent les normes du journalisme
traditionnel. Les études indiquent cependant le contraire.

THÈMES MAJEURS LIÉS À LA RIGUEUR JOURNALISTIQUE

Sondages et pseudo-sondages

Pour les besoins de la discussion, on peut définir le sondage d'opinion comme une enquête statistique qui vise à fournir une mesure quantitative ou qualitative de la répartition de certaines opinions, perceptions
ou attitudes parmi les répondants d'une population donnée, à propos de
sujets qui les concernent plus ou moins directement, et pour lesquels ils
ont plus ou moins de connaissances préalables. Les sondages qui respectent scrupuleusement les règles et méthodes scientifiquement reconnues
peuvent prétendre représenter adéquatement, mais toujours imparfaite-
ment, ce que le public pense et perçoit ou comment il réagit face à certains
enjeux à la condition que les questions posées soient sans équivoque. Les
sondages n'ont aucune prétention de prédiction et leurs résultats doivent
toujours être interprétés en tenant compte de leurs marges d'erreur et de
leur fidélité. Sans engager un débat méthodologique, il faut aussi être
conscient de l'existence de biais pouvant en fausser les résultats : l'ordre
et le libellé des questions (certains mots connotés pouvant conduire à des
réponses différentes que des mots plus neutres), les différentes méthodes
de répartition des indécis, la méthode de collecte (sondages en ligne par
échantillons Internet, téléphone, lettre, rencontre individuelle, etc.), la
marge d'erreur et l'indice de confiance (en se souvenant que la marge
d'erreur augmente quand on compare des sous-échantillons), la période
pendant laquelle les entrevues ont été réalisées et la présence de réponses
mensongères qui ne s'équilibrent pas toujours. Tout cela nous permet de
distinguer les sondages des pseudo-sondages, ces derniers ne respectant
nullement les règles méthodologiques reconnues.

Les journalistes et les médias qui les embauchent sont de grands
amateurs de sondages d'opinion qui constituent une importante source
d'informations exclusives quand ils en sont les commanditaires (Warhurst
1991, 123). Ces sondages seront souvent repris et commentés par d'autres

médias et par les citoyens sur les médias sociaux, ce qui confère aux journalistes qui publient les résultats originaux une certaine notoriété, voire une reconnaissance professionnelle. Cela suscite parfois l'envie chez les journalistes d'autres médias dont les patrons n'ont pas jugé pertinent d'investir dans ce genre d'enquête, sans compter les réactions positives ou négatives qui vont circuler sur Internet. Parfois, les sondages d'opinion permettent aux journalistes de mieux se conformer à l'opinion publique ainsi livrée et empaquetée statistiquement pour assurer leur légitimité dans le jeu politique, par rapport à des acteurs qui, eux, jouissent d'une légitimité élective (Esquenazi 1999, 162). Forts de cette légitimité sondagière, ils peuvent plus facilement poser des questions dont la pertinence repose essentiellement sur les résultats obtenus, ce qui leur permet d'objectiver en quelque sorte leur participation au débat public. Outre le fait que les journalistes ont généralement la conviction que le peuple peut ainsi s'exprimer, l'usage médiatique des sondages est considéré comme un élément fondamental de la liberté de la presse, si bien que les médias ont combattu de nombreuses lois qui interdisaient la publication de nouveaux sondages à quelques jours d'une élection. L'usage médiatique des sondages a aussi l'avantage stratégique de fournir du contenu médiatique sans nécessiter un grand travail de recherche, d'enquête et même d'analyse. En effet, les sondages sont faciles à utiliser et à traiter, puisqu'ils sont souvent livrés aux médias accompagnés d'un résumé analytique ou d'un sommaire produit par la maison de sondage. Il ne reste au journaliste qu'à présenter cela de façon intéressante, en mettant ces résultats dans le contexte des luttes partisanes ou des controverses qui sont à l'ordre du jour, ou à comparer les nouveaux résultats avec des sondages passés. Malheureusement, bon nombre de journalistes ne possèdent pas les connaissances méthodologiques de base pour évaluer la qualité d'un sondage, si bien qu'ils contribuent parfois à mésinformer le public, et sont plus faciles à instrumentaliser de la part des partis politiques ou groupes de pression. Le public averti a beau leur en faire le reproche, cette critique n'a pas encore été prise en compte par bon nombre de journalistes et médias.

Cette façon de chercher à évaluer et mesurer ce que le public pense sur différents sujets jouit d'un succès considérable depuis la seconde moitié du XXe siècle. Le recours aux sondages d'opinion réalisés en conformité avec une méthode scientifiquement reconnue a principalement été popularisé par l'usage politique et partisan qui pouvait en être fait dans le cadre de campagnes électorales, certes, mais aussi de la part de nombreux groupes de pression qui cherchent à établir la légitimité sociale, la pertinence et l'importance des enjeux et des problèmes retenant leur attention, tout comme des solutions qu'ils proposent. Selon Leo Bogart, les Américains avaient autrefois l'habitude de lire le journal pour se former une opinion, mais maintenant les médias leur diraient quelle est leur opinion grâce à l'utilisation de sondages (1995, 9). L'usage médiatique des sondages est un phénomène observé de longue date, au point où il arrive même qu'une éditorialiste plaide en faveur d'une «désintoxication» qui se manifesterait par une diminution de leur importance dans la couverture journalistique des campagnes électorales et un accroissement de leur dimension qualitative grâce à des questions plus raffinées et une interprétation plus rigoureuse (Gagnon 2001).

Sachant qu'il existe des conditions de validité des sondages, les journalistes doivent en tirer les conséquences qui s'imposent sur le plan de la rigueur. Cela les incite, dans un premier temps, à considérer les sondages comme des outils stratégiques utilisés par ceux qui veulent influencer l'opinion publique. Afin de protéger le public contre un usage abusif de ces sondages de la part des acteurs sociaux ou contre des interprétations abusives des journalistes eux-mêmes, certaines règles existent depuis longtemps. On les retrouve notamment dans les *Normes et pratiques journalistiques* en vigueur à la Société Radio-Canada qui recommande à ses journalistes de diffuser, en même temps que les résultats, les informations pertinentes sur la méthode utilisée et, au besoin, de signaler les failles méthodologiques à l'auditoire:

> «Nous rendons compte de sondages qui ne sont pas commandés par Radio-Canada, dans la mesure où nous pouvons confirmer que leur méthodologie est conforme à nos normes. La taille de l'échantillon, la méthodologie et l'interprétation des résultats de sondages autres que ceux de Radio-Canada doivent être contrôlées par notre Service de la recherche. Pour mettre les sondages en perspective, nous fournissons, avec les résultats, des renseignements pertinents sur la taille de l'échantillon et la méthodologie employée. Le cas échéant, nous précisons la marge d'erreur. Les journalistes de Radio-Canada doivent être au courant des pratiques professionnelles reconnues à l'égard de la constitution d'échantillons représentatifs, de la présentation des résultats et de leur interprétation[3]».

Outre ces précautions de base, que les journalistes de Radio-Canada (Tourangeau 2012) et d'ailleurs ne respectent pas toujours, le *Media*

---

3.   Voir le site de Radio-Canada [http://www.cbc.radio-canada.ca/fr/rendre-des-comptes-aux-canadiens/lois-et-politiques/programmation/journalistique/politique/], lien visité le 3 avril 2014.

Studies Center propose une liste des questions essentielles que devraient se poser les journalistes qui traitent les résultats de sondages :

- *Pourquoi le sondage a-t-il été réalisé ?*
- *Comment ont été choisis les répondants ?*
- *Quelles sont les caractéristiques de l'échantillon sondé ou quel groupe représente-t-il : la société, un corps professionnel, etc. ?*
- *Les réponses sont-elles basées sur l'ensemble de l'échantillon ou bien sur des sous-groupes ?*
- *De quelle façon les sondés ont-il été rejoints : téléphone, courrier, etc. ?*
- *Quel est le libellé exact des questions et dans quel ordre ont-elles été posées ?*
- *Que disent les autres sondages réalisés sur la même question ?*
- *Les résultats méritent-ils d'être diffusés au public ?* (Gawiser et Witt 2000)

Il serait peut-être déraisonnable de rendre ce dernier questionnement obligatoire et de l'élever au rang de devoir professionnel absolu. Toutefois, il faut savoir que ces précautions rejoignent largement celles déjà mises de l'avant par les politologues nord-américains et que diverses recherches indiquent que les informations méthodologiques jugées importantes par les spécialistes ne sont pas toujours divulguées par les journalistes (Beaud 1991, Bastien 2001). Au Canada, pendant une période électorale, la Loi électorale exige que tous les médias qui présentent les résultats d'un sondage électoral dans les 24 heures suivant sa première diffusion mentionnent le nom du demandeur du sondage, le nom du sondeur, la période de collecte, le nombre de personnes sollicitées et celui des répondants, la marge d'erreur le cas échéant. Sauf pour ce qui est des radiodiffuseurs, les autres médias doivent aussi fournir le libellé des questions et le rapport du sondeur. Bastien et Pétry (2009) ont cependant observé que pour la « vaste majorité des comptes rendus journalistiques et des rapports de firmes de sondage », cette loi n'était pas respectée dans le cadre de l'élection générale de 2008.

Si certains journalistes plaident les contraintes de temps et d'espace, notamment pour ne pas reproduire le libellé exact des questions, le politologue Vincent Lemieux fait valoir pour sa part que ce « n'est pas une raison valable pour qu'ils se soustraient aux règles de déontologie en la matière », tout comme ils devraient faire part de la proportion des « discrets », ceux qui refusent de répondre à certaines questions, car ce chiffre peut être révélateur (1988, 62-63). Spécialiste de la propagande, le philosophe Randal Marlin y voit une question d'intégrité journalistique et fait valoir que la diffusion du libellé exact des questions permet aux lecteurs de vérifier comment ils y auraient répondu (2002, 123). Une enquête réalisé en 2002 auprès de spécialistes des sondages de 66 pays a révélé que seulement 4 % de ceux-ci estimaient que les journalistes manipulaient très bien les résultats des sondages, alors que 31 % estimaient qu'ils en étaient incapables (ESOMAR 2003, 9).

Le principe de rigueur exige des journalistes qu'ils fassent état des informations méthodologiques de base afin de permettre au public intéressé de porter un jugement éclairé sur les résultats du sondage qui lui sont communiqués. La même rigueur exige qu'ils possèdent une connaissance méthodologique suffisante à l'appréciation des sondages ainsi qu'à leur interprétation afin d'éviter les généralisations hâtives ou de leur attribuer une quelconque valeur prédictive qu'ils ne possèdent généralement que dans certaines circonstances électorales particulières. Il s'agit de connaissances minimales qui leur permettront de distinguer les sondages respectant les règles méthodologiques reconnues des pseudo-sondages.

Contrairement aux sondages scientifiques, les pseudo-sondages ne respectent aucune des principales règles méthodologiques reconnues. Cela a pour conséquence qu'ils ne peuvent prétendre représenter fidèlement la distribution des opinions, attitudes ou perceptions au sein de la population visée. Outre les questions d'ordre méthodologique, ces pseudo-sondages peuvent créer de la confusion au sein du public parce qu'ils sont souvent qualifiés de *sondage* et que leurs résultats sont présentés de façon similaire, notamment par la répartition des répondants qui prend la forme de pourcentages. Au nombre de ces pseudo-sondages, on retrouve les «questions du jour» auxquelles on peut répondre par téléphone ou sur le site Internet du média, les *vox populi* ou micros-trottoirs ou encore les tribunes téléphoniques des stations de radio ou de télévision.

Les pseudo-sondages (*straw polls*) ou sondages non scientifiques font fi des règles méthodologiques et rigoureuses reconnues (Norton-Smith 1994). Leur première source d'erreur est l'autosélection des répondants qui font connaître leur accord ou désaccord par Internet, leur téléphone mobile, les messages textes, etc. D'autres experts invitent les médias et les citoyens à se méfier de ce genre de pseudo-sondages en raison de leurs échantillons biaisés et non représentatifs (Wood 1998, 3). Par ailleurs, les téléspectateurs d'un bulletin de nouvelles, auxquels on demande de se prononcer sur une question ou une autre, ne sont pas représentatifs de l'ensemble de la société (Taylor 1994, 48), et ils diffèrent même d'une station de télévision à l'autre, ce qui confirme le biais fondamental de cet échantillon.

De plus, des enquêtes scientifiques indiquent la présence d'écarts importants entre les résultats des sondages scientifiques et ceux des pseudo-sondages médiatiques lorsqu'on pose les mêmes questions. Ainsi, Bates et Harmon (1993) ont comparé les résultats des « questions du jour » avec ceux de sondages d'opinion scientifiques et observé des différences significatives. On y apprend que les individus ayant de solides convictions, comme les activistes en faveur du changement, étaient plus enclins à se manifester dans les pseudo-sondages téléphoniques des émissions de télévision, tandis que ceux qui ont des opinions modérées sont moins intéressés à se faire entendre dans ce genre d'exercice, surtout lorsque les réponses possibles sont uniquement OUI ou NON. Il y a fort à parier que le même phénomène existe sur les sites Internet et les médias sociaux.

De plus, un même répondant peut exprimer son opinion à plusieurs reprises, tout comme les responsables de groupes d'intérêts et de groupes de pression peuvent inciter leurs membres et militants à voter de façon répétitive et massive (Giobbe 1994, 27), accordant ainsi à leurs opinions et idées une présence statistiquement supérieure à leur proportion réelle au sein de la société. Afin de démontrer la facilité avec laquelle on peut manipuler ces pseudo-sondages, David Stark, de la Canadian Association of Marketing Research Organizations, relate avoir voté OUI à 100 reprises à une question posée par un média et les résultats publiés ont fait état de 445 appels pour le OUI, représentant 65 % du « vote » exprimé (1997, 21). En 2014, dans le cadre de la campagne électorale au Québec, le quotidien *La Presse* a retiré une question du jour de son site Internet après avoir observé une hausse douteuse du taux de réponses très favorables au Parti québécois (souverainiste), ce qui n'a pas manqué d'alimenter la grogne et la suspicion de bon nombre de citoyens sur les réseaux sociaux qui y ont vu une manœuvre de ce média fédéraliste. Il semble que cette hausse était due à une action concertée de plusieurs répondants. Le paradoxe est de proposer une question du jour sans aucune prétention à la représentativité et de la retirer pour éviter qu'elle soit instrumentalisée par des militants, comme si on voulait tout de même lui associer une quelconque valeur de représentativité de l'opinion publique.

Par ailleurs, la formulation des questions est considérée comme l'une des sources importantes d'erreur ou de distorsion dans les sondages scientifiques, où il est de mise de prendre le plus grand soin possible dans le libellé des questions afin de les rendre les moins équivoques possible. Ces précautions sont souvent absentes des pseudo-sondages.

Par ailleurs, l'existence même des pseudo-sondages et la diffusion de leurs résultats non valides pourraient nuire à la crédibilité des sondages réalisés en conformité avec les normes scientifiques, font valoir tour à tour Stark et Norton-Smith. La Research Industry Coalition affirme de son côté que plusieurs citoyens croient que les pseudo-sondages sont scientifiques, fiables et crédibles, représentatifs de la distribution réelle des opinions au sein du public. Cet organisme américain est également d'avis que la diffusion et la promotion de tels sondages non scientifiques peuvent nuire à la crédibilité des sondages scientifiques.

À l'instar d'autres chercheurs, Norton Smith ajoute que les sondages ont des effets directs et indirects sur l'opinion publique, ce qui peut avoir des conséquences importantes quand on les utilise pour tenter d'influencer des décisions relatives à diverses politiques publiques. Cette possibilité accroît d'autant la responsabilité des médias aussi bien à l'égard des sondages scientifiques, qui devraient être traités avec minutie, que des pseudo-sondages, qui devraient être abandonnés par simple prudence.

Les pseudo-sondages ne contribuent nullement à un débat public de meilleure qualité puisque les résultats qu'ils livrent à la discussion n'ont aucune validité méthodologique et empirique. On peut même dire qu'ils peuvent diffuser de fausses croyances au sein de la population ou légitimer des opinions aberrantes qui nuisent finalement au savoir collectif et individuel. On peut avancer que c'est surtout dans le but d'intéresser et de divertir leur public respectif que les médias ont recours à de tels pseudo-sondages, car la fonction d'information de ces derniers est à peu près nulle et ils peuvent même créer de la confusion. Bien qu'elle soit populaire, la formule de la *question du jour* n'a rien à voir avec l'intérêt public ou encore avec le souci de bien informer les téléspectateurs, mais elle a beaucoup à voir avec l'intérêt médiatique de divertir les gens afin d'accroître les cotes d'écoute et, ce faisant, les revenus et profits de la station de télévision.

S'il n'existe pas de règle déontologique interdisant explicitement la diffusion des résultats de pseudo-sondages, les règles de rigueur et d'exactitude, tout comme le principe de vérité, plaident fortement contre une telle pratique. L'entreprise de presse qui désire malgré tout poursuivre ce genre de pratique devrait prendre toutes les précautions permettant d'atténuer les conséquences néfastes de cette décision, tout en acceptant d'être imputable lorsque cette pratique nuit sans justification à la réputation de certains citoyens. Le public a quant à lui tout intérêt à être pleinement en mesure d'évaluer la crédibilité de telles pratiques. On ne sait trop au nom de quel principe les médias lui refuseraient un tel droit à l'information, une telle liberté d'exercer leur jugement en connaissance de cause.

Les règles et précautions permettant au public d'évaluer en connaissance de cause la qualité douteuse des résultats des pseudo-sondages reposent largement sur les mises en garde que les entreprises de presse devraient faire indiquant que :

- *la proportion des accords et désaccords manifestés aux questions posées ne reflète nullement l'état réel de l'opinion publique et il est impossible de savoir quel est l'écart avec la réalité ;*

- *il n'y a aucun moyen d'empêcher un individu ou des groupes de pression de se donner le mot pour téléphoner massivement afin de faire bien paraître l'opinion qu'ils défendent ;*

- *on n'a pas évalué au préalable si la formulation de la question pouvait prêter à confusion auprès d'un échantillon de répondants ;*

- *les résultats obtenus ne reflètent que le point de vue de ceux qui ont téléphoné (il serait même plus juste de donner le nombre d'appels en faveur de chaque option plutôt que de présenter des pourcentages qui accordent une apparence de scientificité à l'affaire).*

Une autre critique qu'on peut adresser à la « *question du jour* » est qu'il s'agit souvent ni plus ni moins d'un appel au peuple pour condamner ou appuyer des décisions ou comportements dont parle le média sur ses différentes plateformes. Or il arrive que le traitement journalistique sur ces enjeux ne respecte pas les règles de l'art, que l'information soit peu fiable et que la question du pseudo-sondage expose surtout les « victimes » du journalisme à l'opprobre social qui a parfois des allures de lynchage médiatique. Compte tenu de l'absence de validité des résultats des *questions du jour*, le média qui persiste tout de même à y recourir afin de divertir son public devrait faire preuve de la plus grande prudence et éviter de proposer au public des questions pouvant nuire à la réputation de ceux qui font directement ou indirectement les frais de cette décision – ceux dont on a parlé lors des reportages. La présence de tels pseudo-sondages n'a rien à voir avec l'information véridique, rigoureuse et exacte à laquelle le public a un droit légitime, mais tout à voir avec l'intérêt médiatique et économique de l'entreprise. Dans ce contexte, il est très difficile de pouvoir justifier que la viabilité économique d'une entreprise et de ses employés puisse s'exercer aux dépens des droits et libertés des citoyens.

Le manque de fiabilité des pseudo-sondages ne doit toutefois pas engendrer une confiance aveugle en faveur des résultats obtenus des sondages qui respectent les règles de la méthode scientifique. Au contraire, il existe de nombreux points de vue critiques quant aux limites qualitatives et quantitatives des sondages d'opinion. Sans aller dans les détails d'un débat méthodologique fort complexe, il suffit de dire que ces critiques reposent principalement sur deux grandes catégories de points de vue. La première soutient que les sondages faussent le débat public alors que la seconde attaque directement la validité et la qualité des réponses obtenues par des questionnements qui seraient aux limites du simulacre et de l'artifice. Ces dernières années, afin d'économiser, les maisons de sondage se sont tournées vers les enquêtes en ligne menées auprès de groupes témoins réunissant des centaines de milliers de volontaires. Le fait que cet échantillon ne soit pas probabiliste alimente de nombreuses critiques quant à la valeur de ces sondages, malgré les pondérations statistiques visant à rendre les échantillons conformes aux données démographiques de la population. Il y a lieu, donc, de se montrer prudent par rapport à l'usage des sondages scientifiques dont l'interprétation rigoureuse, de la part des journalistes, demeure vraisemblablement la meilleure garantie de leur utilité sociale.

Arguments de qualité et témoignages exemplaires

Le mandat quotidien des journalistes repose avant tout sur un travail de collecte d'informations qui seront par la suite sélectionnées, traitées, mises en forme et diffusées. Toutes ces étapes impliquent les devoirs de rigueur et d'exactitude, entre autres valeurs importantes. Au moment de la collecte de l'information, le journaliste est en interaction avec des sources d'information de natures diverses : individus peu familiarisés avec les médias ou spécialistes de la communication publique, documents officiels ou brouillons de travail, sources anonymes ou porte-parole tirant profit de leur exposition médiatique, etc.

Les sources d'information se veulent le plus souvent persuasives et ont recours à divers types de témoignages, d'exemples et d'arguments afin de persuader le public par l'intermédiaire des journalistes, bien que l'omniprésence d'Internet, des médias sociaux et de l'interactivité atténue l'importance vitale que ces derniers ont dans les stratégies de communication. Si l'éthique de la communication publique et les différents encadrements déontologiques des communicateurs publics plaident à la fois pour la vérité, la rigueur et l'exactitude de l'information qu'ils diffusent, bon nombre de stratégies de communication reposent néanmoins sur des témoignages, des exemples et des arguments fragiles et potentiellement trompeurs pour le public. Le droit de ce dernier à une information de qualité dicte ainsi un devoir de rigueur journalistique qui prend la forme d'une vigilance à l'égard des procédés persuasifs qui relèvent tantôt de l'ignorance, tantôt de l'incompétence, tantôt de la ruse de la part des sources d'information. Ce même devoir de rigueur prescrit aux journalistes de résister à la tentation de s'adonner eux aussi à ces formes de persuasion qui cherchent avant tout à extorquer le consentement des autres plutôt qu'à les convaincre par l'usage de la raison. Ce devoir devient encore plus pressant alors que bon nombre de grands médias délaissent le reportage et l'enquête pour favoriser la conversation, l'opinion et le commentaire de leurs journalistes. Il y a donc lieu de s'intéresser à l'éthique de l'argumentation, qui évalue notamment la qualité des exemples et témoignages que les journalistes choisissent de présenter au public afin d'illustrer des événements, des problèmes sociaux ou des situations particulières.

Ces témoignages et exemples n'échappent pas au devoir de rigueur en cela qu'ils doivent être représentatifs et typiques des problèmes et situations qu'ils sont censés refléter. En effet, le recours à des exemples atypiques ou des témoignages douteux afin d'informer le public de problèmes courants peut laisser croire que l'exception devient la règle générale ou qu'une situation est plus dramatique et répandue que ce n'est réellement le cas. Les journalistes ont recours à des témoignages qu'ils assimilent à des exemples devant illustrer ou soutenir la validité de la réalité qu'ils souhaitent mettre en relief. Les exemples ou témoignages sont des arguments de fait, avance le spécialiste Michael Sproule. Ces arguments de fait ont généralement une fonction de généralisation. L'exemple (ou le témoignage utilisé par les journalistes) est un cas individuel et concret qui encourage une généralisation abstraite. La condition fondamentale de sa validité est de savoir s'il correspond réellement à la réalité, si cela a été vérifié ou peut l'être, et s'il peut prétendre à cette généralisation. Il doit aussi être confronté à des contre-exemples pour tester sa solidité (Sproule 1980). Par exemple, pour mettre en évidence le fait qu'un ordre professionnel quelconque ne s'occupe pas convenablement de la protection du public, notamment en traitant avec laxisme et désinvolture les plaintes qui lui sont acheminées relativement à certains de ses membres, le journaliste doit se baser sur quelques cas typiques et représentatifs, en somme des cas exemplaires, et non pas y aller de généralisations hâtives fondées sur un ou deux cas atypiques dont la force de persuasion n'a d'égal que le risque de mésinformation. Il en va de même quand vient le temps de parler de personnes qui vivent de l'aide sociale, ou qui représentent une formation politique, une entreprise, etc. La représentativité des exemples mis de l'avant pour appuyer une conclusion est incontournable dans le cadre d'un discours argumentatif valide, c'est-à-dire qui cherche à convaincre ou à informer sur la base d'arguments de faits valides.

Argumenter vrai

La rigueur journalistique passe également par la qualité de l'argumentation mise en place pour convaincre le public de la véracité des faits qui lui sont communiqués ou encore de la justesse des opinions, commentaires, chroniques et éditoriaux qu'on lui propose. Ces arguments sont des affirmations, des propositions ou des interprétations qui reposent sur des informations obtenues de sources diverses (individus, documents, expérience, etc.).

À ce chapitre, il est reconnu que tous les types d'arguments ne sont pas acceptables lorsqu'on s'inscrit dans une dynamique orientée vers la recherche de la vérité, comme c'est le cas du journalisme. Rappelons la distinction que fait Habermas à propos de deux types de discours. Il y a d'abord ceux orientés vers l'intercompréhension (agir communicationnel) et ceux orientés vers le succès (agir stratégique). Si l'agir stratégique peut être fondé sur la manipulation symbolique, l'illusion ou la déformation grâce au langage, l'agir communicationnel cherche davantage à obtenir l'adhésion éclairée sur la base d'une argumentation rationnelle exempte de procédés visant à extorquer cette adhésion comme il l'exprime lui-même :

> « Les processus d'intercompréhension visent une entente qui dépend de l'adhésion, rationnellement motivée, au contenu d'une expression. Cette entente ne peut pas être imposée à l'autre partie, pas plus qu'elle ne peut être extorquée au partenaire par une quelconque manipulation ; ce qui résulte manifestement d'une pression extérieure ne peut pas être pris en ligne de compte en tant qu'entente. Celle-ci repose constamment sur des convictions communes » (Habermas 1992, 770).

La fonction stratégique de l'argumentation – qui vise avant tout à persuader les autres afin de les rallier à nos conclusions, à nos idées ou à nos positions – incite certains à recourir à des arguments dits fallacieux, c'est-à-dire qu'ils utilisent des arguments qui nous incitent à adhérer à certaines conclusions pour de mauvaises raisons, même si ces arguments semblent valides *a priori*. Plantin affirme ainsi que le paralogisme (*fallacy*) est « une argumentation (une inférence) non valide, dont la forme rappelle celle d'une argumentation valide » (1996, 30). La fonction d'intercompréhension est quant à elle liée à la recherche (toujours modeste) de la vérité, c'est-à-dire convaincre les autres de la valeur de notre point de vue en s'appuyant seulement sur des arguments valides et rationnels. C'est cette seconde fonction qui distingue l'information (journalistique ou autre) de la propagande et de la désinformation.

Plusieurs types d'arguments fallacieux peuvent indûment persuader le public[4]. Dans bien des cas, l'usage de tels arguments est la marque des spécialistes de la communication stratégique et des relations publiques qui ont ce qu'il convient d'appeler une relation instrumentale avec la vérité. Il faut malheureusement ajouter que la multiplication des blogueurs, des journalistes et commentateurs partisans à l'emploi de médias eux aussi de plus en plus partisans a pour effet que ceux qui devraient éclairer le public sont souvent des spécialistes de la rhétorique et de la persuasion clandestine. Les journalistes soucieux de servir le public, eux, doivent opérer sur deux fronts. Premièrement, ils doivent être en mesure de décoder ces tentatives de persuasion de la part de sources qui visent à persuader le public par l'intermédiaire des médias. On comprend l'importance de la vigilance journalistique à cet égard pour quiconque veut servir l'intérêt public en lui communiquant des informations de qualité. Deuxièmement, ils doivent renoncer à recourir à de tels arguments quand ils interprètent, commentent et critiquent les événements et les acteurs sociaux qui retiennent leur attention. La vigilance des journalistes doit donc s'appliquer à leur propre argumentation aussi bien qu'à celle d'autrui. Sans prétendre à l'exhaustivité, voici une liste des principaux arguments fallacieux qui risquent de se retrouver dans les médias quand la rigueur n'est pas au rendez-vous.

L'attaque *ad hominem*

Ce type d'argument fallacieux se retrouve quand on s'en prend à une personne et non à ses propositions afin de persuader qu'elle a tort. Cela peut prendre plusieurs formes. On peut attaquer la nationalité, les prétendues motivations, les croyances religieuses ou le caractère de la personne visée. On peut aussi s'en prendre à une personne par association, à cause des personnes avec qui elle est en relation. L'attaque *ad hominem* peut être abusive (c'est-à-dire attaquer directement la personne par l'injure ou l'ironie), circonstancielle (s'attaquer aux relations entre la personne et des circonstances personnelles, par exemple en doutant de ses motivations réelles) ou relever de la mise en contradiction (lorsqu'une personne ne

---

4.   De nombreux ouvrages sont consacrés à l'argumentation mais un intéressant survol est offert sur Internet par Stephen Downes, qui offre son *Guide to the Logical Fallacies* [http://web.uvic.ca/~skelton/Teaching/General%20Readings/Logical%20Falllacies.htm], lequel inspire la typologie sommaire suggérée ici.

pratique pas ce qu'elle prêche, ce qui est toutefois parfois justifiable sur le plan journalistique). Dans tous les cas, on cherche à faire dévier le débat non plus sur les propositions ou les positions défendues par une personne, mais bien sur ses caractéristiques personnelles. En somme, cela revient à dire qu'une proposition serait recevable en fonction de la tête du client ou de sa probité présumée, or des individus peu recommandables ou hideux peuvent parfois tenir des propos sensés qui méritent un examen approprié.

L'accent

L'accent consiste à insister sur un mot ou une expression afin de suggérer une signification différente ou contraire du contenu qu'on communique (EEmeren *et al.*, 1987, 87), ce qui, bien entendu, avantage le locuteur au détriment de celui dont il parle. L'accent est utilisé notamment pour faire de l'ironie. Par exemple, on pourrait dire que *le premier ministre a été **sobre** dans ses commentaires*, en insistant sur le mot ***sobre*** et en insinuant qu'il était ivre ou a l'habitude de l'être, le tout dans le but de discréditer ses commentaires, au lieu de les attaquer et de les critiquer sur leur contenu réel.

Faux dilemmes

Ce type d'argument consiste à présenter un nombre limité d'options (habituellement deux) alors qu'il peut y en avoir plusieurs en réalité. Le faux dilemme est une utilisation illégitime de l'opérateur logique «ou» et laisse croire que la vérité est obligatoirement dans une des deux propositions en occultant les autres réponses possibles. On y retrouve des expressions telles : *Vous êtes avec moi ou vous êtes contre moi! Il faut être malhonnête ou bien stupide... Ceux qui ne veulent pas la guerre au terrorisme sont leurs complices*, etc. On peut pourtant diverger d'opinion avec quelqu'un et démontrer que cette différence n'est pas nécessairement incompatible avec des valeurs importantes. On peut aussi commettre des erreurs de bonne foi, par manque de temps ou d'information, sans être stupide ni malhonnête.

Équivoque

Ce type d'argument consiste à utiliser le même mot en lui attribuant deux significations différentes. Par exemple, un animateur radiophonique pourrait volontairement jouer sur l'équivoque du terme ***cobaye***, qui désigne « un petit rongeur sud-américain, très employé en laboratoire pour les essais pharmaceutiques », mais qui signifie aussi « personne sur qui l'on fait une expérience susceptible de lui nuire » (Larousse 1986, 1995). Il pourrait ainsi chercher à attaquer l'intégrité et la réputation d'un scientifique et persuader ses auditeurs qu'un patient participant à une recherche clinique n'était rien de plus qu'un « rat de laboratoire » pour ce chercheur, puisque ce terme est généralement associé à des recherches en laboratoire, alors que le terme approprié et reconnu en recherche médicale est celui de *sujet* ou *participant*, ce qui tient compte du consentement éclairé du patient ayant accepté de faire partie du protocole de recherche.

L'argument d'ignorance

Il s'agit d'arguments qui postulent que, si une chose n'a pas été démontrée vraie, elle est donc fausse. À l'inverse, ce type d'argument postule que, si une chose n'a pas été démontrée fausse, elle est donc vraie. Or nous savons ou devrions savoir que le manque de preuve n'est pas une preuve. Un exemple de l'argument d'ignorance consiste à soutenir que si les scientifiques ne peuvent pas prouver que l'effet de serre aura bel et bien lieu, alors ce ne sera sans doute pas le cas. L'argument d'ignorance a connu un âge d'or quand il était utilisé par les compagnies de tabac pour s'opposer aux lois et règlements contre le tabagisme, aussi longtemps que la relation causale entre tabac et cancer n'a pas été démontrée hors de tout doute. Il est souvent évoqué de nos jours par ceux qui s'opposent aux mesures et règlements visant à protéger l'environnement contre la pollution. On le retrouve de plus en plus chez les climato sceptiques qui élèvent arbitrairement le degré de certitude de la démonstration scientifique nécessaire pour les convaincre de l'impact négatif des acticités humaines et industrielles sur les changements climatiques. En deçà de ce seuil arbitraire, ils nient la validité des arguments et des preuves scientifiques.

La pente savonneuse

Afin de persuader qu'une proposition est inacceptable, une source d'information affirme qu'une suite d'événements également inacceptables en découleront inévitablement. L'argument de la pente savonneuse est une utilisation illégitime de l'opérateur logique « si, alors ». Un exemple classique est celui des opposants à toute législation contre le tabac qui ne peut mener, selon eux, qu'à d'autres lois réprimant des droits individuels. On a vu des gens affirmer que les lois anti-tabac ouvraient automatiquement la porte à des lois contre la consommation de café. Des opposants aux lois sur le contrôle des armes à feu y voient également un présage d'autres lois restreignant leurs droits individuels, pouvant même conduire à un régime totalitaire. Donc, il ne faudrait pas légiférer en matière de tabac ni de port d'armes. En 2003, face aux débats relativement au mariage des homosexuels, on a vu des opposants faire valoir ce type d'argument en avançant que le fait d'accepter le mariage entre personnes du même sexe allait conduire à accepter le mariage entre un père et sa fille, une femme et son chien, etc. En France, on a réentendu de tels arguments en 2013. Cependant, il est loin d'être assuré que les événements néfastes anticipés découlent nécessairement de la proposition défendue. Le fardeau de la preuve repose sur les épaules de ceux qui tiennent de tels propos et les journalistes doivent exiger une démonstration convaincante là où les sources d'information aimeraient bien se contenter d'évoquer simplement de telles chaînes de conséquences. On peut aussi montrer que la proposition peut conduire à d'autres possibilités que celles anticipées.

L'appel à la peur

La source nous prévient que des conséquences déplaisantes nous attendent si nous ne sommes pas d'accord avec elle (*Vous êtes mieux de croire que j'ai raison sinon gare à votre emploi!*), mais il est évident que cette menace n'est aucunement reliée à la véracité ou à la fausseté de la proposition ou de l'argument mis de l'avant. Plutôt que de recourir à la raison pour obtenir le consentement d'autrui, on fait appel à la peur et aux émotions. Notons ici que la peur est une émotion profonde et universelle que les médias savent susciter afin de retenir l'attention de leurs auditoires dans un contexte d'abondance, de surinformation et d'hyperconcurrence médiatique, où le premier défi est de se faire remarquer. Selon certains auteurs (Glassner 1999, Boyd et McBride 2014), cette façon qu'ont les médias de privilégier leurs intérêts commerciaux engendre une culture de la peur nuisible à la qualité de vie des citoyens, ce qui a pour effet de les rendre plus craintifs, de s'isoler et de voter en faveur de lois plus punitives, même si les faits (le taux de criminalité par exemple) ne le justifient pas.

L'appel à la pitié

Il arrive qu'un individu demande notre accord, ou à tout le moins nous demande de ne pas être en désaccord avec lui, en faisant valoir la pénible situation dans laquelle il se trouve ou se trouvera si nous n'adhérons pas à son propos. L'exemple classique est celui de l'individu qui demande au journaliste de ne pas parler d'un sujet d'intérêt public sous prétexte que cela peut lui causer des ennuis sérieux avec son patron ou sa famille (dans le cadre de procédures judiciaires, par exemple). C'est une autre forme de recours aux émotions alors qu'en réalité, la rationalité doit être de mise et que l'état piteux de l'interlocuteur n'a rien à voir avec la validité de son énoncé. Certes, le journaliste peut faire preuve d'un certain degré de compréhension et de compassion pour atténuer les conséquences néfastes comme le prescrit la théorie utilitariste, mais il arrive que l'information porte malheureusement un préjudice à l'endroit de certaines personnes en raison de l'intérêt que le public a d'en prendre connaissance.

L'appel aux conséquences

Une personne fait valoir les conséquences agréables ou désagréables d'une proposition afin de démontrer que celle-ci est vraie ou fausse, mais sans la discuter sur le fond. Cet argument ressemble à celui de la pente glissante, mais insiste sur l'aspect émotif (perte de liberté, de dignité, mise en question de nos croyances et valeurs, etc.). Le cas classique est celui de la personne qui refuse de croire à l'évolution des espèces et vous dit que si cela était vrai, alors nous ne serions guère mieux que les singes et les chimpanzés. Pour s'extirper de ce genre d'argument, il suffit d'établir la proposition relative aux conséquences anticipées et de montrer qu'il peut en être autrement, que ce ne sont pas les vraies conséquences de la proposition, ou qu'il n'en est rien nécessairement.

Le langage préjudiciable

Des expressions chargées ou émotives sont associées à des valeurs ou des notions morales qui sont généralement perçues comme bonnes (*Les gens qui ont du bon sens pensent que l'école doit rester confessionnelle*), alors que le fait d'être en désaccord ne prouve aucunement que l'on manque de bon sens.

L'appel au nombre

Une proposition est admise pour vraie parce qu'un grand nombre de personnes y croient ou sont d'accord avec elle (*Le peuple ne peut pas se tromper*). On parle d'appel aux émotions parce que la population est souvent perçue comme un tout en soi, une entité humaine qui ne peut se tromper et à laquelle on aime généralement être associé au lieu d'être marginalisé. L'Histoire a pourtant montré plus d'une fois que des peuples peuvent faire de très mauvais choix politiques, économiques et guerriers...

L'appel à l'autorité

S'il est quelquefois approprié de citer une autorité ou une sommité pour soutenir un point de vue ou une conclusion, bien souvent ce n'est pas le cas (*L'astrophysicien X est d'accord avec moi pour dire que l'autisme est dû à un manque d'affection de la mère*). Un appel à l'autorité est inapproprié si la personne n'a pas la compétence pour avoir une opinion d'expert sur la question, quand les spécialistes de la question ne s'entendent pas entre eux, ou lorsque le spécialiste faisait une blague, qu'il était ivre ou qu'il n'était pas sérieux au moment de tenir certains propos. Le ouï-dire se retrouve parfois dans cette catégorie, car il repose sur des sources de seconde main. Dans certains cas, l'appel est fait à des autorités anonymes. Il arrive que des journalistes reconnus pour leur professionnalisme ou de grande notoriété utilisent ce capital symbolique pour donner de la crédibilité à des informations où ils citent des sources dont ils protègent l'anonymat, quand cette information est contestée dans l'espace public.

L'homme de paille

Une personne attaque une position après l'avoir caricaturée ou affaiblie, si bien qu'elle n'est plus identique à la position défendue (*Les médias cherchent simplement à faire de l'argent. On peut donc les traiter comme d'autres entreprises privées et les réglementer complètement*).

Comme le démontre assez clairement cette typologie sommaire, le journalisme ne peut pas faire l'économie de la rigueur sur le plan des arguments diffusés au public si l'on souhaite bien informer ce dernier. Certes, il ne revient pas aux journalistes de censurer de tels arguments, mais ils doivent être en mesure d'en comprendre les failles et de s'en méfier. Le journaliste d'information doit être en mesure d'en saisir la fragilité afin de leur accorder l'importance qu'ils méritent, tandis que le journaliste d'opinion peut à la fois dénoncer de tels procédés de la part des acteurs publics et éviter lui-même d'y avoir recours.

La confusion des genres

L'information peut être livrée au public sous divers modes nommés genres journalistiques (nouvelle et compte rendu, reportage, analyse, éditorial, commentaire, chronique, critique, etc.). Il est reconnu de longue date que la rigueur journalistique passe notamment par le respect des frontières séparant les genres journalistiques afin que le lecteur sache qu'il a tantôt affaire à un compte rendu factuel des événements, tantôt à un commentaire, une critique ou un éditorial. On a même déjà comparé journalisme et épicerie en affirmant que les genres journalistiques devraient être aussi clairement désignés que les emballages de produits alimentaires afin de bien informer le consommateur (O'Brien 1995, 109-110). À l'instar de nombreux organismes et textes normatifs en journalisme, le Conseil de presse du Québec affirme que le respect des genres journalistiques s'impose «afin que le public ne soit pas induit en erreur sur la nature de l'information qu'il croit recevoir» (CPQ 2013). Le *Guide de déontologie des journalistes du Québec* ajoute que les journalistes:

> «... doivent départager soigneusement ce qui relève de leur opinion personnelle, de l'analyse et de l'information factuelle afin de ne pas engendrer de confusion dans le public. [...] Dans des genres journalistiques comme les éditoriaux, les chroniques et les billets ou dans le journalisme engagé, où l'expression des opinions prend une large part, les journalistes doivent tout autant respecter les faits.» (FPJQ 1996, 8-9)

Cette obligation de la distinction des genres journalistiques est souvent considérée parmi les principales, sinon comme la principale norme qui distingue le journalisme anglo-saxon du journalisme européen, lequel serait plus tolérant face à ce *mélange* ou cette hybridation des genres. Une recherche québécoise a pourtant montré que l'hybridation était pourtant plus que présente dans des médias québécois (quotidiens, magazine et télévision), où on adhère en principe à la tradition anglo-saxonne (Watine 2003).

Par ailleurs, un survol de certains textes normatifs indique que cette préoccupation est loin d'être absente en Europe. À titre indicatif seulement, la charte du quotidien *Libération* mentionne que même si l'humeur et la subjectivité font partie de la tradition journalistique en France, il reste:

> «... qu'au minimum nous devons nous interdire l'opinion de "contrebande": de la sélection intéressée d'informations au détriment d'autres, à l'usage insidieux d'adjectifs ou d'adverbes dans le corps d'articles ou la rédaction de synthèses à partir de dépêches. Le moins qu'on puisse demander à une opinion, c'est de s'exprimer en pleine clarté et sous la responsabilité de son auteur.» (Libération 1997)

En Belgique, le *Code de déontologie journalistique* présenté en décembre 2013 va dans le même sens: «Les journalistes font clairement la distinction aux yeux du public entre les faits, les analyses et les opinions. Lorsqu'ils expriment leur propre opinion, ils le précisent[5].» De son côté, Jean-Marie Charon a perçu, chez les journalistes français, un «renforcement de l'influence anglo-saxonne (qui) conduit d'ailleurs à introduire une règle de séparation dans la construction des articles, opposant la présentation des faits au commentaire» (1993, 59).

Il est par ailleurs permis de croire que l'incidence de la télévision, qui favorise l'émotion et la subjectivité plutôt que l'explication neutre des événements, ajoutée à la pression économique qui pèse sur les médias, a contribué à effriter le respect de cette norme professionnelle, même si les journalistes confirment toujours l'importance de la respecter (Watine 2003). Du reste, cette norme, comme tant d'autres, n'a sans doute jamais été respectée de manière absolue et l'analyse éthique qu'on peut faire de chaque cas observé portera davantage sur les circonstances et les conséquences de cet écart afin de déterminer s'il s'agit d'une dérogation ou d'une transgression.

La distinction des genres journalistiques n'est pas une caractéristique propre à l'approche anglo-saxonne et le consensus repose sur le besoin d'aviser clairement le public du type d'information auquel il a affaire dans le but de ne pas l'induire en erreur. Peut-être la confusion qui semble exister à l'endroit de la tradition anglo-saxonne repose-t-elle sur l'importance accordée à cette norme dans la rhétorique journalistique en Amérique. Selon Charron et de Bonville, la «distinction entre le contenu exprimant des opinions et celui rapportant des informations» est au nombre des caractéristiques structurelles stables qui ont marqué le journalisme nord-américain pendant tout le XXe siècle (1997, 24). Ailleurs, de Bonville y voit même l'un des traits de la presse contemporaine (1995, 30).

Il est pertinent d'ajouter que la distinction des genres journalistiques est une norme professionnelle qui prend tout son sens en fonction des attentes du public, lesquelles attentes varient d'une culture à l'autre, d'une communauté à l'autre. Ainsi, si le public européen ou un certain lectorat particulier ne s'attend pas à un cloisonnement des genres journalistiques liés aux faits ou aux opinions, peut-on raisonnablement soutenir qu'il y a dans un tel décloisonnement un cas de *confusion* des genres? La confu-

---

5.   Voir [http://codededeontologiejournalistique.be/index.php/site/regles/i.-informer-dans-le-respect-de-la-verite], lien visité le 4 avril 2014.

sion naîtrait plutôt de l'ignorance ou d'attentes déçues (Bernier et *al.* 2008). Dans un contexte où un public donné sait qu'il a affaire à un amalgame de faits et de commentaires au sein du même article ou reportage, il serait plus juste de parler de *mélange* ou d'*hybridation* des genres. Le critère normatif à retenir sera donc étroitement relié aux attentes du public ainsi qu'à la transparence des médias et des journalistes qui ont l'obligation d'indiquer quelle posture ils adoptent entre le cloisonnement et le mélange des genres. Cette façon de voir la question concède aux journalistes la liberté d'interpréter, de commenter et de critiquer l'actualité, mais cette liberté est liée au devoir de divulgation explicite ou de transparence qui protège le public contre une forme de persuasion clandestine contraire au principe de la rigueur journalistique.

Si les professionnels du journalisme et de la communication publique sont en général capables de distinguer facilement les genres journalistiques, il n'en va pas nécessairement de même du public qui n'a pas la même connaissance pratique ou théorique de ce champ. Une enquête menée auprès de 34 ombudsmans américains a mis en évidence que nombre de lecteurs ne font tout simplement pas la différence entre la nouvelle, le commentaire, l'analyse ou l'éditorial (Bridges et Bridges 1995). Quiconque a observé les réactions des gens aux messages journalistiques a pu constater régulièrement ce phénomène de confusion de la part de citoyens qui reprochent aux journalistes de propager leurs opinions là où ils ne font que rapporter légitimement celles des autres, ou encore on reproche aux journalistes de ne pas être «objectifs[6]» ou impartiaux alors qu'ils s'appliquent, justement, à faire valoir leur opinion dans le cadre de commentaires, de critiques ou d'éditoriaux. Ce type de reproche injustifié, basé sur une faible connaissance des médias, est observable à souhait sur les médias sociaux. Un important travail d'éducation aux médias demeure à faire dans les sociétés démocratiques afin de préparer les citoyens à porter des jugements à la fois plus documentés, plus justes et plus équitables sur le travail journalistique. Cela leur permettrait d'être des consommateurs mieux avisés et d'entretenir à l'égard des médias et des journalistes des attentes raisonnables. De même, un devoir fondamental de transparence et d'imputabilité échoit aux professionnels de l'information pour favoriser la compréhension du public quant au rôle démocratique des médias d'information, mais aussi pour se montrer à la hauteur des responsabilités sociales qu'ils assument en échange des libertés et privilèges sociaux qui leur sont reconnus. Encore une fois, les journa-

---

6. Nous aborderons plus loin cette notion troublante qu'est l'objectivité journalistique.

listes ne peuvent plus échapper à l'obligation de l'imputabilité dans un contexte de médias sociaux, de conversation et d'interactions constantes.

THÈMES MAJEURS LIÉS À L'EXACTITUDE

Bien qu'il existe une connexion entre les notions de rigueur et d'exactitude, il est approprié de les traiter séparément afin de mieux en faire ressortir les différences. On l'a vu, la rigueur est étroitement associée avec le raisonnement logique qui favorise la qualité interprétative et l'appréciation de l'importance de certains faits dans l'explication et la compréhension des événements et phénomènes retenant l'attention des journalistes. La rigueur est liée à l'usage de la raison dans l'évaluation des causes, tout aussi bien que dans les procédés argumentatifs utilisés. Elle guide également la démarche journalistique, permet une évaluation raisonnée des statistiques et encourage un doute méthodique qui doit favoriser les vérifications et recoupements. L'exactitude, quant à elle, est une notion plus modeste en cela qu'elle ne prétend qu'à la stricte conformité entre les faits de la réalité observée et les propositions ou affirmations relatives à cette réalité. Si la rigueur a une dimension subjective sans être impressionniste ou arbitraire, l'exactitude – par l'importance qu'elle accorde à la factualité – est sans doute la norme journalistique la plus près de l'objectivité, la moins contestable en quelque sorte, car le référent (un fait historique, une date de naissance, un nom, un lieu, etc.) fait l'objet d'un consensus qui ne peut être soumis aux aléas ou aux caprices de la subjectivité. L'exactitude comme norme journalistique est le plus souvent associée à l'adéquation entre la réalité et le compte rendu, mais on la retrouve aussi en ce qui concerne les titres qui coiffent les articles de journaux, ou encore dans la présentation qui précède la diffusion d'un reportage dans les médias électroniques.

Les titres

Il arrive fréquemment que soit dénoncé le manque de rigueur des titres qui coiffent les articles et reportages journalistiques. Par définition, le titre se veut accrocheur, il cherche à capter l'attention du public lecteur, auditeur ou téléspectateur. À la fois concis, direct et percutant, le titre s'avère un défi à l'imagination et à la créativité des journalistes, dans la mesure où ils ne peuvent enfreindre leur devoir de rigueur et d'exactitude. Outre que les titres doivent refléter fidèlement le contenu de la nouvelle ou du reportage qu'ils présentent pour ne pas piéger le public, leur rigueur et leur exactitude facilitent la lecture et la compréhension de l'information.

Sur le plan cognitif, nous possédons des schèmes de connaissances acquises au fil des années, véritables noyaux qui sont activés par la lecture des titres et nous prédisposent à intégrer la nouvelle information à des connaissances préalables. Lorsque le titre reflète le contenu informatif de l'article ou du reportage, cela facilite l'intégration de l'information grâce aux prédispositions cognitives activées. Mais lorsque le titre est trompeur, il mobilise des connaissances préalables incompatibles avec l'information que l'on va traiter, si bien que cela nécessite une correction de l'attention et augmente les risques d'erreurs de compréhension et d'interprétation, comme en témoignent bon nombre de recherches empiriques en psychologie (Leòn 1997, 86). Par exemple, une recherche a été réalisée pour déterminer si la formulation du titre d'un article de journal aidait ou facilitait la compréhension de l'article en question. Les chercheurs ont pris des articles auxquels ils ont associé divers titres, certains titres étaient très conformes au texte de l'article, d'autres l'étaient moins et portaient à confusion. Ils ont soumis ces articles à des groupes de lecteurs pour évaluer ensuite leur compréhension de la nouvelle. Les chercheurs se sont rendu compte que les titres qui reflétaient bien le contenu de l'article facilitaient sa compréhension, alors que les autres obligeaient les lecteurs à être plus attentifs pour comprendre l'article parce que le titre trompeur les avait prédisposés à comprendre et à interpréter d'une certaine façon l'histoire racontée. Cette recherche suggère fortement que la rigueur et l'exactitude journalistiques doivent s'appliquer aussi bien dans la démarche que dans l'écriture et la présentation de l'article ou du reportage si l'on prétend servir le public. Cette obligation n'est pas seulement une valeur théorique ou abstraite, elle a une utilité pratique qu'on a parfois tendance à sous-estimer dans les salles de rédaction, quand on est aux prises avec les contingences quotidiennes, notamment des impératifs de diffusion constants sur toutes les plateformes qui s'ajoutent à l'heure de tombée des médias traditionnels.

En plus de cette raison purement cognitive, l'exactitude des faits rapportés par les journalistes est en quelque sorte associée au respect du public dont les journalistes et les médias sollicitent l'attention. L'exactitude est donc à la fois un tribut à payer sur le plan de l'information mais aussi sur le plan du respect dû aux autres. Par son exactitude, le titre ne sollicite pas indûment l'attention du public. Le respect de ce devoir est en soi un puissant antidote aux dérives sensationnalistes régulièrement reprochées aux médias. Le titre exact n'exagère ni ne déforme la portée des informations qu'il devance. Dans sa section consacrée aux principes de vérité et de rigueur, le *Guide de déontologie des journalistes du Québec* ne fait que confirmer ce principe de base de la profession quand il affirme que les « titres et présentations des articles et reportages ne doivent pas exagérer ni induire en erreur » (FPJQ 2010).

Les citations

Les journalistes émaillent leurs articles et reportages de citations. Le respect de l'intégrité des citations rapportées au public se pose généralement davantage dans les comptes rendus de la presse écrite et les médias en ligne, car la presse électronique nous offre le plus souvent l'extrait sonore qui constitue la diffusion de la citation exacte retenue. Pour les journalistes de la presse écrite, l'usage des citations implique une réécriture de ce qui a été dit. Le fait de mettre entre guillemets une séquence de mots est en quelque sorte un avertissement, sinon un engagement indiquant que ces mots ont réellement été prononcés par la personne citée. Il ne saurait donc être question d'inventer ou de bricoler des citations sous prétexte que de telles paroles auraient pu être dites.

En général, l'exactitude en matière de citation ne pose un problème moral que lorsque le journaliste veut modifier l'intégralité des propos, notamment afin de les débarrasser des hésitations, répétitions ou erreurs de syntaxe du locuteur. On peut alors se demander jusqu'où il est permis de modifier l'intégralité d'une citation.

La règle déontologique reconnue est que la citation entre guillemets doit être exactement ce qui a été dit, mais on peut par ailleurs résumer, rapporter, synthétiser ou paraphraser des déclarations. Tout cela doit se faire sans dénaturer le sens des propos rapportés. Pour des raisons de commodité, on peut corriger un mot mal prononcé, peut-être une syntaxe déficiente, mais changer les mots est déjà un pas de trop dans certaines circonstances. Un truc du métier est de faire une phrase à l'intérieur de laquelle on citera textuellement quelques-uns ou plusieurs mots de la source, quitte à résumer le reste afin d'éviter les fautes du langage parlé et à ajouter certaines précisions à l'intérieur même de la citation. La glose, l'omission et l'incise permettent d'adapter la citation en fonction du style journalistique retenu.

Au Québec, le *Guide de déontologie* prescrit que les « journalistes doivent respecter fidèlement le sens des propos qu'ils rapportent. Les citations, les rapprochements, les ajouts sonores, etc. ou leur séquence ne doivent pas dénaturer le sens de ces propos » (2010). Cette formulation laisse ouverte la question de modifier ou non ce qui est entre guillemets, mais les principes de rigueur et d'exactitude s'y opposent.

Du côté des États-Unis, le code de l'APME affirme que les citations doivent être précises et refléter équitablement le contexte des conversations. Bien que des journaux aient des normes plus sévères, ce texte note qu'il y a peu de mal au fait d'altérer la citation pour des raisons grammaticales afin de la rendre moins confuse ou pour que le locuteur ne soit pas ridiculisé (notamment par un lapsus). Modifier la citation pour en retirer les échanges non pertinents à l'article est aussi accepté.

L'exactitude des citations passe aussi par la séquence dans laquelle elles sont présentées. Le code de l'APME insiste sur le fait que la modification de la séquence ne doit aucunement altérer le sens original des propos afin de ne pas créer de confusion, de mésentente ou une mauvaise impression. Ce genre de prescriptions se retrouve explicitement ou implicitement dans bon nombre de textes normatifs. Au-delà de la question de l'exactitude, cette norme relève de l'intégrité, de l'honnêteté intellectuelle et de l'équité.

Les rectifications

On le sait, le journalisme s'exerce souvent dans la précipitation, en raison de contraintes de temps et d'espace ainsi que d'une relative ignorance du journaliste à l'égard du sujet sur lequel il se penche. Ces limites inhérentes au travail d'informateur plaident bien entendu en faveur du fait d'accorder une très grande attention aux notions de rigueur et d'exactitude afin d'éviter autant que faire se peut les erreurs, grandes et petites, banales ou dramatiques. Il arrive toutefois, malgré toute la prudence dont peuvent faire preuve le journaliste et son organisation de travail, que se glissent des erreurs dans le reportage, le compte rendu ou l'opinion diffusé au public. La bonne foi des journalistes ne saurait être un prétexte pour refuser de corriger de telles erreurs qui nuisent à la qualité de l'information à laquelle a droit le public. Un devoir de correction ou de rectification s'impose donc en tout temps, mais il devient encore plus impérieux et absolu dans les cas où le travail journalistique a été négligent, quand il n'a pas été à la hauteur des règles de l'art. Certains estiment qu'il y a un contrat de rectification ou de correction entre les médias et leurs publics et en trouvent des traces remontant aussi loin que 1690 (Silverman 2014). Silverman rappelle une recherche réalisée en 2007 aux États-Unis selon laquelle les médias n'y corrigent que 2 % de leurs erreurs factuelles, alors que d'autres recherches indiquent qu'entre 40 % et 60 % des articles publiés par les journaux des États-Unis contiennent des erreurs factuelles!

Lors de l'édition 2013 du *Baromètre des médias*, un sondage réalisé pour la Chaire de recherche en éthique du journalisme de l'Université d'Ottawa, nous avons voulu connaître la perception de nos répondants quant à l'attitude des médias lorsqu'ils sont confrontés à leurs erreurs. La moitié des répondants (50%) étaient d'avis que les médias essaient de cacher leurs erreurs et seulement 27% croyaient qu'ils acceptent de les reconnaître. Les hommes sont plus catégoriques, car 55% estimaient que les médias essaient de cacher leurs erreurs, contre 44% des femmes. Cette opinion était partagée par 60% des 18-34 ans et 56% de ceux qui ont fait des études universitaires. En général, plus nos répondants étaient jeunes ou scolarisés, plus leur opinion était négative à ce sujet. Il est possible que le public, de plus en plus exposé à la critique des médias et des pratiques journalistiques, par les médias sociaux notamment, constate l'existence de plusieurs erreurs et dérapages, alors que les médias eux-mêmes se montrent assez discrets à ce sujet.

Pourtant, bon nombre de textes normatifs confirment sans détour l'importance de corriger rapidement et complètement le traitement injuste infligé à quiconque par les médias. Ainsi, dans son analyse des décisions du Conseil de presse du Québec, Deschênes observe que l'exactitude de l'information «est une exigence primordiale du CPQ, selon lequel la presse doit apporter les correctifs nécessaires dans les meilleurs délais possibles et remédier rapidement aux torts que des erreurs et inexactitudes peuvent causer» (1996, 66). En Europe, le même souci d'exactitude se retrouve implicitement dans la *Déclaration des devoirs et des droits des journalistes* quand on y fait mention de l'obligation de «rectifier toute information publiée qui se révèle inexacte[7]». Le *Guide de déontologie des journalistes* du Québec prescrit à ces derniers le devoir de «corriger leurs erreurs avec diligence et de façon appropriée au tort causé» (FPJQ 1996, 8).

La correction des erreurs relèverait donc à la fois des principes de l'exactitude et de l'équité journalistique. Il semble même qu'on puisse ajouter que les rectificatifs devaient satisfaire à deux exigences fondamentales. La première concerne la rapidité avec laquelle on accepte de corriger les erreurs afin d'atténuer les torts réels causés injustement à ceux qui en sont victimes. La seconde porte sur l'exhaustivité des correctifs qui devraient reprendre point par point les faussetés diffusées et les corriger explicitement.

---

7.   Voir le code du Syndicat national des journalistes [http://www.globenet.org/snj/deontologie/munich.html]. Une version de 1994 fait état du devoir de rectifier toute information publiée qui se révèle «matériellement inexacte».

La norme de l'exactitude exige que des correctifs soient apportés à la suite de la diffusion d'informations erronées, bien que cela ne soit pas systématique. À Radio-Canada, où on s'emploie parfois à priver le citoyen d'une correction légitime en atténuant la portée de nouvelles *Normes et pratiques journalistiques*, on consentira à corriger des informations en ligne ou archivées en cas d'erreur grave ou qu'un «document archivé est gravement erroné[8]», mais on acceptera néanmoins de consigner les modifications qui auront été faites. Arant et Anderson évoquent pour leur part la possibilité que les cyberjournalistes soient tentés d'effacer des erreurs présentes dans des versions antérieures de leurs articles et reportages plutôt que d'apporter un correctif en bonne et due forme (Arant et Anderson 2000). Ils suggèrent que les responsables de nouveaux médias se dotent de procédures pour corriger efficacement les erreurs diffusées, notamment en alertant le public grâce à un graphisme standard et en faisant mention des correctifs apportés aux textes archivés.

MATIÈRE À DÉLIBÉRATION

Cas 1: Vous êtes un journaliste radiophonique dont la tâche consiste à faire une revue matinale des éditoriaux des journaux de votre région. Un bon matin, vous lisez une chronique d'un journaliste spécialisé en économie, selon lequel un consultant en gestion d'entreprise a donné de mauvais conseils à un client qui a ensuite fait faillite. De plus, ce consultant serait impossible à joindre, selon le journal, car il n'est plus en affaires. Vous reprenez cette information sans la vérifier, mais il s'avère que le consultant en question est toujours en affaires et que les informations diffusées par le journal sont fausses. Que faites-vous? Attendez-vous que le journal se rétracte? Faites-vous enquête?

Cas 2: Vous êtes stagiaire dans un quotidien d'une grande ville où une importante opération policière a mis au jour l'existence d'un réseau de prostitution juvénile ayant des personnalités publiques comme clients. Plusieurs semaines plus tard, pour un dossier tout à fait étranger à cette affaire criminelle, vous faites une entrevue avec un homme qui porte le même nom qu'une de ces personnalités accusées. Convaincu qu'il s'agit de la même personne, vous écrivez un long article pour signaler l'incongruité de laisser un tel individu être le porte-parole d'un important projet

---

8.   Voir [http://www.cbc.radio-canada.ca/fr/rendre-des-comptes-aux-canadiens/lois-et-politiques/programmation/journalistique/correction/], lien visité le 29 avril 2014.

privé. Mais le jour de la publication, votre source vous informe qu'il y a eu confusion, que vous vous êtes trompé. Que faites-vous : vous publiez dès le lendemain une petite « précision » en page 2 du journal ? Vous laissez la source corriger votre erreur en lui accordant un espace important dans une prochaine édition ? Vous décidez plutôt de publier dès le lendemain un article de longueur moyenne pour corriger rapidement et complètement les erreurs de la veille ?

Cas 3 : Vous êtes une journaliste spécialisée en politique. Votre réseau d'informateurs crédibles est bien garni. Un de vos informateurs, affilié à une formation politique, vous communique de façon exclusive, sous promesse de protéger son anonymat, les résultats d'un sondage d'opinion qui révélerait que son parti est en bonne posture pour remporter l'élection qui est imminente. Votre source refuse cependant de vous remettre le sondage au complet, seulement les résultats bruts. Que faites-vous : vous publiez cette information dont vous ne pouvez évaluer ni la valeur scientifique ni la véracité ? Vous cherchez à obtenir d'autres informations auprès d'autres sources de cette formation politique ? Vous renoncez à publier une exclusivité dont vous ne pouvez raisonnablement garantir la véracité ? Vous faites état de la tentative de votre source d'influencer l'opinion publique en agissant de la sorte ?

CHAPITRE 9

L'équité en trois temps

« [...] les actes nuisibles aux autres requièrent un
traitement totalement différent. Empiéter sur leurs
droits, leur infliger une perte ou un préjudice que
ne justifient pas ses propres droits, user de fausseté
ou de duplicité à leur égard, profiter à leurs dépens
d'avantages déloyaux ou simplement peu généreux,
voire même s'abstenir par égoïsme de les préserver
de quelque tort, c'est encourir à juste titre la répro-
bation morale et, dans les cas graves, les sanctions
ou punitions morales. »

John STUART MILL (1990, 181-182)

L'équité est au nombre des valeurs centrales du journalisme, du noyau
dur de l'éthique et de la déontologie de l'information, avec le service de
l'intérêt public, la vérité, la rigueur, l'exactitude, l'impartialité et l'intégrité.
Au fil des années, et notamment en raison de l'importance croissante
accordée aux droits individuels dans les sociétés démocratiques, elle est
devenue une préoccupation majeure compte tenu des conséquences
dévastatrices liées à certaines pratiques journalistiques. Ainsi, la presti-
gieuse *Nieman Foundation* annonçait, en 2001, la création d'un nouveau
prix en journalisme, le prix de l'équité, qui a été remis pour la première
fois au printemps 2002 (Giles 2002, 3). Il existe toujours en 2014.

L'équité met en jeu trois dimensions importantes du journalisme
qui se produisent également en trois temps. Il y a en premier lieu une
équité procédurale qui concerne les méthodes de collecte d'information,
lesquelles doivent être transparentes et justes, sauf dans des cas extrêmes
que le journaliste a toujours le devoir de justifier, comme on le verra.
Vient ensuite l'*équité dans le traitement des informations diffusées*, laquelle

s'impose dans la sélection des informations pertinentes afin de ne pas causer un préjudice injustifié aux gens mis en cause, d'une part, et permettre au public de se faire une opinion adéquate des faits, des événements et des gens dont il a été question, d'autre part. Troisièmement, l'équité journalistique se manifeste par le *devoir de suite*, c'est-à-dire par le suivi accordé aux sujets et événements ayant fait l'objet d'une couverture médiatique significative, surtout lorsque cette couverture a pu susciter des doutes quant à l'intégrité, l'honnêteté ou la réputation d'individus, de groupes ou d'associations diverses. C'est pourquoi il est permis de dire que l'équité se vit en trois temps : collecte de l'information dans un premier temps, traitement de l'information en vue de sa diffusion dans un deuxième temps, et suivi de l'information pour informer le public des développements survenus dans un troisième temps. Plus récemment, de nouveaux enjeux se sont imposés, reliés à des revendications à un « droit à l'oubli » lui-même relié à l'accès du public aux archives en ligne des médias, ce qui a pour effet de faire perdurer les conséquences néfastes de la couverture médiatique, surtout quand celle-ci est fautive, incomplète ou injuste. Nous y reviendrons plus loin.

L'équité, en journalisme comme ailleurs, est souvent une question d'équilibre, de réciprocité, de proportionnalité, de respect de la dignité humaine et de justice naturelle. Dans le préambule des *Normes et pratiques journalistiques* de la Société Radio-Canada, on a déjà souligné que les « médias électroniques en particulier ont l'obligation de présenter une information équitable, exacte, complète et équilibrée » (SRC 2001, 20). Plus loin, on définissait l'équité comme une information qui « rapporte les faits pertinents, reflète impartialement les points de vue significatifs et traite avec justice et dignité les personnes, les institutions, les problèmes et les événements » (p. 48-49). Signalons que ces considérations ont disparu dans la mise à jour des *NPJ*, en 2010, vraisemblablement pour des motifs d'ordre juridique, afin de mieux protéger Radio-Canada contre d'éventuelles poursuites en diffamation. Néanmoins, cette conception de l'équité en journalisme demeure pertinente sur le plan de l'éthique et de la déontologie.

Dans une de ses décisions, l'ombudsman de Radio-Canada avance une définition plus large encore, selon laquelle l'équité :

> « … évoque plutôt des valeurs de justice, de moralité, d'impartialité et ne peut ultimement reposer que sur la conscience et l'intégrité professionnelle des journalistes. L'équité dépend de très nombreux facteurs non quantifiables, non pondérables sinon par un sixième sens que développe le journaliste… Le temps d'antenne alloué, l'orientation du

message, l'auditoire atteint, l'environnement visuel ou sonore, un sourire, un silence, un sous-entendu, un angle de caméra, le captage d'une image comme des chaises vides par exemple, etc., etc., et tant d'autres facteurs constituent autant d'éléments qu'il faut bien mesurer» pour se conformer aux NPJ.» (SRC 1996, 55)

Par ailleurs, l'énoncé des «valeurs fondamentales du journalisme» du *Guide de déontologie* de la FPJQ estime que les journalistes basent leur travail sur des valeurs, telle «l'équité qui les amène à considérer tous les citoyens comme égaux devant la presse comme ils le sont devant la loi» (FPJQ 1996, 7).

De son côté, Allen H. Neuharth, fondateur du quotidien *USA Today* et du *Freedom Forum*, un organisme américain voué à la défense de la liberté de la presse, est d'avis que les médias pourront rétablir leur crédibilité, cesser d'avoir mauvaise réputation et protéger leur liberté si les journalistes acceptent de mettre la rigueur et l'équité au sommet de leurs priorités professionnelles (Arvidson 2000).

Notion complexe s'il en est une, l'équité est bien plus que simplement donner «l'autre côté de la médaille» ou tenter de communiquer avec les individus avant la diffusion de l'article ou du reportage qui les met en cause et peut les faire mal paraître. Cette norme professionnelle implique que les acteurs d'une nouvelle soient traités de manière similaire afin qu'aucun ne soit désavantagé à cause du comportement du journaliste. Dans certains cas, pensons aux personnes vulnérables, elles devraient même avoir droit à un traitement particulier, adapté aux circonstances. Le Conseil de presse du Québec reconnaît avec raison que l'information diffusée par les médias fait l'objet de choix, mais:

> «... ces choix doivent être faits dans un esprit d'équité et de justice. Ils ne se mesurent pas seulement de façon quantitative, sur la base d'une seule édition ou d'une seule émission, non plus qu'au nombre de lignes ou au temps d'antenne, mais aussi de façon qualitative, tout étant fonction de l'importance de l'information et de son degré d'intérêt public.» (CPQ 2013)

L'équité est un pilier normatif du journalisme à au moins trois égards: sur le plan procédural, il assure le respect des droits des individus auxquels il reconnaît autonomie et dignité; sur le plan du traitement de l'information, il œuvre à favoriser une sélection et une présentation appropriée des informations obtenues afin de se conformer au devoir de vérité; sur le plan du suivi accordé aux informations diffusées, il rend justice aux individus et aux groupes qui ont été dans la mire des médias, sur lesquels ont pesé certains soupçons, et qui ont connu un dénouement soit favorable, soit défavorable. Ainsi, l'équité serait en quelque sorte l'antidote normatif au sensationnalisme médiatique qui se matérialise bien souvent pas des méthodes de collecte et de traitement de l'information qui trompent les individus, les privent parfois de leur autonomie, de leur liberté, de leur droit au silence et à la réputation, de leur droit à se défendre en réfutant des accusations provenant de sources d'information identifiables plutôt qu'anonymes. Plusieurs thèmes sont régulièrement associés à ces trois volets de l'équité, qui demeure le pilier normatif le plus complexe et mérite un examen approfondi.

UNE RÈGLE DOMINANTE : NE JAMAIS TROMPER

La tromperie a mauvaise presse chez les auteurs qui s'intéressent au journalisme. Tromper volontairement le public et son employeur est qualifié de comportement irresponsable (Cooper 1989a, 33). Olen y voit un acte grave parce que la société a implicitement convenu que l'on était en droit d'attendre que les autres disent la vérité (1988, 3).

L'éthique de la communication repose notamment sur les trois piliers que sont l'authenticité, la liberté et la responsabilité (Van der Meiden 1980, 13). Cette auteure ajoute qu'un communicateur authentique doit être fiable en paroles aussi bien qu'en actes, et ses actes ne doivent pas contredire ses paroles. Ce communicateur doit aussi respecter la liberté des autres, et on verra, au moment d'aborder la question des mensonges, que certains auteurs voient en ceux-ci une négation de la liberté des « victimes » de ces mensonges. Enfin, le public s'attendrait à ce que les journalistes résistent, d'une part, à la manipulation des sources et, d'autre part, à la tentation de manipuler eux-mêmes leurs publics (Klaidman et Beauchamp 1987, 181-182).

Mais qu'est-ce exactement que la tromperie ? Corson, Wokutch et Cox ont suggéré une « définition technique et formelle » que nous rapporte Gauthier (1990, 131). Selon eux, *X* trompe *Y* si et seulement si : *X* incite *Y* à adhérer à certaines croyances fausses *(b)* et *X* veut ou espère que ses actions amènent effectivement *Y* à croire *b*. Dans ce second cas, c'est l'intention de tromper qui est en cause, si bien que l'on peut dire que, même si la ruse ne réussit pas, il y a tout de même eu tromperie (Elliott et Culver 1992, 71).

En journalisme, il existe un large consensus relativement à la règle déontologique devant dominer les pratiques en matière de collecte de l'information : celle-ci doit être colligée de façon ouverte et par des moyens honnêtes (Juusela 1991, White 1989, Lambeth 1986, Barroso Assenjo

1989). On estime que les gens qui accordent des entrevues ont le droit de savoir deux choses importantes : premièrement, qu'ils sont effectivement en situation d'entrevue ; deuxièmement, comment et dans quel contexte leurs déclarations seront utilisées (Cooper *et al.* 1989, 294). Cela soulève notamment la question du consentement éclairé et volontaire, similaire à ce qui gouverne l'éthique de la recherche scientifique. Bourgeault rappelle par exemple qu'en bioéthique la personne ou le groupe faisant l'objet d'une intervention doit pouvoir y consentir, « c'est-à-dire décider d'y participer et de maintenir sa participation, et aussi [...] gardant toujours l'initiative et le contrôle des actions qui touchent directement à sa vie, y collaborer comme sujet » (1989, 57). En journalisme, le consentement éclairé consiste notamment à aviser les sources d'information des conséquences possibles de leur collaboration, surtout les sources qui sont peu familières avec les journalistes. Elles ont droit de savoir à l'avance, par exemple, que leurs déclarations risquent de leur valoir des réactions négatives de la part de leur famille, de leur entourage, de leur employeur et même par les médias sociaux. Ici on retrouve l'enjeu éthique qui consiste à minimiser les conséquences négatives tout en œuvrant pour le droit du public à l'information d'intérêt public, comme l'a reconnu en 2014 le comité sur l'éthique de l'Association canadienne des journalistes[1].

Si l'on adhère au principe kantien selon lequel l'être humain ne doit pas être un moyen d'action mais plutôt une finalité à servir, il doit pouvoir fournir un consentement éclairé, c'est-à-dire fondé sur les vrais motifs, et cela est aussi vrai pour le médecin clinicien que pour le journaliste. Précisons que le respect intégral de l'impératif catégorique de Kant n'est pas la posture éthique proposée dans le présent ouvrage, qui plaide plutôt en faveur de la dérogation raisonnée et justifiée des normes professionnelles, par opposition à leur transgression arbitraire ou à leur respect aveugle.

Malgré tout, il arrive souvent que des journalistes usent de procédés trompeurs à l'endroit d'individus afin de leur extorquer des déclarations, lesquelles sont parfois de nature à les incriminer eux-mêmes. Certes, il peut parfois être justifié d'agir ainsi afin de servir l'intérêt public, pour mettre au jour des comportements antisociaux ou criminels. Mais de telles circonstances sont exceptionnelles, alors que le recours à des méthodes trompeuses ne l'est pas. D'après Lambeth, l'un des principaux motifs qui poussent les journalistes à recourir aux diverses formes de tromperie

---

1   Voir *On the record : Is it really informed consent without discussion of consequences?* [http://www.caj.ca/on-the-record-is-it-really-consent-without-talk-of-consequences/], lien visité le 8 avril 2014.

demeure la concurrence entre les médias qui cherchent à accroître leur part de marché (1986, 10). Dans ce contexte, la fin excuse facilement les moyens, puisque les journalistes se soucient peu des sentiments et des droits des personnes. Tout indique que la pression économique qui pèse sur les pratiques journalistiques des médias privés et publics n'a fait qu'augmenter ces dernières années. Les journalistes ne sont pas les seuls dans ce cas, comme le prouvent quotidiennement les cas de déviance de la part d'autres acteurs sociaux. La différence, en ce qui concerne les journalistes, c'est qu'ils affirment travailler dans « l'industrie de la vérité », ce qui complique beaucoup leur tâche quand vient le temps de justifier les formes de tromperie auxquelles ils ont recours.

Critères généraux

Nous savons que la règle déontologique prescrit de ne pas tromper les gens, qu'il s'agisse du public ou des sources d'information. Mais toute règle doit souffrir quelques exceptions et il y a lieu de suggérer quelques critères généraux prouvant une dérogation.

Toute pratique trompeuse traîne avec elle une obligation inhérente de justification, car la fin ne justifie pas toujours les moyens. Par ailleurs, cette justification est trop facile lorsque le journaliste n'a de comptes à rendre qu'à lui-même, si bien que le premier des critères généraux suggérés est la justification du journaliste auprès de ceux qui seront les premiers touchés par son comportement ou qui pourront en débattre de façon objective. Cette exigence, soulevée par divers auteurs (Bovée 1991, 142 ; Christians et Covert 1980, 51) oblige donc le journaliste qui veut employer des méthodes trompeuses à s'expliquer publiquement. Le journaliste devrait donc se demander s'il pourra **justifier publiquement son comportement professionnel**. Cela renvoie au principe de transparence que McBride et Rosenstiel (2014) estiment être une norme journalistique incontournable en ce XXIe siècle.

Se justifier ne signifie pas obtenir obligatoirement l'approbation du public, ou celui des gens qui auront été directement trompés. Contrairement à la recherche médicale et scientifique, où les sujets trompés doivent donner leur consentement après coup afin que les chercheurs puissent utiliser les données recueillies, les sujets trompés par le journaliste n'ont pas ce privilège, puisque cela reviendrait à leur accorder un droit de *veto*, soit le droit absolu d'interdire la publication d'informations importantes pour l'intérêt public parce qu'elles nuisent à leurs intérêts particuliers. Certes, la meilleure justification que puisse faire valoir un journaliste demeure le consentement éclairé des personnes qu'il a dû tromper pour arriver à ses fins. Mais cela ne saurait être une condition absolue pour justifier le recours à des méthodes comme celles discutées ici. Se justifier signifie expliquer, faire valoir les raisons qui sous-tendent la décision de recourir aux différentes formes de tromperie, tenter de faire comprendre ses motifs, étayer sa décision, et tant mieux si cet exercice suscite l'approbation. L'objectif visé est que le journaliste ne doit pas avoir honte des méthodes de travail qu'il emploie; s'il sait qu'il en aura honte, il trouvera préférable d'y renoncer. Lambeth propose même que les méthodes employées et les justifications du journaliste fassent partie intégrale des reportages (1986, 31), ce qui est de plus en plus facile grâce à Internet, aux blogues, aux médias sociaux. De même, John Whale, alors éditorialiste du *Sunday Times* de Londres, avançait que les journalistes ne devraient employer que les moyens qu'ils sont en mesure de publier dans leurs reportages (Merrill 1975, 69).

Pour certaines formes spécifiques de tromperie, tel le recours à la fausse identité dont il sera question plus loin, le journaliste voulant recourir à des moyens trompeurs devra aussi considérer le critère suivant : **quels changements positifs faut-il attendre et sont-ils supérieurs aux inconvénients causés?** (Goodwin 1986, 61). Le journaliste qui se pose une telle question devra y répondre positivement s'il veut déroger à la règle déontologique reconnue.

Un code de déontologie des journalistes turcs a déjà proposé le critère temporel quand vient le temps d'évaluer l'urgence de publier une information. On pourrait mobiliser ce critère pour la justification de méthodes trompeuses en adoptant le principe selon lequel **est urgente la diffusion de toute information dont le délai aurait des effets néfastes pour le public en général ou le priverait de retombées positives prévisibles. Dans un tel cas, l'urgence de la diffusion pourrait justifier le recours à des moyens trompeurs.** S'il n'y a pas urgence, le journaliste devrait chercher à obtenir les informations désirées en se mettant en quête de sources diverses : intervenants, documents, etc.

L'éthicienne Deni Elliott (1986) a pour sa part conçu un bref questionnaire auquel les journalistes peuvent se soumettre quand ils envisagent de recourir à certaines pratiques douteuses :

- *Pourquoi le public a-t-il besoin de ces informations?*
- *Est-ce que les gens du public accepteraient cette méthode si, au bout du compte, les résultats escomptés n'étaient pas atteints?*
- *Ai-je épuisé tous les autres moyens d'obtenir cette information?*

- *Est-ce que la situation que je veux exposer mérite le recours à des moyens trompeurs ? Cela va-t-il modifier favorablement les choses ? Ce changement est-il assez considérable pour compenser la perte de confiance éventuelle du public envers ma profession ?*

L'ÉQUITÉ PROCÉDURALE

L'équité procédurale fait surtout référence aux méthodes de collecte d'information qui doivent être transparentes, mais bon nombre de pratiques journalistiques s'éloignent de cette norme reconnue. Il convient de s'interroger à leur sujet et de faire valoir, le cas échéant, les critères pertinents qui serviront à la prise de décision fondée en raison de ce qui est peut-être considéré comme des procédés déloyaux, clandestins et trompeurs. Avec la vérité comme pivot central de sa profession, le journaliste est pourtant mal venu de recourir aux diverses formes de tromperie afin d'en arriver à ses fins. Pourtant, il n'est pas rare de voir des journalistes recourir aux tromperies au nom de la vérité.

Le recours à de tels procédés doit toujours être justifiable, eu égard aux valeurs de la profession, et il importe de préciser tout de suite que l'équité s'impose comme un devoir presque absolu quand le journaliste a affaire à des individus vulnérables ou peu familiarisés avec les médias, comme le prescrit la notion de consentement éclairé. Ces derniers se trouvent *a priori* dans une position désavantageuse et méritent qu'on leur explique clairement les conséquences de leur participation au travail de collecte d'information, ce qui n'est pas le cas avec les individus qui ont souvent l'occasion de côtoyer les journalistes dans le cours normal de leur travail (relations publiques, attachés de presse, porte-parole, personnalités publiques, etc.). Il y a lieu d'ajouter que le fait d'avoir affaire à des gens habitués aux médias ne libère pas nécessairement le journaliste de ses obligations en matière d'équité.

L'entrevue d'embuscade

La technique de l'embuscade consiste généralement à surprendre quelqu'un, à l'improviste, pour lui mettre un microphone ou une caméra devant le visage afin de profiter de l'effet de surprise pour obtenir des images fortes qui permettent de montrer le prétendu «déviant» de façon défavorable. Ce procédé, auquel ont recours plusieurs journalistes de la télévision, fait l'objet de dénonciations répétées, même de la part de journalistes qui y ont recouru à plusieurs reprises mais refusent d'en être les *victimes*, comme en témoigne les cas de Sam Donaldson, journaliste américain de ABC, qui a lui-même longtemps utilisé cette méthode mais s'est élevé contre elle le jour où il en a lui-même été victime (Wolper 1995).

Les commentateurs et les critiques des médias ont observé que cette technique est utilisée souvent pour donner un caractère dramatique et sensationnel à l'information, en vue d'avoir de meilleures cotes d'écoute et de devancer la concurrence (Broadcasting & Cable 1996, 4-9 ; Goldberg 2000, 53 ; Alter 1986, 35-36). L'objectif premier n'est pas de mieux informer, mais de séduire l'auditoire. Selon Ellen Goodman, du *Boston Globe*, la technique de l'embuscade est une façon de forcer quelqu'un à témoigner contre lui-même, tandis que l'ex-président de CBS et ex-professeur de journalisme à l'Université de Columbia, Fred Friendly, considérait ce genre d'entrevue comme le « plus salaud des artifices du journalisme télévisé[2] ». Le journaliste Phil Donahue, qui n'hésite pourtant pas à faire des émissions à caractère sensationnel, refuse de recourir à l'entrevue d'embuscade dont le seul objectif est d'embarrasser ou de faire enrager la « victime désignée » (Kurtz 1996, 12). L'entrevue d'embuscade est aussi qualifiée de *gotcha journalism*, ce qui illustre bien son utilité première.

L'équité, le respect de la dignité, de la présomption d'innocence et du droit à la réputation sont des valeurs journalistiques importantes sous-jacentes à la condamnation de l'entrevue d'embuscade. À ce chapitre, il est pertinent de s'inspirer à nouveau d'un avis du Conseil de presse du Québec, lequel qualifie ce procédé de « discutable » et condamne le fait que des journalistes aient pris :

> « … l'habitude de débarquer à l'improviste dans des bureaux de professionnels et d'entreprises, en braquant un micro ou une caméra au visage du personnage visé, et en lui posant des questions tendancieuses.

> « Aux yeux du Conseil, pareil procédé est synonyme de journalisme d'embuscade, où l'objectif apparaît davantage de piéger l'interviewé que d'informer le public. L'emploi de semblable procédé fait non seulement fi du principe de présomption d'innocence, mais vient banaliser une pratique journalistique qui devrait rester exceptionnelle ». (CPQ 1999)

Bien entendu, il peut exister des situations où cette pratique exceptionnelle serait justifiée en vertu de certains critères précis repris par le CPQ dans le même avis de septembre 1999, et qu'il convient de formuler

---

2.   Voir à ce sujet le Center for Media Studies de l'Instituto Gutemberg du Brésil [http://igutenberg.org/tocaia.html], lien visité le 9 avril 2014.

sur le mode interrogatif pour en faciliter l'usage au moment de la délibération :

- *L'information recherchée est-elle d'un haut degré d'intérêt public ?*
- *Existe-t-il un autre moyen d'obtenir cette information ?*
- *Ai-je fait face à plusieurs refus répétés de la part de l'individu visé qui cherche ainsi à se dérober ou à gagner du temps ?*
- *La demande d'entrevue risque-t-elle d'inciter l'individu à disparaître sans laisser de traces ?*

Les critères du dernier recours et de l'importance de l'information recherchée sont ceux qui ont été le plus souvent évoqués lors d'un colloque organisé par le First Amendment Center et l'Investigative Reporters and Editors, en juin 2000. À cette occasion, il a été convenu qu'il serait erroné de considérer de tels critères comme autant d'entraves à la liberté d'information alors qu'ils permettent surtout d'assumer pleinement les responsabilités découlant de la liberté d'informer (Izard 2000).

C'est dans cet esprit que le CPQ a donné raison à la Chambre des notaires du Québec, qui dénonçait « l'arrivée intempestive » d'un journaliste dans le bureau d'une notaire qui « est évidemment mal à l'aise et projette l'image de celle qui a quelque chose à cacher. Aux yeux du public, elle est forcément coupable. Ce procédé est injuste sinon odieux pour celle qui le subit »[3].

Par ailleurs, le stress produit chez un citoyen par l'irruption impromptue d'un journaliste et d'un cinéaste dans son lieu de vie ou de travail peut avoir des conséquences graves lorsque les victimes de cette embuscade médiatique ont une santé fragile. Ce risque plaide également en faveur d'une plus grande retenue des journalistes qui ne doivent recourir à ce moyen qu'après avoir épuisé les autres options, et seulement si cette visite dévastatrice pour l'image et la réputation d'un individu est d'un intérêt public réellement supérieur aux nuisances et risques qu'elle comporte.

Piéger les gens

Une tactique rarement utilisée par les journalistes consiste à piéger les gens afin d'obtenir de leur part des témoignages percutants, qui mettront au jour des cas de corruption, par exemple. En agissant de la sorte, le journaliste se trouve du même coup en rupture avec la norme de

3. Voir la décision du Conseil de presse du Québec, 4 mars 1999 [http://www.conseil-depresse.qc.ca/decisions/D1998-06-054%20(2).htm].

l'équité procédurale. Malgré tout, Neil Levy offre un intéressant plaidoyer favorable à la technique du piège ou de la ruse (*entrapment*), qui vise essentiellement à prendre en défaut quelqu'un, notamment en lui faisant miroiter un gain intéressant. C'est ce qu'ont fait en 1994 des journalistes britanniques du *Sunday Times* ayant pris une fausse identité à l'endroit de députés en leur versant une importante somme d'argent pour les encourager à poser une question précise, à soulever un enjeu particulier dans le cadre de la période des questions de la Chambre des communes. C'est aussi ce qu'ont fait les journalistes du *Chicago Sun Times*, avec le bar *Le Mirage* dont il sera question plus loin. En piégeant ainsi des individus investis de fonctions sociales importantes, les journalistes voulaient dénoncer la corruption. Alors que le recours au piège ou à la ruse suscite de virulentes critiques, Levy croit au contraire qu'il y en a trop peu (2002, 121). Selon lui, ce procédé de *journalisme proactif* est légitime pour trois raisons. Premièrement, c'est souvent la seule façon de prouver l'existence de la corruption, qui est un crime moins visible que d'autres. Il considère que le recours au piège est une façon de rétablir une certaine équité dans la dénonciation des crimes en mettant l'accent sur la criminalité des cols blancs, qui est moins souvent dénoncée que la criminalité impliquant la violence physique. Deuxièmement, même si un journaliste est informé de l'existence d'abus de pouvoir, il peut craindre de publier de telles informations en raison de menaces de poursuites en diffamation que cela entraîne. Piéger quelqu'un est souvent la seule façon de faire la preuve de cette corruption. Troisièmement, il se peut que le journaliste soit dans l'impossibilité de dénoncer aux forces policières certains abus de pouvoir ou cas de corruption quand il suppute que les dirigeants des corps policiers protègent les abuseurs ou encore lorsque ce sont les policiers eux-mêmes qui sont mis en cause (2002, 127).

Levy propose cependant certains critères pouvant justifier de piéger un ou des individus. Tout d'abord, **un tel procédé ne devrait viser que les individus qui détiennent un pouvoir social important et seraient donc en mesure de se défendre vigoureusement contre les allégations qui résulteront de l'enquête journalistique**. Il évoque notamment le cas de fonctionnaires, d'élus, de policiers ou encore de gens d'affaires corrompus ou malhonnêtes. Levy estime moins acceptable de piéger des individus détenant peu de pouvoir et de ressources dont les actes répréhensibles auraient une faible portée sociale. Autrement dit, Levy estime que l'information en cause doit être d'un intérêt public évident. Il devrait y avoir une proportionnalité entre la gravité des allégations et celle des moyens utilisés. Il va même jusqu'à soutenir que le recours aux pièges de la part des journalistes devrait être mieux toléré que de la part des policiers,

car ceux qui font les frais de dénonciations médiatiques risquent l'humi-
liation et la perte d'emploi, mais ils ne risquent pas nécessairement de se
retrouver en prison. Puisque les conséquences sont moins sérieuses, fait-il
valoir, il est plus facile de justifier cette pratique pour les journalistes. Il
se peut que Levy sous-estime l'effet catastrophique que peuvent avoir les
révélations et dénonciations journalistiques sur la vie de ceux qui sont
directement visés et sur l'entourage immédiat de ces derniers. La réputation est un élément fondamental de l'estime de soi et de la qualité de nos
relations sociales et professionnelles, si bien qu'on peut difficilement
sous-estimer la gravité des conséquences liées aux révélations journalistiques.

Levy mentionne aussi un autre facteur à prendre en considération
chez les journalistes qui souhaitent piéger des individus. Il s'agit de **l'effet
que leur tactique aura sur le droit à la vie privée non seulement des
personnes directement visées par leur piège, mais aussi des innocents
qui gravitent autour.** Il propose donc de taire les informations délicates
et non pertinentes aux faits dénoncés que le piège employé aurait permis
de découvrir : infidélité conjugale, problèmes de santé mentale ou
physique, etc. (p. 128-129).

Un peu à l'instar de l'approche par critère privilégiée dans le présent
ouvrage, Levy propose également un test qui repose sur la question
suivante : **est-ce que l'individu visé aurait probablement commis un
crime du genre de celui qui lui sera offert par la ruse ou le piège ?** Il
faut en somme un important soupçon à cet effet, car il ne faut pas que le
journaliste soit par la suite accusé d'avoir lui-même incité autrui à poser
un acte répréhensible qu'il n'était pas préalablement disposé à commettre
(p. 124). De même, le gain que fait miroiter le journaliste ne doit pas être
trop élevé de façon à ne pas créer une convoitise qui n'aurait jamais existé
autrement.

L'arrivée d'Internet et des médias sociaux peut faciliter le recours à
de fausses identités, notamment pour inciter des individus à commettre
des actes illégaux, comme on le voit de temps à autre quand des journalistes piègent ce qu'ils décrivent comme des prédateurs sexuels ou de
prétendus pédophiles. À d'autres occasions, la fausse identité ou l'avatar
servira à conduire une personne à s'auto-incriminer ou à se compromettre,
par exemple en révélant l'homosexualité d'un élu. Cette pratique est à la
frontière du journalisme et de l'enquête policière typique et on peut se
demander ce qui permet aux journalistes d'aller au-delà de leur rôle de
chien de garde pour en faire des enquêteurs. La technologie favorise de
telles pratiques, mais n'en modifie pas les enjeux éthiques.

Faux, usage de faux et infiltration

Ce type de pratique journalistique remonte aux années 1890, quand Nellie Bly (Elizabeth Cochrane de son vrai nom) a feint la folie afin d'être internée dans un asile et de constater comment les patients y étaient traités. Elle en a tiré une série de trois articles, publiés dans le *New York World* sous le titre « 10 jours dans une maison de fous » (Goodwin 1986, 161). Cette façon de recueillir l'information est encore utilisée de nos jours, comme en témoigne notamment le cas d'un duo de journaliste et photographe du *Journal de Montréal*, qui a ainsi pu infiltrer pendant neuf mois l'organisation raëlienne après que celle-ci eut obtenu une notoriété mondiale en s'associant à Brigitte Boisselier (Clonaid), qui prétendait avoir cloné le premier bébé humain, le 27 décembre 2002. La série de textes qui en a résulté a permis de mieux connaître cette secte religieuse et tout laisse croire qu'il aurait été impossible d'avoir accès à cette information d'un intérêt public indéniable sans recourir à ce subterfuge, qui a du reste été clairement dévoilé dans le cadre des reportages publiés en octobre 2003.

Le fait de recourir à une fausse identité a fait l'objet de critiques dès le début des années 1980 quand des journalistes du *Chicago Sun-Times* avaient failli remporter un prix Pulitzer pour leurs articles portant sur la corruption des inspecteurs municipaux. Pour les besoins de l'enquête, le journal avait ouvert un bar, ironiquement nommé *Le Mirage*, dont les employés étaient ses journalistes et ses photographes. Ceux-ci avaient réussi à prouver que des inspecteurs municipaux se laissaient soudoyer, ce qui avait donné des articles explosifs. Mais des membres du jury décernant les prix Pulitzer ont jugé que les méthodes prises pour mener l'enquête étaient trompeuses et n'étaient pas justifiées par les résultats obtenus (Dedman 1991, 51).

Il y a des journalistes qui croient que, la plupart du temps, le recours à la fausse identité est inutile. C'est le cas de Howard Schneider, du *Newsday*, où l'on avait envisagé de mener une vaste enquête journalistique afin de prouver la discrimination des courtiers en immeubles à l'égard des Noirs. Pour ce faire, le magazine avait opté pour une méthodologie très rigoureuse suivie par des chercheurs en sciences sociales ; entre autres, on aurait fait visiter des maisons par des journalistes blancs et des journalistes noirs. Mais les gestionnaires ont finalement décidé de ne pas recourir à ce moyen parce qu'il n'y avait pas, selon eux, de bonnes raisons de croire que les courtiers avaient des comportements discriminatoires justifiant une enquête (Dedman 1991, 51). Nous verrons un peu plus loin que la suspicion peut être considérée comme un critère spécifique du recours à la fausse identité. Signalons ici que ce que le *Newsday* a refusé de faire, le *Hartford Courant* l'a accompli, en mai 1989, en publiant à la une un article portant sur les pratiques jugées discriminatoires de courtiers de la région de Hartford. Deux semaines plus tard, cependant, l'ombudsman de ce journal, Henry McNulty, écrivait dans un commentaire que le journal n'aurait pas dû agir ainsi, même si c'était la seule façon d'obtenir les informations publiées, parce qu'en se faisant passer pour d'autres, les journalistes avaient dû mentir, ce qui était selon lui inacceptable, rapporte à nouveau Dedman. On retrouve ici une manifestation de l'impératif catégorique de Kant.

Le recours à une fausse identité est du reste une des tentations, parfois une nécessité, du journalisme d'enquête, suggère Peters (1980, 28) en s'appuyant sur le journaliste Timothy Ingram, lequel estime que ces méthodes de collecte d'information peuvent avoir des effets négatifs pour les individus en cause, et même générer des informations fausses qui seront diffusées dans le public avec toutes les prétentions de la vérité. Selon Ingram, un journaliste décide de cacher sa véritable identité uniquement afin d'obtenir des informations que sa source ne révélerait pas volontairement à des journalistes. Mais le journaliste peut aussi entendre des choses que la source ne dirait pas à des journalistes tout simplement parce qu'elles sont fausses : « La source cherche peut-être à impressionner un étranger, l'information peut être fausse ou communiquée en des termes qui seront mal interprétés. La source peut être moins précise parce qu'elle ne sait pas que ce qu'elle dit risque d'être publié» (p. 28). Ces considérations ne doivent pas être écartées du revers de la main, car elles mettent en évidence l'existence d'une conviction implicite, et fort discutable au demeurant, qui consiste à croire qu'une personne déterminée à cacher la vérité à un journaliste la dévoilera tout entière à un individu qu'elle connaît peu. La vérification et le recoupement doivent donc corroborer l'information obtenue par la tromperie.

Ben Bagdikian est d'avis que certains reportages réalisés grâce à une fausse identité ne sont pas contraires à l'éthique. L'ex-doyen de l'École de journalisme de l'Université de la Californie, à Berkeley, donne en exemple un reportage qu'il a effectué à la prison de Huntingdon en 1971, sous une fausse identité, alors qu'il était au *Washington Post*. Il croit que la tâche d'évaluer le bon fonctionnement des institutions publiques est une des fonctions légitimes du journalisme «à la condition que l'évaluation soit importante et qu'elle soit faite honnêtement» (Goodwin 1986, 35). C'est un peu ce qu'a fait le journaliste du *New York Times* Chris Hedges, durant la guerre du Golfe de l'hiver 1991 ; il avait déserté les *pools,* que plusieurs disaient manipulés par l'armée américaine, pour revêtir un uniforme de soldat et se mêler aux troupes, ce qui lui interdisait de révéler qu'il était journaliste, même s'il a pu agir ainsi grâce à la connivence de certains officiers (Hedges 1991, 27-28). Dans la même veine, Fabienne Levy est d'avis que les informations sur les «comportements illégaux, immoraux ou irréguliers, que les protagonistes ont tout intérêt à dissimuler, sont souvent impossibles à obtenir sans une certaine dissimulation» (1990, 28).

Critères spécifiques

Endosser une fausse identité ne doit pas être une décision prise à la légère chez le journaliste soucieux de servir la vérité et l'intérêt public tout en respectant les droits fondamentaux des individus. Dans cette optique, la délibération doit reposer sur quelques critères qui prennent la forme de questions dont les réponses négatives ou positives ainsi que leur importance relative aideront le journaliste dans sa prise de décision.

- *Ma présence, même à l'insu de tous, va-t-elle perturber négativement la situation que je veux observer de plus près?*

Pour Tepljuk (1989, 117-118), la présence du journaliste ne doit pas perturber le milieu observé. Or, l'arrivée d'un étranger dans un milieu le perturbe toujours. À partir du moment où les gens savent qu'ils sont soumis à une observation, ils peuvent certes modifier leurs comportements, mais cela est aussi leur liberté la plus fondamentale. Toutefois, il n'est pas certain que ces mêmes gens auront des comportements ordinaires même s'ils ne savent pas qu'un journaliste est parmi eux. Au contraire, la présence de cet étranger, qui s'est présenté à eux sous un faux motif, peut les inciter à se comporter autrement qu'ils le font en temps ordinaire. Le journaliste risque donc de rapporter des comportements exceptionnels qu'il croit ordinaires et, ainsi, propager des informations erronées.

- *Les informations qui m'intéressent sont-elles importantes? Pour qui?*

Malgré les réserves suggérées par le premier critère, on peut penser qu'il faille parfois accepter de perturber le milieu d'observation afin d'acquérir des informations importantes. On doit aussitôt se demander pour qui ces informations sont importantes. Le journaliste étant souvent décrit comme celui qui sert l'intérêt public en dévoilant la vérité, il va de soi que les informations doivent être importantes au regard de cet intérêt public qui se distingue nettement, cependant, des intérêts propres à quelques individus ou à l'entreprise de presse qui emploie le journaliste.

- *Est-ce que je brime les droits fondamentaux des individus en cause ?*

On ne peut éviter cette question puisque les droits fondamentaux constituent une valeur importante dans notre société. Le journaliste ne doit pas les occulter sans bonnes raisons, à moins de nier l'importance des droits des autres par rapport aux siens. Dans une perspective utilitariste, il est possible d'admettre que les droits fondamentaux d'individus soient brimés si cela sert de façon très évidente l'intérêt du plus grand nombre, par exemple lorsqu'un journaliste parvient à prévenir des crimes, des comportements antisociaux ou la corruption.

- *Est-ce que je transgresse les lois ?*

Certes, il peut exister de bonnes raisons de transgresser les lois, mais, ici encore, on ne peut pas éviter de se poser la question, d'y réfléchir sérieusement. Certains journalistes pourront justifier assez bien leur décision de recourir à un procédé illégal, d'autres auront conscience que cela leur est impossible. Le présent critère ne vise pas à interdire catégoriquement tout geste illégal, mais seulement à sensibiliser les journalistes aux raisons de ces transgressions afin qu'ils évaluent si elles en valent la peine, selon les valeurs qu'ils privilégient.

- *Vais-je porter préjudice à quelqu'un qui ne le mérite pas ?*

En se faisant passer pour un autre afin d'obtenir des informations, le journaliste risque de porter préjudice à une ou à des personnes qui détiennent une position hiérarchique les rendant vulnérables aux sanctions de leur employeur si ce dernier apprend que l'information obtenue par le journaliste a été donnée par un de ses subalternes. Une autre possibilité est que le journaliste accepte de jouer un rôle qui n'est pas le sien et qu'il soit obligé d'accomplir des gestes pour lesquels il n'est pas compétent. Ce serait le cas, par exemple, du journaliste voulant se faire passer pour un infirmier, un avocat, un médecin, un électricien, etc., alors qu'il n'a pas les compétences requises.

- *Vais-je devoir faire ce que mon reportage veut dénoncer ?*

Le journaliste qui veut exposer au grand jour une situation déviante ou illégale peut être tenté de « jouer le jeu » et d'adopter les comportements qu'il dénonce. Par exemple, le journaliste voulant savoir comment certains voleurs réussissent à s'introduire dans des maisons ou des commerces pourrait en venir à s'associer incognito avec eux et les accompagner dans l'exécution de leurs méfaits. L'importance sociale des reportages qu'il compte en tirer vaut-elle qu'il devienne complice aux yeux de la loi et soit de ceux qui volent d'honnêtes citoyens ? Si le journaliste répond par l'affirmative, alors il devrait accepter de dédommager les gens qui auront été victimes de ses méthodes (Goodwin 1986, 160).

• *Existe-t-il un sérieux soupçon?*

Ce critère, évoqué rapidement plus haut, tient compte du soupçon pesant sur des individus. L'éditeur du *Newsday*, Anthony Marro, y voit une condition incontournable. Pour lui, il n'est pas question d'avoir recours à de telles méthodes en l'absence d'un lourd soupçon à l'endroit de quelqu'un. Dans le cas précis de courtiers en immeubles déjà relaté, Marro a constaté que ce critère n'avait pas été rempli et a refusé de permettre le recours à une fausse identité.

Pour sa part, l'éthicienne Deni Elliott, de l'Université d'État de l'Utah, a mis au point une méthode en plusieurs questions dont certaines complètent celles formulées plus haut. Quelques-unes peuvent s'appliquer à l'ensemble des méthodes de collecte d'information qui font appel à la tromperie. Comme le mentionne Goodwin (p. 161), Elliott ne suggère pas ces questions afin que tous les journalistes qui se les posent en arrivent aux mêmes conclusions et prennent les mêmes décisions, mais simplement pour les inciter à réfléchir de façon sérieuse et claire sur les méthodes trompeuses qu'ils désirent employer :

• *Pourquoi le public a-t-il besoin de ces informations?*

• *Est-ce que les gens du public accepteraient cette méthode si, au bout du compte, les résultats escomptés n'étaient pas atteints?*

• *Ai-je épuisé tous les autres moyens d'obtenir cette information?*

À ce sujet, le journaliste Howard Schneider, du *Newsday*, est d'avis qu'il n'est pas question de recourir à une fausse identité aussi longtemps que tous les moyens ordinaires d'obtenir l'information n'auront pas été épuisés (Dedman 1991, 50).

• *Quels sont mes arguments lorsque je discute le bien-fondé d'une telle méthode quand elle est utilisée par des policiers?*

Goodwin fait valoir que tout le monde est vulnérable devant un journaliste qui ne se présente pas sous sa véritable identité puisque celui-ci peut révéler plusieurs informations à son public, tandis que les enquêtes policières peuvent causer moins de dommages.

• *Est-ce que je comprends bien tous les risques associés à cette méthode de travail et est-ce que mon employeur m'a laissé la chance de refuser cette affectation?*

• *Est-ce que la situation que je veux exposer mérite le recours à des moyens trompeurs? Cela va-t-il modifier positivement les choses? Ce changement est-il assez considérable pour compenser la perte de confiance éventuelle du public envers ma profession ?*

On constate à nouveau qu'il n'est pas aisé de déroger à la règle déontologique reconnue si on veut le faire sans brimer injustement les droits et libertés des autres ou saper leur réputation sans bonnes raisons. C'est à partir de ses réponses à ces questions que le journaliste doit faire son choix. Ces questions, comme celles qui jalonnent le présent ouvrage, sont des outils intellectuels qui visent à aider le journaliste à assumer le *fardeau de l'autonomie.*

L'espionnage

Le terme « espionnage » peut paraître exagéré de prime abord, mais il reflète bien l'ensemble des pratiques que sont le vol de documents, l'écoute aux portes, l'utilisation de micros et de caméras cachés, les filatures, les infiltrations, etc.

Dans un premier temps, on peut se demander si c'est bien le rôle du journaliste que de s'immiscer ainsi dans des situations relevant autant de la vie privée que de la vie publique des acteurs sociaux qui attirent son attention. On peut également s'interroger à savoir si la vie privée de ces acteurs ne sera pas envahie par des journalistes qui, bien qu'ils veuillent s'en tenir exclusivement aux aspects publics de leur vie, peuvent toujours changer d'attitude si des informations « croustillantes » leur sont révélées en cours de route. À moins d'accorder une immunité absolue aux journalistes, on ne peut pas échapper à ce questionnement éthique qui vise justement à évaluer rationnellement ces possibilités.

Certains auteurs sont fortement opposés aux pratiques que l'on pourrait associer aux méthodes d'espionnage, comme l'écoute électronique. La même réserve est affichée relativement à la lecture du courrier qui n'est pas destiné au journaliste. Tepljuk va même jusqu'à suggérer qu'en certaines circonstances, qu'il ne précise malheureusement pas, un journaliste devrait demander la permission non seulement du destinataire, mais aussi de l'expéditeur pour lire une correspondance (1989, 118).

On l'a vu plus haut, le public américain n'est pas très friand de tels procédés, ce qui n'empêche pas certains réseaux de télévision d'y avoir recours avec plus ou moins de précautions ou de justifications. On peut cependant soutenir que les journalistes, eux, sont nettement plus tolérants que le public à ce sujet, comme l'indique une enquête réalisée auprès de journalistes canadiens qui révèle que 82 % de ceux-ci croient justifiable de se servir de micros ou de caméras cachées quant un dossier est important (Pritchard et Sauvageau 1999, 75). Reste à trouver sur la base de quels critères les journalistes en viennent à décréter qu'un dossier est important à ce point.

Malgré une forte opposition du public, le réseau NBC estime qu'il n'y a rien de mal à utiliser des caméras cachées dans les places publiques comme les parcs ou les rues (Goodwin 1986, 205). Il existe un débat, et bien entendu quelques jugements contradictoires, relativement à la diffusion de photographies et d'images de gens captées à leur insu dans des endroits publics. Des personnes ont fait valoir qu'en diffusant leur photo sans leur permission, les médias brimaient leur droit à la vie privée dont une des composantes serait le droit à l'intimité ou à l'anonymat, tout comme le droit à l'image. Les médias allèguent de leur côté qu'il n'y a rien de privé dans le fait de se faire filmer dans des endroits publics. La solution à ce débat serait plus facile à trouver si l'on départageait tout d'abord ses aspects juridiques et éthiques. Selon une perspective ou l'autre, il serait pertinent d'évaluer chaque cas en fonction de l'utilisation qui a été faite de la photographie. On peut présumer que, si cette utilisation risque raisonnablement de porter atteinte à la réputation de la personne photographiée, si celle-ci n'a aucun rapport avec l'article que la photographie vise à illustrer, ou encore si sa publication est sans intérêt public ou qu'elle ne sert en rien le droit du public à l'information, on possède plusieurs bonnes raisons de ne pas la publier.

De leur côté, les journalistes américains sont plus permissifs que le grand public quand il est question de techniques d'enquête ayant des airs d'espionnage. Wulfemeyer rapporte en effet qu'environ la moitié des 286 directeurs des nouvelles des stations de télévision et de radio qui ont répondu à son sondage sont d'avis que l'écoute secrète est une pratique professionnelle acceptable (1990, 984). Ce n'est cependant pas l'avis de la Commission de réflexion sur la déontologie que le gouvernement britannique a mis sur pied, et dont le rapport a été déposé en juin 1990. Cette commission a recommandé que soient considérées comme délictueuses trois pratiques portant gravement atteinte à la vie privée: s'introduire dans le domicile privé d'une personne sans son consentement, placer un système d'observation chez une personne sans son consentement et photographier une personne ou enregistrer sa voix dans un lieu privé sans son consentement (Sergeant 1991, 122-123).

Critères spécifiques

Les seuls critères spécifiques suggérés en matière d'espionnage à des fins journalistiques (par opposition à l'espionnage à des fins industrielles, militaires, etc.) nous viennent justement de la même commission britannique, qui admet que ces pratiques illicites pourront être justifiées :

- *Par la volonté de prévenir ou de révéler la perpétration d'un délit ou d'une conduite profondément antisociale ;*

- *Si leurs auteurs peuvent prouver qu'elles sont inspirées par le désir de protéger la santé et la sécurité du public.*

Le mensonge

Le mensonge est une pratique presque taboue chez les journalistes. Pour Mamou, par exemple, « le mensonge est toujours inacceptable : il est simplement contraire à l'éthique de l'information (1991, 138). Cette prescription est typique des énoncés déontologiques qui se donnent des airs de prise de position éthique. En effet, des mots comme *jamais* et *toujours* ont rarement leur place en éthique alors que la déontologie et la morale s'y réfèrent régulièrement pour dicter les conduites à suivre ou à éviter. D'une certaine façon, on peut dire que Mamou exprime de manière trop radicale et absolue la règle déontologique dominante qui enjoint aux journalistes de ne pas mentir. Cette règle n'est pas sans fondement si l'on considère qu'en mentant à autrui, on entrave du même coup son autonomie puisqu'on cherche à le manipuler afin d'obtenir de lui des informations qu'il n'aurait peut-être pas livrées autrement (Olen 1988, 59). D'autres auteurs en arrivent à la même conclusion, dont Klaidman et Beauchamp, qui affirment que mentir à quelqu'un dans le but de le faire agir autrement qu'il l'aurait fait en pleine connaissance de cause consiste à le priver de sa liberté d'action (1987, 182), ce qui est aussi une préoccupation de Bok.

Ces arguments se rapprochent de la définition du mensonge suggérée par le philosophe contemporain Charles Fried, pour qui mentir consiste à affirmer comme vrai ce que nous savons ne pas être vrai, et c'est « toujours mal parce que ça témoigne d'un manque de respect à l'égard des personnes et de leur capacité de poser des jugements rationnels et des choix libres et intentionnels » (Johannesen 1983, 103).

Priver les autres de leur liberté, de leur autonomie, de leur droit à un consentement éclairé ne peut être une décision prise à la légère pour personne, encore moins pour le journaliste qui a un devoir professionnel de diffuser une information qui soit vraie et d'intérêt public. Puisqu'il considère la vérité comme un bien social fondamental, tant pour la collectivité que pour les individus, il ne peut lui-même, sans risquer de se discréditer, en minimiser l'importance dans sa conduite professionnelle et refuser ce privilège aux autres acteurs sociaux dont il dénonce justement les écarts et déviances à ce chapitre comme à bien d'autres égards. La recherche et la diffusion de l'information vraie, on l'a vu, sont une règle déontologique incontournable en journalisme.

Elliott et Culver se sont également penchés sur la question de la tromperie (*deception*) chez les journalistes. Ils constatent qu'il est souvent plus facile pour un journaliste d'avoir accès à des informations en adoptant des pratiques trompeuses, tout comme il serait plus facile à un médecin d'obtenir le consentement d'un patient en ne lui indiquant pas les risques inhérents à la thérapie proposée (1992, 71). Ils soutiennent de plus que le comportement non verbal visant à tromper quelqu'un équivaut à mentir (1992, 73). On observe ici une différence de degré, et non de nature, entre les formes passive et active du mensonge.

Johannesen a pour sa part une conception assez large du mensonge, qu'il étend aux formes de tromperie déjà présentées (fausse identité, simulation, espionnage), en plus d'y inclure le fait d'induire le public en erreur et de semer la confusion (1983, 104).

Sans nier le problème moral lié au fait de mentir, Klaidman et Beauchamp en relativisent les effets négatifs en affirmant que les mensonges, les conflits d'intérêts, la malveillance, la malhonnêteté et le manque de respect envers les personnes sont, quantitativement parlant, des problèmes mineurs comparativement à l'incompétence des journalistes (1987, 24). À ce sujet, les auteurs insistent sur le fait que les journalistes sont trop souvent incapables d'éviter que leurs comptes rendus soient contaminés par leurs croyances personnelles; ils estiment aussi que les journalistes ont trop tendance à diffuser intégralement ce que leurs sources leur ont communiqué verbalement ou par communiqué, sans mettre ces propos en perspective.

Cependant, tous les journalistes ne partagent pas la conception négative du mensonge qui caractérise la règle déontologique dominante. Le journaliste américain Robert Scheer, auteur du livre *How the U.S. Got Involved in Vietnam*, affirme que toutes les méthodes sont bonnes pour obtenir de l'information, ce qui inclut aussi bien le mensonge que la corruption (Rubin 1978, 22). Scheer n'hésite pas à inventer un nouveau genre journalistique auquel il s'identifie, soit le « journalisme de guérilla », qu'il oppose au «journalisme d'accès à l'information». Pour obtenir de l'information, le second se sert des lois en vigueur tandis que le premier préfère les transgresser. Rubin ne partage pas cette façon de voir les choses. Sa crainte est que si les journalistes adoptent des pratiques outrageuses au nom de la divulgation et de la dénonciation d'autres pratiques outrageuses, où s'arrêtera cette dynamique qui heurte souvent les garanties démocratiques de notre société (1978, 22-23)? Selon lui, s'opposer à des gens en ayant recours aux mêmes méthodes, et en prétextant que la fin justifie les moyens, est étranger à l'esprit de la démocratie. Il faut aussi reconnaître que bien souvent les journalistes dénoncent non pas les résultats obtenus par ceux qui détiennent les différents pouvoirs politiques et financiers, mais les méthodes employées, comme la corruption, la spéculation, les promesses électorales non respectées, etc. En adoptant des méthodes semblables, on peut se demander si les journalistes pourront maintenir leur crédibilité, déjà sérieusement détériorée du reste, sans compter leur légitimité sociale.

Mentionnons, finalement, un pathétique cas de mensonge. Il s'agit de celui mettant en scène Joe McGinniss, un journaliste américain, et Jeff MacDonald, que la justice avait reconnu coupable du meurtre de sa femme enceinte et de ses deux petites filles. McGinniss, qui était alors éditorialiste au *Los Angeles Herald Examiner*, a écrit un best-seller intitulé *Fatal Vision* grâce aux confidences que le prisonnier MacDonald lui avait faites en échange de droits d'auteur. Cependant, le journaliste est peu à peu devenu convaincu de la culpabilité de son sujet, alors qu'il s'était porté à sa défense au début de leur collaboration. Il n'a cependant pas modifié son attitude à l'égard de MacDonald, qui s'en rendra compte, finalement, en lisant le livre où il est dépeint comme un assassin psychopathe. Il semble que McGinniss a ainsi continué de laisser croire à MacDonald qu'il le croyait innocent afin que ce dernier continue à lui communiquer les informations dont il avait besoin pour écrire son livre, pour lequel il avait déjà reçu une avance de son éditeur (Levy 1990, 24). Bien qu'il soit extrême et rare, ce cas est révélateur des mensonges auxquels des journalistes peuvent recourir pour arriver à des fins qui penchent plus du côté de leur intérêt personnel que de celui de l'intérêt public, les faits pertinents ayant déjà été rapportés dans le cadre du procès qui a été, comme le veut maintenant l'expression consacrée, très «médiatique».

Critères spécifiques

Cela nous amène au questionnement suivant : puisque la règle déontologique dominante en journalisme est de dire la vérité, donc de ne pas mentir, et puisque cette règle ne peut prétendre à l'applicabilité absolue, à quelles conditions peut-on recourir au mensonge, quels critères spécifiques peuvent aider à la prise de décision ? Voici quelques critères gravitant autour du même principe qui consiste à rechercher le *meilleur bien* et à éviter le mal inutilement infligé à autrui.

- *Le mensonge que je projette de commettre causera-t-il du tort ? À qui ? Au profit de quoi ou de qui ?*

Ce questionnement peut être assez pertinent en temps de guerre ou de crises sociales violentes. Le mensonge par omission y est plus fréquent ; celui-ci consiste à garder le silence sur des informations importantes en feignant l'ignorance. Le mensonge actif est plus problématique ; il consiste à diffuser des informations (faire de la désinformation en fait) que l'on sait fausses soit pour tromper l'ennemi et permettre à « ses » soldats de vaincre (ce qui implique une complicité relative aux actes qui causeront blessures et décès dans le camp adverse, y compris les civils), soit pour ne pas saper le moral des troupes et du public. La même question s'impose pour les journalistes qui savent, par exemple, que le dirigeant de leur pays est gravement malade et que la diffusion de cette information pourrait modifier des pourparlers majeurs, comme ce fut le cas en 1947 quand Jinnha, le fondateur et premier gouverneur du Pakistan, est décédé peu de temps après avoir obtenu que cet État devienne indépendant. Si son état de santé avait été connu publiquement, ceux avec qui il négociait auraient pu faire retarder les pourparlers et attendre l'arrivée d'un interlocuteur plus flexible à l'égard de leur point de vue. En somme, le journaliste doit se demander au nom de quoi il accepterait de mentir et, bien entendu, sa réponse devrait privilégier l'intérêt du plus grand nombre et non tenir compte uniquement de son propre intérêt.

- *Mentir est-il le seul moyen d'obtenir l'information désirée ou est-ce seulement le moyen le moins difficile ?*

Si le mensonge est le seul moyen, on doit se demander au nom de quelles valeurs on y recourra. S'il y a d'autres moyens et qu'on les écarte, il faut être en mesure d'expliquer les raisons de ce choix. S'agit-il de considérations économiques, morales, religieuses, politiques, etc. ?

Outre ces critères, revenons à Bok qui avance quatre principes pour justifier les mensonges : **éviter de causer du tort ou de blesser quelqu'un, produire des avantages sociaux, favoriser l'équité et favoriser la vérité**

(Bok 1999, 76). Si le premier principe est plus facile à justifier (mentir pour sauver la vie d'un autre ou la nôtre), il en va tout autrement en ce qui concerne le mensonge qui vise à produire des avantages sociaux. Il arrive souvent que le journaliste qui profère un mensonge cherche à détourner l'attention en faisant valoir les avantages que celui-ci procure (intérêt public, information, prévention contre de potentiels fraudeurs, etc.) alors que bien souvent le mensonge a profité surtout à sa carrière, aux cotes d'écoute de son média, à sa notoriété ou à son salaire. Ainsi, les mensonges présentés comme altruistes sont souvent un faux prétexte pour justifier un comportement qui sert avant tout les intérêts du trompeur (Bok 1999, 80-81).

La justification d'un mensonge qui favorise l'équité veut nous convaincre qu'on peut corriger ou atténuer une injustice en recourant à la tromperie. Par exemple, on pourrait mentir à un commerçant pour lui soutirer des informations qui lui seront nuisibles s'il a lui-même floué des clients qui se sont plaints au journal. On pourrait aussi utiliser une fausse identité sous prétexte qu'on n'aura pas accès à de l'information en s'en tenant à la vérité. Nous avons vu plus haut que de tels procédés sont exceptionnels et qu'ils doivent être utilisés en dernier recours afin de servir l'intérêt public. Bok souligne à cet effet que ce genre de tentative de justification implique des conceptions très personnelles en ce qui concerne ce que les autres méritent ou non, ou encore ce qui est mal et ce qui est bien, ce qui rend ces justifications très fragiles et biaisées (1999, 83). En somme, elles sont souvent impressionnistes et arbitraires.

Finalement, il y a le principe de justification reposant sur la vérité. Aussi surprenant que cela puisse paraître, il y a des gens qui mentent pour servir la vérité! En réalité, ils mentiraient afin que les autres ne mettent pas en doute leur honnêteté au sujet d'autres questions (Bok 1999,84). Chez les journalistes, la crédibilité est essentielle et il peut arriver de mentir sur un point précis, un détail souvent, justement pour que le doute ne s'étende pas à d'autres informations vraies qu'ils ont diffusées. Ils cherchent à éviter qu'un mensonge, s'il est révélé, ne mine la crédibilité d'informations vraies qui se trouvent également dans leur reportage.

ÉQUITÉ DANS LE TRAITEMENT DE L'INFORMATION

Cette forme d'équité s'impose dans la sélection des informations pertinentes à la compréhension de l'événement relaté afin de ne pas causer de préjudice injustifié aux individus ou aux groupes mis en cause, d'une part, et de permettre au public de se faire une opinion adéquate des faits, des événements et des gens dont il a été question, d'autre part. On y retrouve des thèmes récurrents, tels le recours aux simulations, manipulations et mises en scène en tout genre, l'existence d'omissions importantes qui dénaturent l'information et risquent de l'apparenter à de la désinformation, le sensationnalisme ainsi que la complexe question de la présence de sources d'information anonymes qui, bien souvent, profitent de cette tactique pour dénoncer des personnes qui ne savent pas à qui elles ont affaire. L'importance de ce dernier thème mérite qu'on s'y arrête longuement.

Les sources anonymes

Le journalisme, en tant que pratique professionnelle, ne peut pas faire l'économie des expériences, des connaissances, de l'expertise et des témoignages des citoyens de la société. Le travail des journalistes consiste à communiquer une description du réel qui soit la plus complète et fidèle possible. Puisque eux-mêmes ne possèdent pas toutes les connaissances nécessaires à l'appréhension et surtout à la compréhension de la réalité sociale, économique, politique, scientifique et culturelle, les journalistes ont recours à des sources d'information, ou sont sollicités par elles, afin d'y puiser la connaissance partielle, et presque toujours partiale, qu'ils ne possèdent pas.

Dans leur effort visant à fournir à leurs publics des comptes rendus précis et rigoureux des événements et opinions qui meublent et déterminent la réalité quotidienne, les journalistes sont obligés de « s'instruire » auprès de sources qu'ils estiment compétentes, fiables et pertinentes ; des sources qui sont au cœur de l'action sociale. Un peu par boutade, on entend souvent dire qu'un journaliste est aussi bon que ses sources sont fiables et bien placées.

Cette démarche obligée met en relation deux catégories d'acteurs sociaux ; les journalistes et leurs sources d'information. Ces personnages interagissent, s'influencent mutuellement, négocient, se heurtent ou « flirtent », si bien qu'il est inutile de disserter sur le métier de journaliste sans aborder à un moment ou à un autre la question des relations entre les journalistes et leurs sources. Les questions éthiques que ces relations soulèvent sont souvent difficiles à résoudre et justifient qu'on y consacre enquêtes scientifiques et réflexions critiques[4].

---

4.   La présente section consacrée aux sources anonymes s'inspire largement de travaux théoriques et empiriques que j'ai réalisés depuis 1990. La première édition du présent ouvrage y consacrait un chapitre qui a été remanié et mis à jour pour la nouvelle édition. Je chercherai ici à me limiter à la dimension normative de cette

Les relations entre les journalistes et leurs sources sont à plusieurs égards contradictoires. Elles prennent vie et se maintiennent à l'intérieur et au terme d'échanges complexes qui mettent en jeu plusieurs facteurs : l'honnêteté des sources (Mamou 1991, 195), la confiance que les journalistes peuvent mériter de leurs sources (Williamson 1979, 70-71) ou l'amitié qui peut se développer entre ces deux familles d'acteurs (Hamon 1991, 135). Certains parlent même de symbiose, terme emprunté aux sciences biologiques pour désigner une association permanente de deux êtres vivants, indispensable au moins à l'un d'eux et utile ou indifférente à l'autre. Il semble toutefois que les relations entre journalistes et sources sont plus réciproques que le laisse croire la définition de la symbiose. C'est au regard de l'ensemble des relations entre les journalistes et leurs sources, et non sur le plan individuel, qu'on peut parler de symbiose puisque celle-ci fait référence à une association permanente. Or, si les journalistes auront toujours besoin de sources, un journaliste peut très bien abandonner une source pour une autre. Quant aux sources, elles auront toujours besoin des journalistes, du moins tant que la société conservera son actuel système médiatique qui les oblige à passer par l'intermédiaire des journalistes pour avoir accès à une diffusion massive de leurs opinions et de leurs actes. L'irruption d'Internet et de l'information continue, bien souvent en direct, dans le jeu de la communication publique a certes modifié la donne, surtout depuis le milieu des années 1990, mais il est imprudent d'affirmer que les journalistes ont aujourd'hui perdu leur rôle d'intermédiaire entre les sources et le grand public.

Mais une symbiose n'est pas un phénomène statique, immobile, figé dans le temps et dans l'espace. Au contraire, à l'image des systèmes biologiques qui ne peuvent que mourir de l'immobilisme et qui luttent implacablement – mais vainement – contre ce destin, la symbiose doit générer un équilibre dynamique alimenté par les échanges entre ses constituants, par leurs négociations, leurs complicités, leur diversité, voire leurs conflits. En effet, au-delà d'une certaine tension entre ses constituants (mais laquelle ?), quand le désordre et la désorganisation gagnent inéluctablement du terrain sur l'ordre, l'organisation et l'harmonie des relations, la symbiose prend fin et les relations d'entraide et de complémentarité deviennent des relations d'opposition et d'antagonisme.

---

pratique. Le lecteur intéressé aux dimensions stratégique et politique du recours aux sources anonymes est invité à lire *Les Fantômes du parlement. Étude de l'utilité des sources anonymes chez les courriéristes parlementaires* (Presses de l'Université Laval, 2000).

Ainsi, en même temps que se nouent des relations humaines pour le moins harmonieuses entre les journalistes et leurs sources, il s'en développe d'autres qui tendent plutôt vers l'affrontement. Parfois, cette oscillation entre collaboration et affrontement se situe dans le temps, à des moments différents, chez les mêmes acteurs qui cherchent ainsi à marquer des points sans toutefois mettre en péril la relation qui les unit. Toute symbiose comporte en elle-même un affrontement virtuel. La collaboration et l'affrontement doivent donc être examinés simultanément, conjointement, et non être dissociés. Entre la symbiose parfaite et l'affrontement, les journalistes et leurs sources doivent trouver un lieu d'interactions qui leur permettra d'accomplir leur mandat, de façon optimale, tout en subissant le minimum de contraintes. C'est au sein de cette relation complexe, de cette problématique générale, relation abordée ici superficiellement parce que secondaire à mon propos, bien qu'elle lui soit vitale, que se situe notre problématique particulière, soit le recours des journalistes à des sources anonymes.

Mais qui sont ces sources anonymes ? Que sont-elles ? Que ne sont-elles pas ? Quelle est leur raison d'être ? Quelles sont leurs motivations ? Sous quelles conditions leur présence est-elle justifiée dans les médias d'information ? Avant d'aborder ces questions, il est essentiel en premier lieu de définir cette notion de source anonyme, d'en faire émerger les éléments clés et, surtout, d'éliminer toute confusion possible.

Une définition opérationnelle

Les définitions de la source anonyme sont assez constantes et générales. Pour Boeyink, il s'agit d'une source qui n'est pas nommément dévoilée dans un compte rendu journalistique. Une source est considérée comme anonyme malgré la divulgation partielle de certaines indications qui la caractérisent, par exemple « un haut fonctionnaire » ou « un proche du premier ministre », chose que préconise d'ailleurs Boeyink (1990, 244). Selon Culbertson, qui a mené plusieurs recherches à ce sujet, une source anonyme peut aussi bien être un organisme gouvernemental ou communautaire, un ou des individus et même une organisation médiatique comme une agence de presse ou un quotidien (1978, 459). Le moins que l'on puisse dire, c'est que cette façon de décrire la source anonyme ne constitue pas une définition satisfaisante, puisqu'elle se limite à l'énumération de ce qu'elle pourrait être et qu'elle englobe à peu près tous les systèmes vivants, qu'ils soient biologiques (individus) ou culturels (nations, organisations, etc.). C'est pourquoi il y a lieu de se tourner du côté de Wulfemeyer, qui a lui aussi effectué plusieurs recherches sur les sources anonymes présentes dans les comptes rendus journalistiques. Dans une étude réalisée en collaboration avec McFadden, il définit la citation anonyme comme étant une citation directe ou paraphrasée attribuée à un individu ou à des individus non nommés. Il a lui aussi observé que les sources anonymes étaient souvent désignées en fonction de leur appartenance à une organisation ou à un organisme, ou encore par des expressions comme « expert », « haut gradé », « observateur neutre » ou « subordonné » (1986, 471). Cette définition semble conforme à ce que sont les sources anonymes dans la réalité quotidienne et aux méthodes utilisées pour les désigner partiellement. Elle est cohérente avec celle que Wulfemeyer avait déjà proposée selon laquelle la source anonyme est une source d'information non désignée par son nom dont un journaliste rapporte les opinions, les spéculations ou les allégations de faits dans un compte rendu. Cette définition permet le recours aux indications partielles comme « une source bien informée », « un porte-parole du maire », « une source digne de foi », ainsi qu'aux tournures indirectes comme « on rapporte » ou « il est allégué » (1983, 45). Ces indications ne doivent cependant pas permettre au public de découvrir le nom de la source, contrairement à des expressions comme « le maire de X », le « voisin de Y » ou « l'ancien premier ministre », qui sont autant de façons de faire allusion indirectement à l'identité d'une source d'information. En ajoutant à cette définition la possibilité que la source anonyme soit dévoilée partiellement par son appartenance à des organismes divers (gouvernements, partis, groupes communautaires, etc.), on en arrive à une définition satisfaisante que je formulerai ainsi :

> Une source anonyme est une personne à qui un journaliste attribue des opinions, des prises de position et des informations diverses sans en révéler le nom au public auquel il s'adresse. Cette personne peut toutefois être partiellement décrite en faisant référence à ses compétences, ses expériences, ses titres, son appartenance à des organismes ou à des organisations variés, mais ces indications ne doivent cependant pas permettre de découvrir le nom de la source.

Eu égard à cette définition, voyons maintenant ce que les sources anonymes ne sont *pas*. Par exemple, des auteurs s'accordent pour distinguer la source anonyme du simple « contact ». D'après Williams (1978, 64), un « contact » est quelqu'un avec qui le journaliste a des relations plus ou moins occasionnelles, qui lui donne des éléments d'information à propos d'événements auxquels il n'est pas mêlé, et qui demande en plus d'être tenu à l'écart du compte rendu qui pourrait résulter de la communication de ces éléments d'information. Le « contact » se distingue donc de la source anonyme qui accepte de communiquer des informations au journaliste, et même de l'aider par d'autres moyens, à la suite d'une entente explicite selon laquelle elle ne sera pas associée nommément à ces informations. Foreman (1984, 21) estime que, contrairement au recours aux sources anonymes, l'existence de « contacts » et leur rôle dans le processus journalistique ne causent pas de problème éthique.

Il y a aussi la source inconnue, celle qui achemine de l'information au journaliste mais que ce dernier est totalement incapable d'identifier. Par exemple, les « enveloppes brunes » que reçoivent parfois les journalistes leur parviennent de sources inconnues. Le journaliste expérimenté peut avoir une idée de l'identité de cette source ou de son affiliation partisane, fondée notamment sur la nature même du document transmis, mais il ne peut en être assuré. Dans une telle situation, il doit se montrer très prudent et vérifier rigoureusement chacune des informations qu'il diffusera, tout comme l'authenticité du document entre ses mains afin de s'assurer de sa véracité et ne pas devenir un vecteur de désinformation, car il ne connaît rien de la crédibilité ou de l'expertise de sa source.

Il faut également distinguer la source anonyme de la source dite confidentielle. Essentiellement, leur différence réside dans le fait qu'une source anonyme devient confidentielle quand un journaliste, pour protéger sa source, refuse de la divulguer devant une instance judiciaire. La source anonyme et la source confidentielle peuvent donc désigner la même personne. Si l'identité de la première demeure inconnue du public à la suite d'un accord tacite intervenu entre elle et le journaliste, la seconde est protégée par le refus du journaliste de la dévoiler devant la justice. Ainsi, la question du recours aux sources anonymes n'est pas la même que celle de la protection de la confidentialité de ces mêmes sources devant la justice. Il existe certes un lien entre ces deux notions, mais leurs implications ne sont pas les mêmes. Shaw partage ce point de vue (1984, 60), tout comme Boeyink qui précise que, même si certains auteurs ont recours à l'expression « sources confidentielles » pour parler des sources anonymes, il préfère garder cette expression pour désigner la protection de la confidentialité des sources devant la justice (1990, 244).

Sur le plan chronologique, l'irruption de la source anonyme est antérieure à celle de la source confidentielle, car ce n'est qu'une fois que le journaliste a publié des informations obtenues d'une source anonyme que la justice peut chercher à connaître l'identité de celle-ci. L'anonymat de la source se matérialise en amont, son caractère confidentiel prend forme en aval. Protéger la confidentialité d'une source devant la justice, c'est assumer en aval la décision éthique prise en amont, c'est affirmer et défendre son choix devant une instance publique : la justice. Décider d'accorder l'anonymat à une source est un choix résultant d'une réflexion éthique (dans le pire des cas, d'un automatisme déontologique), protéger cette source devant la justice est «d'abord un précepte déontologique» (Dufour 1990, 31).

Nous savons mieux maintenant ce que sont les sources anonymes, mais *qui* sont-elles? Quelques auteurs ont tenté de répondre à cette question. La plupart des recherches se sont surtout attardées sur les points de vue des journalistes et du public, rarement sur ceux des sources elles-mêmes. Cela peut être attribuable à la difficulté méthodologique que poserait une recherche consistant à aller à la découverte des motivations d'individus par définition non connus. Mais la quête visant à mieux connaître les individus qui acceptent de devenir des sources anonymes n'est pas vaine. Les recherches ont déjà pu relever quelques-unes de leurs particularités. Ainsi, selon Culbertson (1978, 460), les travaux sur ce sujet suggèrent que les sources anonymes sont souvent des employés au bas de la hiérarchie qui acceptent de parler en vue d'un gain quelconque ou pour servir les intérêts de leur employeur, ou encore, une fois mis en confiance, dans le but de soulager quelque peu leur conscience.

Cette façon de voir les sources anonymes est partagée par certains, dont le journaliste américain Richard Smyser, qui décrit les sources anonymes comme de «braves types» en possession d'informations importantes pour le public, à propos de choses pas trop honnêtes, mais qui verraient leur carrière ou leur emploi menacé si leur nom était associé à la publication de ces informations (Foreman 1984, 23).

Motivations des sources anonymes

Mais pourquoi, alors, communiquer ces informations? Quelles sont les motivations qui poussent une personne à courir ce risque, l'assurance de l'anonymat ne reposant souvent que sur la parole d'un journaliste dont la fiabilité peut parfois faire défaut? Ces questions demeurent bien souvent en marge de la recherche scientifique portant sur les relations entre les journalistes et leurs sources. Généralement, le point de vue des sources anonymes est traité à l'écart, comme une digression dans des ouvrages consacrés plutôt à l'analyse des relations «normales» entre ces deux groupes d'acteurs qui obéissent à des règles de négociation, de collaboration, de compétition, cherchant à subir le moins de contraintes possible et à tirer le plus d'avantages de leur coexistence nécessaire.

À ce sujet, Gassaway déplore que les chercheurs accordent peu d'attention aux motivations des sources anonymes. Il a interrogé

15 personnes ayant agi comme sources anonymes pour des journalistes, certaines pendant plusieurs années et à de multiples reprises, dans le but d'informer le public de faits jugés importants. La majorité de ces personnes ont affirmé que, si le journaliste subissait des pressions pour révéler l'identité de ses sources, leur arrangement devait être reconsidéré. Parmi ces sources se trouvaient des avocats, des membres de l'administration gouvernementale, des administrateurs de l'entreprise privée, des officiers pompiers et des élus. Tous avaient été des sources anonymes plus d'une fois et huit d'entre elles l'avaient été plus de 25 fois (1988, 71). L'auteur précise que cinq de ses répondants ont déclaré être devenus des sources anonymes simplement parce qu'un journaliste leur en avait fait la demande. Ainsi, leur motivation première n'avait rien à voir avec des valeurs morales. À la lumière de ces données, on pourrait avancer que certaines sources anonymes ont des motivations *gratuites*.

Mais on ne peut pas se limiter à cette première constatation, d'autant plus que Gassaway fait valoir qu'une autre motivation pour devenir une source anonyme serait de venir en aide au journaliste, surtout quand ce dernier démontre à l'avance qu'il est assez bien informé. La source ne fait alors que confirmer les informations soumises par le journaliste, au lieu de trahir un devoir de réserve. Il y aurait donc là une motivation *altruiste*, puisque la source accepte de venir en aide au journaliste.

Parallèlement à cette motivation altruiste, se profile paradoxalement une motivation *égoïste*. Les sources anonymes interrogées par Gassaway ont affirmé avoir tiré une satisfaction et même parfois un avantage à communiquer des informations aux journalistes. L'auteur présume que le fait de voir ces informations publiées serait également gratifiant pour les sources (p. 76). Constatant que les sources sont intéressées à voir leurs informations diffusées, Gassaway croit que les journalistes pourraient se montrer plus sévères et faire preuve de plus de persuasion à leur égard afin qu'elles consentent à la divulgation complète de leur identité. Du reste, seulement 2 des 15 sources interrogées étaient d'avis que les journalistes devaient faire tout ce qu'ils pouvaient pour taire leur identité, alors que 11 ont déclaré qu'elles seraient prêtes à reconsidérer leur exigence d'anonymat si un journaliste était pressé par la justice de révéler leur identité (p. 74). Il existe donc une marge de manœuvre pour le journaliste.

À la suite des motivations gratuites, altruistes et égoïstes, on peut ajouter les motivations *politiques* et *partisanes* des élus et des membres de leur personnel politique qui ont fait de la fuite un art dans l'exercice duquel ils sont passés maîtres. Les motivations politiques et partisanes ne sont pas récentes. Aux États-Unis par exemple, on en trouve des traces qui remontent aux premiers jours de la république (Halloran 1983). Charron, de son côté, rappelle que les fuites « sont des armes de combat dans les guerres intestines » et qu'elles servent parfois « à court-circuiter la hiérarchie au sein du gouvernement, à contourner les blocages politiques et les lourdeurs administratives » (1990, 151-152).

La typologie des motivations des sources anonymes que suggère Hess distingue six catégories : l'*ego leak* pour mousser ses propres réalisations, le *goodwill leak* pour se faire du crédit en espérant un retour d'ascenseur du journaliste, le *policy leak* pour faire avancer un dossier en provoquant un déblocage, l'*animus leak* pour nuire à l'adversaire, le *trial ballon leak* pour tester les réactions du public, et le *whistle blowing* pour corriger une situation inacceptable ou scandaleuse (Hess 1981). Au chapitre de l'éthique et de la déontologie du journalisme, les sources anonymes qui cherchent à nuire aux adversaires sont plus condamnables que celles qui cherchent à dénoncer et à corriger une situation inacceptable et qui peuvent ainsi profiter de la protection que leur confère l'anonymat.

Cette « danse des fantômes », pour reprendre l'expression anglo-saxonne, que les motivations politiques et partisanes animent, n'a pu être empêchée par aucun des récents présidents américains, même si plusieurs astuces ont été utilisées pour lutter contre les fuites. Le gouvernement américain est même allé jusqu'à causer des problèmes divers aux journalistes trop réceptifs aux confidences des sources anonymes. Les journalistes ciblés étaient victimes de harcèlement, ils n'avaient plus le droit d'assister à certaines réunions de mise en contexte *(briefings)* et certains ont même fait l'objet d'enquêtes de la part du FBI (Sigal 1974, 145). Non contente de s'en prendre aux journalistes, l'administration américaine a de plus formellement ordonné à ses fonctionnaires de garder pour eux leur dissidence, avec le résultat que cette consigne s'est retrouvée dans les médias… à la suite de fuites ! Plus récemment, l'administration américaine de George W. Bush a vainement tenté de juguler les fuites qui rendaient compte de la démoralisation des troupes américaines en Irak.

En France, le général de Gaulle a lui aussi tenté vainement de mettre fin à certaines fuites non désirées, alors qu'il en alimentait d'autres lorsque cela faisait son affaire. Furieux que le journal *Le Monde* révèle la tenue prochaine d'expériences atomiques dans le Sahara, grâce à une fuite, le général de Gaulle avait condamné « l'irresponsabilité » du prestigieux quotidien, tandis que l'auteur de l'article se voyait retirer son accréditation. Le général trouvait « incroyable qu'on admette des accrédités qui sont habilités à pêcher des informations dans les services en des domaines aussi sensibles. C'est monstrueux ! » (Peyrefitte 1994, 532).

La règle dominante : mentionner et nommer les sources

Le recours aux sources anonymes dans les comptes rendus journa-listiques préoccupe le public et, s'il fut un temps où peu de codes de déontologie en faisaient mention (Braman 1988, 75), il semble que la situation a changé car cette question est maintenant abordée dans au moins la moitié des codes de déontologie américains (Steele et Black 1999, Son 2001).

Pour leur part, les lecteurs veulent connaître l'identité des sources, fait valoir David Shaw, un journaliste du *Los Angeles Times,* qui a consacré un long reportage à ce phénomène (1984, 52). Avec les questions des conflits d'intérêts et des reportages trompeurs, celle des sources anonymes est abordée dans la plupart des congrès de la profession et figure au menu de bon nombre de programmes d'enseignement du journalisme (Stein 1985, 84). Par exemple, l'ex-chef du Parti libéral du Québec et ex-ministre libéral Claude Ryan n'a pas caché le mépris qu'il vouait à l'endroit des politiciens qui transgressent la règle du secret ministériel en coulant des informations aux courriéristes parlementaires, lors d'un atelier du congrès annuel de la Fédération professionnelle des journalistes du Québec, en 1998.

Cette préoccupation apparente est cependant moins visible lorsqu'on part à la quête de la documentation scientifique qui en traite. En effet, la recherche portant précisément sur les sources anonymes n'est pas abondante et, quand ils s'y intéressent, les chercheurs portent surtout leur attention sur les journalistes, rarement sur les sources elles-mêmes (Gassaway 1988, 69).

La problématique du recours aux sources anonymes aurait pourtant pu gagner en popularité auprès des chercheurs grâce à l'incidence de deux événements très médiatisés qui ont marqué le journalisme américain au début des années 1970 et mis en lumière de façon explicite les avantages et les risques associés aux sources anonymes. Le premier événement fut le scandale du Watergate, qui a conduit à la démission du président Richard Nixon. Ce sont deux journalistes du *Washington Post* qui ont révélé cette affaire au public américain grâce aux informations que leur avait communiquées une source demeurée anonyme. Cet événement sans précédent a contribué à auréoler un genre journalistique particulier, soit le journalisme d'enquête, et une pratique journalistique précise : le recours aux sources anonymes.

Le responsable à Washington du bureau du quotidien *Sacramento Bee,* Ed Salzman, a constaté que, depuis le Watergate, les journalistes sont attirés par ce qu'il qualifie de « prétendu journalisme d'enquête » et a entendu à plusieurs reprises des journalistes proposer l'anonymat à leurs sources afin qu'elles soient plus loquaces (Cunningham 1983, 36). C'est dire que le recours aux sources anonymes semble être devenu une seconde nature chez certains journalistes, une « exception » qui en est de moins en moins une, une exception qui *érode* peu à peu la règle dominante exigeant que les journalistes mentionnent leurs sources, et dont il sera question plus loin.

Le second événement journalistique est nettement moins glorieux que l'histoire du Watergate. Il s'agit de l'affaire Janet Cooke, une journaliste, également du *Washington Post,* qui a remporté un prix Pulitzer pour son émouvant reportage racontant l'enfer d'un gamin âgé de huit ans forcé par sa mère et l'amant de cette dernière à consommer de l'héroïne. Son article percutant était basé exclusivement sur des sources anonymes. Ce drame attira l'attention des autorités policières et des services sociaux qui tentèrent de retrouver le gamin afin de lui venir en aide. C'est à ce moment que Cooke, pressée de questions embarrassantes, a dû avouer qu'elle avait fabriqué de toutes pièces son article. Le prix Pulitzer lui a été retiré en avril 1981. Cette affaire suscita plusieurs réactions négatives et devint le prétexte d'une avalanche d'articles sur l'éthique des journalistes (Anderson 1987, 342). De façon plus générale, Hale soutient que le scandale du Watergate et l'affaire Janet Cooke ont mis en lumière l'épineuse question du recours aux sources anonymes (1984, 55).

Plus récemment, la couverture médiatique de l'affaire Clinton-Lewinsky a ramené la question des sources anonymes au devant de la scène, puisque cette pratique journalistique a été vivement critiquée. Le « scandale » impliquant le président américain Bill Clinton et la stagiaire de la Maison-Blanche, Monica Lewinsky, a été révélé au public en janvier 1998. Le mois suivant, une recherche menée sur la production médiatique pendant la première semaine de l'affaire Clinton-Lewinsky a révélé qu'une importante proportion des affirmations rapportées par les journalistes provenait de sources anonymes. Dans les grands quotidiens analysés par l'équipe du Princeton Survey Research Associates (*New York Times, Washington Post, Los Angeles Times, Washington Times*) 38 % des énoncés étaient anonymes, alors que 36 % étaient associés à des sources identifiées. Dans les magazines analysés (*Time, Newsweek*), la proportion des énoncés anonymes s'élevait à 14 % contre 23 % pour ceux provenant de sources identifiées, le reste provenant de références à d'autres médias ainsi que de l'analyse et des spéculations journalistiques. Quant aux principaux réseaux de télévision (CNN, ABC, CBS, NBC), la proportion d'énoncés anonymes variait de 7 % à 26 % selon l'heure (matin ou soir) et le jour (semaine, week-end) de présentation d'émissions d'information et d'affaires publiques. Ce sont surtout les émissions d'information matinale et de soirée qui ont eu recours à des sources anonymes (Committee of Concerned Journalists 1998). Si l'on peut affirmer que les normes professionnelles ont été les premières victimes de l'affaire Clinton-Lewinsky (Ricchiardi 1998, 2), avec son lot de rumeurs, d'insinuations et de faussetés, le vice-président du bureau de CNN à Washington, Frank Sesno, estime néanmoins que le bon côté de l'affaire aura été de resserrer les critères de sélections des informations provenant des autres médias, afin de ne pas diffuser à répétition les mêmes faussetés ou demi-vérités (Robertson 1998, 2).

Soulever la question des sources anonymes revient à dire implicitement que cette pratique est non conforme à la règle dominante, une pratique « déviante » en quelque sorte. Mais quelle est cette règle dominante ? Quels en sont les fondements ?

On peut dire que la règle dominante prescrit aux journalistes de mentionner et de nommer leurs sources d'information. Les fondements de cette règle sont doubles et complémentaires. Le premier fondement, qui fait appel à la notion de crédibilité, repose sur la capacité du public de juger de la pertinence et de la compétence des sources d'information qui s'expriment dans les comptes rendus journalistiques, ce qui implique que le public soit informé de l'identité et des particularités des sources d'information des journalistes. Par exemple, le *New York Times* révèle souvent l'affiliation partisane d'une source anonyme, afin de maintenir la crédibilité de son information (Robertson 1998, 3). Le second fondement repose quant à lui sur une certaine définition de l'objectivité journalistique qui exclut le journaliste-sujet de ses propres comptes rendus pour y mettre en scène des acteurs. Le journaliste est ici perçu comme « un rapporteur officiel » forcé de nommer les auteurs des déclarations qu'il rapporte, les acteurs d'événements dont il rend compte. Ces deux fondements (crédibilité des sources et objectivité journalistique) sont censés permettre aux citoyens d'en arriver à une connaissance des événements et des opinions des acteurs sociaux à partir de laquelle ils pourront se former une opinion éclairée et porter des jugements rationnels. En ce sens, ces fondements ont un caractère d'utilité sociale. Je vais me concentrer surtout sur le premier fondement dans le présent chapitre, la question de l'objectivité journalistique sera abordée au chapitre suivant.

De plus, il faut rappeler que l'identification des sources qui jouissent de l'anonymat pour porter des jugements critiques à l'endroit d'un individu ou d'un organisme relève de l'*équité procédurale*, chacun ayant intérêt à savoir qui l'accuse afin de mieux se défendre.

La crédibilité des sources d'information

Mentionner les sources est la règle professionnelle dominante non seulement pour les journalistes d'Amérique du Nord, mais également pour ceux de presque tous les pays du monde. Une bonne indication à cet effet est que les codes de déontologie recensés à l'échelle internationale par Cooper et Juusela font invariablement référence au devoir moral des journalistes de protéger la confidentialité des sources à qui ils ont promis l'anonymat, reconnaissant implicitement que la règle dominante est de nommer les sources dans les comptes rendus et de ne les taire que dans des situations exceptionnelles. Encore une fois, le *Guide de déontologie des journalistes du Québec* énonce que les journalistes « doivent identifier leurs sources d'information afin de permettre au public d'évaluer le mieux possible la compétence, la crédibilité et les intérêts défendus par les personnes dont ils diffusent les propos » (1996, 16). Cette règle professionnelle consiste donc à désigner nommément la source d'information, mais aussi à la situer dans son contexte social en révélant ses appartenances politiques et sociales ainsi que ses convictions morales, en somme en lui apposant une ou plusieurs étiquettes qui serviront au public de points de repère. De l'avis de Lasorsa et Reese, il s'agit d'une pratique fondamentale à laquelle doivent se soumettre les journalistes. Cette pratique permet au public de prendre connaissance et d'évaluer la compétence et les motivations des sources (1990, 60-61). Les lecteurs, les auditeurs et les téléspectateurs sont alors en mesure de porter un jugement critique sur la crédibilité de ces sources.

Il faut cependant faire attention à ce type d'énoncés que les enquêtes empiriques contredisent parfois. En effet, si la divulgation des sources d'information permet au public de mieux évaluer leur crédibilité, cela ne signifie pas automatiquement qu'une source anonyme n'est pas crédible aux yeux du public. Les recherches d'Adams (1962 et 1964), de Riffe (1980), de Hale (1984) témoignent d'une réalité complexe où la crédibilité des sources anonymes est évaluée selon le contexte de la nouvelle, son caractère vraisemblable ou encore selon la crédibilité de l'institution (gouvernement, police, Église, etc.) à laquelle la source anonyme est associée. Dans certains cas, les sources anonymes associées à une institution donnée seront jugées plus crédibles par le public que les sources d'information connues de la même institution. Cela pourrait s'expliquer de la façon suivante : le public estime que la source dit la vérité, que cette vérité est importante mais dérangeante pour l'institution à laquelle est associée la source, et que pour protéger celle-ci d'éventuelles représailles, le journaliste lui a assuré l'anonymat. Cette hypothèse reste toujours à être confirmée ou réfutée par d'éventuelles recherches empiriques.

Cependant, il est certain que, lorsque l'identité des sources d'information n'est pas dévoilée, le public ne peut pas juger de leur compétence, de leurs motivations ni de leurs intérêts.

Par ailleurs, dévoiler les sources permet à l'observateur extérieur de recenser celles qui ont accès aux journalistes et de comprendre comment elles présentent et font valoir leurs causes (Lasorsa et Reese 1990, 61). De leur côté, Klaidman et Beauchamp estiment que cette pratique permet de connaître ce qui différencie les médias, à partir de leur sélection des sources dont les points de vue seront diffusés (1987, 163). Ces auteurs soutiennent que, du point de vue du journaliste, c'est l'intérêt public qui doit avoir préséance, et non l'intérêt de la source demandant l'anonymat, laissant ainsi entendre implicitement que la règle dominante vise justement à servir l'intérêt public. Allant plus loin dans l'argumentation soutenant cette règle, Hulteng estime que, dans certains cas, l'identité de la source d'information constitue un élément vital de la nouvelle et que le journaliste doit la révéler car, autrement, son reportage serait incomplet et porteur d'une confusion potentielle pour le public (1976, 92).

La reconnaissance de l'importance de nommer la source ne se limite pas au milieu journalistique, le public y perçoit également son intérêt. Lors d'un sondage Gallup réalisé en 1981, la majorité des Américains se disait en faveur du journalisme d'enquête, mais cet appui massif s'effritait quand on les questionnait à propos des quatre principales méthodes utilisées par les journalistes d'enquête, dont le recours aux sources anonymes (Goodwin 1987, 190-191). Par ailleurs, 79 % des répondants étaient en faveur de ce genre journalistique lorsqu'il vise à découvrir les cas de corruption et de fraudes dans le milieu des affaires, au sein des gouvernements ou d'autres organisations. Toutefois, ils étaient nettement moins favorables aux méthodes d'enquête que sont l'utilisation de caméras et de microphones cachés, le recours à une fausse identité par le journaliste, les sources anonymes et la rétribution des informateurs. Cependant, la méthode la mieux acceptée était l'anonymat des sources[5], bien que les résultats témoignent d'une polarisation de l'opinion publique sur cette question. Un autre sondage réalisé à Chicago a lui aussi fait état d'un

---

5.   Plus précisément, les Américains se prononçaient ainsi : taire l'identité des sources (42 % pour, 53 % contre), recourir à des caméras et des micros cachés (38 % pour, 58 % contre), payer les informateurs (36 % pour, 56 % contre) et ne pas se présenter comme journaliste (32 % pour, 65 % contre).

soutien populaire mitigé au recours aux sources anonymes, puisque seulement 55 % des répondants y étaient favorables (Rivers et Mathews 1988, 93).

Dans un autre sondage Gallup, 83 % des répondants étaient d'avis qu'il est probablement nécessaire que les journalistes accordent de temps à autre l'anonymat à leurs sources d'information (Wulfemeyer 1983, 44). Il est important de souligner deux choses ici. Premièrement, ce sondage a été réalisé près d'un mois après que le prix Pulitzer eut été retiré à la journaliste Janet Cooke, en avril 1981. L'effet de l'affaire Cooke est difficilement décelable, car il peut tout aussi bien avoir contribué à une opposition aux sources anonymes qu'à une réflexion sur leur utilité. Deuxièmement, les répondants ne se prononçaient pas pour ou contre le recours aux sources anonymes, mais plutôt sur l'utilité de cette pratique pour les journalistes, ce qui est différent quand on veut aborder la question sur le plan normatif.

Finalement, une enquête réalisée au printemps 1998, auprès du public américain, révèle que le doute persiste quant à l'acceptabilité de cette pratique. On y apprend que 59 % des répondants sont d'accord pour que les journalistes assurent l'anonymat de leurs sources seulement lorsque cela les protège d'un danger et 30 % sont d'accord pour qu'ils puissent le faire quand ils le veulent, tandis que 8 % croient que cela devrait toujours être interdit. Au chapitre de la crédibilité, 51 % des Américains ne croient qu'environ la moitié des informations anonymes quand une station de télévision locale diffuse des reportages basés sur des sources fantômes, 27 % croient moins du quart et seulement 15 % croient presque tout ce qu'ils entendent dans de telles circonstances (RTNDF 1998, 20-21).

La règle dominante qui vise à permettre au public de juger de la crédibilité des sources d'information est toutefois loin de s'imposer d'elle-même chez certains journalistes, pour qui le recours aux sources anonymes est une pratique profondément intégrée à leur travail, si bien qu'ils n'hésitent pas à requérir pour eux-mêmes l'anonymat lorsqu'un autre journaliste les questionne dans le but de produire un compte rendu sur les sources anonymes et le journalisme. Pour réaliser sa série de reportages, Shaw a rencontré des journalistes affectés à la couverture des activités gouvernementales, à Washington. Il affirme qu'ils accordent de façon routinière l'anonymat à leurs sources (1984, 63). Pourtant, ces journalistes ont généralement un public intéressé aux comptes rendus politiques, un public qui n'est pas indifférent à la présence de sources anonymes dans ces comptes rendus, comme l'ont observé Culbertson et Somerick (1977, 67).

Des sources anonymes fréquentes

Nous savons que le public est partagé sur la question des sources anonymes. Par ailleurs, il semble que les journalistes aient parfois tendance à prendre l'exception pour la règle dominante, selon Shaw. Le recours aux sources anonymes est-il vraiment en voie de devenir un réflexe professionnel ? Il semble que non si l'on s'en remet à Culbertson, qui s'est tourné vers les journalistes afin de déterminer les facteurs pouvant influencer leur évaluation du recours aux sources anonymes. Il voulait vérifier l'hypothèse selon laquelle les sources anonymes sont plus souvent utilisées et acceptées par les journalistes des grands journaux. Cela serait dû au fait que ces journalistes mènent généralement un plus grand nombre d'enquêtes sur des sujets controversés, lesquelles favoriseraient l'utilisation de fuites et de sources anonymes. Culbertson a constaté que les journalistes employés par des grands journaux étaient plus ambivalents à propos des sources anonymes que ne l'étaient ceux des petits journaux, ces derniers étant généralement plus réticents à les utiliser. Mais le chercheur n'a pas trouvé de corrélation statistiquement significative pouvant soutenir l'hypothèse voulant que les journalistes des grands journaux approuvent plus le recours aux sources anonymes que leurs collègues des petits journaux (1980, 406). Si l'hypothèse de base n'a pas été confirmée par la recherche, cette dernière a néanmoins le mérite de signaler que le recours aux sources anonymes n'est pas aussi automatique que le laisse croire Shaw, puisque cette méthode soulève ambivalences et réticences.

Les études empiriques effectuées sur la fréquence des sources anonymes dans les médias se limitent presque exclusivement aux médias américains. À ma connaissance, la recherche menée sur la présence de sources anonymes dans les comptes rendus des courriéristes parlementaires de l'Assemblée nationale du Québec demeure la seule du genre dans la littérature francophone (Bernier 2000).

En résumé, on peut dire que dans les quotidiens, tels le *New York Times* ou le *Washington Post*, on retrouve des sources anonymes dans presque le tiers des articles (Culbertson 1978, 457). Dans des magazines, tels *Newsweek* et *Time*, la proportion variait entre 70 % et 75 % (p. 457) dans une étude, et entre 77 % et 85 % dans une autre (Wulfemeyer 1985, 83). Si la pratique dominante est de nommer les sources, certains journalistes abusent du recours aux sources anonymes, observe Wulfemeyer en faisant état que 4 comptes rendus contenaient 15 citations attribuées à des sources anonymes, 3 comptes rendus en avaient 17, un reportage en contenait 20, et un article d'environ 4 pages contenait 42 citations anonymes! L'analyse des comptes rendus de 10 courriéristes parlementaires de l'Assemblée nationale du Québec révèle la présence de sources anonymes dans 28,3 % des articles, l'un d'entre eux atteignant même une proportion de 57 % (Bernier 2000, 59). Ces données témoignent de la présence abondante, inquiétante diraient certains, des sources anonymes dans les comptes rendus journalistiques des médias écrits.

À la télévision, les sources anonymes sont également abondantes comme on l'a vu plus haut dans le cadre de l'affaire Clinton-Lewinsky. De leur côté, Lasorsa et Reese ont comparé les comptes rendus des médias écrits et télévisés sur le krach boursier d'octobre 1987, pour conclure que les journalistes de la télévision ont eu plus souvent recours aux sources anonymes que leurs collègues de la presse écrite (1990, 69). Alors que les médias écrits[6], dans le traitement du krach, ont eu peu recours aux sources anonymes, il n'en a pas été de même du *CBS Evening News,* où les sources anonymes représentaient près de 40 % des sources mentionnées dans les comptes rendus. L'omniprésence des sources anonymes dans les reportages télévisés est confirmée par une autre recherche selon laquelle près de 55 % des comptes rendus analysés contenaient au moins une source anonyme (Wulfemeyer et McFadden 1986, 471). Les réseaux CBS et NBC étaient en tête, presque sur un pied d'égalité, avec respectivement 59 % et 57 % de leurs comptes rendus qui contenaient au moins une source anonyme, alors que cette proportion chutait à 47 % pour ABC. Au total, les chercheurs ont relevé 484 sources anonymes à l'intérieur des 227 comptes rendus retenus. Ils ont aussi remarqué que des sources anonymes étaient présentes dans plus de la moitié des nouvelles nationales et internationales. Cette présence était constante, sans égard au sujet du reportage. Ils concluent que la fréquence des sources anonymes est environ 20 % plus élevée à la télévision que dans les quotidiens, mais 20 % plus basse que dans les magazines d'information hebdomadaires (p. 473). Cette observation contredit une conclusion antérieure du même Wulfemeyer, qui estimait que les journalistes des quotidiens avaient plus souvent recours aux sources anonymes que leurs collègues de la télévision (1983, 49). Il expliquait que ce phénomène était attribuable au fait que les quotidiens publient plus de nouvelles que n'en diffusent les bulletins télévisés et que ces nouvelles sont obtenues au terme d'une recherche plus complète. Ce

6.   Il s'agit du *New York Times, Wall Street Journal* et *Newsweek.*

faisant, les journalistes des quotidiens seraient en contact avec un plus grand nombre de sources d'information et accorderaient à celles-ci plus souvent l'anonymat que ne le font leurs collègues de la télévision. Il appert que l'erreur a été d'établir une équation simple selon laquelle le nombre total de sources d'information avec lesquelles il est entré en contact influe sur le nombre de sources anonymes dans les comptes rendus du journaliste. On pourrait pourtant prétendre le contraire et soutenir que, règle générale, plus le nombre de sources d'information interrogées par un journaliste est élevé, moins on trouvera de sources anonymes dans son reportage. En effet, il est raisonnable de croire que le nombre de sources d'information interrogées diminue d'autant la dépendance du journaliste à des sources d'informations préférant demeurer anonymes. Il a ainsi plus de probabilités de trouver au moins une source d'information qui acceptera d'être citée et nommée.

Il semble qu'une seule étude porte sur la fréquence des sources anonymes dans les comptes rendus journalistiques radiodiffusés, mais elle est très surprenante car on y a observé que plus de 42 % des reportages analysés reposaient uniquement sur des sources anonymes, les écarts pouvant aller de 28 % à 53 % (Burris 1988, 692). Malheureusement, cette recherche étant la seule du genre, il est difficile d'en tirer un enseignement que l'on pourrait généraliser au milieu radiophonique. Elle suggère néanmoins que le recours aux sources anonymes n'y est pas exceptionnel.

Il semble que le recours aux sources anonymes ait connu un premier âge d'or pendant les années qui ont suivi le scandale du Watergate. Après l'affaire Janet Cooke, les journalistes auraient été plus hésitants à recourir aux sources fantômes, comme le suggérait l'étude de St. Dizier, qui avait observé que les journalistes avaient moins recours aux sources anonymes en 1984, quelques années après l'affaire Janet Cooke, qu'en 1974, alors que le Watergate battait son plein. En 1974, près du tiers des journalistes interrogés disaient recourir aux sources anonymes environ une fois par semaine, alors que cette proportion chute à 12 % en 1984 (1984, 46). D'autre part, la proportion de journalistes qui disaient n'y recourir que rarement était de 30 % en 1974 et a grimpé à 37 % en 1984. L'auteur note par ailleurs que tous les journalistes (100 % en 1974 et 97 % en 1984) ont recours à un moment ou à un autre à une source anonyme. La couverture journalistique de l'affaire Clinton-Lewinsky, l'abondance d'affirmations anonymes qui ont marqué les deux guerres que les États-Unis ont livrées à l'Irak et un contexte d'hyper-concurrence des médias commerciaux semblent favoriser l'apparition d'un second âge d'or qui repose peut-être moins sur le principe de transparence démocratique et davantage sur celui de la rentabilité économique maximale des médias.

L'omniprésence des sources anonymes dans les médias en inquiète plusieurs qui y voient une menace, sinon une atteinte à la crédibilité des journalistes. Par exemple, 81 % des 203 membres de l'ASNE qui ont répondu à un questionnaire avaient le sentiment que les sources anonymes sont généralement moins crédibles que celles qui sont nommées (Culbertson 1980, 402). Ce jugement défavorable n'a toutefois pas empêché 28 % des répondants de demander qu'ils ne soient pas nommés dans le rapport d'enquête ! Autre indice de la méfiance à l'égard des sources anonymes, 75 % des journalistes interrogés par Anderson déclarent que les médias abusent de ces sources (1982, 364), et Foreman rapporte que plusieurs journalistes croient que le recours fréquent aux sources anonymes est cause de suspicion et de doute à l'égard de leur profession (1984, 20). Sensibles à ces inquiétudes, certains magazines américains exigent que leurs journalistes dévoilent à leur supérieur l'identité des sources auxquelles ils accordent l'anonymat, afin de permettre une vérification avec celles-ci pour s'assurer de leur existence véritable, et les responsables de *Vanity Fair* se vantent de refuser la publication d'énoncés provenant de sources dont ils sont incapables de déterminer l'identité (Sheppard 1998, 12).

Dans le cadre d'une importante étude consacrée à la recherche des causes du déclin de la crédibilité du public à l'endroit des médias d'information, l'American Society of Newspaper Editors a commandité la réalisation d'un sondage approfondi révélant que 77 % des Américains mettaient en doute la crédibilité des reportages contenant des sources anonymes (ASNE 1998). Bien que cette enquête se soit déroulée dans le sillage de l'affaire Clinton-Lewinsky, elle n'en révèle pas moins le malaise que cette pratique suscite quand le public en prend conscience. Dans ce sondage, 45 % des répondants étaient d'avis que les médias ne devaient pas diffuser des informations attribuées uniquement à des sources anonymes, alors que 28 % étaient d'avis contraire et 23 % se disaient non intéressés par cette question.

On peut finalement retenir que la règle dominante qui consiste à nommer les sources est le plus souvent appliquée, bien que les exceptions donnent parfois l'impression de vouloir gagner du terrain à ses dépens. Cette règle est du reste généralement respectée par les journalistes des grands quotidiens américains, comme le *Washington Post* ou le *New York Times,* qui font des efforts pour réduire au minimum le recours aux sources anonymes. Mais cela n'a pas empêché le *Washington Post* d'y aller d'un article de 3 000 mots sur l'Amérique centrale sans nommer une seule source, et le *New York Times* de publier une analyse de 600 mots sur le survol du Liban par des avions américains sans désigner les sources autrement que comme des « analystes américains et étrangers » ou des sources « critiques de la politique de l'administration Reagan » (Foreman 1984, 20). En somme, la règle dominante demeure valorisée dans la rhétorique professionnelle, mais elle est très souvent transgressée dans la pratique quotidienne.

Les arguments en jeu

Pourquoi des journalistes ont-ils recours aux sources anonymes et pourquoi d'autres hésitent-ils, ou refusent-ils carrément de le faire ? Les arguments qui s'affrontent dans ce débat méritent d'être brièvement recensés. En caricaturant, on peut ranger dans les « pour » la grande famille de ceux qui voient dans cette pratique l'occasion de permettre la dissidence et la dénonciation (de cas de corruption, par exemple), tandis que les « contre » craignent surtout que l'anonymat serve à faciliter le travail des manipulateurs de l'opinion publique. Mais ce qui réunit ces deux grandes familles d'opinions, c'est leur prétention à défendre l'option qui sert le mieux la démocratie, l'intérêt public et la vérité.

Dans le clan des « pour », on fait surtout valoir que le recours aux sources anonymes favorisera la circulation de l'information, la transparence gouvernementale et la protection des sources. Ce sont là leurs arguments majeurs. Viennent ensuite des arguments secondaires selon lesquels le recours aux sources anonymes permet au journaliste d'être plus rigoureux et précis dans ses comptes rendus (quand, par exemple, sa source est un fonctionnaire qui lui fournit des détails précis, alors qu'il ne devrait pas parler aux journalistes). Il favoriserait aussi les primeurs et les exclusivités, ainsi que la concurrence entre médias. La recherche menée au sujet des courriéristes parlementaires de l'Assemblée nationale du Québec a bien confirmé l'importance de cette pratique pour le journaliste qui n'hésite pas à accorder l'anonymat, car cela favorise nettement la publication de *scoops* et d'exclusivités qui sont publiés dans les pages valorisées (la UNE par exemple).

D'autres font valoir que cette pratique relève tout simplement de la liberté de la presse et ne devrait pas être remise en question. Enfin, il y aurait également des avantages esthétiques à recourir aux sources anonymes, parce que cela permet d'alléger les comptes rendus et de les rendre plus « comestibles » et attrayants.

Chez les « contre », les principaux arguments avancés sont les risques de manipulation et de désinformation ainsi que les économies réalisées aux dépens du public (on suppose qu'il en coûte moins en temps et en énergie de s'en remettre à des sources anonymes que de se mettre en quête de sources qui accepteront de parler ouvertement). Parmi les arguments secondaires, des auteurs croient que cette pratique peut créer de la confusion dans le public (quand deux sources anonymes se contredisent, par exemple, et qu'il est impossible de juger laquelle semble la plus près de la vérité) ; il y aurait aussi un risque pour l'authenticité, car il est souvent difficile pour le public et pour les autres journalistes de vérifier le bien-fondé d'une information émanant d'une source anonyme ; cette pratique pourrait entraver la bonne marche des institutions (par exemple, en publiant les discussions des membres d'un jury ou d'un conseil des ministres) ; cela pourrait inciter des sources à se livrer à des attaques à l'endroit de personnes qui n'auront pas la capacité de savoir qui met ainsi leur réputation en péril. Certains font valoir qu'en assurant l'anonymat de ses sources, le journaliste participe à un système favorisant le secret, ce qui est contraire à son rôle social. Par ailleurs, d'autres avancent que les sources anonymes peuvent porter atteinte à la sécurité nationale sans en payer le prix. Finalement, on craint que cette pratique professionnelle serve parfois à satisfaire l'ego des journalistes qui laissent ainsi croire qu'ils ont « une grosse histoire ».

On voit qu'il existe d'excellents arguments dans les deux clans. Par ailleurs, et ce point n'est pas le moins important, le recours aux sources anonymes soulève des interrogations éthiques, car il va à l'encontre de la règle déontologique dominante selon laquelle les journalistes doivent mentionner et nommer leurs sources afin de mieux informer le public. Mais il existe des situations où le recours aux sources anonymes est le seul moyen de servir l'intérêt public, le scandale du Watergate en est un exemple convaincant. La règle déontologique dominante est aveugle devant ces situations, elle les rejette du haut de sa norme qui, dans certains codes, admet les exceptions, certes, mais ne précise pas ce qui les rend exceptionnelles, laissant ainsi les journalistes aux prises avec leurs questionnements éthiques, avec les risques de décisions arbitraires difficilement défendables *a posteriori*. C'est pourquoi ici encore, les journalistes ont besoin de critères spécifiques qui seront des outils intellectuels auxquels ils auront recours dans des situations où la dérogation à la règle dominante et le fait d'accorder l'anonymat à une source sont justifiables.

Critères spécifiques

- *Cette information est-elle si importante et existe-t-il d'autres sources identifiables pour l'obtenir?*

Plusieurs auteurs soutiennent explicitement ou implicitement ce critère du dernier recours[7]. Des réseaux de télévision américains en font même une règle catégorique (Wulfemeyer et McFadden 1986, 469-470). Le journaliste devrait s'efforcer de convaincre ses sources de se laisser nommer. En cas de refus, il devrait se mettre à la recherche d'autres sources d'information identifiables. Si cela est impossible, il devrait considérer les critères suivants.

- *Le public serait-il privé d'une information vraiment importante pour lui, ou cette information sert-elle plutôt les intérêts de la source?*

- *Ai-je évalué et soupesé les bienfaits et les torts potentiels pour les autres?*

Cette question est d'autant plus pertinente que les informations de la source peuvent être dommageables pour des personnes qui ne sauront pas qui leur cause ce tort, ce qui rend le procédé encore moins équitable.

- *La source est-elle vraiment menacée de représailles si son nom est associé à cette information?*

Cette menace doit paraître assez probable au journaliste. Celui-ci doit user de son jugement et non pas s'en remettre aux affirmations de sa source qui peut exagérer les conséquences réelles de sa collaboration.

- *Serai-je en mesure de justifier publiquement pourquoi j'ai accordé l'anonymat à cette source?*

Lorsqu'un journaliste décide d'accorder l'anonymat à une source, ses raisons doivent être avouables et révélées au public. Il y a un large consensus à ce sujet chez les auteurs qui ont traité de la question. Selon Bovée, taire l'identité de sa source est en quelque sorte une méthode condamnable qui porte en elle un fardeau négatif que le journaliste doit justifier (1991, 142).

- *Le public sera-t-il en mesure de juger de la fiabilité et de la crédibilité de la source anonyme à partir de la description que j'en aurai faite?*

Le journaliste devrait aussi se demander s'il peut faire état des compétences de sa source et d'autres informations utiles pour son public sans pour autant nuire à sa source.

---

7.   Voir à ce sujet Sibbison (1987 56), Williamson (1979, 71), Wulfemeyer (1985, 126), Goodwin (1986, 24-25), Shaw (1984, 58) Bovée (1991, 140) et Foreman (1984, 22).

- *À moins d'avoir une source très fiable, puis-je vérifier les affirmations de la source anonyme et solliciter un point de vue différent avant la publication de l'information?*

Cela est important quand des informations provenant de sources anonymes risquent de nuire à quelqu'un. Foreman croit qu'il faut alors se mettre en quête de documents et d'autres sources indépendantes et, bien entendu, permettre à la personne mise en cause de donner son point de vue (1984, 22).

- *Ai-je révélé l'identité de la source anonyme et ses compétences à mon employeur et la source est-elle d'accord avec cette démarche?*

Ce critère revient très souvent dans les travaux sur les sources anonymes et jouit d'un large consensus. La source doit savoir que l'entente sur l'anonymat implique que le journaliste révélera l'identité de sa source à son employeur. C'est en effet l'employeur qui aura la charge de défendre son employé devant la justice si jamais des procédures judiciaires étaient prises contre ce dernier.

- *Suis-je prêt à aller en prison pour défendre ma décision d'accorder l'anonymat et ai-je demandé à la source si elle était prête à révéler son identité si une telle menace pesait sur moi?*

Ce dernier critère est déterminant, surtout quand les informations en cause concernent le gouvernement, la justice ou de grandes organisations puissantes qui ont les ressources financières pour poursuivre un journaliste afin de connaître le nom de ses informateurs. Aux États-Unis par exemple, le *Reporters Committee for Freedom of the Press* recense les cas de journalistes emprisonnés, parfois pendant quelques semaines, pour avoir refusé de fournir l'identité des sources auxquelles ils avaient accordé l'anonymat (RCFP 2001). La possibilité que la source refuse que son identité soit dévoilée, advenant le cas où le journaliste serait mis en demeure de le faire, rend la décision encore plus difficile, car le journaliste ne pourra pas revenir sur sa parole et dévoiler sa source afin de «sauver sa peau», ce qui m'amène à discuter des sources confidentielles.

Les sources confidentielles

La question des sources confidentielles est moins complexe, mais ses conséquences pour le journaliste risquent d'être plus sévères. Nous avons vu qu'une source devient confidentielle à compter du moment où une instance judiciaire quelconque demande au journaliste d'en révéler l'identité. Nous avons aussi défini des critères spécifiques qui aident le journaliste à décider s'il taira ou non l'identité de sa source à son public. Mais une fois qu'il a accordé l'anonymat à sa source, en toute connaissance de cause, le journaliste est-il absolument obligé de respecter son engagement ? La presque totalité des codes de déontologie consultés pour les besoins du présent ouvrage et les opinions d'autres auteurs semblent fermes à ce sujet : le journaliste est lié à son engagement, c'est une question d'honneur. L'Association canadienne des journalistes y voit une raison pour ne pas accorder l'anonymat à la légère (ACJ 2002). Pourtant, il s'agit là d'une affirmation discutable, comme tous les énoncés absolus du reste. On peut admettre l'existence d'une règle déontologique et éthique très forte, et presque incontournable une fois que le journaliste a bien évalué sa décision d'accorder l'anonymat. Cependant, des cas exceptionnels peuvent se présenter *a posteriori*. Par exemple, lorsque la source se sert de son anonymat pour attaquer des personnes et pour les accuser publiquement d'être les sources anonymes qui ont rendu publiques des informations importantes, voire secrètes, ou encore lorsqu'une source se permet de mentir et de tromper impunément le public grâce à ce procédé. Le *Guide de déontologie* de la FPJQ abonde dans le même sens quand il prescrit aux journalistes de « tenir leur promesse (d'anonymat) devant quelque instance que ce soit, sauf si la source a volontairement trompé le public » (1996, 17).

Que doit faire le journaliste quand il constate que ce qu'il croyait être une action visant l'intérêt public devient un moyen d'attaquer des innocents ? Doit-il se faire complice silencieux de cette mascarade pour respecter sa promesse de taire l'identité de sa source ? Le principe d'équité pousse plutôt à réagir. Dans certaines situations, il pourrait par exemple faire savoir publiquement que les personnes injustement dénoncées ne sont pas celles qui lui ont communiqué l'information, sans pour autant dévoiler sa source. Il peut ainsi venir en aide à des innocents sans « inculper » sa source.

Mais s'il doit absolument choisir entre protéger des innocents en dévoilant sa source, ou être le complice silencieux du tort causé à ceux que sa source a malhonnêtement mis en cause, il y a de bonnes raisons qui militent pour la première option, au détriment de la source qui, au fond, a menti au journaliste sur ses véritables intérêts. Si le journaliste a pris la décision d'accorder l'anonymat en se basant sur un ensemble d'informations qui se révèlent volontairement trompeuses *a posteriori*, il paraît légitime qu'il revienne sur son engagement, car l'objectif de service public a été détourné malicieusement par la source. Si le journaliste décide tout de même de respecter sa promesse et de ne pas dévoiler sa source, il devra assumer deux rôles : être le complice de la source qui rejette le blâme sur des personnes innocentes, et être la victime de la stratégie trompeuse de cette source. Face à un tel dilemme, la boîte de Potter devient utile afin de bien établir à qui doit aller l'allégeance du journaliste.

Certains critères spécifiques permettent cependant au journaliste d'évaluer s'il a de très bonnes raisons de ne pas respecter son engagement :

* *La source que je protège m'a-t-elle volontairement trompé afin de servir des intérêts autres que l'intérêt public ?*

* *Protéger ma source met-il en danger la réputation de personnes innocentes ? Qui en tirera profit ?*

* *Si cela était à refaire, et connaissant ce que je sais maintenant, aurais-je accepté d'accorder l'anonymat à cette source d'information ?*

Ce dernier critère ne justifie cependant pas à lui seul que le journaliste reprenne sa parole. Il faut de plus que les conséquences de son silence soient très sérieuses pour des tiers, et peu utiles pour l'intérêt public.

Les omissions

Taire les éléments d'information qui pourraient contribuer à dresser un portrait équilibré d'une situation ou qui semblent contredire la démonstration que le journaliste cherche à faire participe également du manque d'équité dans le traitement de l'information, plus précisément dans la sélection de ce qui sera diffusé et de ce qui sera occulté. À cet effet, le Conseil de presse du Québec affirme que les « médias et les journalistes doivent livrer au public une information complète et conforme aux faits et aux événements » (1987, 9), ce qui ne peut être interprété que dans le sens d'une information exempte d'omissions majeures et pertinentes à la compréhension des faits et événements rapportés par les journalistes. L'ombudsman de la SRC explique pour sa part que pour que « l'information soit complète, il faut qu'elle fasse état de tous les faits pertinents et des divers points de vue se rapportant à la réalité qu'on veut montrer. Par conséquent, il faut se méfier des omissions qui pourraient contribuer à fausser cette réalité » (1995, 106). Quant au *Guide de déontologie des journalistes du Québec*, c'est au chapitre consacré aux questions de vérité et de rigueur qu'il prescrit aux journalistes l'obligation de « situer dans leur contexte les faits et opinions dont ils font état de manière à ce qu'ils soient compréhensibles, sans en exagérer ou diminuer la portée » (1996, 8).

Que nous tournions notre regard vers les quatre horizons, nous retrouvons des normes professionnelles condamnant les omissions qui déforment la vérité. Aux Philippines, par exemple, le *Journalist's Code of Ethics* est on ne peut plus clair, quand on y affirme que les journalistes doivent scrupuleusement rapporter et interpréter les informations en prenant soin de ne supprimer aucun fait essentiel ou de déformer la vérité par des omissions ou des insistances inappropriées. Il y a plusieurs années, au Botswana, des participants à un atelier relatif à l'éthique et à la déontologie du journalisme ont recommandé l'adoption d'un code de déontologie reprenant ce thème majeur de la profession (MISA 1997). Par ailleurs, la Fédération internationale des journalistes affirme, dans sa déclaration de principes, que le journaliste « ne supprimera pas les informations essentielles et ne falsifiera pas de documents » (FIJ 1986). Même avec une tradition journalistique plus portée vers le commentaire, la *Charte* du quotidien *Libération* soutient néanmoins que l'objectif de ce journal est :

> « …de fournir une information complète et vérifiée, dans tous les domaines. [...]
>
> La distinction du fait et du commentaire, affectée en France par une tradition journalistique où l'écriture, donc l'humeur et la subjectivité, participent (SIC) du style des journaux. Reste qu'au minimum nous devons nous interdire l'opinion de "contrebande" : de la sélection intéressée d'informations au détriment d'autres, à l'usage insidieux d'adjectifs ou d'adverbes dans le corps d'articles ou la rédaction de synthèses à partir de dépêches. » (*Libération* 1997)

De nombreux autres textes déontologiques reprennent cette prescription sous une forme ou une autre et il serait inutile d'en faire une recension exhaustive.

Simulations et mises en scène

Les thèmes de la simulation et de la mise en scène sont abordés moins fréquemment que ceux de la vérité et du mensonge. Il convient de distinguer deux types de simulations : il y a d'abord la mise en scène explicite et révélée comme telle que constituent la reconstitution et la simulation d'événements. Généralement, cette forme de simulation fait l'objet d'une mise en garde. Il y a ensuite la mise en scène à propos de laquelle le public n'est pas clairement averti et qui cherche tantôt à reconstituer et à simuler des événements, tantôt à vouloir communiquer une réalité que l'on sait vraie, ou que l'on présume vraie, mais à propos de laquelle personne ne veut se « mouiller ». C'est surtout dans le second type que l'on peut parler d'une méthode trompeuse de traiter et présenter l'information au public, bien que cela puisse aussi être le cas dans le premier type si la reconstitution et la simulation ne reflètent pas rigoureusement la réalité que l'on veut communiquer. À ce moment, il faudra aussi départager ce qui relève, d'une part, de la tromperie intentionnelle et, d'autre part, de l'incompétence professionnelle.

La règle déontologique dominante est assez claire relativement à la simulation. Comme l'énonce très bien une des règles déontologiques de l'Union des journalistes de la Finlande (1992), le public doit pouvoir distinguer le recours à des situations fictives des événements réels. La Société Radio-Canada affirme que toute « reconstitution ou simulation doit coïncider le plus étroitement possible avec l'événement qu'elle est censée représenter » et ajoute qu'il faut « prévenir clairement l'auditoire par un procédé sonore ou visuel » (SRC 2001, 107-108). Le guide de la FPJQ tolère également les reconstitutions sous condition de rigueur, tout en notant que certaines sont anodines et ne portent nullement à conséquence (demander à quelqu'un de parler au téléphone pour avoir des images, etc.)

Certains critiques de cette pratique journalistique utilisent l'expression « information hyperréaliste » pour désigner ce procédé de plus en plus répandu, principalement pour les besoins de la télévision. Voici deux exemples d'informations « hyperréalistes » signalées, et dénoncées, par Berrah. Ils illustrent bien ce qu'est la fiction comme procédé journalistique trompeur. Précisons cependant que Berrah ne fait pas de distinction entre simulation déclarée et simulation non déclarée puisque, à son avis, la dramatisation, la simulation et la reconstitution d'événements sont toutes des techniques génératrices d'informations hyperréalistes qu'il dénonce en bloc.

Le premier exemple concerne le lecteur de nouvelles Dan Rather. Lors des événements de juin 1989 sur la place Tienanmen à Pékin, Rather a profité du fait que CBS avait acheté les dernières minutes de transmission d'un satellite pour monter un scénario : pendant un reportage diffusé en direct, l'image disparaît soudainement et en même temps Rather coupe volontairement la communication téléphonique. Le gouvernement chinois avait prévenu CBS de l'heure à laquelle le satellite allait cesser de retransmettre. Dan Rather a eu recours à cette interruption de service annoncée pour reconstituer une séquence qui s'était réellement déroulée la semaine précédente, et ainsi laisser croire au public à l'écoute que CBS était victime d'un acte de censure de la part des autorités chinoises. « De telles méthodes de travail font l'objet d'un débat entre, d'un côté, les tenants de la véracité du fait et, de l'autre, les *golden boys* de l'information, producteurs de ces *news*. Ceux-ci estiment que la conquête de l'audience autorise quelques entorses à la déontologie, et notamment le recours à la reconstitution pourvu qu'elle soit signalée par le mot *dramatization*», fait savoir Berrah (1990, 23), visiblement choqué par un tel procédé qui, du reste, a été l'objet de plusieurs critiques dans les grands médias américains, ce qui a forcé Rather à s'expliquer.

Le second exemple de reconstitution trompeuse concerne l'affaire Felix Bloch, diplomate américain en poste en Autriche de 1981 à 1987 et soupçonné d'être à la solde du KGB, à l'époque de la guerre froide entre les blocs communiste et capitaliste. En juillet 1989, «dans l'été débutant, ses aventures allaient bientôt constituer la trame d'un beau roman d'espionnage. La chaîne ABC, à l'émission *World News Tonight,* diffusait une " preuve irréfutable " de la collusion de Bloch avec Moscou. Au cours d'une séquence " exclusive ", Félix Bloch remettait une serviette à un agent soviétique. On apprendra plus tard que la scène était un faux, une reconstitution. ABC s'en excusera plus tard, trop tard» (p. 23).

À côté de ces reconstitutions d'événements on trouve la mise en scène, une pratique qui consiste à inventer une histoire afin de provoquer des réactions. Palmer relate le cas de la publication d'une fausse nouvelle afin de venir en aide à la police. Il s'agissait de diffuser une nouvelle voulant qu'un meurtre ait été commis sur la personne d'un individu déterminé, que les policiers de Hattiesburg, aux États-Unis, savaient menacé par un tueur à gage. La stratégie policière avait besoin de la diffusion de cette nouvelle pour que le commanditaire de l'assassinat se compromette d'une certaine façon et que les policiers lui mettent la main au collet. La fausse nouvelle a été diffusée grâce à la complicité d'un journaliste de Mississipi TV, alors que le rédacteur en chef du quotidien de l'endroit a refusé de se prêter à cette mise en scène (1989, 401-402). Ce cas pourrait être considéré comme à la frontière de l'acceptable, car il y avait de bonnes raisons de collaborer avec les policiers (peut-être aurait-il fallu mieux évaluer les probabilités de réussite de cette stratégie) et de bonnes raisons de ne pas le faire. Les cas limites *(borderline)* sont justement ceux où des personnes raisonnables se trouvent en désaccord quant au comportement à privilégier (Elliott et Culver 1992, 78). Si le recours aux critères n'élimine pas ces cas limites, il permet néanmoins de les discerner au milieu d'une foule de situations moins problématiques. La réflexion éthique ne conduit pas tout le monde à la même décision, mais lorsqu'elle est faite de façon rigoureuse, elle chasse beaucoup de confusion et indique assez clairement les zones de désaccord, ce qui a également été reconnu comme l'un des avantages de la boîte de Potter.

Les opinions concernant la simulation dans les reportages sont le plus souvent négatives. Sormany y voit «une solution de facilité utilisée par un journaliste qui n'arrive pas à dénicher un fait réel illustrant son propos» (1990, 67). Goodwin estime quant à lui qu'une histoire fictive est encore plus dommageable quand elle est si bien écrite que le lecteur est porté à la croire vraie (1986, 171). «Quiconque devient journaliste est supposé avoir compris que les mensonges et les feintes ne sont simplement pas permis. La fiction n'a pas sa place dans le journalisme», affirme-t-il on ne peut plus clairement (p. 179). Pour Koop, enfin, la plus sérieuse violation de la déontologie professionnelle est justement le recours à la mise en scène d'un événement qui est présenté comme un phénomène spontané (1980, 168).

Mais il s'en trouve également pour vanter les mérites du recours à la fiction, tel ce journaliste dont les commentaires étaient rapportés dans le magazine des journalistes chinois *The Journalism Front*. Il avait écrit un article à propos d'un ouvrier modèle qui a été largement repris par d'autres médias avant qu'on ne découvre, plus tard, qu'il s'agissait d'une pure invention. Bien qu'il ait été blâmé pour cela, le journaliste s'est défendu en faisant valoir que même si son histoire n'était pas véridique, elle a eu de bonnes conséquences sociales (Keguang 1989, 202).

Critères spécifiques

On constate que le recours à des situations fictives est très mal vu dans la profession. Le journaliste qui veut y recourir doit se demander s'il existe de bonnes raisons de transgresser la règle déontologique dominante. En plus des critères éthiques généraux communs à toutes les formes de tromperie, il doit aussi tenir compte de deux critères spécifiques:

• *Le public doit savoir qu'il s'agit d'une mise en scène.*

Ce point est considéré comme crucial par Olen (1988, 98), et le code de déontologie de l'Association des journalistes australiens énonce clairement que le public doit pouvoir reconnaître les reportages où l'on a eu recours à des situations simulées (Cooper *et al.* 1989, 292), comme le font du reste plusieurs textes déontologiques qui appliquent ainsi le test de la transparence.

- *La simulation doit se limiter à reproduire le plus fidèlement possible des faits dont la véracité a été très rigoureusement vérifiée et éviter toute spéculation.*

La reconstitution ou la simulation doivent refléter rigoureusement la réalité que l'on veut communiquer. En effet, il ne suffit pas d'avertir le public que la situation qu'on lui présente est simulée, elle doit aussi être représentative de la réalité, sinon elle ne répond plus aux critères d'information du journalisme. Il y a toute une différence entre recourir à la fiction pour mieux informer et y recourir pour divertir. Le journalisme ne doit pas être contaminé par le travail de journalistes aux plumes romancières incapables d'empêcher leur imagination et leur goût du *style pour le style* de transformer les faits afin d'enjoliver leurs comptes rendus.

Par ailleurs, on peut se demander si, à long terme, l'amalgame de scènes réelles et de mises en scène visant à reconstituer la réalité ne va pas contribuer à la confusion du public, surtout chez le jeune public qui grandit dans un contexte médiatique où la réalité et la fiction s'entremêlent constamment. Est-ce rendre un bon service au public que de contribuer aux risques de confusion sous prétexte de vouloir l'éclairer?

Il importe aussi de se demander à quelles fins on a recours aux mises en scène. Dans bien des cas, le journaliste y a recours pour des motifs organisationnels et de contraintes du travail (limites de temps, besoin d'images percutantes, etc.) et non pas en raison de l'impossibilité de trouver des sources fiables qui pourraient témoigner des événements.

Manipulation numérique

Les techniques de numérisation de l'information permettent plus que jamais de manipuler les images qui sont présentées à l'écran et dans les médias imprimés. L'interdit déontologique concernant la manipulation des images est considéré comme un prolongement du devoir de vérité, notamment dans le code de l'APME (1994). Frost donne l'exemple «infâme» d'une photographie d'un député du Parti travailliste britannique, John Prescott, dont le verre de bière a été remplacé par un verre de champagne par le *Daily Express* (Frost 2000, 137), pour le faire paraître plus bourgeois que travailliste. Steele et Black, dans leur analyse de 33 codes de déontologie américains, ont observé la présence de ce thème dans presque la moitié des cas, alors qu'il n'en était presque pas question par le passé (1999).

Dans le cadre de l'enquête d'Arant et Anderson, un responsable de site Internet a raconté que son média avait manipulé une photographie à l'aide du logiciel Photoshop, afin de voiler l'identité d'une personne accordant une entrevue où elle dévoilait des informations relevant de sa vie intime. Mais les journalistes se sont vite rendu compte que quiconque possédait ce logiciel pouvait faire une copie de la photographie et lui redonner son allure d'origine, ce qui permettait de reconnaître la source d'information. Il a donc été convenu d'enlever la photo du site Internet (Arant et Anderson 2000). Certes, la manipulation de photographies n'est pas nouvelle. Cette pratique a été étudiée dès 1989 (Gottlieb 1990) et a souvent été dénoncée quand des journalistes de médias traditionnels s'y adonnaient. Par exemple, il y a quelques années, le *National Geographic* avait déplacé une des pyramides d'Égypte pour avoir une image plus intéressante en page couverture, et *Newsweek* avait assombri le visage de O.J. Simpson, faisant face à des accusations de meurtre. Mais les nouvelles technologies permettent maintenant de créer des images et des documents vidéo virtuels d'un réalisme étonnant qui peut conduire à la diffusion de documents prétendant illustrer des événements qui ne se sont jamais déroulés, comme cela s'est produit dans une campagne électorale américaine (Pavlick 1998). Ce dernier estime que l'effett des manipulations est multiplié en raison de la numérisation et de la diffusion de l'information. Constatant que les entreprises de presse n'ont pas formulé de normes largement répandues à ce sujet, il s'inquiète des limites que s'imposeront les journalistes. Il faut souvent des incidents pour stimuler la réflexion et instaurer des normes, comme ce fut le cas, notamment, au *Asbury Park Press* du New Jersey, après qu'une personne eut été effacée d'une photographie pour ne laisser que deux personnages et créer le prolongement d'un mur en arrière-plan pour combler l'espace vide. Cette manipulation dénoncée a conduit le journal à se doter d'une politique en matière de retouches (Lasica 1988-1989). Un photographe du *New York Times* a déjà proposé que toute photographie retouchée et modifiée soit accompagnée d'un logo en avertissant le public, mais un tel symbole n'indique pas le degré de modifications apportées à l'image réelle (Mann 1998). Pour sa part, Newton est d'avis que l'application plus stricte de normes journalistiques traditionnelles permettra au photojournalisme de demeurer un acteur majeur parmi les rares diffuseurs d'informations vraies (Newton 1995).

Pour Frost, finalement, la manipulation d'une image ne fait pas référence aux techniques reconnues (équilibre des couleurs, contraste, masque, etc.) qui ont parfois lieu pour des raisons légales ou de sécurité (p. 138). C'est essentiellement lorsqu'elle trompe le public, volontairement ou par négligence, et lorsqu'elle déforme la réalité que cette manipulation est l'objet d'une critique. À cet effet, le code du *San Francisco Chronicle* prescrit clairement que toute altération d'une photographie doit être révélée au public en l'informant qu'il ne s'agit pas d'une illustration de type documentaire (1999).

DROITS HUMAINS ET DISCRIMINATIONS

Les droits de l'homme constituent désormais un élément incontournable de régulation de la vie des citoyens des grandes démocraties de notre époque. Ils imposent, ou cherchent à imposer, certaines libertés fondamentales qui ne seraient plus l'apanage des puissants mais plutôt le partage de tout être humain. La Déclaration universelle des droits de l'homme de l'Organisation des Nations Unies, en 1948, est en quelque sorte la référence en cette matière. Essentiellement, les 30 articles de cette déclaration s'opposent à toute discrimination basée sur le sexe, la race, la religion et les opinions politiques.

La Déclaration de 1948 est en quelque sorte l'aboutissement de près de trois siècles de luttes visant à faire reconnaître les systèmes philosophiques élaborés aux XVIIe et XVIIIe siècles. Au XVIIIe siècle particulièrement, ce sont Thomas Jefferson, John Adams et Samuel Adams qui ont fait la promotion des droits individuels comme impératifs d'une société démocratique (Lloyd 1991, 205). Ce thème général a bien entendu été repris par des philosophes contemporains, dont William Frankena (1963), qui a entre autres défendu l'idée que les êtres humains ont des droits individuels ne pouvant pas éthiquement être violés par leurs semblables.

Bien qu'elle soit générale et généreuse à souhait, la Déclaration de 1948 ne signifie pas pour autant que toutes les nations assurent le respect de ses principes, même celles qui en sont signataires, comme nous le confirment chaque année les désolants rapports d'Amnistie internationale et de Reporters sans frontières.

Cependant, bien au-delà des nations et de leurs gouvernements, le respect de ces droits est l'affaire de tous. Il est ainsi également l'affaire des journalistes, surtout, eux qui n'hésitent pas à revendiquer certaines de ces libertés fondamentales pour accomplir leur travail. Leur adhésion à ces libertés, pour se prétendre cohérente, devrait être respectueuse des contraintes qu'imposent à leur travail quotidien ces mêmes libertés accordées à leurs concitoyens. Le statut professionnel des uns, les journalistes en l'occurrence, ne doit pas nier le statut de citoyen des autres, la citoyenneté étant un concept plus fondamental sur lequel peuvent s'ériger les autres concepts sociaux (professions, vocations, relations sociales, etc.). Le citoyen moderne doit être considéré aussi bien du point de vue de ses droits politiques que de celui de ses autres libertés fondamentales, ce qui interdit *a priori* que ceux-ci autant que ceux-là soient sacrifiés sur l'autel des principes et des comportements professionnels.

Selon Lloyd, le respect des droits individuels comme pivot central des comportements éthiques ferait même l'objet d'un consensus (p. 202) et c'est sans doute dans cet esprit que l'ex-président de CBS, Arthur Taylor, déclarait, lors d'une conférence au congrès de l'International Press Institute, que les médias avaient, entre autres obligations vitales, celle de respecter la dignité humaine (Rubin 1978, 16-17). Même la plupart des spécialistes de l'interprétation du Premier Amendement de la Constitution des États-Unis reconnaissent que les droits individuels sont au nombre des éléments pouvant justifier une restriction de la liberté d'expression et de son corollaire, la liberté de la presse (Entman 1989, 103).

La reconnaissance et le respect de ces droits cherchent à accroître les chances que les humains vivent heureux et puissent s'épanouir librement, dans le respect des autres et de soi-même. Il s'agit d'assurer à tous les mêmes chances et moyens d'accéder au bien-être, sinon au bonheur, dans la mesure où les conditions de celui-ci ne deviennent pas la cause du malheur des autres. Il y a là un principe d'équité qui va radicalement à l'encontre des fondements du darwinisme social, où la lutte pour la survie justifie les inégalités entre humains et les encourage en quelque sorte, puisqu'on y voit le prétendu témoignage le plus révélateur de la valeur génétique d'un individu.

Le darwinisme social visait en somme à justifier les inégalités socio-économiques en soutenant qu'elles étaient les conséquences naturelles et même désirables des «inégalités» biologiques. Comme plusieurs autres, Jacquard conteste la validité même de cette conception biologique, et encore plus son utilisation comme fondement justificatif des inégalités socio-économiques pouvant mener à admettre un partage inégal des droits et libertés. Il soutient que «deux hommes ne peuvent être qualifiés d'iné-gaux, au sens où l'un est supérieur à l'autre, que si l'on considère une seule de leurs caractéristiques; pris globalement, ils ne peuvent qu'être différents; ces deux mots sont loin d'être équivalents, l'un consacre une hiérarchie, l'autre non» (1978, 187). Il ajoute que la lutte pour les droits de l'homme commence par la définition rigoureuse des mots, «car les mots sont des armes».

Au-delà de la dimension biologique, apparaît la question morale qui, selon Etchegoyen, «tourne beaucoup autour de l'affirmation répétée : le respect des hommes est [...] une priorité» (1991, 50).

Ces principes sont à la fois clairs et évidents. C'est sur ce terrain que les choses se compliquent pour les journalistes, car ils peuvent se retrouver devant des droits qui charrient des valeurs pouvant être conflictuelles. Certaines valeurs ne sont pas fondamentales ou inhérentes au respect des êtres humains. C'est par exemple le cas des valeurs commerciales qui incitent les gestionnaires à promouvoir la vente des journaux ou les cotes d'écoute, comme en fait mention Gerbner (Emery et Smythe 1989, 428). Mais le conflit de valeurs peut devenir bien plus ardu à résoudre lorsque la liberté d'expression est en cause et s'oppose à d'autres valeurs (vie privée, droit à la réputation, etc.).

Pour plusieurs, la liberté d'expression implique une libre circulation de l'information comme base du système démocratique, et la condition d'existence de la liberté d'expression serait l'accès sans entrave à toutes les sources d'information (Wilhelm 1991, 21). Ce genre d'énoncé est certes charitable, mais peu convaincant. Rien n'est en effet moins démontré que la relation de nécessité devant exister entre la liberté d'expression et l'obligation d'avoir accès à toute l'information existante ; ce serait confondre la liberté d'exprimer ses idées et ses opinions avec la reconnaissance d'une autre liberté, soit l'accès libre et total à toute la documentation sous-tendant l'ensemble des actes de libre expression (écrire, parler, commenter, etc.). Si cette relation de nécessité avait été évidente, on aurait alors précisé et reconnu une liberté d'expression *éclairée*, c'est-à-dire documentée. On a vu, au contraire, que la métaphore du libre marché des idées voulait favoriser la libre expression d'opinions et d'idées, en tenant pour acquis que la vérité survivrait à l'erreur au bout du compte. C'est admettre que des opinions et des idées seraient erronées, ce qui ne peut se produire que par manque de documentation et de connaissances pertinentes ou à la suite d'erreurs de nature cognitive et logique. Du reste, l'argument du libre accès à l'information peut aussi venir en conflit avec le respect de la vie privée, comme ce serait le cas pour un journaliste cherchant à tout connaître de la personnalité d'un premier ministre, d'un président ou de toute personnalité publique en vue d'éclairer son opinion sur cette personne.

Que l'accès à l'information soit un élément majeur de la vie démocratique est assez défendable, mais en faire un droit absolu et incontestable ne signifie pas nécessairement que l'intérêt public sera mieux servi. L'Europe serait-elle ce qu'elle est devenue aujourd'hui si Hitler et ses alliés avaient pu avoir un accès direct aux stratégies militaires des Américains, des Français, des Canadiens, des Britanniques, etc.? Les droits humains des Juifs, Tsiganes et handicapés mentaux auraient-ils été mieux respectés, eux qui étaient en tête de liste des «tarés» que la science nazie a exterminés de 1933 à 1945 afin d'assurer l'hégémonie de la race aryenne (Müller-Hill 1989), si les stratégies des Alliés avaient été librement diffusées dans les médias? On peut en douter.

L'amélioration des conditions d'accès à l'information est un objectif louable, mais la crédibilité de ceux qui la revendiquent gagnerait à ce que leurs arguments ne s'arrêtent pas aux affirmations gratuites édifiées sur des équations fallacieuses. Il semble au contraire que c'est quand on en limite rationnellement et raisonnablement la portée que les différentes et nombreuses valeurs des démocraties peuvent le mieux cohabiter. Toutefois, comme les droits humains ne sont pas tous de la même importance pour le bien-être des citoyens, il est normal que le poids de certains soit plus lourd que celui des autres. À ce sujet, Juusela nous invite à distinguer les droits de première, de deuxième et de troisième génération. Ceux de première génération sont dits fondamentaux et concernent les droits des citoyens et les droits politiques. Ils sont souvent inscrits dans les constitutions des pays. Les droits de deuxième génération sont de nature économique, sociale et culturelle, et sont généralement assurés par des textes de loi. Les droits de troisième génération, plus généraux, sont surtout revendiqués par les pays en voie de développement. Ils comprennent le droit à la paix, le respect de l'environnement et le droit au développement économique (1991, 2-3).

Mais les droits de l'homme, même les plus fondamentaux, ne reçoivent pas la même considération d'un individu à l'autre, de la part de ceux qui les gouvernent ou les dominent tout simplement. Cela vaut également pour les journalistes qui, souvent, se permettent des écarts de langage et des comptes rendus biaisés qui portent atteinte à certains droits fondamentaux des individus et peuvent même être «à l'origine de mépris et de cynisme envers la presse» (Giroux 1991, 123). Dans leur analyse des biais institutionnalisés des grands médias américains, Herman et Chomsky ont clairement fait la démonstration que les droits de l'homme varient en importance selon qu'il s'agisse de citoyens de pays amis des États-Unis ou de citoyens de pays considérés comme «ennemis». Ainsi, au temps de la guerre froide et dans des circonstances assez semblables, le meurtre d'un religieux polonais, Mgr Popieluszko, s'est révélé de 137 à 179 fois plus «important», si l'on considère la couverture médiatique, que celui d'un religieux du Salvador, Mgr Romero (1988, 39). Dans la même veine, les rapports d'Amnistie internationale traitant des droits humains bafoués dans les pays hostiles aux États-Unis ont une couverture médiatique beaucoup plus importante que peuvent en espérer des rapports semblables concernant les pays amis (p. 75).

Les droits humains et les codes de déontologie

Les trois générations de droits humains n'ont pas une représentativité égale dans les codes de déontologie des journalistes. Juusela a observé que les droits de troisième génération (paix, environnement et développement économique) sont absents des codes étudiés. Il fait cependant remarquer l'existence d'un consensus grandissant en faveur du respect de l'ensemble des droits humains (p. 89), une tendance qui se manifeste dans la plupart des codes déontologiques étudiés par Porfirio Barroso Asenjo. Ce dernier indique cependant que cet intérêt est surtout destiné à protéger les droits des journalistes (White 1989, 42-43).

Le respect des droits humains doit pourtant s'étendre à tous, de façon équitable, et non pas être revendiqué par certains corps professionnels ou sociaux sans que ceux-ci les reconnaissent aux autres. Cela semble du reste une condition fondamentale de toute réflexion éthique contemporaine. Nous devons tenir compte de ces droits dans notre hiérarchie des valeurs comme dans la détermination de nos allégeances. On peut aussi se référer à ces droits afin de reconnaître ceux qui les méprisent, les menacent ou en sont indignes, de par leurs comportements violents, par exemple.

Le journaliste doit donc prendre connaissance et tenir compte de *ses* et de *ces* droits humains, c'est-à-dire les interpréter dans le cadre de son travail, en relation avec ses valeurs professionnelles et personnelles. Mais son cadre de réflexion ne doit pas se limiter à *ses* droits et à *ses* valeurs, il doit considérer que les autres ont également la protection et les privilèges de *ces* droits et de *ces* valeurs. Il y a un travail de décentration afin de résister à la tentation corporatiste qui habite tous les groupes sociaux.

L'article premier de la Déclaration universelle des droits de l'homme, proclamée par l'Assemblée générale de l'ONU, énonce explicitement le principe voulant que tous les humains naissent libres et égaux en dignité et en droits. Les journalistes doivent donc s'efforcer de respecter cette égalité s'ils adhèrent au principe de cet article, et surtout s'ils le revendiquent pour eux-mêmes. C'est ce que traduit le code de déontologie des journalistes finlandais, lequel reconnaît qu'il faut protéger la dignité humaine et que les gens ont droit à leur réputation (Juusela 1991, 63).

Le code de la SPJ/SDX, aux États-Unis, dit sensiblement la même chose. Pour sa part, le *Guide de déontologie* en vigueur au Québec aborde la question des droits de la personne pour affirmer que les journalistes « doivent accorder un traitement équitable à toutes les personnes de la société » et, ce faisant, ne « peuvent faire mention de caractéristiques comme la race, la religion, l'orientation sexuelle, le handicap, etc. lorsqu'elles sont pertinentes » (FPJQ 1996, 19).

De même, le code des journalistes espagnols, comme 38 % des codes déontologiques étudiés par Barroso Asenjo, invite ceux-ci à ne pas pratiquer de discrimination sur la base de la race, de la couleur, du sexe, des convictions religieuses, des opinions politiques ou des origines sociales (1989, 78). Cette règle reprend presque mot à mot l'article 2(1) de la Déclaration, qui inclut aussi les origines de fortune, de naissance ou de toute autre situation comme ne pouvant servir de justification à la discrimination. Juusela signale que l'interdiction de la discrimination est en voie de devenir l'un des principes majeurs de l'éthique et de la déontologie journalistiques (1991, 85).

Les cas de discrimination fondés sur la race et la religion seront abordés de manière plus précise un peu plus loin, car les journalistes doivent davantage y faire face. Quant à la discrimination basée sur le sexe, elle est laissée de côté pour deux raisons. Premièrement, une approche féministe de l'éthique de l'information n'est pas encore véritablement implantée et il se trouve même des femmes pour prétendre que, sur le plan théorique, il serait stérile de vouloir établir des principes moraux féministes pouvant laisser croire qu'ils sont supérieurs à ceux existant déjà, lesquels proposent des règles impartiales, non discriminatoires et fondées en raison. Cela n'empêche toutefois pas certaines auteures de critiquer les valeurs masculines que peuvent refléter ces règles et d'en proposer qui leur semblent meilleures (empathie, tendresse, affection, etc.), comme l'a noté Christians lors d'un survol des développements en éthique de la communication publique (1991, 18). Deuxièmement, la discrimination basée sur le sexe se limite bien souvent à la faible présence des sources d'information féminines dans les reportages journalistiques (Emery 1989, 306). Ce phénomène soulève certes des préoccupations éthiques et déontologiques (sur le plan de l'équité, entre autres), mais on doit admettre que ce sont les routines professionnelles qui sont principalement en cause ici, et non pas un choix délibéré. On pourrait aussi soulever la question de la place accordée aux femmes dans les salles de rédaction, qui est loin d'être proportionnelle à leur présence dans la société (Strauss Reed, 1989). Là encore, on a affaire à des principes qui relèvent non pas de l'éthique et de la déontologie journalistique, mais bien de l'éthique sociale. Ce phénomène invite plutôt à une importante réflexion sur les iniquités et injustices sociales sans nécessairement mettre en cause directement les pratiques journalistiques quotidiennes. Toutefois, il y a lieu de critiquer un phénomène qui désavantage injustement les femmes journalistes à la télévision, auxquelles les gestionnaires font parfois bien des misères aussitôt qu'elles ont dépassé la quarantaine, ou que leur âge devient, disons, trop visible et ne répond plus à certains critères esthétiques retenus en raison de leur valeur commerciale. Dans ces cas de discrimination, c'est à la déontologie et à l'éthique des responsables de salles de rédaction et d'entreprises de presse qu'il faudrait en appeler, afin de leur recommander d'expliciter leur hiérarchie des valeurs, ne serait-ce que pour bien les confronter à eux-mêmes.

Avant d'aborder les thèmes spécifiques de la race et de la religion, il est pertinent d'énoncer quelques critères qui aideront les journalistes à déterminer dans quelles circonstances la dérogation aux règles déontologiques dominantes en matière de respect des droits humains serait justifiable.

Critères généraux

- *Y a-t-il un véritable intérêt public qui justifie de ne pas tenir compte en partie ou totalement d'un des droits universels reconnus aux humains? Cela va-t-il améliorer les choses?*

Bien entendu, on retrouve ici la préoccupation utilitariste liée à la promotion de l'intérêt public. Toutefois, il y a des circonstances où le journaliste doit faire état de faits pouvant contrevenir aux droits d'individus dont les agissements nient un ou plusieurs droits d'une ou de plusieurs autres personnes. Bref, les gens ont des droits, mais aussi des devoirs, et ceux qui menacent les droits des autres doivent s'attendre à être dénoncés, voire à y perdre leur dignité et leur liberté. Cette restriction rejoint l'article 30 de la Déclaration des droits de l'homme, qui stipule qu'aucune «disposition de la présente *Déclaration* ne peut être interprétée comme impliquant pour un État, un groupement ou un individu un droit quelconque de se livrer à une activité ou d'accomplir un acte visant à la destruction des droits et libertés qui y sont énoncés». Cela revient à dire qu'il ne sert à rien de reconnaître des droits et des libertés aux hommes pour ensuite les en priver de manière arbitraire en usant de violence, de tromperie, d'extorsion, etc.

- *Les fruits de mon travail, et les méthodes utilisées, respectent-ils le principe de la dignité humaine? Si j'étais en cause, ma dignité serait-elle injustement altérée?*

- *Est-il possible de respecter les droits de l'homme sans sacrifier le droit à l'information de mon public? Sinon, est-il possible d'atténuer les conséquences néfastes?*

La race

La couverture des minorités raciales compte parmi les 12 grands thèmes de recherche et d'enseignement en éthique du journalisme (Christians 1991, 10), car on postule que le travail des médias peut créer ou entretenir des stéréotypes raciaux au sein de la population. En parlant des journaux américains, Meyer affirme qu'il s'agit là d'un de leurs problèmes moraux (1987, 50). S'ils deviennent des vecteurs de propagation de stéréotypes raciaux contraires aux faits, les journaux alimentent ces stéréotypes et retardent d'autant les changements sociaux désirables. Meyer est d'accord avec ceux qui estiment qu'une des fonctions des journaux est de permettre aux gens d'avoir une meilleure connaissance de leur société et d'eux-mêmes. C'est pourquoi les journaux, comme les médias en général, doivent décrire la société telle qu'elle est réellement, et non s'en tenir aux idées reçues, celles-ci étant sources de préjugés et de discriminations diverses.

Les médias d'information américains ont mis du temps à se faire les promoteurs de l'égalité en matière de relations interraciales (Emery 1987, 50). Il faut se rappeler une époque assez récente où les journaux du sud des États-Unis usaient du Monsieur et Madame pour parler des personnes de race blanche, mais où ils ne recouraient jamais à ces formules de politesse lorsque des personnes de race noire étaient en cause (Hulteng 1981, 57). Heureusement, cette façon de faire est aujourd'hui largement condamnée. Mais certains journalistes, commentateurs et animateurs de tribunes radiophoniques ont encore le réflexe de recourir à l'argument de la liberté d'expression, non pour exprimer des idées et des opinions, avec lesquelles on pourrait être d'accord ou non, mais simplement afin de justifier leur droit à la discrimination raciale.

On doit ici souligner que, si la presse écrite a fait peu de cas de la question du racisme jusqu'au milieu du XXe siècle, la télévision par contre a eu une incidence majeure dans la lutte pour les droits civiques aux États-Unis. C'est la personnalité «médiatique» de Martin Luther King qui a permis cette impressionnante réforme sociale. Luther King était éloquent, capable de dramatiser ses discours afin de mieux persuader le public, et il a rapidement pu imposer sa rhétorique aux États-Unis grâce au petit écran cathodique noir et blanc (Christians 1986, 112).

Il survient encore des cas notables de discrimination raciale, cependant. Ainsi, en septembre 1986, l'ex-premier ministre japonais Nakasone a déclaré, dans un discours devant ses partisans, que si le niveau intellectuel des Américains était si bas, c'était parce que leur population comprenait des Noirs, des Mexicains et des Portoricains. Aucun des grands journaux du Japon n'a repris cette remarque, qui leur semblait peut-être aller de soi, jusqu'à ce que les grands médias des États-Unis en fassent état (Ito et Hattori 1989, 178). Cette vigilance antiraciste des médias américains n'est cependant pas homogène, car ces mêmes médias entretiennent des mythes et stéréotypes, surtout envers les Noirs qu'ils présentent encore plus pauvres qu'ils ne le sont réellement et qu'ils peuvent encourager des attitudes hostiles envers ceux-ci et miner le soutien aux politiques publiques leur venant en aide (Clawson et Trice, 2000). Dans le cas de la couverture médiatique des affaires criminelles à la télévision (qui est la principale source d'information des citoyens, surtout chez ceux qui s'informent le moins), les Noirs sont présentés comme plus menaçants que les Blancs et ces derniers sont davantage enclins à supporter des approches punitives à l'égard des premiers (Franklin et Iyengar 2000).

Un racisme sans fondements

Il est possible de comprendre non seulement l'existence historique de la discrimination raciale, mais surtout qu'elle ait fait l'objet d'un large consensus social pendant plusieurs siècles. Il y a des raisons à cela. Jusqu'au milieu du XXᵉ siècle, il «allait de soi» que les Blancs étaient plus intelligents que les humains des autres races, et la preuve en était le rythme accéléré des progrès sociaux, techniques, artistiques, scientifiques et culturels. Pas surprenant, alors, que les Occidentaux jouissant de cette envieuse position aient sauté à la conclusion qu'ils étaient les vainqueurs légitimes de la lutte pour la survie qui est au cœur du paradigme du darwinisme social. Par exemple, dans la société victorienne où triomphait le colonialisme britannique, entre autres, ce paradigme de la survie du mieux adapté ne pouvait que légitimer les inégalités socio-économiques, qu'elles soient intérieures ou présentes dans les colonies.

Ce sentiment de supériorité était conforté par quelques théories scientifiques, dont le darwinisme social, bien entendu. De son côté, l'anthropologie du XIXᵉ siècle était fondée sur «un raisonnement simpliste : si les populations n'ont pas atteint le même niveau de culture et ne disposent pas de la même technologie, c'est qu'elles ne jouissent pas des mêmes aptitudes physiques et mentales » (Ruffié 1983b, 153). C'est qu'à l'époque, comme c'est encore parfois le cas de nos jours, on admettait difficilement que les capacités cognitives des différentes sociétés humaines fussent similaires ; on préférait croire qu'elles s'adaptaient aux contraintes spécifiques de leur environnement. Pour nous, contemporains, il est maintenant bien établi que les descendants des premiers groupes d'*Homo sapiens* ont connu des développements culturels et techniques différents, selon qu'ils étaient installés en Afrique, en Europe orientale ou, plus tard, dans les Amériques. Immergés dans les cultures occidentales contemporaines, les descendants des « arriérés » d'il y a à peine quelques générations deviennent aujourd'hui des spécialistes en neurobiologie, en psychiatrie, en philosophie, etc., au même titre que les Blancs. Le facteur explicatif en est bien entendu une *mutation culturelle* et non pas une quelconque mutation génétique. Par ailleurs, il ne faut pas oublier que les habiletés valorisées dans une société ne sont pas les mêmes que celles d'autres sociétés, si bien qu'il faut souvent être très prudent dans l'évaluation des peuples et des cultures des autres.

Bien que la science ait fait progresser considérablement les connaissances à ce sujet depuis le début du XXᵉ siècle, cela n'a pas empêché l'apparition de régressions momentanées mais combien cruelles. Comme le note très bien Müller-Hill, c'est sur une idéologie pseudo-scientifique que s'est élaborée dès janvier 1933 la violence nazie qui s'étendit de la ségrégation des Juifs jusqu'à la stérilisation de malades mentaux, en passant par la discrimination des Tsiganes, des Slaves, des Noirs et des « asociaux ».

« Il est facile de résumer l'idéologie des nationaux-socialistes : la diversité des êtres humains a un fondement biologique. Ce qui rend les Juifs juifs, les Tsiganes tsiganes, les Asociaux asociaux et les Malades mentaux malades mentaux réside dans le sang, et donc dans les gènes [...]. La possibilité de voir les êtres inférieurs se reproduire plus vite que les supérieurs existe. Il faut donc sélectionner, stériliser, éliminer, écarter, c'est-à-dire tuer les êtres inférieurs ; ne pas le faire, c'est porter la responsabilité de la disparition de la culture. » (Müller-Hill 1989, 15).

Ces excès historiques, et de semblables qui se profilent de temps à autre aux quatre horizons du monde, conduisent à discuter brièvement de l'inexistence des fondements biologiques du racisme, et cela, afin de bien démontrer que l'éthique et la déontologie professionnelle, comme toute réflexion du reste, ne peuvent pas se limiter au cadre philosophique théorique où principes et valeurs sont organisés en systèmes quasi autonomes. La réflexion doit s'alimenter de recherches scientifiques empiriques, sinon elle risque fort de dévier et de s'éloigner du réel qu'elle prétend vouloir conceptualiser en toute validité. C'est d'une dérive à l'autre que les systèmes philosophiques se métamorphosent en idéologies intransigeantes, sans rapport avec l'ensemble des faits de la réalité ; ces idéologies préfèrent en exploiter fiévreusement une infime partie utile à leur vulgate plutôt que d'aborder la réalité sociale dans sa troublante complexité qui invite davantage à la quête d'une connaissance explicative qu'à la conquête barbare, voire à l'élimination, d'un *alter* perçu et conçu comme menaçant. Pour les besoins du culte idéologique réducteur, on n'hésite pas à occulter les vérités contradictoires, qui sèment le doute, ce grand ennemi des convictions fanatiques qui engendrent parfois des systèmes de mort et d'atrocités.

La connaissance empirique et méthodique nous permet de rejeter les comportements discriminatoires basés sur la race, en nous fondant non seulement sur les valeurs morales, mais aussi sur les résultats des sciences de la vie, et plus spécialement de la génétique des populations. Cette dernière discipline est des plus formatrice pour qui se donne la peine d'aborder quelques ouvrages et articles de vulgarisation scientifique. On en voit l'importance dans le document de l'UNESCO, *Appel aux peuples du monde et à chaque être humain*, inspiré des réflexions de chercheurs de diverses disciplines ; ces derniers ont constaté que la « diversité génétique est présente beaucoup plus entre les individus appartenant à une même population qu'entre les moyennes statistiques de ces populations, ce qui enlève toute possibilité de définition objective et stable des races humaines » (Jacquard 1978, 209-210). Morin affirme que chez l'*Homo sapiens* les différences de tous ordres, d'individu à individu, sont extrêmement fortes, y compris dans les isolats, beaucoup plus fortes que les différences statistiquement établies entre ethnies ou races (1980, 151). C'est ce qui fera dire à Ruffié que le racisme constitue « un non-sens biologique » (1983a, 9). Il précise qu'en raison de la complexification des sociétés humaines, notamment par les unions interraciales dues aux voyages et aux migrations, « l'homme a subi un processus de déraciation appelé à s'accentuer avec le temps » (p. 262), si bien que l'humanité entière doit être considérée, à l'heure actuelle, comme « un seul pool de gènes intercommunicants » (1983b, 139). Il rappelle que des anthropologues qualifiés de tous les pays réunis par l'UNESCO en sont venus à des conclusions identiques, à savoir que « le concept de race biologique n'est pas ou plus applicable à l'espèce humaine. Chez l'homme, la race est " moins un phénomène biologique qu'un mythe social " » (1983b, 142).

Ruffié va plus loin et affirme que, sur le plan biologique, le racisme débouche sur la « dégénérescence de l'humanité » (p. 146). En somme, il convient de reconnaître le racisme comme une préférence illégitime (Kymlicka 1990, 26).

La règle déontologique dominante

Les codes de déontologie sont éloquents en matière de discrimination raciale. Celui du Syndicat national des journalistes, en Angleterre, a énoncé quelques règles assez précises sur ce sujet, dès le mois d'octobre 1987. On pourrait même lui reprocher d'être allé trop loin en recommandant aux journalistes de bien faire ressortir le caractère antisocial et les fondements fragiles de l'idéologie des groupes prônant des politiques racistes, car cela risque de verser dans l'activisme religieux. Cependant, les règles de ce syndicat professionnel proposent d'éviter le sensationnalisme dans les sujets de reportage à caractère racial, de mentionner la race des individus visés seulement si c'est pertinent à une meilleure compréhension du reportage, de ne pas utiliser sans vérification le mot « immigrant » parce que bien des gens de couleur sont nés au pays.

Le guide de la Presse Canadienne incite également ses journalistes à se montrer prudents dans l'utilisation d'expressions pouvant être préjudiciables aux membres de communautés ethniques (1986, 18-19). On trouve une règle semblable dans le code des journalistes polonais (Jakubowicz 1989, 103). En Inde, la deuxième Commission de la presse a déclaré, dès 1982, que même s'il n'était pas désirable de créer un code de déontologie, il fallait toutefois préciser certaines choses à ne pas faire, dont l'usage de stéréotypes qui peuvent conduire à l'étiquetage injuste et sans fondements de groupes de gens et de communautés (Agrawal 1989, 155). Enfin, on pourrait mentionner la règle du *New York Times* qui interdit de préciser la race, la religion ou l'appartenance ethnique, sauf si cette information est pertinente. La question est de savoir ce qu'est une information pertinente, et c'est ce que tenteront de cerner les critères spécifiques que je présenterai un peu plus loin.

On observe une certaine constance sur cette question dans les règles déontologiques de pays pourtant très différents. Cela indique l'importance accordée à la non-discrimination. Il y a certes des situations où la race des protagonistes est un facteur majeur d'un événement, telles les manifestations sur la question raciale ou les émeutes comme celle qui a éclaté à Los Angeles, en 1992. Dans ces circonstances, la décision de mentionner la race est facilitée et, la plupart du temps, ne cause pas de dilemme moral majeur.

Il en va de même pour le cas d'un individu activement recherché par les forces policières qui le croient une menace pour la sécurité publique. Afin d'aider les recherches, sa description physique sera donnée par les médias, qui obéissent ainsi à leur conception de l'intérêt public. Dans ce contexte, il est bien difficile de laisser de côté le caractère racial, lequel est souvent énoncé explicitement, quelle que soit la race en cause.

Cependant, le journaliste se trouve parfois devant des situations délicates où la mention de la race peut rehausser le caractère informatif de l'article, mais où elle risque aussi d'alimenter des préjugés raciaux. La prise de décision devrait s'appuyer sur certains critères spécifiques pouvant être enrichis par des considérations personnelles, mais celles-ci doivent cependant faire appel à la raison. Ces critères étant également valides pour la discrimination basée sur la religion, on les trouvera un peu plus loin.

La religion

La discrimination basée sur la religion est quelque peu différente de la question raciale. La religion d'un individu relève en effet d'une adhésion volontaire, en principe du moins ; dans les sociétés démocratiques, il peut toujours décider d'en changer ou de la renier, ce qui est impossible pour la race.

Il y a ainsi, en matière religieuse, une dimension intellectuelle (adhésion à des valeurs, à des principes, à un système moral, à des pratiques, etc.) qui en fait un sujet légitime de discussions, de débats et de critiques, alors qu'on ne peut pas, à proprement parler, débattre de la race ou du sexe de quelqu'un, bien qu'on puisse discuter des manifestations culturelles inhérentes des groupes biologiquement différents.

La discrimination fondée sur la religion apparaît ainsi plus problématique à circonscrire. La religion n'est pas un fait biologique objectivement observable, mais une construction intellectuelle, une vision à partir de laquelle les croyants interprètent la réalité. Dans certains cas, critiquer sévèrement une religion peut être perçu comme un comportement intolérant, voire discriminatoire, alors qu'il faudrait ramener le débat sur le plan intellectuel. Mais ce débat est difficile à amorcer, les différentes Églises étant réfractaires à leur remise en question. Plusieurs intellectuels qui ont voulu entreprendre ce débat furent ostracisés, surtout dans l'Église catholique. Ce fut le cas de Rabelais, de Sartre, d'Érasme, de Machiavel, de Luther, de Copernic. Leurs œuvres se sont retrouvées sur la liste des publications interdites. L'index des ouvrages censurés par l'Église catholique fut en vigueur de 1559 à 1966, soit jusqu'au concile Vatican II, où fut reconnue la liberté religieuse et où l'on mit fin à la publication du catalogue de l'Index (Pépin 1989, 34).

On s'est rendu compte depuis longtemps que la religion est la cause première de la discrimination sur la base de la religion. Au Québec, comme à bien d'autres endroits de la planète, elle fut aussi responsable de la mise en œuvre de la censure des idées politiques, voire du retard qu'a pris la reconnaissance des droits de l'homme. C'est ainsi que, de 1867 à 1967, l'Église a exercé une censure constante et particulièrement draconienne à l'endroit de la presse écrite (De Lagrave 1978, 12). Au Québec toujours, l'Église catholique n'a pas vu venir d'un bon œil le droit de vote pour les femmes et, partout où elle est présente, elle refuse à ces dernières l'accès à la prêtrise, alors que d'autres religions leur permettent de célébrer le culte.

Chez plusieurs, la doctrine religieuse est si puissante qu'elle justifie des guerres, le terrorisme, la censure, des crimes et des injustices. Il est donc pertinent de s'interroger sur la fonction de la religion chez l'*Homo sapiens*. Selon Morin, il ne fait pas de doute que la religion est une réponse à l'angoisse humaine devant la conscience de la mort qui

> «... introduit la désolation et l'horreur au cœur même du site égocentrique, au centre subjectif du monde [...] et désormais la mort et les exorcismes contre la mort – rites, funérailles, enterrement, cultes, tombeaux, prières, religions, salut, enfers, paradis – vont marquer toute culture, tout individu. Le plus humble, le plus modeste des humains subit l'agonie tout au long de son existence, et chacun porte, avec sa toute petite mort, le cataclysme d'une fin du monde.» (1980, 294)

En ce sens, on peut suggérer que l'humain a créé Dieu à son image et à sa ressemblance, afin, justement, de combattre ses angoisses d'homme.

Cela dit, et quoi qu'on en pense, il faut reconnaître que la religion est une valeur très importante, voire fondamentale, pour bon nombre de gens et de peuples. Dans plusieurs pays, elle est considérée comme «une des variables les plus déterminantes dans le comportement électoral» (Blais et Nadeau 1984, 297). Aux yeux de plusieurs journalistes, le christianisme est une valeur suprême, qui passe bien avant la liberté de la presse, ce qui a des implications éthiques (Mills 1983, 593).

Il ne fait pas de doute que la croyance religieuse d'un individu demeure une liberté fondamentale, au même titre que l'athéisme. Prendre cela au sérieux porte à conséquence. Cela admis, les journalistes doivent éviter d'en faire état sans bonne raison, surtout quand cela risque, de manière prévisible, d'engendrer le mépris ou la haine envers les personnes mises en cause pour des raisons étrangères à leurs croyances. Toutefois, le journaliste sera tenu d'en faire mention lorsque cette information est essentielle à la compréhension de son reportage, au risque de voir les personnes mises en cause en subir des effets néfastes dans la mesure où ces effets ne sont pas disproportionnés, eu égard aux bienfaits qu'en retire la société. Ce serait le cas, par exemple, des religions ou des sectes qui ont parfois recours au sacrifice de vies humaines ou abusent de personnes vulnérables (enfants, femmes, personnes âgées, etc.) dans l'exercice de leurs rites et dans l'application de leurs principes.

Les quelques critères suivants peuvent orienter la délibération journalistique quant à la pertinence de faire mention de la race ou de la religion de ceux dont il est question dans les médias.

Critères spécifiques

- *Si la personne en cause était de ma race ou de ma religion, l'aurais-je mentionné dans le compte rendu?*

- *Est-ce que révéler la race ou la religion est essentiel à la compréhension du compte rendu?*

- *Révéler la race ou la religion causera-t-il un préjudice? Quelles sont mes raisons justifiant ce préjudice, quel bienfait en tireront les autres?*

Le sensationnalisme

On retrouve diverses définitions du sensationnalisme médiatique[8]. Parmi celles relevant du sens commun, on retrouve la suivante, tirée du site Internet d'une commission scolaire de la région de Québec, dans le cadre d'un cours destiné à familiariser les adolescents aux médias :

> «Le sensationnalisme consiste à dramatiser certains événements par le choix du titre, du vocabulaire, de la photo, c'est-à-dire à faire ressortir certains éléments pour attirer l'attention des spectateurs, des lecteurs. Souvent associé à la télévision, le sensationnalisme est également présent dans les médias écrits et est de fait lié à l'idée même de ce qui fait un événement ou une nouvelle, c'est-à-dire le caractère exceptionnel, prétendu ou réel, d'un fait sur lequel on désire attirer l'attention. Le

---

8.   On devrait en fait parler de sensationnalisme médiatique de type journalistique, ou de sensationnalisme journalistique, mais l'expression «sensationnalisme médiatique», employée ici, fait référence aux messages journalistiques que diffusent les médias.

terme "sensationnalisme" vient du terme "sensationnel", au sens de "qui fait sensation, produit une vive impression". Misant essentiellement sur les émotions du public, le sensationnalisme répond donc plus particulièrement au critère de l'intérêt humain de la nouvelle.» (Commission scolaire des découvreurs)

Certains citoyens ont associé le sensationnalisme médiatique à l'exagération et à la déformation de la réalité, notamment quand il est question de parler de certaines maladies (Langlois *et al.*, 2002). Chez les chercheurs et spécialistes des médias, le sensationnalisme médiatique a aussi droit à sa part de définitions. Certains parlent de couverture extensive d'un enjeu social de peu d'importance alors que des enjeux sociaux majeurs sont passés sous silence (Reisenwitz et Whipple 1999, 16, Kingdon 1984, 62). Sur le mode de l'ironie, on a même «découvert» une *loi* médiatique voulant que l'importance d'un événement soit inversement proportionnelle au nombre de journalistes affectés à sa couverture (Sigal 1987, 14). Adoptant une posture critique, Gingras décrit pour sa part le sensationnalisme comme «…ce qui produit une vive impression sur le public et rappelle un état psychologique temporaire à forte composante affective» (Gingras 1985, 115).

En parlant de l'affaiblissement de la fonction de chien de garde du journalisme d'enquête pratiqué chez les grands réseaux de télévision commerciale aux États-Unis, Kovach et Rosenstiel sont d'avis que plusieurs de ces émissions ont des apparences de journalisme d'enquête, sauf qu'au lieu de surveiller les puissants et de protéger la société de leur tyrannie, ils s'intéressent surtout à la sécurité personnelle des gens ou à leur portefeuilles en dénonçant les mécaniciens douteux, le manque de sécurité des piscines publiques, etc. Ils se réfèrent notamment à une étude réalisée en 1997 concernant ces *newsmagazines,* présentés en heures de grande écoute, selon laquelle ce genre de journalisme ne tient aucunement compte de la plupart des enjeux typiquement reliés à la fonction de chien de garde de la presse. Ils déplorent également le traitement sensationnel d'enjeux parfois de grande importance dont traitent ces émissions (Kovach et Rosenstiel 2001, 120-121).

Certains associent le sensationnalisme à la multiplication de rumeurs et d'informations peu rigoureuses provenant souvent de sources anonymes, dont la diffusion est encouragée par un système médiatique hypercompétitif (Marks 1998). D'autres y voient le règne de l'information spectacle qui, pour des raisons commerciales, évacue l'information sérieuse au profit de contenus divertissants et légers (McCartney 1997, Sharkey 1997, Dennis et Pease 1994, Hayward 1998, Charon 1999), de plus en plus souvent diffusés en direct et en continu pour présenter des événements spectaculaires ou excitants, telles les chasses à l'homme que mènent régulièrement les forces policières (Prato 1998). Mais il faut savoir que le sensationnalisme était déjà dénoncé dès 1947, par la Commission Hutchins, à cause de la sélection des informations en fonction de leur potentiel de divertissement (Bates 1995), si bien qu'il serait sans doute erroné de l'associer aux récentes tendances télévisuelles.

Dans la même veine, certains mettent en évidence les stratégies de marketing des bulletins de télévision qui encouragent les journalistes à susciter l'attention du public et à augmenter leurs cotes d'écoute – notamment lors de brèves interventions en direct dans le cours de la programmation normale – en lui promettant des nouvelles plus spectaculaires que ce qui sera présenté en réalité (McManus 1990, 43).

On a aussi proposé des critères permettant de distinguer la couverture journalistique régulière de la couverture sensationnelle. Dans un texte publié originalement dans *Dutch magazine Massacommunicatie*, mais traduit et diffusé sur Internet, Peter Vasterman, professeur à la Faculté de communication et de journalisme d'Utrecht (Pays-Bas), présente huit critères non exclusifs qui caractérisent le sensationnalisme médiatique. Selon lui, un épisode de sensationnalisme est caractérisé par :

1) La couverture massive d'un sujet qui paraît nouveau parce qu'il avait été peu médiatisé auparavant : un tabou a été brisé, un nouveau problème social a été mis au jour. Un événement majeur inattendu peut avoir déclenché cette couverture intense.

2) Il y a une définition incertaine ou vague de ce nouvel événement ou de la tendance qui s'en dégage. On ne sait pas encore avec précision ce qui arrive et quelle forme définitive cela prendra.

3) Une étiquette sera accolée au nouveau phénomène et il deviendra très populaire dans les médias.

4) On observe des traces de panique morale[9], de dégoût, de peur ou d'anxiété dans la couverture et dans la société.

5) La plupart des événements sensationnels se développent dans des secteurs névralgiques : invasion de territoire, santé personnelle, sexualité, comportements déviants, etc.

---

9.   Les paniques morales sont des épisodes pendant lesquels les médias s'en prennent de façon critique ou exagérée à des idées, des façons de vivre ou des menaces non fondées, etc. Ce sont en quelque sorte des périodes de panique sociale (Hall *et al.* 1987, 17), où des craintes sont manifestées à répétition relativement à un enjeu ou à un phénomène quelconque.

6) Il y a une couverture partiellement influencée, sinon mise en scène, de la part d'acteurs (gouvernements, groupes de pression, organismes, etc.) qui ont des intérêts à faire valoir et qui essaient de contrôler la couverture médiatique.

7) Il se dégage une pseudo-crise de la couverture des journalistes qui ont recours à des expressions fortes : « le virus de la violence », « une crise plus grave que les autres », « ce n'est que la pointe de l'iceberg », etc.

8) Toute l'attention et la publicité créent l'impression que le « problème » ou le phénomène social récemment découvert prend de plus en plus d'importance, qu'il s'amplifie. Ce processus d'amplification rend le problème plus visible en raison de la médiatisation et non pas en raison de son importance réelle (Vasterman 1995).

À plusieurs égards, les critères de Vasterman pourraient être observés dans la couverture médiatique ayant résulté de l'annonce, faite par des disciples de Raël, de la naissance présumée d'un premier être humain cloné, en décembre 2002, même si cette possibilité avait déjà été évoquée dans les textes publiés dès 1997. On pourrait aussi retrouver la présence de plusieurs de ces critères dans la couverture médiatique relative au Syndrome respiratoire aigu sévère (SRAS) à compter d'avril 2003, ou encore dans la couverture d'événements dramatiques dont la portée sociale est exagérée, comme le sont bon nombre de faits divers ou des tendances criminelles (violence chez les jeunes, rage au volant, etc.).

Sur le plan normatif, McManus considère que les journalistes qui dramatisent des enjeux sérieux par le recours aux émotions sont en conflit d'intérêts entre leur devoir professionnel de servir le public et leur obligation de servir les intérêts financiers de leur employeur (1992, 196-197). Dans les *Normes et pratiques journalistiques* en vigueur à la Société Radio-Canada, la notion de sensationnalisme est associée à l'utilisation exagérée de scènes de douleur et de souffrance dont la diffusion est tolérée « seulement lorsqu'elles sont nécessaires à la compréhension d'une information importante » (SRC 2001, 58).

En exagérant certains types d'informations au détriment d'autres dont la portée sociale est plus importante, les journalistes s'éloignent de deux grands principes professionnels. Premièrement, ils manquent au devoir de rigueur journalistique qui prescrit de rapporter les faits avec exactitude et de les interpréter convenablement. Deuxièmement, en manquant de rigueur, ils ne rendent pas justice à l'événement, à l'enjeu, aux institutions ou aux personnes qui sont en cause, si bien que cela les éloigne de leur devoir d'équité. Dans certains cas, le sensationnalisme médiatique transgresse surtout la norme de la rigueur, notamment quand il prend la forme d'arguments fallacieux (appel aux conséquences, caricature, appel à la peur, etc.), de titres non conformes aux faits et de mises en pages de nature à dramatiser l'événement. Dans d'autres cas, le sensationnalisme médiatique transgresse la norme de l'équité en brossant un tableau injuste d'un enjeu, d'un événement et de ceux que cela met en cause (chercheurs, philosophes, compagnies pharmaceutiques, médecins, gouvernements, etc.).

Chez Olen, le sensationnalisme consiste à insister trop fortement sur l'aspect émotif et spectaculaire d'un événement. Il y voit une atteinte à la responsabilité sociale si cet élément est déterminant dans la décision de diffuser un reportage (1988, 107). Pour sa part, Deschênes (1996, 57) rapporte que la jurisprudence du Conseil de presse du Québec considère que les accusations de sensationnalisme « réfèrent à la volonté de la presse d'attirer l'attention, au détriment de sa responsabilité d'informer sur les sujets d'intérêt public ».

À titre d'exemple, le sensationnalisme peut prendre la forme d'anticipations positives et de propositions dénuées d'esprit critique quant aux conséquences favorables de certaines découvertes génétiques en santé mentale. Ainsi, Conrad a procédé à une analyse de contenu de 110 articles publiés de 1987 à 1994, dans 5 journaux et 3 magazines américains. Il a constaté que ces découvertes génétiques étaient annoncées en grande pompe mais que leurs limites ou réfutations étaient passées sous silence, laissant intact l'optimisme qui avait été alimenté. Il a observé que, si les articles étaient rigoureux sur le plan scientifique, leur optimisme contribuait néanmoins à magnifier les effets positifs anticipés des découvertes et ne laissaient pas de place à la critique ou à l'examen des possibles conséquences négatives de ces percées scientifiques. Il estime que, puisque la société entre dans une ère où la génétique sera un enjeu social déterminant, il est primordial de trouver un équilibre entre les espoirs et les craintes que contiennent les articles relatifs à la génétique et aux maladies mentales (2001, 225).

Cette approche du sensationnalisme basé sur l'optimisme des articles journalistiques paraît moins compatible avec l'acception courante du sensationnalisme qui, au contraire, ne serait que l'amplification de la posture courante du journalisme consistant à mettre en évidence la dimension négative ou pessimiste des faits sociaux afin d'alarmer le public des menaces qui le guettent. Plusieurs auteurs font référence au négativisme des journalistes, notamment dans le contexte de la couverture des élections, de la politique ou des institutions sociales (Gilsdorf et Bernier

1991, 12 ; Jones 1996, 119 ; Moy, Pfau et Kahlor 1999, 138), certains allant plus loin en parlant de cynisme (Lisée 1994, 660 ; Rosen 1995, 24 ; The Twentieth Century Fund 1993). Le sensationnalisme médiatique me paraît donc être l'amplification temporaire de cette tendance naturelle des journalistes à privilégier le côté négatif des événements. Pendant les épisodes de sensationnalisme, pour répondre rapidement à une demande d'information de la part du public, les journalistes gardent essentiellement la même posture mais multiplient les articles ou les reportages alarmistes sur un sujet particulier, ce qui conduit notamment un chercheur comme Glassner (1999) à soutenir que les médias cherchent à faire peur afin d'en tirer des avantages économiques, plutôt que d'informer de façon rigoureuse et équilibrée.

Les intuitions théoriques de Frost

Comment expliquer la présence d'articles sensationnalistes dans les médias d'information ? Il semble que la mission économique des entreprises privées et l'exigence de maximiser les profits soient les variables les plus pertinentes, surtout en présence de principes éthiques et de règles déontologiques (rigueur, exactitude, équité) peu compatibles avec cette pratique journalistique. Pour augmenter les revenus de l'entreprise, il faut des lecteurs, des auditeurs et des téléspectateurs en grand nombre afin de pouvoir attirer les revenus de la publicité. Il faut aussi que ce public *construit* ait des caractéristiques qui intéressent les annonceurs, les plus importantes étant leur pouvoir d'achat et leur disposition à acheter des biens de consommation. Il y a donc en somme une double contrainte pour les médias : susciter l'attention d'un public déterminé, certes, mais pas avec n'importe quel contenu de façon à séduire ou attirer un certain profil d'auditeurs. Il faut donc à la fois trouver des thèmes porteurs et savoir susciter l'attention du public, en plus de renouveler chaque jour l'intérêt de ce dernier afin de s'assurer de sa fidélité. Si certains enjeux se prêtent bien à ce défi (faits divers, crises sociales, catastrophes naturelles, confrontations de personnalités, témoignages humains, etc.), d'autres sont moins faciles à *médiatiser* (tendances économiques, causes de la pauvreté, découvertes scientifiques, processus législatif, etc.). Il survient toutefois des événements du second type qui soulèvent néanmoins un vif intérêt du public, pour lesquels les journalistes perçoivent une demande d'information à laquelle ils doivent satisfaire dans l'immédiat afin de ne pas se laisser devancer par les médias concurrents. Le problème est que l'enjeu à la fois intéressant et important est souvent complexe et risque d'ennuyer l'auditoire. De plus, les journalistes sont bien souvent mal préparés à traiter de tels sujets qui exigent un bagage de connaissances spécialisées qui manquent à ces généralistes, sans compter que l'espace et le temps limitent leur capacité d'approfondir leurs connaissances.

Face à ces diverses contraintes, la stratégie la plus rentable demeure la superficialité, la simplification parfois abusive, l'exagération de certains faits ou d'hypothétiques conséquences sociales, économiques, morales, scientifiques, etc. Bref, nous retrouvons les germes du sensationnalisme médiatique, car les journalistes auront tendance à faire vite, à anticiper les conséquences de l'événement (pénibles ou euphoriques) plutôt qu'à l'expliquer, qu'à l'analyser ou qu'à en fournir le contexte social, scientifique, politique ou historique approprié.

L'importance de la mission économique des entreprises de presse et les conséquences que cela a sur la qualité de l'information diffusée par les journalistes ne laissent pas ces derniers indifférents. Au contraire, selon une grande enquête réalisée aux États-Unis, plusieurs admettent être désorientés par les exigences souvent contradictoires des normes de la profession, du public et des actionnaires. Aux prises avec le doute et la confusion, les journalistes sont en quelque sorte déphasés face à leur métier, une situation professionnelle qui tranche radicalement avec celle des généticiens qui, pour l'instant, estiment que leur travail est en harmonie avec les attentes du public en matière de santé, tout comme avec celles des actionnaires et des entreprises de ce secteur (Gardner *et al.* 2001, 6). Le sensationnalisme médiatique, en matière de clonage ou non, sans être un phénomène nouveau, pourrait être un indicateur de ce déphasage en raison de l'importance qu'il semble prendre.

En raison de la taille des salles de rédaction des entreprises de presse électronique commerciales (radio et télévision), qui est plus petite et moins diversifiée que celle des journaux quotidiens, en raison aussi des contraintes techniques des médias électroniques, les probabilités d'un traitement sensationnaliste de l'information sur des enjeux importants y sont plus élevées que dans la presse écrite.

On peut aussi recourir aux intuitions théoriques de Frost à propos du sensationnalisme des médias. Selon lui, il existe des conditions favorables au sensationnalisme lorsqu'il se déroule un événement important (la mort de Lady Di par exemple), que le public est avide d'informations qu'il souhaite obtenir le plus rapidement possible, mais que ces informations sont encore rares ou parcellaires, si bien que les médias et leurs journalistes auraient tendance à exagérer des faits et des rumeurs non vérifiés et à montrer les mêmes scènes de façon répétitive afin de remplir le temps d'antenne ou de combler l'espace médiatique (journaux, Internet, radio et télévision). Comme l'indique son modèle, les *risques* de sensationnalisme diminuent avec le temps, alors qu'augmente la disponibilité et l'exactitude de l'information en même temps qu'une certaine saturation ou lassitude de la part du public, qui est prêt à accorder son attention à d'autres événements (courbe du niveau d'ennui). La *zone de risque* du sensationnalisme se situerait donc dans les premières heures et les premiers jours suivant l'annonce ou la découverte d'un événement de nature à captiver le public, alors que les informations disponibles sont à leur niveau le plus bas et que la demande du public est à son niveau le plus élevé.

Zone de risque du sensationnalisme médiatique en fonction de l'offre et de la demande Selon le modèle de Frost (2000, 20)[10]

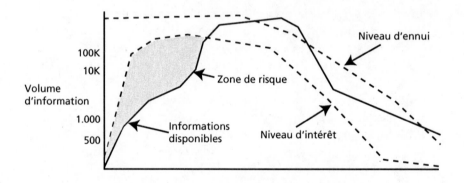

À l'inverse, il y aurait des conditions défavorables au sensationnalisme des médias lorsque l'information sur un sujet est abondante mais que l'intérêt du public pour cette information est peu élevé. D'après Frost, un problème existe quand le niveau d'intérêt ou le niveau d'ennui excède l'information disponible sur des enjeux majeurs. Dans le premier cas, il y a sensationnalisme médiatique dans le second cas, il y a indifférence médiatique, ce que certains auteurs considèrent comme les angles morts de l'information (*blind spots*) en raison du peu d'attention que les médias leur accordent, au point de les occulter (Hackett *et al.* 2000). Dans les deux cas, le service public du journalisme entre en conflit avec la mission économique des médias (Frost 2000, 20-22).

---

10.   J'ai traduit et adapté les notions du modèle de Frost.

Nommer ou ne pas nommer

Une interrogation récurrente en éthique du journalisme porte sur le fait de donner ou non l'identité de certaines personnes, notamment celle de présumés coupables d'actes criminels quand ils sont en bas âge et le nom de victimes d'agressions sexuelles. Pour ce qui en est de révéler l'identité des personnes d'âge majeur accusées d'avoir commis des actes criminels, les journalistes ont peu d'hésitation à ce chapitre et, le plus souvent, rien ne peut les empêcher de diffuser bon nombre d'informations incriminantes avant même le début du procès. Ils ont cependant davantage de retenue quand le fait de nommer la victime d'un acte criminel risque assez clairement de lui causer un préjudice psychologique important comme dans les cas de viol, pour lesquels la règle déontologique dominante est que l'identité de la victime n'est pas importante en soi, sauf dans des circonstances exceptionnelles (Olen 1988, 52). Comme toujours, ce sont ces circonstances qui rendent problématique l'application ou la transgression de la règle. On y reviendra au moment d'aborder les critères spécifiques.

Pour ce qui est des victimes d'accidents ou d'actes criminels, la règle dominante permet de dévoiler leur nom. Le *Guide de déontologie* en vigueur au Québec y voit une « information d'intérêt public », surtout « quand la victime est un personnage public ou quand les faits rapportés peuvent avoir des conséquences sur les responsabilités sociales ou les mandats publics des individus en cause » (1996, 15-16). On peut cependant trouver une posture différente, telle celle de Paule Beaugrand-Champagne voulant qu'il faille généralement taire cette identité pour protéger les victimes innocentes d'une publicité désavantageuse (Aubin *et al.* 1991, 107). Beaugrand-Champagne propose trois exceptions à sa règle : premièrement, « la victime est elle-même un criminel, ou est associée à un milieu criminel, et c'est donc elle-même qui s'est mise en marge de la société » ; deuxièmement, « nommer la victime peut contribuer à comprendre, à solutionner le crime ou à protéger d'autres innocents menacés » ; troisièmement, « il s'agit d'un personnage public ». Si les deux premières exceptions semblent raisonnables et peuvent être reprises à titre de critères spécifiques, la troisième, qui rejoint le *Guide de déontologie*, paraît arbitraire en ce sens qu'elle se démarque radicalement des justifications des deux premières (ne pas protéger une réputation qui ne le mérite pas et protéger l'intérêt public). Cette exception devrait être précisée, par exemple spécifier si l'acte criminel dont est victime un personnage public a un lien quelconque avec ses fonctions officielles ou les menace, ou bien si cela s'est déroulé strictement dans le cadre de sa vie privée. Dans ce dernier cas, pourquoi le personnage public ne pourrait-il pas bénéficier lui aussi de ce que Gauthier nomme la «pudeur journalistique» (1992)? Est-il justifiable que le fait d'être un personnage public soit une source de privation d'un certain droit à la vie privée et à l'intimité lorsque l'événement ou ses conséquences n'ont aucun lien avec le rôle social assumé?

Quant aux individus accusés d'actes criminels, la question est également controversée quand on prend la peine d'y réfléchir sérieusement. Après avoir soumis un cas délicat à la réflexion d'étudiants (il s'agissait de nommer ou non les 125 personnes arrêtées pendant une opération policière visant à enrayer la sollicitation et la prostitution, dont des étudiants, des gens d'affaires, un ingénieur, un pharmacien et un ministre), Lloyd a observé que ceux en faveur de les nommer et ceux opposés à cette option se référaient au même discours portant sur la responsabilité sociale du journaliste afin de justifier leur décision (1991, 201). Cela l'amène à poser la question suivante: est-ce que les membres du public, en général, ont un droit à l'information concernant les gens à qui ils s'en remettent pour différentes raisons (religieuses, éducatives, financières, etc.) et à leurs façons de respecter la loi et les normes sociales du jour? À en croire les résultats de son analyse, la réponse est loin d'être évidente et elle varie selon qu'on privilégie la dimension publique ou privée de la vie d'un prévenu. Pour répondre à une telle question, on pourrait se demander si l'infraction reprochée a un lien quelconque ou est carrément en contradiction avec les fonctions officielles remplies par un individu, ce qui peut soulever des doutes légitimes quant à son intégrité et à la qualité des services qu'il rend à la communauté.

Se pose également la question de nommer ou ne pas nommer les individus accusés d'actes illégaux aussi longtemps qu'ils n'ont pas été reconnus coupables, comme cela se fait dans certains pays. Étant présumés innocents jusqu'à preuve du contraire, ils pourraient ainsi protéger leur réputation. Cela ne signifie nullement qu'ils aient un droit à la fausse réputation, c'est-à-dire le droit d'empêcher les médias de divulguer leur nom s'ils sont reconnus coupables de gestes criminels. La réputation d'un individu doit être la plus conforme possible à la réalité, et les gens qui sont en contact avec lui ont intérêt à savoir de quoi il retourne afin d'avoir une connaissance éclairée des événements et des gens qui peuvent modifier le cours de leur vie. Par exemple, l'acheteur d'une maison aura intérêt à apprendre par les médias qu'un entrepreneur en construction avec qui il négocie a déjà déclaré quelques faillites, ce qui a pu laisser ses anciens clients sans un service après-vente adéquat. Même chose pour le médecin incompétent, le notaire malhonnête ou le promoteur à la recherche de capitaux afin de financer des investissements louches. Mais compte tenu de l'avidité médiatique pour tout ce qui concerne la criminalité, compte tenu également du fait que la couverture journalistique est souvent démesurée eu égard à l'intérêt public et qu'elle cherche bien souvent à tirer le plus grand avantage commercial qui soit des malheurs s'abattant sur un individu, il n'est pas déraisonnable de se demander en quoi la société serait-elle perdante si on taisait le nom d'un accusé tant qu'il n'est pas reconnu coupable, dans la mesure où cela ne présente aucun risque pour d'éventuelles victimes ou encore pour la société.

S'inspirant de la théorie contractualiste de Rawls et de l'importance que ce dernier accorde à l'estime de soi, Gauthier maintient qu'il est possible de justifier une position « de pudeur journalistique » selon laquelle les médias devraient s'abstenir de publier le nom des personnes impliquées dans une affaire criminelle. Selon lui, l'approche rawlsienne permettrait d'établir que le droit à la réputation constitue une liberté fondamentale l'emportant sur le droit à l'information (1992, 36). Il ajoute qu'une telle façon de faire ne menace nullement la liberté de presse qui « continue de s'exercer dans presque toute sa plénitude si les noms ne sont pas publiés » alors que « le droit à la réputation est irrémédiablement entaché par leur publication » (1992, 36).

Se référant à un critère strictement temporel, celui de l'antériorité d'un droit sur l'autre, Sacchitelle fait pour sa part valoir que la présomption d'innocence prime la liberté de la presse. « La liberté individuelle est antérieure à la liberté de presse, qui elle, n'a commencé à s'inscrire dans les constitutions qu'au siècle dernier » (1986, 57). On pourrait dire que Sacchitelle est de ces avocats qui plaident les bonnes causes avec les mauvais arguments. Son énoncé implique qu'un droit récemment reconnu devrait être jugé secondaire à un droit obtenu de longue date, ce qui est en somme assez arbitraire et, surtout, ne tient pas compte de la valeur intrinsèque des droits en cause. S'en tenir à ce critère temporel écarte aussi toute discussion portant sur les fondements de ces droits, sur leurs conséquences et, si l'on veut pousser la chose jusqu'à l'absurdité, interdirait de réformer les anciennes lois afin de les adapter aux exigences des différentes époques, la vieille version étant *a priori* considérée comme meilleure que la nouvelle.

La théorie de Rawls fait aussi appel à un autre concept, celui du « voile de l'ignorance », qui fait de la justice le résultat d'une rationalité. Il s'agit d'un scénario imaginaire et spéculatif qui place les citoyens rationnels et raisonnables dans une position originelle où ils ne savent pas ce que leur réserve la vie, s'ils seront riches ou pauvres, en santé ou malades, doués ou non, etc. Placés dans cette situation d'incertitude totale, ils doivent néanmoins en arriver à des arrangements quant aux règles qu'ils devront suivre. Ils élaborent un contrat social basé sur certains principes, dont l'équité (1994, 112-113), qui peuvent dans certains cas s'opposer à l'utilitarisme qui pourrait justifier le fait de publier le nom des accusés avant qu'ils ne soient reconnus coupables. Bien que cette spéculation théorique soit contredite dans certains de ses détails, le philosophe Kymlicka y voit une intéressante façon de chercher l'équité (1990, 62). Pour le journaliste, soumettre une situation délicate à cet exercice spéculatif peut s'avérer utile pour se demander si l'action qu'il s'apprête à accomplir ferait l'objet d'une entente s'il en discutait derrière un voile d'ignorance l'empêchant de savoir s'il aura le rôle de celui qui fait un reportage ou de celui qui fait l'objet du reportage. Christians, Rotzoll et Fackler donnent l'exemple du tristement célèbre accident d'automobile du sénateur américain Edward Kennedy, qui a causé la mort d'une jeune femme se trouvant à ses côtés, alors qu'il était au volant, en état d'ébriété. Depuis de nombreuses années, cette histoire est publiée régulièrement dans les médias américains, même si aucun élément nouveau n'a été apporté. Les auteurs estiment que ce genre de couverture médiatique est habituellement justifié par les journalistes qui prétendent que le droit du public à l'information est plus important que le droit d'une personne au respect de sa vie privée. Ils émettent cependant l'hypothèse qu'un journaliste et le sénateur Kennedy se trouvant sous le voile de l'ignorance ne sauraient ni l'un ni l'autre qui prendrait la place de qui une fois le voile levé. Sans doute conviendraient-ils que les reportages sur l'accident étaient justifiables à une certaine époque, mais que les publier à répétition après tant d'années est un harcèlement non fondé en l'absence de nouveaux éléments. Selon le principe de Rawls, les journalistes limiteraient volontairement leurs enquêtes sur la vie privée des victimes d'événements tragiques (Christians *et al.* 1987, 14-15). Les auteurs avancent même que, sous ce voile de l'ignorance, les journalistes et politiciens laisseraient tomber les notions d'adversité et opteraient mutuellement pour le respect fondamental des humains qui remplacerait avantageusement le cynisme et l'ironie que les journalistes entretiennent à l'égard des politiciens. Du reste, Rawls est d'avis que des partenaires placés sous un voile d'ignorance préféreraient les principes de justice, dont l'équité, au principe de l'intérêt public. Ils préféreraient protéger leur réputation dans une mesure raisonnable que de la soumettre au principe d'un intérêt public dont l'évaluation est souvent problématique pour les acteurs. En somme, quand on ne sait pas ce que nous réserve l'avenir, on serait plus tenté de réduire les risques (avoir une mauvaise réputation), quitte à devoir se contenter de moins d'avantages (ne pas trop savoir à qui on a affaire).

La posture philosophique de Rawls en fait un adversaire de l'utilitarisme, un principe qui, en journalisme, veut que les épreuves endurées par certains soient contrebalancées par un plus grand bien pour plusieurs personnes. Selon Rawls, chaque personne jouit d'une inviolabilité fondée sur la justice dont la société ne peut pas ne pas tenir compte au nom de son bien-être ou de son efficacité (1994, 27). Il semble pourtant qu'en accordant la priorité absolue du droit à la réputation des individus sur l'intérêt public, on admet la possibilité d'abus pouvant finalement menacer le respect des droits et libertés des membres de la société. Peut-être faudrait-il considérer que le droit à la réputation devrait être quasi incontournable pour les individus impliqués dans les affaires criminelles aussi longtemps qu'ils n'ont pas été reconnus coupables, et à la condition qu'ils ne soient pas une menace pour les autres entre le moment de leur arrestation et celui du prononcé du jugement. S'ils sont reconnus coupables ou menaçants, le fait de privilégier l'intérêt public en révélant aux citoyens visés quels sont les membres de la société qui risquent de leur faire du tort serait justifiable (et utilitariste, il faut en convenir). Il y a ici en jeu un principe des droits et devoirs : si l'individu a un droit à la réputation, il a aussi un devoir envers sa réputation, soit celui d'agir de façon à ne pas la déprécier lui-même et à la vider de sa valeur.

Critères spécifiques

Les codes de déontologie n'abordent pas souvent la question de nommer ou ne pas nommer et quand ils le font, leurs contributions se limitent le plus souvent à ses aspects juridiques. Dans les codes des 24 pays étudiés par Juusela, 12 seulement se penchent sur la nécessité de ne pas nommer les présumés auteurs d'actes criminels (1991, 61), bien que le thème de la protection de la dignité humaine, qui pourrait être jugé quelque peu voisin, soit abordé dans 19 codes. Les codes finlandais et suédois étudiés par Juusela stipulaient que la publication du nom ou d'informations révélant l'identité d'une personne qui n'est pas encore déférée devant la justice soit justifiée par un intérêt public considérable (p. 66).

On conçoit qu'il puisse exister de très bonnes raisons de ne pas nommer des individus impliqués dans les actes criminels, à titre de présumés auteurs ou de victimes de ces actes. Dans les cas de prise d'otages, ne publier ni les faits ni les noms des présumés criminels peut être d'une importance capitale, comme on l'a vu plus haut. Parfois, ce sont seulement les noms qui peuvent causer un préjudice grave, alors que la publication des faits est en soi d'intérêt public. Il existe quelques critères spécifiques relatifs à ces situations. J'aborderai tout d'abord la question sous l'angle des présumés auteurs d'actes criminels, puis sous celui des victimes d'actes criminels. Ainsi, avant de nommer un *présumé auteur* d'acte criminel, il faudrait se poser quelques questions, notamment :

- *L'individu est-il encore en position de nuire aux autres avant que les procédures judiciaires soient terminées ?*

Prenons comme exemples le médecin agresseur sexuel, l'infirmier soupçonné de détourner des doses de tranquillisants destinés aux patients, le politicien chargé de prendre des décisions importantes qui pourraient avoir des liens avec ce qu'on lui reproche. Dans ces cas, il est légitime que les gens connaissent l'identité de l'inculpé afin d'agir en sorte de ne pas devenir victimes à leur tour.

- *Révéler son identité peut-il le priver d'un procès juste et équitable ?*

Il s'agit ici de prendre en considération le respect de ce droit fondamental dans les sociétés démocratiques.

- *Est-il bien certain que l'individu sera accusé formellement devant la justice ?*

On connaît des exemples où les policiers ont délibérément laissé couler des informations à propos de suspects qui devaient être accusés de crimes mais qui ne l'ont jamais été. La révélation de leur identité leur a tout de même causé un préjudice non fondé, ce qui était du reste le but recherché.

Pour la présumée victime, on se posera entre autres les questions suivantes :

- *La publication de son identité aura-t-elle des effets néfastes sur sa santé psychologique, sa réputation, son estime d'elle-même ?*
- *La victime a-t-elle cherché à éviter la publicité ?*

Dans des cas de viol dont le présumé auteur était un personnage politique bien en vue, la victime a vendu son témoignage à des journaux et à des magazines en échange d'une promesse d'anonymat. Il me semble que, lorsqu'une personne accepte de se faire payer pour livrer publiquement un témoignage accablant pour autrui, il est raisonnable qu'elle soit nommée puisque ses motifs ne visent que ses propres intérêts aux dépens de ceux des autres, et les journalistes ne devraient pas se faire complices de ce procédé.

- *Quelle compréhension supplémentaire de l'événement le fait de nommer la victime procure-t-il au public?*
- *La famille et les proches de la victime auront-ils la possibilité d'apprendre par les médias la nature du drame vécu par celle-ci?*

Si oui, on peut croire que même la victime s'est sentie incapable d'en parler et qu'elle serait encore moins capable d'en supporter la publication.

Le journaliste qui prétend publier tout ce qui est publiable a de fortes chances de se retrouver un jour ou l'autre face à des situations où sa règle de conduite professionnelle ne sera efficace qu'au risque de la vie ou de la réputation des autres. Il doit alors entreprendre une réflexion éthique qui l'amènera à se poser plusieurs questions, et celles formulées précédemment ne prétendent pas à l'exhaustivité. La démarche qui caractérise le présent ouvrage vise autant à offrir des critères spécifiques et généraux qu'à convaincre les journalistes que les situations délicates, mais potentiellement néfastes, ne doivent pas être résolues sur la base d'impressions personnelles.

Le devoir de suite

L'équité journalistique doit aussi se manifester dans le suivi accordé aux informations qui ont été diffusées, surtout quand elles sont de nature judiciaire ou quasi-judiciaire et mettent en cause la réputation des personnes visées. Le *Guide de déontologie des journalistes du Québec* dicte à cet effet un devoir de suite:

> «Lorsqu'un média a couvert une affaire où des individus ont été incriminés et traduits devant la justice, il doit suivre dans la mesure du possible le dossier jusqu'à son terme et en faire connaître le dénouement à son public.» (1996, p. 15)

Cette règle, dérivée du principe d'équité et respectueuse du droit à la réputation, se retrouve également au *News & Observer* de la municipalité américaine de Raleigh, où l'on estime essentiel de faire état des décisions relatives aux accusations qui pesaient sur des individus, et où l'on ajoute que cela est particulièrement important dans les cas où les individus ont été innocentés des accusations pesant sur eux (Steele et Black 1999). De telles politiques se retrouvent dans diverses entreprises de presse canadiennes (Ericson *et al.* 1989, 41) et Frost rappelle pour sa part l'existence du code de déontologie journalistique en Suède selon lequel le résultat des procédures judiciaires ayant déjà fait l'objet de reportages doit être diffusé (Frost 2000, 114).

Le Conseil de presse du Québec prescrit aux journalistes le devoir d'assurer «une suite rigoureuse de l'information et accorder autant d'importance à l'acquittement d'un prévenu qu'à son inculpation ou à sa mise en accusation» (CPQ 1987, 18-19). On peut à la rigueur s'opposer au devoir d'accorder la même importance à l'acquittement qu'à la mise en accusation, compte tenu des contraintes qui pèsent parfois sur les médias, mais il se dégage de ces règles qu'il faut être équitable. L'équité n'est pas l'égalité, mais elle est un souci de justice, d'équilibre, de proportion dans certains cas. Le suivi d'un dossier peut parfois prendre la forme d'un droit de réplique, encore que ce droit soit loin d'être mis en pratique.

Parfois, c'est en vertu de la fausseté des informations diffusées et pour limiter autant que possible ses effets néfastes sur la réputation des victimes que le devoir de suite s'impose et qu'il doit prendre la forme d'un rectificatif complet qui réfute l'ensemble des informations inexactes ayant été diffusées. Ainsi, outre la notion d'équité, il y a dans ce devoir de suite un élément directement lié aux notions de vérité, de rigueur et d'exactitude, mais la façon dont ce devoir de suite est accompli est aussi une question d'équité à l'égard de ceux qui subissent injustement les effets des fautes professionnelles des journalistes. En vertu des principes d'exactitude et d'équité reconnus en journalisme, les corrections devraient respecter deux exigences fondamentales. La première concerne la rapidité avec laquelle on accepte de corriger nos erreurs afin d'atténuer les torts réels causés aux demandeurs. La seconde est l'exhaustivité des correctifs qui doivent reprendre point par point les faussetés diffusées et les corriger explicitement.

Le «droit à l'oubli»[11]

La présence en ligne des archives des médias pose de nouveaux questionnements éthiques liés en grande partie aux demandes de ceux et celles qui estiment subir des préjudices permanents pour des actes ou des évènements passés. Ce que revendiquent ces gens est ni plus ni moins un «droit à l'oubli» médiatique, un peu comme il existe une procédure de pardon pour classer à part des dossiers judiciaires.

Au fil des années, de plus en plus de citoyens ont constaté que leur passage momentané dans l'actualité médiatisée se transformait en présence permanente pouvant être réutilisée à leur désavantage, notamment quand l'information est inexacte. Dans certains cas, les archives les confrontent

---

11.   Cette section a été rédigée en collaboration avec Meghann Dionne, étudiante en journalisme à l'Université d'Ottawa.

régulièrement à des moments traumatisants de leur vie (accident, drame, perte d'un proche, etc.). Cela explique que les responsables de médias reçoivent de plus en plus de demandes de la part du public pour corriger, voire retirer, certaines informations de leur site Internet. Sur le plan éthique, certaines valeurs se trouvent donc en concurrence : la vérité, la compassion, l'intérêt public, le droit du public à l'information ou l'équité lorsque ces archives, par exemple, empêchent quelqu'un de refaire sa vie après avoir payé sa dette à la société.

Au moment de recevoir de telles requêtes, les responsables des médias doivent-ils privilégier l'intérêt d'une personne qui réclame le retrait ou la modification de certains contenus ou, plutôt, doivent-ils faire prévaloir le droit du public à accéder à cette information au fil des mois et des années ? Que la diffusion d'une information soit justifiée à un moment donné signifie-t-il qu'elle le soit à jamais, sans prendre en considération les doléances de ceux qui s'en trouvent affectés injustement ?

Il n'y a pas de réponse unique face à ceux qui revendiquent un « droit à l'oubli », d'autant plus que, dans certains cas, les gens ne demandent pas seulement de modifier ou de retirer un article ou un reportage, mais ils voudraient que les médias censurent ou réécrivent l'histoire, comme l'a observé English (2009). De telles demandes excessives ne peuvent cependant justifier un refus catégorique des médias face aux autres demandes qui peuvent être justifiées et raisonnables, et auxquelles on peut agréer sans compromettre le droit du public à l'information, et sans priver les journalistes et les médias de cette importante ressource que sont leurs archives.

Cette revendication au « droit à l'oubli », inédite dans l'histoire du journalisme, n'est pas passagère. Elle est appelée à s'intensifier. Il y a lieu de s'intéresser aux pratiques adoptées pour y faire face. Dans certains médias, la gestion des archives va s'étendre aux politiques de correction et de rectification d'articles et de reportages accessibles au public. Cela renvoie à la norme éthique de la vérité et au devoir déontologique de l'exactitude, bien que la correction d'erreurs soit aussi liée à l'équité. Dans tous les cas, cependant, les médias sont aux prises avec la gestion de leurs archives devenues publiques.

Il est facilement compréhensible que la personne qui a fait l'objet d'une couverture médiatique négative ou controversée, voire erronée, soit intéressée à demander la modification ou le retrait de l'accès à certains fichiers (articles ou reportages) qui pourraient nuire à sa réputation et à sa crédibilité. Quand elle demande que ces documents archivés ne soient plus accessibles au public, elle revendique un « droit à l'oubli » ou une « dépublication » pour traduire littéralement l'expression anglaise de « unpublished ». Il ne fait pas de doute que de telles revendications sont de nature à déplaire aux journalistes et aux entreprises de presse. En effet, les demandes de corrections ou de modifications soulèvent parfois des questions quant à la qualité du travail journalistique. Pour ce qui est d'interrompre l'accès du public à des archives en ligne (sans pour autant effacer ces archives qui demeurent accessibles pour les journalistes), cela peut être perçu comme une forme de censure ou un déni du droit du public à l'information. Il ne faut pas non plus mésestimer la valeur commerciale des archives des médias qui, même gratuites, assurent une fréquentation pouvant intéresser d'éventuels annonceurs.

L'erreur de jeunesse est souvent une raison invoquée par des jeunes adultes qui estiment que l'accès à des archives les concernant peut nuire à leur recherche d'emploi (par exemple, les employeurs peuvent faire une recherche préliminaire sur Google afin de mieux connaître le candidat). Le jeune adulte qui a été accusé de délits divers, une possession de stupéfiant par exemple, risque que sa mésaventure le poursuive toute sa vie, même s'il n'a pas été reconnu coupable au demeurant. Cette trace médiatique archivée et accessible pourra éventuellement l'empêcher d'obtenir l'emploi auquel il a droit. Avec les blogues, les médias sociaux, les archives en ligne et plusieurs autres sources d'information maintenant accessibles en un clic de souris, Internet a oublié comment oublier.

Des motivations multiples

Généralement, ces gens se manifestent tardivement auprès des organisations médiatiques pour faire retirer un article, un reportage ou encore un commentaire. En effet, dans bien des cas, ils se rendent compte des inconvénients de la situation plus tard, lorsqu'ils soumettent leur nom à un moteur de recherche par exemple (Regan 2009). Plusieurs raisons peuvent motiver les gens à revendiquer un « droit à l'oubli »[12] et force est de reconnaître que certaines ont plus de poids que d'autres.

• *Une source peut croire qu'un article ou un reportage est injuste ou inexact.*

---

12.   Voir à cet effet POYNTER.NEWS.UNIVERSITY (2010), « 5 Ways News Organizations Respond to ' Unpublishing ' Requests », [http://www.poynter.org/latest-news/top-stories/104414/5-ways-news-organizations-respond-to-unpublishing-requests/], lien visité le 10 juillet 2014.

- *Ceux qui ont été acquittés, ou pour lesquels les accusations ont été abandonnées, veulent que les articles et les reportages à leur sujet soient retirés des archives en ligne.*

- *Les remords d'une source d'information qui regrette d'avoir dévoilé une information et qui veut que son nom soit retiré d'un article, que la citation soit retirée, ou encore que l'article soit supprimé complètement.*

- *Les remords d'un journaliste ou d'un collaborateur qui a produit des informations pouvant le placer dans l'embarras. Mentionnons à ce sujet qu'il n'est pas rare de voir un média retirer rapidement un article ou un reportage devenu embarrassant pour lui, un de ses journalistes ou un de ses actionnaires, alors qu'il refuse le plus souvent de le faire pour des demandes provenant du public. Il y a là une pratique sélective qui discrédite passablement la rhétorique selon laquelle la «dépublication» serait de facto un affront au droit du public à l'information...*

Quelques conseils

Confrontés à une multitude de demandes qui peuvent avoir des motivations plus ou moins acceptables ou justifiées, comment devraient réagir ceux qui sont en charge de la gestion des archives de presse en ligne ? Au terme d'un survol des pratiques en cours dans 110 journaux, English (2009) suggère quelques pistes de réponses présentées sous forme de recommandations. Selon elle une entreprise de presse :

- *Ne devrait généralement pas retirer un article des archives en ligne. Elle ne doit pas non plus réécrire une histoire ou faire disparaître des détails.*

- *Devrait mettre en place des politiques claires à propos du retrait d'articles en ligne en affirmant le principe que les archives en ligne sont accessibles au grand public. Les politiques doivent être transparentes et respectées en tout temps.*

- *Devrait prendre le temps d'expliquer ses politiques au public et l'aider à comprendre pourquoi certaines revendications de retrait d'articles peuvent être refusées. Elle doit expliquer que ce refus repose sur l'intérêt public ainsi que sur des raisons d'intégrité, de transparence, de crédibilité et du sens des responsabilités de l'organisation.*

- *Devrait «dépublier» pour les bonnes raisons. Dans de rares occasions, il est nécessaire pour l'entreprise de retirer une publication. Dans la plupart des cas, ce sera pour des raisons légales ou lorsque des vies seront en danger. La consultation d'un avocat peut s'avérer nécessaire.*

- *Ne devrait pas «dépublier» un article parce qu'une source regrette d'avoir dévoilé trop d'informations ou décide de ne plus vouloir se faire citer dans l'article. Si l'information a été rapportée de façon exacte, le public a le droit d'y avoir accès.*

- *Doit faire preuve de justice et d'humanisme lorsque l'article est nuisible pour les personnes nommées. Dans certains cas, le tort causé à une personne pèse plus lourd dans la prise de décision que le droit du public à cette information. L'article sera donc enlevé des moteurs de recherche mais ne disparaîtra pas définitivement d'Internet et des archives physiques du journal.*

- *Doit prendre une décision collective quand vient le temps de trancher à savoir si un article ou un reportage doit être retiré des archives.*

La décision de «dépublier» ou non fait écho à une revendication qui, elle-même, vient d'une décision antérieure, celle de diffuser un article ou un reportage. Cela nous rappelle l'importance d'une réflexion en amont quant à la pertinence, la véracité, l'exactitude et l'équité de l'information qui sera diffusée dans un premier temps, puis archivée par la suite. Ainsi, l'entreprise de presse :

- *Doit avoir l'exactitude au cœur de ses responsabilités. Elle doit donc revérifier la véracité des informations, particulièrement lorsqu'il s'agit d'accusations envers des individus. Si elle a fait une erreur, elle doit la corriger sur l'archive en ligne et faire preuve de transparence en avisant ses lecteurs de l'erreur produite.*

- *Peut retirer un commentaire publié par un lecteur qui viole ses politiques de commentaires en ligne.*

- *Doit considérer les effets d'une publication (images ou textes) avant même de la rendre publique. L'excellence en journalisme est plus importante que jamais puisque les articles peuvent être lus à tout moment par des gens du monde entier.*

Sans favoriser des réponses uniformes, ces recommandations ont pour avantage de susciter une réelle réflexion éthique qui met en concurrence les principes de vérité, de droit à l'information, d'intérêt public, d'équité et de compassion.

Si, dans certains pays – dont le Canada – il est possible d'obtenir un pardon qui permet de retirer un dossier criminel des archives publiques, sans toutefois l'effacer des archives officielles, il semble conséquent de suggérer que la revendication d'un «droit à l'oubli» médiatique ne peut être prise à la légère. Cette revendication ne vise qu'à empêcher le public d'avoir accès aux archives en ligne, mais n'affecte en rien les archives que peuvent consulter les journalistes de l'entreprise de presse visée. Par ailleurs, elle ne peut s'appliquer aux supports matériels que sont le papier, les bandes magnétiques ou les autres supports physiques de l'information publiée. Ceux qui craignent qu'une telle revendication ne soit une tentative de censure ou de réécriture de l'histoire doivent donc réviser cette position radicale en tenant compte de ces aspects.

Ainsi, le quotidien britannique *The Guardian* refuse de retirer tout article de ses archives numériques. Cependant, certaines exceptions existent, par exemple lorsqu'un enfant est impliqué et que son avenir risque d'être compromis (Butterworth 2007). La politique du *New York Times* concernant la gestion d'archives est très simple : laisser tout le contenu disponible en ligne (à moins que le plaignant fournisse une preuve judiciaire ou policière pour appuyer sa revendication de retrait ou de modification d'un article). Pour la direction, retirer un article serait comme réécrire l'histoire. Dans la plupart des cas, le *Times* laisse l'article original mais ajoute « Editor's Note Appended » au haut de l'ancien article. Les explications des corrections apparaissent en bas de page. Il en est ainsi pour les cas impliquant des activités criminelles, particulièrement lorsque l'individu est acquitté (ou lorsqu'il s'agit d'une victime d'agression sexuelle, de la perte d'un proche, etc.). Mentionnons le cas particulier de *GateHouse Media*, qui possède environ 400 quotidiens et hebdomadaires aux États-Unis, ainsi que 250 sites Web locaux. On y a élaboré une politique spéciale concernant les affaires policières. Six mois après la première publication d'une affaire, on enlève des archives tout article qui s'y rattache. Une bonne façon, selon l'organisation, de faire un compromis entre le droit du public à être tenu informé et le respect de la vie privée des gens concernés par les articles. Cette façon de gérer les archives peut s'avérer efficace pour le respect de la vie privée mais la question est de savoir si le public sera privé d'informations qu'il aurait dû connaître.

MATIÈRE À DÉLIBÉRATION

Cas 1 : Un relationniste mandaté par un ordre professionnel vous communique officieusement des informations inexactes et négatives relativement à un individu qui se plaignait de la lenteur du traitement de plaintes concernant un membre de cet ordre. Lorsque vous vérifiez ces informations, vous vous rendez compte qu'elles sont fausses. Vous en avisez le relationniste qui s'engage à les vérifier et à les corriger rapidement et vous lui donnez un délai de quelques jours. Mais l'information vous semble intéressante car vous y voyez une manœuvre de l'ordre professionnel pour attaquer un plaignant. Que faites-vous: Publiez-vous cette information et dénoncez-vous la manœuvre avant l'expiration du délai accordé au relationniste? Demandez-vous au plaignant de venir réfuter en ondes des informations qui peuvent, à la limite, être diffamatoires pour lui? Attendez-vous l'explication du relationniste?

Cas 2: Un individu communique avec vous pour vous rapporter des déclarations d'un ex-ministre qui se serait vanté d'avoir un accès privilégié auprès du premier ministre en poste. Cet individu, qui est visiblement en colère contre l'ex-ministre, vous demande de lui accorder l'anonymat et l'ex-ministre dont il est question nie avoir tenu de tels propos. Que faites-vous: Vous rapportez l'information en accordant l'anonymat à votre source et en faisant état de la réaction de l'ex-ministre? Vous citez les paroles rapportées en les attribuant à l'ex-ministre comme si vous les aviez entendues vous-même au lieu qu'on vous les ait rapportées? Vous refusez d'accorder l'anonymat à une source qui cherche surtout à nuire à l'ex-ministre? Vous refusez d'accorder l'anonymat et vous dévoilez l'identité de la source contre son gré?

Cas 3: Vous savez que le conseil municipal a attribué un mandat à une firme de consultants pour élaborer un projet visant à rentabiliser un parc municipal d'exposition dont les équipements sont désuets. Le maire s'est engagé officiellement à rendre le document public une fois le mandat terminé. Vous apprenez que les consultants ont une rencontre importante avec le maire et ses proches conseillers pour leur présenter un projet de rapport final, auquel vous n'avez pas accès. Ce projet peut du reste faire l'objet de modifications avant le dépôt final. Vous savez que, si vous mettez la main sur ce projet de rapport, vous aurez une nouvelle exclusive pour le bulletin de nouvelles de début de soirée. Que faites-vous: Vous en demandez un exemplaire aux consultants ou aux représentants de la municipalité? Devant leur refus, vous décidez d'appeler au bureau de la firme de consultants pour vous faire passer pour un fonctionnaire de la municipalité qui a besoin d'un exemplaire du rapport en espérant qu'on acceptera de vous le faire parvenir par télécopie ou courriel? Vous laissez tomber en attendant le dépôt du rapport final?

CHAPITRE 10

Objectivité, impartialité et transparence

> « Les faits ne sont pas objectifs par eux-mêmes, ils sont objectivés par des méthodes et selon des points de vue différents. »
>
> Pierre ANSART (1990, 14)
>
> « La tendance contemporaine en journalisme insiste plus sur l'équité que sur l'objectivité. »
>
> Elizabeth B. ZIESENIS (1991, 241)

La question de l'objectivité est incontournable pour qui veut traiter des devoirs professionnels des journalistes. Le concept d'objectivité a deux fonctions principales en journalisme : la première rend uniformes les procédures de travail des journalistes, la seconde concerne les aspects éthiques et déontologiques de leur travail. On verra que l'objectivité journalistique, comme celle des scientifiques, est contestée de bien des façons, ce qui nous amènera à parler plutôt d'impartialité.

L'OBJECTIVITÉ JOURNALISTIQUE COMME PROCÉDURE

Pour les sources d'information, la notion d'objectivité journalistique est un facteur fondamental. Les obligations qu'elle impose aux journalistes assurent les sources que leurs versions et leurs interprétations de la réalité ne seront contestées que par d'autres sources et ne seront pas soumises aux biais et aux préférences du journaliste (Ericson *et al.* 1989, 15).

Pour les journalistes aussi, l'objectivité est un concept majeur. C'est à tout le moins ce que suggère notamment une étude de Phillips, qui révèle que 98 % des journalistes interrogés à ce sujet disent adhérer à cette valeur professionnelle (Ericson *et al.* 1987, 104). Dans un article historique bien documenté portant sur les préoccupations éthiques et déontologiques des journalistes américains, Banning rapporte que la notion d'objectivité, tout comme celle de vérité et le besoin de règles déontologiques, était discutée dès 1875, au Missouri à tout le moins, mais sans doute ailleurs aussi (Banning 1999, 17). Mais en quoi consiste l'objectivité journalistique, dans les faits? Il en existe plusieurs définitions.

Certains auteurs la décrivent comme un ensemble de procédures de travail, des routines en quelque sorte. Pour Padioleau, il s'agit de règles d'écriture formelles avec lesquelles sont familiarisés les différents auditoires des journalistes (1976, 269). Charron et Lemieux décrivent ces règles comme des « techniques discursives particulières : mode indicatif, formules neutres, catégories de sens commun, identification et citation des sources, etc. » (Charron *et al.* 1991, 12). Le recours à ces procédés n'est pas aléatoire. Au contraire, il constitue une obligation chez les journalistes nord-américains, surtout lorsque ceux-ci s'adonnent aux genres journalistiques factuels que sont le compte rendu et l'enquête. Chez les chroniqueurs, les critiques et les commentateurs, ces règles d'écriture neutres sont plus ou moins suivies, certains préférant un style plus flamboyant afin de créer des impressions et de susciter des émotions au sein de leur auditoire. Quant aux éditorialistes, ils ont traditionnellement adopté une règle d'écriture neutre afin de donner un caractère d'objectivité et de détachement à l'énoncé de leurs arguments et de leurs commentaires, mais eux aussi semblent s'orienter vers une forme plus expressive, sinon polémique afin de séduire les publics.

Par ailleurs, les règles d'écriture utilisées quotidiennement sont définies comme des *routines journalistiques* par certains théoriciens et praticiens des médias. Ainsi comprise et admise, l'objectivité journalistique permet de limiter le travail à la répétition de pratiques que l'ex-courriériste parlementaire québécois Gilles Lesage qualifiait d'obnubilantes tellement elles s'opposent à la réflexion et à la distance critique (Lesage 1980, 277). Chez Padioleau, l'expression « routines » n'est pas péjorative, elle désigne simplement « un ingrédient nécessaire dans la profession [...] c'est-à-dire des pratiques d'écriture et de mise en forme de nouvelles qui s'exercent sans requérir des opérations innovatrices par rapport à la pratique quotidienne » (p. 271).

Ces routines ont des avantages certains pour les journalistes, surtout dans les sociétés où les médias voudraient être perçus comme un simple miroir de la réalité. Associées à cette perception des médias, elles offrent une grande protection aux journalistes contre d'éventuelles critiques qui pourraient leur être adressées relativement à un supposé parti pris (Padioleau 1976, 269). Ils peuvent toujours plaider qu'ils agissent de la même façon pour tous. Il se peut en effet que l'objectivité journalistique résulte de l'adhésion à une procédure méthodique qui respecte les piliers normatifs de la profession plutôt que d'être une fausse prétention au détachement et à la neutralité qui sont souvent des prétextes à l'insensibilité face aux conséquences de leur travail.

De plus, le fait d'accepter divers procédés narratifs comme des éléments majeurs de l'objectivité journalistique offre aux journalistes une rationalité qui les immunise partiellement contre certaines théories divergentes et contrariantes. Par exemple, l'objectivité journalistique s'oppose fondamentalement à la théorie voulant que les journalistes ne rapportent pas la réalité, mais participent plutôt, avec l'aide de leurs sources d'information, à un processus de construction de la réalité. C'est par ce processus que des faits deviennent des événements, puis des nouvelles grâce aux interventions successives des sources et des journalistes. Ce processus est complexe et jette le doute sur la « vérité » que rapportent les journalistes (Ericson *et al.* 1987, 120), qui préféreraient se contenter du concept d'objectivité érigé en paradigme simpliste.

Un autre avantage du *paradigme de l'objectivité* est de délester le journaliste de la responsabilité morale quant aux conséquences de ses actes professionnels pour les autres (Gans 1979, 188). En soutenant qu'il ne fait qu'obéir à des règles prédéfinies, comme rapporter les faits sociaux sans les censurer, par exemple, le journaliste parvient à se préserver de tout sentiment de culpabilité, même lorsque le produit de son travail a des conséquences néfastes pour certains.

On doit cependant reconnaître que l'objectivité complique également le travail des journalistes, car elle leur impose de toujours aller chercher la version opposée. Cela devient parfois problématique au point où un journaliste peut décider de ne pas faire mention d'une prise de position dans son compte rendu parce qu'il serait alors forcé de s'enquérir des réactions adverses (Ericson *et al.* 1987, 112).

L'OBJECTIVITÉ REMISE EN QUESTION

La notion d'objectivité journalistique hante la conception nord-américaine du journalisme. On en trouve les traces dans plusieurs codes de déontologie ainsi que dans les critiques adressées aux médias et à leurs journalistes. Pourtant, l'objectivité est peut-être un mot creux. En tout cas, elle est une notion contestée qui fait l'objet d'au moins six types d'opposition, analyse Gauthier (1991). Ce sont des contestations d'ordre épistémologique, ontologique, psychologique, pragmatique, éthique et idéologique.

L'opposition d'ordre épistémologique à l'objectivité journalistique, précise Gauthier, est fondée sur l'impossibilité d'avoir une connaissance pleine et entière de la réalité. Il est incontestablement impossible de tout connaître. Même pour l'individu qui passerait sa vie entière à lire, expérimenter, conceptualiser et calculer, de larges pans de la réalité demeureraient occultés. Du reste, le temps nécessaire pour découvrir, connaître, comprendre et raffiner tous les outils de recherche suffirait à remplir honorablement toute une vie! Que dire maintenant du journaliste qui doit accéder à la connaissance de sujets variés, généralement assez complexes comme le sont les comportements humains, en faire une synthèse et communiquer le tout, le plus souvent en quelques heures et à travers d'autres activités professionnelles? On admet facilement le bien-fondé de la contestation épistémologique de l'objectivité journalistique.

Quant à la contestation d'ordre ontologique, elle a un rapport étroit avec le courant philosophique selon lequel la réalité n'existe pas indépendamment de l'observateur humain conscient. Des journalistes rejettent donc cette notion sous prétexte qu'il s'agit d'une illusion (Kovach et Rosenstiel 2001, 74). Contestable à plusieurs égards, ce courant philosophique ne résiste pas aux connaissances fournies par les sciences que sont l'anthropologie et, surtout, la paléontologie sur des époques précédant de plusieurs millions d'années l'émergence d'une conscience autoréflexive humaine. En somme, on sait que la réalité existait bien avant l'*Homo sapiens*. Les recherches en neurosciences ont par ailleurs montré la relation essentielle qui existe entre réalité objective et représentation mentale de cette réalité, ce qui serait un acquis de l'évolution et permettrait la survie et l'adaptation à un environnement souvent menaçant.

La contestation d'ordre psychologique est fondée sur la conviction que les journalistes, comme tous les humains, appréhendent toujours la réalité en fonction de leur subjectivité propre. Cette subjectivité étant différente d'un individu à l'autre, il va de soi que le cadre perceptuel diffère également, ce qui rend impossible le projet d'*une* connaissance objective: on observe plutôt une multitude de connaissances partielles et partiales conditionnées par ce que Boudon (1986, 106-108) nomme des effets de position (dans la société) et de disposition (cognitive, morale, idéologique, etc.). À sa façon, Wolton abonde quand il affirme que le journaliste «essaie de comprendre ce qui se passe dans le monde pour pouvoir le raconter ensuite à des millions d'autres hommes et femmes. Son travail est avant tout subjectif et individualiste. Le fondement de l'information journalistique repose sur la subjectivité et non sur une quelconque prétention à l'objectivité» (1995, 89).

Vient ensuite la mise en cause d'ordre pragmatique selon laquelle l'objectivité journalistique ne serait en fait qu'une série de procédures relatives à la production de l'information, ce qui nous ramène à l'objectivité comme routine de travail évoquée plus haut. Ici, l'objectivité se réduit principalement au fait que tous les journalistes adoptent des pratiques identiques, dans toutes les circonstances, ce qui est perçu comme une méthodologie objective. Cela ne signifie pas que le produit de ces pratiques sera, lui, objectif.

Il existe aussi une contestation éthique parce que l'objectivité des journalistes aurait pour conséquence d'occulter leurs différentes responsabilités (que l'on sait nombreuses). C'est en quelque sorte le retour de la dualité entre éthique de la conviction et éthique de la responsabilité. L'éthique de la responsabilité entraîne avec elle son lot de questionnements qui incite le journaliste à faire prendre en compte les conséquences de son travail, si bien qu'il ne peut prétendre à l'objectivité.

Enfin, la contestation d'ordre idéologique se manifeste quand l'objectivité est dénoncée comme un instrument de mystification utilisé par les pouvoirs dominants (Gauthier 1991, 108). Selon les tenants de cette thèse, l'objectivité journalistique est ni plus ni moins qu'une stratégie qui oblige les journalistes à accorder de l'importance aux arguments des détenteurs du pouvoir, lesquels peuvent faire valoir leurs points de vue, même lorsque ceux-ci ont toutes les allures de mensonges ou de demi-vérités. Grâce à cette «objectivité», les puissants sont assurés de ne pas être évacués des médias, qui pourraient autrement les contester à un point tel qu'ils risqueraient d'être renversés.

Pour Schudson (2001), la notion d'objectivité journalistique serait une extension de l'objectivité scientifique en même temps que stratégie de professionnalisation. Quand des journalistes utilisaient cette notion pour définir leur travail, pendant les années 1920, le terme désignait plutôt une méthodologie de travail rigoureuse venue du champ de recherche en sciences naturelles. L'objectivité fut perçue comme un antidote à l'émotivité et aux excès partisans *(jingoism)* de la presse américaine conservatrice (Streckfuss 1990, 973). Si la notion d'objectivité a pu apparaître dès la fin du XIXᵉ siècle au sein des médias américains, comme le soutient Fink (1988, 8), ce n'est que pendant les années 1930 que «l'idéologie du journalisme objectif a pris racine» (Christians 1989, 9).

On va même jusqu'à dire que journalistes et scientifiques «partagent nécessairement une éthique comparable de l'objectivité dans la recherche» (Bougnoux 1995, 2).

Au-delà de ces débats philosophiques, il faut se demander ce que recouvre la notion d'objectivité ou ce qu'on veut qu'elle contienne, sur le plan des pratiques journalistiques. On s'entend généralement pour concevoir l'objectivité comme une interdiction faite au journaliste de biaiser ses comptes rendus en fonction de ses préjugés, de ses croyances, de ses convictions, etc. On lui demande de laisser ces considérations de côté, de les exclure de son travail de diffuseur d'informations, bien qu'elles soient souvent utiles dans le travail de collecte d'informations, ne serait-ce que pour discuter avec les sources d'information afin de découvrir ce qu'elles veulent cacher ou de relever leurs incohérences. Au moment de livrer les fruits de son travail, le journaliste doit y aller de comptes rendus dits objectifs. Il ne doit pas prendre parti, mais présenter au public les éléments qui permettront à celui-ci de prendre parti. En ce sens, le journaliste est davantage impartial qu'objectif. Mais il est aussi possible d'adhérer à une conception restreinte, ou modestement positiviste, de l'objectivité comme c'est le cas pour la vérité. En ce sens, l'objectivité journalistique serait possible relativement à la description de faits empiriques, description qui pourrait alors être comparée au réel de référence pour faire l'objet d'un consensus. Mais bien souvent, c'est surtout le principe d'impartialité qui se retrouve sous la prescription d'objectivité journalistique.

L'IMPARTIALITÉ

Cette valeur professionnelle est souvent étroitement associée à la norme de l'intégrité journalistique dont il sera question au chapitre suivant. Ainsi, les *Normes et pratiques journalistiques* de la SRC ont déjà prescrit au journaliste le devoir de présenter des reportages «sans exprimer ni refléter son opinion ou ses tendances personnelles. En d'autres mots, il doit savoir se détacher de ses vues personnelles» (SRC 2001, 102). Il y a lieu de bien noter que l'impartialité comme pilier normatif ne concerne que les genres journalistiques du journalisme d'information ou d'interprétation: nouvelle, enquête, reportage, compte rendu, brève, analyse, etc. On ne saurait exiger l'impartialité de la part de critiques, chroniqueurs, commentateurs et éditorialistes dont le rôle est justement de prendre parti en faveur d'une opinion ou d'une autre. Mais on doit néanmoins exiger de ces derniers, comme des premiers, d'être rigoureux, équitables et intègres.

En vertu de cette norme de l'impartialité, le journaliste d'information doit également éviter de se trouver en conflit d'intérêts (Williamson 1979, 69), de « contaminer » son travail par ses préjugés et ses opinions (Aumente 1991, 42), ce qui signifie « dépersonnaliser » ses comptes rendus (Entman 1989, 30). Entman ajoute que l'incidence d'une nouvelle doit être attribuable aux faits qui y sont relatés et non pas à l'intervention du journaliste lui-même. Cette façon de présenter la réalité ne serait pas une faiblesse, selon Szuskiewicz (1991, 21), mais plutôt un témoignage de force puisqu'elle oblige à absorber tous les points de vue relatifs à un événement et à les présenter de façon cohérente, logique et concise. McDonald propose quant à lui une définition dans laquelle l'objectivité implique une correspondance entre un objet de la réalité et la connaissance qu'il est possible d'en avoir, ce qui écarte tout biais personnel, tout parti pris qui déformerait la représentation du réel (1975, 69). Il rejoint ainsi l'une des thèses dominantes du positivisme scientifique.

Pour les besoins du présent ouvrage, il suffit d'admettre que, quoique l'objectivité soit impossible à atteindre à moins d'en atténuer largement l'acception, cette convention journalistique, puisqu'elle en est une, n'en exige pas moins que le journaliste se limite aux faits et aux opinions des autres dans ses comptes rendus. On le veut impartial, c'est-à-dire qu'il ne prenne pas parti et qu'en outre il divulgue ses sources pour assurer qu'il n'est pas l'auteur des énoncés ou l'acteur des faits relatés. Aucune interprétation de la part du journaliste ne doit « contaminer » le texte, en somme, et les commentaires doivent provenir des sources (Sigal 1973, 66).

Kovach et Rosenstiel ont abordé cette obligation professionnelle pour soutenir que toute partisannerie doit être franchement avouée et assumée par les journalistes – essentiellement pour les journalistes d'opinion –, ce qui permet au public d'être informé des biais que cela implique par rapport à différents enjeux. Ils ajoutent cependant que cela ne doit pas justifier la participation directe et l'activisme, ce qui minerait la confiance des sources et des militants des différents groupes (2001, 97).

Mais en tout état de cause, sur le plan éthique, la divulgation de toute forme de partialité demeure un devoir incontournable afin de ne pas induire le public en erreur. Du reste, le respect des normes de la vérité, de l'équité, de la rigueur et de l'exactitude a pour effet de limiter considérablement les dérapages partisans et activistes de tout journaliste. La règle d'impartialité s'impose avant tout dans le compte rendu qui prétend à la description neutre et désintéressée des faits sociaux.

Toutefois, l'obligation qui consiste à rendre publique toute partialité dégage une marge de manœuvre en faveur du journalisme engagé ou du journalisme de combat, dans la mesure où le contrat de lecture entre l'entreprise de presse et son public est explicite à ce sujet. Il ne faut cependant pas sous-estimer le fait que toute partialité, tout engagement du journaliste menace sérieusement un pilier normatif fondamental, l'intégrité journalistique qui proscrit le militantisme.

Avec les médias sociaux, les journalistes doivent faire preuve d'une plus grande prudence car il leur arrive qu'ils y tiennent des propos pouvant soulever des doutes quant à leur partialité. Bien souvent, alors qu'ils couvrent des événements (procès, rassemblement, etc.), il leur arrive de s'épancher sur Twitter ou Facebook, de diffuser leurs réactions ou commentaires d'une façon telle que cela peut créer une apparence de partialité. C'est pour cette raison que le *Guide de déontologie* des journalistes québécois rappelle que la « nature sociale de ces réseaux implique que chaque propos qui y est échangé peut devenir public, malgré la possibilité de paramétrer les réglages de confidentialité. En conséquence, les journalistes ne doivent pas tenir dans les médias sociaux des propos qu'ils ne tiendraient pas en ondes ou dans leur publication » (FPJQ 2010).

LA TRANSPARENCE

Ces dernières années, les prétentions à l'impartialité, l'objectivité ou la neutralité ont été l'objet de multiples mises en cause sous prétexte de la multiplication des types de journalismes professionnels ou amateurs. Pour bon nombre, l'émergence des blogueurs, des sites Internet et des médias sociaux ayant permis que tous puissent prendre la parole dans l'espace public, justifiait d'abandonner la norme de l'impartialité. Celle-ci était en quelque sorte associée à une époque où peu de gens avaient le privilège de s'adresser à de vastes publics, ce qui conférait à une minorité de journalistes un pouvoir d'influence sur l'opinion publique car ils étaient souvent les seuls à pouvoir témoigner d'un événement. Leur impartialité était donc perçue comme une norme professionnelle fondamentale. Mais avec la multiplication des journalismes, avec l'accès du citoyen lambda aux technologies de l'information et de la communication, les points de vue sur un événement se multiplient aussi et le public est exposé non pas à une vision prétendant à l'impartialité, mais à plusieurs points de vue plus ou moins partiels et partiaux.

Ce qui serait important, dans un tel contexte, n'est plus la prétention à l'objectivé, la neutralité ou l'impartialité. Ce serait plutôt de faire preuve de transparence, c'est-à-dire de dévoiler les affiliations du journaliste (affiliations partisanes, idéologiques, religieuses, d'affaires, familiales, etc.) et, par ailleurs, expliquer comment ils ont travaillé (identifier les sources documentaires, justifier les choix et certaines pratiques, etc.). C'est du moins la thèse au cœur de l'ouvrage *The New Ethics of Journalism*, de McBride et Rosentiel (2014). Leur conception de la transparence intègre des éléments que nous préférons associer à la norme de l'imputabilité journalistique et de la reddition de comptes, que nous allons explorer à la fin du présent ouvrage. Dans d'autres cas, elle réfère au principe de l'indépendance qui est associée à la norme de l'intégrité.

La transparence semble être avant tout une justification ou une tentative de légitimation de la transformation de certaines pratiques médiatiques dans un contexte d'abondance informationnelle où la stratégie de distinction la plus économique passe non pas par l'enquête et la révélation exclusive d'informations importantes pour la vie démocratique, mais par la diffusion d'opinions variées, attrayantes, ludiques ou extrêmes. Elle permet de diffuser des points de vue à faible valeur informative, à toute heure du jour, sans garantir l'indépendance de leurs auteurs qui peuvent se faire les propagandistes de leurs familles politiques, idéologiques, culturelles, etc. L'important est que le public soit informé de ces affiliations. La transparence exige donc que celles-ci soient révélées aux publics.

Pourtant, rien ne garantit que la transparence soit une valeur supérieure à l'impartialité. En journalisme, la transparence est parfois contraire à l'opacité de certaines pratiques clandestines (caméra cachée, fausse identité, etc.) nécessaires à la révélation d'informations d'intérêt public sur des enjeux majeurs. De plus, certains voudraient qu'elle se substitue à l'indépendance journalistique, si bien que les journalistes pourraient en même temps être relationnistes, élus, consultants de tout acabit, conseillers stratégiques ou publicitaires sous prétexte que leur cumul de fonctions, leurs intérêts contradictoires et conflictuels soient révélés au public. Or il est rare que le public soit explicitement tenu informé de ces affiliations qui risquent de réduire à presque néant la crédibilité des journalistes spécialisés dans l'expression d'opinions.

D'une certaine façon, la transparence est une valeur morale universelle. Elle s'impose aux élus, certes, mais aussi à bon nombre d'acteurs sociaux. En communication, elle concerne tous ceux qui collaborent à la création, la production et la diffusion de messages à des fins d'information et de persuasion. Elle va bien au-delà du journalisme et englobe les spécialistes de la communication publique aussi bien que les militants et activistes, les porte-parole de groupes ou d'associations, les blogueurs, les abonnés de Twitter et Facebook, etc. Le public devrait pouvoir identifier les auteurs de toute parole publique et être en mesure de connaître leurs intérêts et affiliations.

La transparence transcende les piliers normatifs du journalisme professionnel plutôt que de chercher à se substituer à l'un ou l'autre. On la voit au travail par exemple dans quelques critères liés à la justification publique de certains procédés clandestins, ou lorsque des conflits d'intérêts inévitables doivent être révélés au public. La transparence s'impose aussi à l'étape de l'imputabilité, quand les journalistes professionnels doivent rendre des comptes quant à leur façon d'assumer leurs responsabilités.

CHAPITRE 11

L'intégrité

L'intégrité journalistique repose largement sur l'absence de conflits de loyautés, et même sur l'absence d'apparence de tels conflits. Cette préoccupation existe à l'égard de toutes les fonctions sociales prétendant servir avant tout le bien public : élus, médecins, scientifiques, professeurs ou journalistes, comme si personne ne pouvait échapper au doute systématique. Quoi qu'il en soit, les conflits d'intérêts sont au nombre des questions déontologiques les plus importantes reconnues aux États-Unis aussi bien par des journalistes (Anderson 1987, 344) que par des cadres de salles de rédaction des médias électroniques (Wulfemeyer 1990, 985), et cette préoccupation est présente dans les congrès et les colloques ainsi que dans les cours de journalisme (Stein 1985, 84). Même l'apparence de conflit d'intérêts préoccupe autant les journalistes que les citoyens qui entretiennent une relation critique avec les médias (Smythe 1989, 369).

Comment définir le conflit d'intérêts typique, quel est l'élément central de tout conflit d'intérêts, que celui-ci soit manifeste ou apparent ? On peut dire qu'il s'agit d'une situation où la diffusion d'informations ou d'opinions défavoriserait ou risquerait de défavoriser les intérêts personnels du journaliste en cause, que ceux-ci soient financiers ou non (idéologie, parents, amis). Le journaliste doit alors choisir quels intérêts privilégier entre ceux du public qu'il est censé servir ou ses propres intérêts (ou ceux de son entourage).

Souvent, on associe à tort l'expression conflit d'intérêts aux journalistes qui servent honnêtement l'intérêt public tout en retirant ou espérant retirer de leur travail des bénéfices personnels (notoriété, vente de livres, reconnaissance, valeur *marchande* auprès d'entreprises de presse intéressées à ses services professionnels, etc.). On devrait plutôt parler de convergence d'intérêts. Ce serait le cas lorsque l'intérêt public est bien servi, que les devoirs professionnels sont respectés et que, par ailleurs, le journaliste voit sa situation personnelle s'améliorer, ou se maintenir. En fait, cela représente la situation idéale pour le journaliste qui peut honorablement gagner sa vie tout en rendant service à la communauté en l'informant des événements concernant son bien-être. Quant au conflit d'intérêts, il n'existe que si l'obligation d'un journaliste de servir de façon indépendante l'intérêt public est menacée par la promotion ou la protection de ses intérêts personnels.

Il existe deux grandes catégories de conflits d'intérêts : les conflits d'intérêts de type financier et ceux de type non financier, les premiers étant à la fois les plus condamnables et les plus faciles à éviter.

LES CONFLITS D'INTÉRÊTS DE TYPE FINANCIER

« Nous vivons dans une société où l'argent a pris une grande importance et la plupart d'entre nous sommes jugés moins en raison de nos comportements éthiques qu'en raison de nos capacités à acquérir des biens, de l'influence, et du pouvoir » (Rubin 1978, 12). Cette citation, sans doute encore plus vraie qu'en 1978, nous conduit au vif du sujet : quels compromis faut-il faire entre accomplir pleinement un devoir professionnel, qui consiste à servir l'intérêt public, et s'adonner à des activités lucratives qui risquent d'entrer en conflit avec ce devoir ? Est-il même question de compromis ou bien de compromission ? Quand les intérêts privés doivent-ils passer après l'intérêt public ? Idéalement, le journaliste doit être au service exclusif du public, surtout si son employeur s'est engagé implicitement ou explicitement à donner au public les informations importantes, et ce, de façon indépendante. Il s'agit d'un contrat de communication qui doit respecter l'attente légitime des gens. Il y a, entre les journalistes et leurs publics, une forme de *contrat de lecture* ou *contrat de communication*, qui repose notamment sur les obligations qu'ont les premiers à suivre des règles rigoureuses, équitables et intègres, en échange de quoi les seconds leur accordent une grande confiance. Ce contrat implicite est établi en fonction des attentes des récepteurs, attentes rendues légitimes par les prétentions ou les engagements des émetteurs qui font valoir leurs compétences, leur intégrité, etc.

Mais comme le révèlent de nombreuses enquêtes d'opinion, une bonne partie du public est convaincue que les journalistes ne sont pas à la hauteur de leurs engagements. En France, un sondage annuel TNS Sofres/La Croix[1] (*Baromètre de confiance dans les médias*) indique que de

---

1.   Voir l'édition 2014 [http://www.tns-sofres.com///sites/default/files/2014.01.22-confiance-medias.pdf], lien visité le 22 avril 2014.

1993 à 2014, environ 60 % des Français estiment que les journalistes ne sont pas indépendants face aux pressions de l'argent, et un peu plus, environ 63 %, croient qu'ils ne sont pas indépendants face aux pressions des partis politiques et du pouvoir. La Chaire de recherche en éthique du journalisme de l'Université d'Ottawa[2] a utilisé les mêmes questions pour son *Baromètre des médias*, de 2009 à 2013. On observe que la méfiance est moins élevée au Québec, car environ 50 % des répondants doutent de l'indépendance des journalistes par rapport aux pressions des partis politiques et du pouvoir, tandis que 47 % doutent qu'ils résistent aux pressions de l'argent. Une autre enquête réalisée au Québec en 2002 révélait pour sa part que les gens sont plus nombreux à penser que les journalistes sont au service de leur entreprise de presse qu'au service du public (38 % vs 27 %) et près de 30 % étaient d'avis qu'ils travaillent avant tout pour leurs propres intérêts. Et 66 % des répondants étaient d'avis que les annonceurs influencent le travail de la presse québécoise (Bernier 2004).

La question de l'intégrité de l'information, qui renvoie à l'indépendance, est depuis longtemps une question fondamentale de l'éthique et de la déontologie du journalisme et le quadruple phénomène de la concentration de la propriété, de la convergence, de la commercialisation et de la concurrence des médias d'information est propice à des dérapages importants, au point qu'il n'est pas surprenant que le public et les journalistes demandent l'intervention des gouvernements pour rétablir les choses.

Le plus souvent, les journalistes se tiennent à l'écart des activités pouvant engendrer des situations de conflit d'intérêts. Mais il existe des spécialités journalistiques qui n'affichent pas cette prudence. Les journalistes sportifs sont généralement de ceux-là, aussi bien au Québec qu'aux États-Unis et en France, et on le déplore aussi dans plusieurs autres pays. C'est du reste ce qui menace tous les journalistes qui œuvrent dans des secteurs étroitement liés aux revenus publicitaires (consommation, habitation, automobile, mode, etc.) et à la recherche de vastes publics (spectacles, sports, etc.).

Prenons le cas des journalistes sportifs. Il est vrai que ces journalistes vont rarement faire enquête auprès des clients des équipes sportives, soit les spectateurs, afin de leur permettre d'exprimer leurs doléances, par exemple sur le prix des billets, la compétence des grands responsables de

---

2. Le mandat de la Chaire a pris fin en 2014. Ces résultats proviennent de sondages annuels qu'elle a financés.

l'équipe, etc. Traditionnellement, avant qu'il ne puisse s'exprimer directement sur Internet, le rôle dévolu au public se limitait à jouer au gérant d'estrade, à critiquer les officiels, les joueurs et les entraîneurs. Les occasions de s'exprimer lui étaient offertes lors de tribunes téléphoniques radiophoniques et, maintenant, télévisées. L'aspect contestataire de ce « monde ordinaire » (comme on le nomme parfois sans trop expliquer ce que cela veut dire) était rarement mis en évidence au même titre que les contestations des décisions des responsables politiques, scolaires, du milieu de la santé, etc. Du reste, ce sont très rarement les journalistes sportifs qui divulguent les grands scandales qui concernent les milieux sportifs, qu'il s'agisse de dopage de cyclistes ou de fraudes réalisées par les agents négociateurs d'athlètes professionnels. Cela est le plus souvent l'œuvre de journalistes qui ne sont pas étroitement liés avec ce milieu.

Il s'en trouve pour affirmer que les sections sportives des médias sont par définition des lieux de conflits d'intérêts. On se demande si l'on y fera la couverture de divertissements, d'activités économiques ou des victoires et des défaites des athlètes. « La plupart du temps, c'est les trois. Mais leur plus grand conflit d'intérêts est surtout dû à une ambiguïté fondamentale : faire la promotion des sports ou en assurer la couverture journalistique » (Goodwin 1986, 59). Il rappelle que les journalistes sportifs ont souvent été au nombre des promoteurs de l'implantation d'une franchise professionnelle dans leur ville (p. 78), et cela s'est vu dans plusieurs endroits.

Il y a aussi une tradition, dans les médias électroniques à tout le moins, voulant que ce soient les propriétaires des équipes professionnelles qui choisissent les journalistes qui commenteront les matchs présentés et qui détermineront, contre rémunération, quels joueurs auront excellé. Hulteng ne voit pas comment on pourrait prétendre qu'il ne s'agit pas là de conflit d'intérêts. Il croit que la seule façon de régler ce problème est de rendre les journalistes sportifs entièrement indépendants de leurs sources d'information qu'ils doivent, théoriquement, couvrir sans craintes ni faveurs (1976, 36).

La communication publique est une nébuleuse au sein de laquelle on trouve des publicitaires, des relationnistes, des conseillers, des animateurs, des journalistes, etc. Tous ont des rôles différents, parfois divergents. Tous servent des intérêts différents, ou parfois les mêmes, mais à des degrés divers. Ce qui distingue le journaliste des autres professionnels de la communication, c'est qu'il doit avant tout servir l'intérêt public. Mais plusieurs alimentent la confusion des genres communicationnels, de façon à en tirer le maximum de profits. Cela donne un amalgame journalistecommunicateur-promoteur qui brouille le contrat de communication entre les journalistes et leurs publics et risque, à terme, de miner sérieusement leur légitimité sociale.

Les journalistes ont beaucoup à perdre à laisser cette confusion s'installer dans l'esprit du public, voire dans celui des responsables de salles de rédaction. Ces derniers, pour des raisons de rentabilité, aiment bien employer des journalistes vedettes qui hésitent peu sur les moyens à prendre pour arriver à leurs fins, souvent sensationnelles. Le vedettariat journalistique met en danger l'intégrité professionnelle et la crédibilité des journalistes sans lesquelles le public n'a aucune bonne raison de chercher à s'informer auprès de médias qu'il suspecterait d'être aussi trompeurs que le sont, à ses yeux, les politiciens et les publicitaires. Ce phénomène vécu depuis longtemps prend une ampleur nouvelle avec l'importance désormais accordée à la mise en marché (*branding*) de journalistes qui deviennent de véritables marques, notamment par les médias sociaux.

Dans plusieurs médias, la plus grande part du budget attribué aux collaborateurs spéciaux ou aux chroniqueurs spécialisés ne va pas dans les poches de pigistes ayant des convictions professionnelles, mais dans celles de porte-parole plus ou moins avoués de constructeurs de voitures, de dessinateurs de mode, de commerçants d'appareils électroniques, de propriétaires de bureaux comptables, etc.

On peut comprendre les syndicats de journalistes, par ailleurs pas toujours très soucieux d'une déontologie pouvant signifier des sacrifices pécuniaires ou des sanctions disciplinaires pour leurs membres, de s'opposer à l'invasion des collaborateurs spéciaux. Dans ce contexte, l'exclusion de ces journalistes d'occasion est loin de relever uniquement de la rigidité des conventions collectives. Elle s'explique partiellement par le souci de sauvegarder l'intégrité professionnelle et la crédibilité des journalistes en général, sans lesquelles la société a peu de raisons d'accorder à la presse la liberté qu'elle revendique sous prétexte de servir l'intérêt public et d'assurer le bon fonctionnement de la démocratie.

Les journalistes promotionnels sont de l'or en barre pour les entreprises qui savent bien qu'un reportage journalistique vantant leurs produits a plus de crédibilité qu'une publicité ; et cela sera vrai jusqu'à ce que les lecteurs, ne sachant plus s'ils ont affaire à un reportage journalistique ou à une promotion masquée, ne croiront plus en la «vérité désintéressée» de ce qu'ils lisent. Strauss prophétise que certains d'entre eux cesseront de lire les journaux et les magazines qui ont volontairement semé la confusion (1990, 18) comme, sans doute, les autres publications dont la réputation d'intégrité aura été contaminée par le travail de sape des premiers. Cela reste à voir, considérant que les magazines les plus lus sont souvent ceux qui ont une importante orientation promotionnelle (mode, vedettes, spectacles, sports, etc.).

On ne peut limiter le phénomène de la publicité clandestine au seul travail des journalistes de type promotionnel. La présence occulte de la publicité dans l'information journalistique est de toutes les époques et, en ce sens, il n'y a pas eu d'«âge d'or» du journalisme qui aurait été caractérisé par une intégrité professionnelle incontestable. La présence de la publicité clandestine varie d'abord en fonction de variables macro-économiques (récession, prospérité, etc.) et micro-économiques (concurrence, spécialisation des médias, secteur couvert par le journaliste), ces deux grandes familles ayant parfois entre elles des relations de cause à effet. Rouge affirme que «c'est une règle bien établie : plus une presse est spécialisée, plus elle a de "chances" d'être corrompue» (1990, 38)[3]. Par exemple, en période de récession économique, les entreprises de presse dont la situation financière est précaire hésiteront moins à «faire plaisir» à leurs annonceurs importants en leur permettant de se mettre en valeur dans des reportages journalistiques. Cela se fait au moyen d'une «commande» qui provient du service de la publicité et, par l'intermédiaire d'un cadre de la salle de rédaction qui y déniche un «angle journalistique intéressant», qui devient une «assignation», c'est-à-dire un ordre de couverture auquel le journaliste doit obéir. C'est ainsi que prend forme une publicité clandestine dédiée à la promotion de biens et de services et sert avant tout les intérêts privés de l'annonceur et de l'entreprise de presse, bien que ceux-ci ne soient pas toujours sans intérêt.

Il ne fait pas de doute que le contexte politique, social, économique et la culture d'entreprise sont autant de facteurs qui facilitent ou, au contraire, défavorisent des comportements en transgression avec la norme de l'intégrité. On le voit très bien par exemple au Mexique, où des décennies de régime autoritaire et la collusion entre médias et pouvoir politique ont contribué à rendre acceptable la corruption de journalistes qui devaient compter sur des revenus illicites pour compenser leurs mauvaises conditions de travail (Ramirez 2014). On voit de tels comportements dans de nombreux pays aux prises avec des situations économiques et politiques

---

3.   Il explique cette règle par le fait que les revenus publicitaires proviennent tous du même milieu économique et que les journalistes dépendent de peu de sources ayant les mêmes intérêts. Rouge n'est cependant pas très convaincant et sa règle ne repose pas sur une méthode empirique. Il occulte les contre-exemples qui la font mentir, comme le *Wall Street Journal* ou les publications scientifiques spécialisées.

pénibles, en Afrique (Bemma 2014) certes, mais aussi dans certains pays d'Europe de l'Est ou d'Amérique du Sud. Nul besoin de se retrouver dans des situations aussi extrêmes pour voir que l'intégrité est une norme menacée. Dans une enquête réalisée en 2013 pour le Conseil de presse du Québec, nous avons observé que les pressions publicitaires s'exerçaient le plus sur les journalistes de petits hebdomadaires régionaux gratuits, où plus de 20 % des journalistes déclaraient qu'il arrivait régulièrement ou souvent qu'on récompense un achat publicitaire par un article, un reportage ou un autre contenu réalisé par un journaliste (Bernier 2014). Dans une moindre mesure, il arrive aussi que le nom d'un journaliste soit associé à du contenu publicitaire ou commandité.

La publicité clandestine passe souvent par le journaliste, et c'est ici qu'entre en jeu une autre variable qui influe sur la présence de ce type de publicité : la conscience professionnelle des journalistes. C'est souvent en son nom que ceux-ci se sont regroupés en syndicats pour défendre des principes professionnels et intégrer progressivement des règles déontologiques plus ou moins explicites et formelles dans leurs contrats de travail. La présence de la publicité clandestine ayant été observée de tout temps, on aurait tort de parler de l'invasion de la publicité dans l'information comme d'un phénomène nouveau, alors qu'il s'agirait plutôt d'un phénomène cyclique. En 1978, aux États-Unis, tous les journaux et toutes les stations de télévision étudiés par Tuchman diffusaient des reportages commandés afin de favoriser ici un annonceur, là des amis des principaux gestionnaires de l'entreprise (1978, 15).

Par ailleurs, plusieurs évoquent la notion de conflit d'intérêts, notamment quand la critique artistique ou littéraire est étroitement associée à des hyperliens conduisant directement à des sites destinés à la vente des produits culturels dont il est question. La traditionnelle séparation de « l'État et de l'Église » dans les salles de presse risque-t-elle de s'étioler ? À cet effet, dès 1998, le *New York Times* a été la cible de critiques parce qu'il avait placé un hyperlien vers *barnesandnoble.com* sur son site Internet consacré à la critique de livres (Lasica 1999). Cette initiative a été dénoncée comme une intrusion de la publicité dans le contenu rédactionnel. D'autres journaux ont des sites Internet qui affichent des publicités étroitement liées au contenu rédactionnel diffusé, ce qui soulève la question de l'étanchéité entre les services rédactionnels et les services publicitaires. Certains chiffres ont de quoi inquiéter à ce chapitre. Seulement 33 % des responsables de sites Internet associés à des journaux américains interrogés par Arant et Anderson se sont dits d'accord avec l'affirmation voulant que la publicité des cybermédias doive toujours être secondaire à leur fonction d'information et doive de ce fait être clairement et visiblement isolée du contenu journalistique (Arant et Anderson 2000). De même, 58 % des responsables ayant participé à l'enquête croient que la présence d'hyperliens publicitaires étroitement reliés au contenu journalistique (critique de livre et possibilité d'acheter le livre, par exemple) est acceptable, et 30 % de ceux qui ont déjà de tels hyperliens déclarent que le média touche une commission pour chaque livre ainsi vendu. Pavlik rapporte des résultats d'une enquête menée par la revue *Editor & Publisher*, selon laquelle 84 % des nouveaux médias associés à des médias traditionnels, et possédant un personnel autonome, utilisaient leurs journalistes pour créer des bannières publicitaires en ligne pour les annonceurs (Pavlik 1998). En janvier 2002, le *New York Times* a diffusé sur son site Internet des documents d'archives relatifs à la trilogie du *Seigneur des anneaux* de Tolkien. Cette diffusion était étroitement associée au lancement du premier film de la trilogie dans les salles de cinéma nord-américaines, ce qui a fait l'objet de débats chez les spécialistes de l'éthique journalistique, qui y ont vu une pratique douteuse associant trop étroitement le travail journalistique et la mission économique du site Internet. Ainsi, on peut craindre que la publicité soit non seulement plus visible, mais de plus en plus intimement liée à la matière rédactionnelle, surtout si les profits continuent de se faire attendre (Arant et Anderson 2000). Le Poynter Institute ajoute que les hyperliens à caractère commercial doivent être clairement désignés comme tels (Poynter 1997).

Le paysage des nouveaux médias propulse les journalistes dans un territoire inconnu pour plusieurs, estime Aly Colon, qui craint l'effondrement des cloisons séparant traditionnellement les fonctions informatives et économiques des médias, surtout en raison de la facilité technique à associer du contenu rédactionnel à des contenus publicitaires. Résumant les propos tenus lors d'un congrès consacré aux journaux électroniques et interactifs, Colon rapporte des cas où des journalistes ont subi des pressions pour que le contenu rédactionnel ne soit pas incompatible avec des réclames publicitaires ou diverses promotions. Il semblerait également que les journalistes des nouveaux médias soient plus près de leurs collègues de la publicité et de la promotion sur les plans physique et organisationnel (Colon 2000).

Concentration et convergence des médias

Le problème des conflits d'intérêts ne se limite nullement aux journalistes à titres individuels. On peut le faire remonter jusqu'aux propriétaires des entreprises de presse, si bien que les journalistes et la liberté de la presse se butent à «une contradiction insurmontable quand les gens qui possèdent les médias sont ceux-là même sur qui il faudrait enquêter» (Lee 1991, 14). Ce problème est de plus en plus soulevé autant par les critiques des médias que chez les journalistes et divers acteurs sociaux.

De plus en plus de médias appartiennent à de grandes corporations privées aux intérêts diversifiés (ou soi-disant privées, car en réalité elles reçoivent de très importantes subventions gouvernementales, dans tous les pays industrialisés). Ainsi, certaines entreprises qui détiennent le contrôle financier de médias d'information fabriquent des armes, construisent des centrales nucléaires, s'implantent dans des pays gouvernés par des dictatures de droite et de gauche, profitent des fonds publics, et exercent des pressions sur les décideurs politiques, etc. Aux États-Unis, le journaliste Paul Brodeur s'est déjà plaint que deux de ses ouvrages aient eu peu d'écho dans les grands journaux américains et attribuait cela au fait qu'ils traitaient des risques des champs électromagnétiques, ce qui pouvait porter atteinte aux intérêts de propriétaires de certains de ces journaux (Blumberg 1991, 42).

À l'opposé, les journalistes seront souvent pressés de faire des reportages qui favorisent les intérêts des conglomérats pour lesquels ils travaillent. Un tel phénomène a été observé dans les pages du magazine *Time*, à la suite de la fusion avec Warner, en 1989. Lee et Hwang ont observé que le *Time* a presque doublé sa couverture des «produits» culturels de la Warner à la suite de la fusion, alors que le *Newsweek* a sensiblement conservé la même couverture. De plus, la couverture du *Time* est devenue plus favorable envers ces produits qu'elle ne l'était avant la fusion (Lee et Hwang 1997). Cohen rapporte lui aussi des cas similaires impliquant les émissions d'information du réseau américain ABC et les entreprises reliées à Walt Disney, qui en est le propriétaire (Cohen 2000). Au Québec, les journalistes admettent faire de plus en plus d'autopromotion favorable aux intérêts diversifiés de leur employeur (Bernier 2008, 2014).

Bref, la concentration peut encourager un corporatisme d'affaires similaire à la discipline de parti qui a longtemps marqué la presse et peut du même coup influencer ses prises de position en matière d'enjeux fondamentaux, comme ce fut le cas notamment pour la participation du Canada aux combats de la Seconde Guerre mondiale (Lefebvre, Armstrong et Oglesby 1997, 29).

Pour le citoyen, les médias, devenus de véritables géants économiques, peuvent de moins en moins être des alliés dévoués et inconditionnels face aux éventuels abus de pouvoir des gouvernements, puisque ces médias sont de plus en plus partenaires de ces mêmes gouvernements. Ce qui est inquiétant, c'est qu'on puisse raisonnablement douter des grands médias et de leur volonté de servir l'intérêt public, à partir du moment où ils sont liés de près aux pouvoirs économiques. Il y a là une apparence de conflit d'intérêts ne pouvant que nuire à la crédibilité de la presse. Dans le même esprit, Rhode énonce une «vieille règle tacite qui consiste à reconnaître comme borne de sa liberté d'action éditoriale – voire pour seule limite – les intérêts de la société éditrice» et se demande jusqu'où il faut aujourd'hui porter le regard, en raison des nombreuses ramifications économiques de cette société éditrice. «Cette dilution patrimoniale dans des réseaux d'intérêts multiples, pourrait bien être, dans les années à venir, l'un des aspects majeurs de la liberté d'information», prédisait-il (1989, 75). Dans bien des cas, en effet, on ne sait plus trop quelles sont les filiales des médias d'information et sur quels critères se basent les responsables de la rédaction pour décider quotidiennement des événements qui seront promus au statut de nouvelles et ceux qui sombreront dans les abîmes médiatiques.

Il en résulte une méfiance qui a poussé des journalistes des quotidiens *Star* et *Tribune,* de Minneapolis, à acheter de l'espace publicitaire dans leur journal respectif afin de faire savoir aux lecteurs que leurs principes professionnels ne devaient pas être mis en doute parce que leur patron était engagé financièrement dans la construction d'un stade couvert, un projet qui était devenu un important sujet d'actualité (Schafer 1981, 361). Au printemps 2014, le grand patron de Québecor Media, Pierre-Karl Péladeau, fait le saut en politique pour le Parti québécois, ce qui soulève immédiatement des doutes et de vives critiques quant à la neutralité et l'intégrité des journalistes du principal conglomérat médiatique. Cela oblige les médias et journalistes à se défendre publiquement, ce qui n'a toutefois rien pour rassurer tout le monde tellement il est de notoriété publique que M. Péladeau a toujours exercé un contrôle important sur la gestion et l'orientation de ses médias[4].

Selon une étude réalisée pour le compte de l'ASNE, le tiers des cadres de salles de rédaction d'une chaîne de journaux ont déclaré qu'ils ne se sentiraient pas libres de publier des articles pouvant avoir des effets

---

4.   Voir à cet effet le reportage de Radio-Canada [http://ici.radio-canada.ca/sujet/elections-quebec-2014/2014/03/10/003-pierre-karl-peladeau-candidat-pq-independance-journal-montreal-quebecor.shtml], lien visité le 23 avril 2014.

négatifs pour des entreprises de la même famille corporative (Bagdikian 1989, 387). Rhode fait remarquer depuis longtemps que les journaux et les journalistes se retrouvent de plus en plus fréquemment dans un véritable réseau d'intérêts industriels, commerciaux et financiers, «du fait d'une répartition éclatée du capital et de leur société éditrice, et du fait des nombreuses liaisons financières des porteurs de parts» (1989, 75).

Par ailleurs, les journalistes doivent parfois couvrir des événements parrainés par leur média. Ils font ainsi face à deux cadres éthiques devenant alors contradictoires, une éthique journalistique et une éthique d'entreprise. «À quelle éthique devra se référer le journaliste qui doit couvrir des événements commandités par son journal ou sa station de radio : celle qui commande l'engagement de l'entreprise dans son milieu ou celle qui commande une couverture des événements autonome?» se demandent des chercheurs québécois qui se sont penchés sur la couverture par le quotidien *Le Soleil,* de Québec, de la fête des grands voiliers, à l'été 1984, un grand événement commandité et suivi de près par ce quotidien, pour constater que la couverture des journalistes du *Soleil* avait été plus promotionnelle que cela aurait été souhaitable (Charron *et al.* 1991, 213). Encore en 2014, on observe que 25 % des journalistes québécois déclarent qu'il arrive régulièrement ou souvent que leur média refuse de couvrir un événement lié à un média concurrent (Bernier 2014).

Au dernier degré du conflit d'intérêts se trouve la corruption. Pour l'individu qu'est le journaliste, la notion de conflit d'intérêts n'existe plus dans une telle situation puisqu'un seul intérêt compte, le *sien*. Et dans son intérêt, il accepte les récompenses, il les sollicite même. Dans les cas de corruption, le conflit d'intérêts devient carrément un conflit de fonctions, de rôles, et non plus une déviation plus ou moins grande de la règle déontologique dominante. Les cas de corruption sont rarissimes (Hulteng 1976, 27-28), mais on en trouverait sans doute davantage si les journalistes étaient soumis aux mêmes enquêtes que les politiciens, les juges, les médecins ou les policiers.

Les cas de conflit d'intérêts ne manquent pas dans les études sur le journalisme. On peut en détecter quotidiennement si l'on connaît bien les journalistes et leurs activités personnelles. Une des caractéristiques que l'on retrouve dans presque tous les cas est qu'ils se produisent à l'insu du public, qui ignore avoir affaire à un journaliste ou «intéressé».

Il existe peu de moyens de mettre au jour les conflits d'intérêts des journalistes et des patrons de la presse. Philip Meyer, professeur de journalisme à l'Université de la Caroline du Nord, a déjà proposé que les journaux publient périodiquement un compte rendu qui ferait état, entre autres choses, des informations erronées et des situations réelles et potentielles de conflit d'intérêts des employés (1987, 199). Mais pour ce faire, il faudrait que la question des conflits d'intérêts soit pour les médias une véritable préoccupation déontologique, et non une façon d'améliorer l'image de l'entreprise et de se donner bonne conscience, comme cela semble être trop souvent le cas, ajoute-t-il (p. 178). Celui-ci est d'avis qu'il ne faut pas se demander qu'est-ce qui *paraît* mal, mais qu'est-ce qui *est* mal, et distinguer l'apparence de conflit d'intérêts du conflit réel (p. 20).

Dès 1910, l'Association des propriétaires de journaux du Kansas avait adopté certaines règles déontologiques, dont celle sur les conflits d'intérêts qui énonçait qu'aucun journaliste ne devait accepter des privilèges, des faveurs inhabituelles, des chances de réaliser des bénéfices personnels, ou des emplois secondaires dont les obligations pourraient influer sur ses reportages. Cette préoccupation manifestée dès le début du XXe siècle fera dire au président du défunt Conseil de presse des États-Unis que ceux qui plaident encore de nos jours pour un meilleur respect des règles déontologiques ne sont pas de braves explorateurs s'aventurant dans une jungle inconnue, mais simplement les nouveaux volontaires d'une vieille cause (Isaacs 1982, 33). De fait, outre l'exception du Kansas qui semble être une première américaine, l'expression «conflit d'intérêts» n'apparaît pas dans les premiers codes de déontologie de l'ASNE, ni dans ceux des diverses associations professionnelles d'États américains et des journaux avant les années 1920. Aujourd'hui, on y fait référence constamment.

Ce principe général est articulé de multiples façons dans les codes de déontologie d'associations professionnelles, d'organismes de surveillance ou d'entreprises de presse, et ce, dans un grand nombre de pays. Ainsi, la philosophie de Radio-Canada affirme clairement que les «ondes doivent échapper à la domination de tout individu ou de tout groupe dont l'influence dépend de leur situation particulière[5]». C'est notamment en vertu de cette philosophie qu'elle a déjà prescrit le respect des principes journalistiques reconnus, dont celui de l'intégrité selon lequel l'information «est véridique, sans déformation visant à justifier une conclusion particulière. Les professionnels de l'information ne tirent pas profit de leur situation avantageuse pour faire valoir des idées person-

---

5.   Voir la *Politique de programmation de 2005* [http://www.cbc.radio-canada.ca/fr/ rendre-des-comptes-aux-canadiens/lois-et-politiques/programmation/politique- des-programmes/1-1-28/], lien visité le 24 avril 2014.

nelles» (2001, 48)[6]. On peut concevoir qu'il y a un devoir d'honnêteté
(intellectuelle, morale, etc.) qui accompagne la norme de l'intégrité en
journalisme.

Le *Guide de déontologie* de la Fédération professionnelle des journalistes du Québec est lui aussi explicite à cet effet quand il affirme que:

> «Les journalistes doivent éviter les situations de conflit d'intérêts et
> d'apparence de conflits d'intérêts, que ceux-ci soient de type monétaire
> ou non. Ils doivent éviter tout comportement, engagement ou fonction
> qui pourraient les détourner de leur devoir d'indépendance, ou semer
> le doute dans le public.
>
> [...]
>
> «Les conflits d'intérêts ne deviennent pas acceptables parce que les
> journalistes sont convaincus, au fond d'eux-mêmes, d'être honnêtes
> et impartiaux. L'apparence de conflit d'intérêts est aussi dommageable
> que le conflit réel.» (2010)

Attardons-nous aux principaux types de conflit d'intérêts financiers pouvant affecter les journalistes sur le plan individuel: les voyages
gratuits, les cadeaux et les prix de journalisme. Les voyages et les cadeaux
sont inclus dans les conflits de type financier parce qu'ils sont monnaya-
bles. Quant aux prix, ils sont souvent considérés comme des moyens
détournés d'inciter les journalistes à faire des choix professionnels en vue
de bénéfices personnels pécuniaires et symboliques.

LES VOYAGES GRATUITS

Par voyages gratuits, on entend le fait que des journalistes sont
souvent invités à se déplacer, parfois dans des pays éloignés, aux frais de
ceux qui organisent des événements (festivals, essais routiers, compétitions
sportives, expositions, conférences, spectacles, etc.). Dans bien des cas,
le média n'est pas en mesure de financer de tels déplacements ou a décidé
de consacrer ses ressources à d'autres projets. Du côté des organismes
subventionnaires (entreprises, institutions, corps policiers, armée, etc.),
la stratégie consiste à subventionner le média afin d'en obtenir une

---

6.   Il faut préciser ici que Radio-Canada a depuis considérablement atténué ses *Nor-
     mes et pratiques journalistiques*, afin d'éviter de se protéger d'éventuelles poursuites
     en diffamation, ce qui, sur le plan de l'éthique et de la déontologie, n'altère en
     rien la pertinence de ses prescriptions passées, ces modifications étant davantage
     une ruse légale qui cherche à priver le public de certains fondements normatifs
     pour ses recours. Voir notre analyse de 2012 à ce sujet [http://projetj.ca/article/
     radio-canada-les-normes-et-pratiques-journalistiques-de-2010-moins-precises-
     que-celles-de-20], lien visité le 24 avril 2014.

couverture qui s'avère le plus souvent favorable ou conforme à leurs stratégies de communication et de visibilité, lesquelles servent leur légitimité ou leur financement.

La question des voyages gratuits est souvent source de vigoureux débats chez les journalistes, d'une part, et entre journalistes et gestionnaires des salles de rédaction, d'autre part. Elle est souvent réduite à se demander si le jugement et l'indépendance professionnelle du journaliste seront compromis par le fait qu'il a voyagé aux frais de ses sources d'information ou de ceux qui pourraient tirer profit des comptes rendus qui en résulteront. Les employeurs aiment bien dire qu'ils font confiance au professionnalisme de leurs journalistes. Cela leur permet de faire d'une pierre deux coups. Premièrement, ils émettent un énoncé élogieux qui peut flatter certaines vanités. Deuxièmement, ils rendent mal à l'aise les journalistes opposés aux voyages gratuits en insinuant qu'ils ne font pas confiance au professionnalisme de leurs collègues!

Bien qu'elle soit défendable sur le plan stratégique, cette position se révèle une simplification d'une réalité beaucoup plus complexe et, le plus souvent, ne tient pas compte des stratégies des sources ou des répercussions que de telles pratiques peuvent avoir au sein du public, le débat étant centré sur les journalistes. Il semble que les arguments en faveur et contre les voyages ne doivent pas seulement s'appuyer sur des principes ou sur des impressions, mais aussi tenir compte des intentions réelles de ceux qui offrent ces voyages, ainsi que des résultats escomptés et obtenus par cette stratégie, notamment l'objectif de se servir de la crédibilité ou de la notoriété d'un journaliste et de son entreprise de presse pour favoriser une marque, une institution, un produit, etc.

En départageant les arguments généralement mis de l'avant pour et contre les voyages gratuits, on arrive aux résultats suivants :

Pour

- *Cela n'engage pas la conscience du journaliste.*
- *Les entreprises de presse n'ont pas toujours les moyens de payer de tels voyages.*
- *Refuser un voyage revient à priver le public d'une information pouvant être pertinente, l'important étant d'aviser les lecteurs que le voyage a été payé par l'organisme qui bénéficie du reportage.*
- *Refuser un voyage prive les journalistes de voyager et de sortir de leur routine.*

Contre

• *Accepter les voyages revient à accorder plus d'espace rédactionnel aux organismes riches, au détriment des moins fortunés.*

• *La valeur de l'information risque de ne plus être évaluée en elle-même, mais en fonction de la « subvention » qui l'accompagne.*

• *Il existe d'autres moyens d'obtenir de l'information.*

• *Cela mine la crédibilité des journalistes, car il existe une apparence de conflit d'intérêts qui est contraire à leur devoir d'impartialité et de neutralité.*

• *Lorsqu'il s'agit d'organismes subventionnés par les fonds publics, les lecteurs doivent payer leur information de deux façons : par leurs taxes et impôts et au moment de l'achat du journal. Quant au public qui ne lit pas ce journal, il a tout de même subventionné ce dernier. Les auditeurs et les téléspectateurs se trouvent dans une situation semblable.*

Différents auteurs ont repris l'heureuse expression anglaise *information subsidies* pour parler des « subventions informationnelles » que les organismes versent aux médias afin de s'assurer un meilleur accès à l'espace médiatique. Les sources d'information savent qu'elles n'ont pas un accès automatique à l'espace public. C'est afin d'améliorer leurs chances d'influencer le processus de construction de l'actualité et de pouvoir plus facilement accéder à cet espace public tant convoité qu'elles adaptent différentes stratégies, dont celle consistant à *subventionner* les médias. Il s'agit d'une subvention de nature informationnelle qui consiste à prendre « à sa charge les coûts de la cueillette et du traitement de l'information... [afin] d'exercer une influence déterminante sur la production journalistique » (Charron 1990, 6).

Ce mode de subvention n'est pas utilisé par tous les groupes d'intérêts de la société. Il favorise les institutions puissantes et les groupes bien nantis qui, outre qu'ils sont perçus comme des sources crédibles par les journalistes, s'assurent par cette pratique d'un accès privilégié aux médias (Herman et Chomsky 1988, 22). À une époque où la rareté des ressources économiques restreint les budgets attribués à la rédaction et où le contexte néolibéral encourage le souci d'une rentabilité accrue, on peut comprendre l'intérêt de certains médias à refiler aux sources une partie des dépenses reliées à la collecte et au traitement de l'information. Des auteurs québécois ont bien résumé un des risques associés à ce phénomène :

> « En quête d'information subsidies [...] les entreprises de presse et les journalistes risquent de devenir de simples diffuseurs de messages

définis par les sources. Ici, comme ailleurs, l'argent est le nerf de la guerre : lorsque les budgets des rédactions sont réduits, bien souvent l'autonomie des journalistes l'est aussi » (Charron *et al.* 1991, 212)

Mais les organisations qui en ont les moyens ne limitent pas leurs subventions à l'approvisionnement en informations (communiqués, documentation, sites Internet, etc.), elles poussent plus loin et proposent d'amener les journalistes sur les lieux de l'événement, où qu'il se trouve, afin d'en assurer une « bonne » couverture journalistique.

Un attaché de presse interrogé par Thureau-Dangin n'hésite pas à affirmer que « les voyages de presse, ça marche bien. Les journalistes écrivent, car ils ont déjà vendu l'idée du papier à leur rédacteur en chef avant de partir. Et ils savent que pour être de nouveau invités ils doivent le faire » (1989, 66).

Mamou relate le cas de Patrick Kreiss, directeur des communications de la Société Alain Jérôme Événement qui, pour le compte de l'Aérospatiale de Toulouse, avait invité des milliers de personnes, dont des journalistes et le président François Mitterrand. Cette stratégie promotionnelle lui a valu une heure et demie de télévision, plusieurs heures de radio et un « Bottin d'articles de presse ». Avec « de telles opérations événementielles, et pour le même prix, a admis Kreiss, j'ai cinquante à cent fois plus de retombées médiatiques positives qu'avec une campagne de relations publiques » (1991, 77).

Quelques exemples québécois sont également instructifs au sujet des voyages gratuits. Il y a d'abord le cas de la multinationale américaine Waste Management Inc., spécialisée dans la gestion d'immenses sites d'enfouissement de déchets domestiques. Il y a plusieurs années, cette entreprise a voulu implanter un tel site dans la petite municipalité de Saint-Étienne-des-Grès, dans la région de Trois-Rivières. Un regroupement de citoyens a été créé pour s'opposer au projet. Afin de convaincre le public qu'elle gérait ses sites de manière sécuritaire pour l'environnement, elle a payé deux voyages à des journalistes du quotidien *Le Nouvelliste* pour qu'ils visitent son site près de Boston. Les citoyens ont dénoncé cette pratique, d'autant plus que le site visité était parmi les rares à ne pas faire l'objet de poursuites judiciaires aux États-Unis. Les citoyens ont du reste déposé une plainte auprès du Conseil de presse du Québec, contre *Le Nouvelliste* et ses journalistes. Au terme de longs débats parmi les membres du comité chargé d'analyser la question, la décision rendue en mars 1993 a finalement consisté à inviter les journalistes à refuser les voyages gratuits.

Un autre cas, mieux documenté celui-là, concerne l'annonce d'un important projet de construction de nouvelles alumineries de la compagnie Alcan, à Laterrière, dans la région du Saguenay. Afin d'éviter une manifestation de syndiqués prévue pour le jour de l'annonce, Alcan a décidé de déplacer de Chicoutimi à Montréal le lieu de l'événement et de payer le voyage des journalistes régionaux. Comme les syndiqués ne pouvaient plus atteindre le but recherché, «soit attirer l'attention des médias nationaux et des "gros bonnets" d'Alcan», le syndicat a dû annuler sa manifestation (Le Hir et Lemieux 1991, 70 et 97). Un journaliste interrogé par les chercheurs a signalé que les journalistes de la région du Saguenay «étaient tellement épatés par leur voyage à Montréal, payé par Alcan, qu'ils n'ont presque pas posé de questions en conférence de presse».

Plusieurs médias, surtout ceux de tradition anglo-saxonne comme le *New York Times*[7], ont décidé de refuser de tels voyages gratuits qui ont parfois des apparences de corruption tellement les frais encourus sont élevés (avion ou croisière, grands hôtels, repas extravagants, etc.). Au Québec comme dans certaines autres sociétés francophones, il y a peu d'hésitation à accepter les voyages gratuits. Au sein du Conseil de presse du Québec, par ailleurs, des journalistes ont pour leur part défendu l'argument voulant que certaines entreprises de presse moins bien nanties n'aient pas les moyens financiers d'assumer les mêmes règles déontologiques que les entreprises de presse prospères. Est-ce à dire qu'en vertu du principe de réciprocité et de la norme de l'équité, ces journalistes devraient appliquer les mêmes critères aux avocats, aux médecins, aux architectes, aux ingénieurs et aux autres acteurs désirant transgresser les règles déontologiques de leur profession pour des motifs économiques? L'intuition morale tout comme la réflexion éthique nous forcent à rejeter ce double standard.

Critères spécifiques

Les codes déontologiques américains étudiés par Juusela conviennent que les journalistes ne devraient pas accepter les voyages gratuits. C'est du reste l'esprit de l'ensemble des règles déontologiques sur cette question. Toutefois, il faut reconnaitre que certains arguments favorables à de tels voyages méritent notre attention. L'un de ceux-ci fait valoir que refuser un voyage revient à priver le public d'une information pouvant

---

7.   Voir à cet effet *Ethical Journalism: A Handbook of Values and Practices for the News and Editorial Departments*, septembre 2004, [http://www.nytco.com/wp-content/uploads/NYT_Ethical_Journalism_0904-1.pdf], lien visité le 24 avril 2014.

être pertinente, l'important étant d'aviser le public que le voyage a été payé par l'organisme. Souscrire à cet argument signifie admettre des exceptions à la règle déontologique. Mais cette condition nécessaire ne saurait être suffisante pour justifier une dérogation. Il faut envisager différents critères qui répondent notamment aux arguments s'opposant aux voyages gratuits.

• *Les sujets qui seront abordés grâce à ce voyage ont-ils déjà fait l'objet de publications ou de diffusions de la part de mon entreprise? Si le voyage n'est pas payé, ces sujets seront-ils portés à l'attention du public?*

Ce critère permet de savoir si le média considère réellement ces sujets comme d'intérêt public. Si oui, il aurait dû les traiter ou pourrait le faire indépendamment du voyage gratuit qu'on lui offre de façon intéressée. Si le média n'y a jamais prêté attention, cela est un indicateur que c'est la « subvention » qui le motive plutôt que l'intérêt public.

• *Les informations en jeu ont-elles une valeur journalistique majeure?*

• *Existe-t-il d'autres façons d'obtenir ces informations?*

On peut toujours trouver de la documentation sur à peu près tous les sujets, et cela est encore plus vrai depuis l'avènement d'Internet et l'utilisation massive du courriel, qui permet de faire des entrevues intéressantes à distance, tout comme des logiciels gratuits tels Skype, d'entrer en possession de documents publiés dans des contrées éloignées, de recevoir des fichiers multimédias. De fait, on peut même soutenir que la technologie qui accélère la circulation des messages et relie instantanément les individus se trouvant à l'autre bout du monde, cette « mondialité informationnelle et culturelle » (Leclerc 1999, 3), permet plus que jamais de faire état d'événements se produisant à l'étranger sans avoir à s'y déplacer. Bien souvent, les moyens qu'offrent la technologie et la débrouillardise du journaliste permettent de recueillir des informations qui seront par la suite diffusées au grand public.

• *Accepter ce voyage lésera-t-il des gens, directement ou indirectement?*

Par exemple, ce voyage peut être l'occasion d'exposer les thèses favorables à l'organisme payeur, alors que celles de sources opposées, mais moins nanties, ne pourront pas être également mises en valeur. C'est par le fait même le principe d'équité procédurale qui est en jeu dans ce cas.

• *Ce voyage jette-t-il un doute sur mon intégrité et sur mon impartialité?*

On peut présumer que les groupes et les individus désavantagés pourront faire valoir le fait que le journaliste a eu droit à un voyage gratuit, dans le but de discréditer ses comptes rendus. Le journaliste peut aussi se demander s'il lui est arrivé de douter de l'impartialité de collègues ayant eu droit à des voyages gratuits, afin de se sensibiliser au pouvoir suggestif des apparences. Avec la montée en puissance des citoyens comme critiques des médias par les médias sociaux, cet argument est devenu incontournable.

- *Puis-je justifier ce voyage auprès de mon public ?*

En somme, quelles sont les «bonnes raisons» en jeu ? Il s'agit de passer avec succès le test de la publicité qui consiste à défendre ses décisions plutôt qu'à les occulter.

- *Quelles sont les intentions avouées ou présumées du bailleur de fonds? Sont-elles compatibles avec l'intérêt public ou servent-elles plutôt les intérêts de l'organisme payeur ?*

Il pourrait arriver que des organismes proposent des voyages gratuits de façon désintéressée, mais cela est tellement rare qu'il vaut la peine d'examiner cette question, ne serait-ce que pour découvrir que ce n'est pas le cas. À ce chapitre, les journalistes auraient intérêt à mieux connaître les écrits professionnels et scientifiques des spécialistes des relations publiques qui préconisent cette façon de faire afin d'obtenir à peu de frais une couverture journalistique que ne pourrait leur rapporter une campagne publicitaire traditionnelle. À cet effet, la politologue Anne-Marie Gingras dénonce les grands médias du Québec qui acceptent des voyages gratuits et «produisent, en retour, une information engageante, non critique, sans mise en garde ou commentaires dérangeants» (1999, 102).

- *Vais-je pouvoir demeurer maître de mon agenda pendant ce voyage ?*

Cela comprend la liberté pour le journaliste de rencontrer qui il veut, de poser les questions qu'il souhaite et de ne pas être soumis à un horaire surchargé qui limiterait son autonomie professionnelle. Un horaire trop contraignant ne lui laisse que le temps de traiter superficiellement ou avec complaisance du sujet ou de l'événement privilégié par le bailleur de fonds.

- *Mon employeur supporte-t-il habituellement les dépenses de voyage dans les autres secteurs d'information ?*

Dans bien des médias, les frais de voyage des journalistes qui couvrent les activités des équipes de sport professionnel sont payés par l'employeur qui juge cette couverture assez importante et rentable pour l'entreprise. Mais dans d'autres secteurs d'information, parfois plus importants eu égard à l'intérêt public (politique, environnement, économie, etc.), l'employeur attend les offres de voyages gratuits pour «assumer» ses responsabilités envers son public. Du reste, dans bien des cas, c'est aux frais des contribuables que voyagent les journalistes au service de conglomérats milliardaires.

• *Est-il possible de se rendre à l'endroit projeté en recourant à d'autres moyens que ceux offerts gratuitement par l'organisme?*

Cela est souvent possible, mais parfois non. Par exemple, survoler une zone d'incendie de forêt ou un secteur de manœuvres militaires est impossible à moins d'être accompagné d'une personne en autorité. Mais les journalistes peuvent très bien utiliser leurs propres moyens pour se rendre dans un autre pays ou dans d'autres villes afin d'y faire leur travail, sauf, peut-être, lors de conflits armés majeurs. Il y a donc ici une ouverture ou un critère permettant de déroger à la règle déontologique.

• *Le public qui prendra connaissance des reportages résultant de ce voyage sera-t-il avisé clairement qu'ils ont été rendus possibles grâce à un voyage payé par la personne, la compagnie, l'organisme ou le pays visé?*

Dans un système de presse libre, une entreprise a toujours la liberté de refuser un voyage gratuit. Mais quand elle l'accepte, cela doit être clairement déclaré au public. Cornu est d'avis qu'il faut le dire «sans détour au lecteur, à l'auditeur, au téléspectateur [...] Cette transparence fait office de mise en garde. Elle peut être assortie de quelques précisions sur les conditions du reportage, sur les latitudes qui ont été offertes, sur les entraves qui ont été placées» (Cornu 1997, 35). Cette pratique reconnaît implicitement que le jugement du journaliste a pu être influencé par le voyage gratuit et invite le public à faire preuve d'une attitude plus critique ou réservée à l'endroit du compte rendu. C'est vraisemblablement à cause de cela que bien des entreprises de presse préfèrent cacher que les frais du reportage ont été assumés par ceux qui en tirent profit ou se contentent timidement de déclarer que leur journaliste a été «invité» par un groupe, une entreprise ou un gouvernement, ce qui peut faussement laisser croire qu'il a tout de même assumé les frais de ses déplacements et qu'il est à l'abri de toute influence.

LES CADEAUX ET GRATIFICATIONS

Dans la très grande majorité des cas, les voyages gratuits sont des cadeaux donnés aux journalistes, mais il existe d'autres façons d'obtenir l'attention des journalistes et d'orienter leur production. Les sources (relations publiques, entreprises, associations, organisations, etc.) mobilisent d'importantes ressources à cette fin (Manning 2001).

Le «problème des gratifications» serait plus important dans les petites entreprises de presse écrite et électronique et chez les journalistes affectés à la décoration, au tourisme, à l'habitation, aux sports et à l'alimentation (Goodwin 1986, 82). Ce dernier signale que la plupart des codes de déontologie traitent les gratifications comme une composante des conflits d'intérêts, et lui-même les a inscrites parmi les sept sujets problématiques sur le plan déontologique (p. 355).

La règle déontologique dominante énonce que les journalistes ne devraient jamais accepter de cadeaux, de gratifications diverses et de privilèges pouvant influer sur leur travail (Juusela 1991, 21). Aux États-Unis, plusieurs codes font référence à des biens de valeur comme les cadeaux, les voyages, les traitements de faveur, voire les repas. En Australie, la règle précise que le devoir des journalistes ne doit pas être influencé par les cadeaux et les autres gratifications. Ici encore, le respect de cette règle liée à l'intégrité constitue un critère de distinction entre les journalistes professionnels et les autres formes de journalisme plus ou moins légitimes, tels les journalistes-rédacteurs pour le compte d'entreprises, institutions ou associations privées et publiques. On peut y intégrer aussi bon nombre de blogueurs qui acceptent de publier certains contenus en échange de cadeaux et gratifications. Malheureusement, on doit aussi observer que cette pratique est loin d'être exceptionnelle même dans les grands médias, où la culture d'entreprise ne mise pas sur une gouvernance intégrant l'éthique et la déontologie. Cette pratique mine l'intégrité journalistique (Day 2003).

L'un des arguments fondateurs de cette règle est que le public s'attend à recevoir des comptes rendus rigoureux, véridiques et impartiaux de la part des journalistes. En théorie, ces derniers acceptent implicitement ce contrat social (du moins ne le remettent-ils jamais en question explicitement et publiquement) et doivent en conséquence se tenir loin de ces tentations. En pratique, ils déclarent publiquement ne pas accepter de telles gratifications justement parce qu'elles minent leur crédibilité en attaquant leur intégrité. En somme, les gratifications sont inacceptables. C'est la raison pour laquelle plusieurs médias, ceux de culture anglo-saxonne surtout, refusent systématiquement les privilèges et payent les entrées au cinéma, au théâtre, les livres, etc., en somme tous les «outils» de travail de leurs journalistes. Il y a lieu d'ajouter qu'une telle pratique est cohérente avec les prétentions des journalistes de moraliser la vie publique en dénonçant les situations qui mettent en péril l'intégrité des autres acteurs sociaux en même temps qu'elles contaminent la qualité de la vie démocratique.

Critères spécifiques

Mais toute gratification est-elle nécessairement une menace à l'intégrité journalistique? Il ne fait pas de doute que certaines le sont carrément, par exemple les cadeaux dispendieux comme les œuvres d'art, les encyclopédies, les bijoux, etc. D'autres sont nettement moins compromettants, par exemple les «outils» de travail qui servent effectivement à accomplir une tâche, s'ils ne visent pas à récompenser le journaliste pour le travail fait ou à l'influencer dans le travail à faire. Il est bien difficile de considérer quelques pointes de sandwichs et sucreries avalées en vitesse sur les lieux d'une conférence de presse parmi les gratifications compromettantes. On pourrait même soutenir que cela aide souvent le journaliste à être plus productif. Mais les longs repas arrosés de vin dans de grands restaurants, eux, sont plus coûteux et ne visent certainement pas à faciliter le travail du journaliste; ils ont d'autres visées à propos desquelles il ne faut pas être naïf. On approche ainsi d'un premier critère, celui de l'utilité de cette gratification afin de faciliter le travail du journaliste. Être reçu dans une salle de conférence de l'hôtel de ville pour une conférence de presse et manger dans un grand restaurant en tête à tête avec un responsable de la ville qui règle la facture sont deux situations différentes, fait valoir Stein (1985, 96), qui trouve la seconde beaucoup plus inquiétante que la première.

Voici quelques critères spécifiques pouvant alimenter la réflexion au sujet des gratifications.

• *La gratification facilite-t-elle l'accomplissement de mon travail de journaliste sans compromettre mon impartialité?*

Par exemple, un livre reçu de l'éditeur peut aider un journaliste à mieux connaître un sujet précis et à le traiter avec plus de compétence. Mais une œuvre d'art de valeur donnée à un journaliste ne peut certainement être du même secours, elle relève d'une autre catégorie plus proche du pot-de-vin.

• *Suis-je en mesure de révéler publiquement et sans embarras le fait d'avoir accepté cette gratification? Cela peut-il raisonnablement créer l'impression que j'ai favorisé certaines personnes ou organismes?*

• *La valeur de la gratification est-elle importante?*

• *Suis-je certain des attentes de celui qui m'offre cette gratification et sont-elles compatibles avec mes devoirs professionnels?*

• *Retourner la gratification au donateur coûtera-t-il plus cher que la gratification elle-même?*

On peut penser que les médias d'information n'ont pas à débourser de l'argent pour retourner les cadeaux non désirés. Mais ils pourraient cependant en faire profiter la communauté par l'intermédiaire d'organismes bénévoles qui les redistribueraient ou toucheraient des fonds en les revendant. Dans certains médias, les gratifications non retournées font l'objet d'un encan dont les profits seront versés à une œuvre de charité.

- *La gratification est-elle l'élément déclencheur du compte rendu, du reportage, du commentaire, etc. ?*

Si tel est le cas, non seulement ce don soulève des questions relatives à l'intégrité journalistique, mais il pose aussi la question de l'équité envers les différents acteurs sociaux, car tous n'ont pas à leur disposition les ressources qui incitent les journalistes à parler d'eux.

LES PRIX DE JOURNALISME

Les prix de journalisme qui soulèvent des inquiétudes sur le plan de la déontologie sont ceux décernés par des organismes autres que professionnels. Quand les journalistes sont récompensés et honorés par leurs pairs, cela ne soulève généralement pas de problèmes, car on peut présumer que des critères journalistiques ont été utilisés pour choisir les lauréats. Ce n'est pas le cas des prix décernés et commandités par les gouvernements, les corporations privées et les associations diverses. Voilà autant de grandes catégories de groupes dont les intérêts ne sont pas toujours compatibles avec l'intérêt public.

Les prix prolifèrent depuis plusieurs décennies. Aux États-Unis, par exemple, la revue *Editor & Publisher* avait recensé plus de 750 prix de journalisme en 1990, soit presque le double des 400 prix dénombrés au début des années 1980 (Marklein 1991, 48). Grandes brasseries, corporations professionnelles, constructeurs d'automobiles, ligues de sport professionnel, fondations, etc., voilà quelques exemples de groupes qui ont intérêt à faire parler d'eux dans les médias et qui encouragent les journalistes en ce sens. On peut cependant douter sérieusement que leurs prix de journalisme récompenseront ceux qui auront présenté au public une image peu reluisante de leur organisation. Marklein rapporte que cette crainte a déjà été exprimée par Shannon Brownell, journaliste scientifique au *U.S. News & World Report*, qui a remporté un prix de journalisme de la Fondation GM. Si ce prix lui a donné confiance en elle, Brownell admet cependant douter qu'elle l'aurait reçu si elle avait eu à écrire un article faisant état de recherches scientifiques selon lesquelles les émanations toxiques des automobiles causeraient le cancer (p. 51).

Les prix de journalisme soulèvent trois problèmes, selon Goodwin. Premièrement, la très grande majorité de ces prix sont insignifiants et ne contribuent pas à améliorer le travail des journalistes. Deuxièmement, la compétition pour les prix de prestige, comme les Pulitzer, est tellement intense qu'elle incite parfois les journalistes à exagérer l'importance de leurs nouvelles pour faire bonne figure. Cynthia Bolbach, assistante du directeur au *Media Law Reporter*, croit même que, bien souvent, le recours aux sources anonymes vise simplement à convaincre le public que la nouvelle est très importante et mérite potentiellement un prix (Wulfemeyer 1983, 43). Troisièmement, la plupart de ces prix sont commandités par des groupes d'intérêts qui chercheraient ainsi une visibilité médiatique (Goodwin 1986, 63). Certains affirment que les prix de journalisme sont souvent des cadeaux déguisés (Brainard 2012).

Ces craintes cependant ne semblent pas partagées par les journalistes qui ont fait l'objet d'études scientifiques, ni par l'ensemble de la profession si l'on se fie aux rares présences de cette question dans les codes de déontologie, les congrès et les colloques. Une étude américaine effectuée en 1983 a déjà révélé que la majorité des responsables de salles de rédaction des médias écrits et électroniques encourageaient leurs journalistes à s'inscrire aux différents concours de journalisme commandités par des corporations privées et des groupes d'intérêts divers. Selon cette étude, 51,6 % de ces responsables avaient une opinion favorable à l'endroit de ces concours, mais cette proportion était inférieure de 17 % à celle qu'avait révélée une autre enquête, menée en 1974. Stein explique cette diminution de popularité par le fait maintenant reconnu que certains commanditaires tirent profit de ces concours, ou participent au choix des lauréats, ce qui met en cause leur impartialité et leur intégrité (1985, 102). Un autre chercheur rapporte que 60 % des cadres interrogés sont d'avis que les journaux accordent trop d'importance aux prix et aux concours de journalisme (Anderson 1982, 366). Une étude de Wulfemeyer, effectuée auprès de responsables de journaux et de stations de télévision des États-Unis, a par ailleurs indiqué que 67 % des répondants encouragent régulièrement leurs journalistes à s'inscrire à des concours (1983, 43).

Le désir des cadres de salles de rédaction de voir leurs journalistes remporter des prix de journalisme est tellement fort, chez certains, qu'ils exagèrent nettement dans leurs lettres de recommandation les qualités des reportages soumis aux différents jurys, constate John Troan, du *Pittsburgh Press,* qui a lui-même été membre d'un jury. Il se demande si la recherche des prix ne compromet pas la rigueur et le sens des valeurs de ces responsables de salles de rédaction, et même si elle n'incite pas certains à faire appel au mensonge (ASNE 1981, 66).

Il n'existe pas vraiment de règle déontologique largement reconnue en cette matière, puisque la question des concours n'est pas abordée de façon systématique par les différents codes de déontologie, loin de là. La prolifération des prix et des concours de journalisme va peut-être inciter les journalistes à remettre en question leur participation à ce qui est bien souvent une stratégie de relations publiques de la part des commanditaires. Il faut observer aussi que le journaliste qui remporte des prix voit parfois sa valeur marchande augmenter sur le marché de l'emploi, ce qui n'est pas un bénéfice personnel négligeable lorsqu'il s'agit de prix prestigieux. Il existe en effet un marché symbolique du prestige et de la notoriété au sein de la classe médiatique comme dans tout groupe social.

Cependant, quand ils abordent cette question, les codes de déontologie demandent aux journalistes de ne pas participer à des concours commandités par des groupes et des organismes qui cherchent avant tout une visibilité médiatique en associant leur nom à l'événement.

Dans certains médias, on a résolu cette question en limitant le nombre de concours de journalisme jugés acceptables auxquels les employés de l'entreprise peuvent participer. On privilégie alors les concours « purement journalistiques » ou ceux commandités à la condition que ce soient des journalistes qui décident des lauréats, à partir de critères professionnels d'excellence et non sur la base des loyaux services rendus à une « bonne cause ». *Au Philadelphia Inquirer,* on interdit aux journalistes de participer à des concours commandités par des groupes d'intérêts qui recherchent avant tout leur avantage commercial. De plus, le jury doit être composé de journalistes (Stein 1985, 102). Pour Gene Roberts, qui fut directeur général de ce quotidien, les journalistes qui acceptent de s'inscrire à des concours commandités par des corporations privées contribuent à leur stratégie de marketing, et cela n'est pas compatible avec leur travail (Marklein 1991, 51). Le *Guide de déontologie* de la FPJQ prescrit que les journalistes ne doivent être candidats que pour des concours « qui servent l'avancement du journalisme », c'est-à-dire quand le jury n'a aucun lien avec le commanditaire, est formé majoritairement de journalistes et juge les matériaux en fonction de critères journalistiques reconnus. Le but est de ne pas servir les intérêts du commanditaire ou encore d'encourager les journalistes à choisir des sujets de reportage en fonction de ces concours (2010).

Puisque la question des commanditaires et des prix de grande valeur est au cœur des problèmes déontologiques et éthiques que soulèvent les concours chez les journalistes, il convient de proposer certains critères spécifiques pertinents afin de mieux évaluer la compatibilité d'un concours avec les devoirs professionnels.

CRITÈRES SPÉCIFIQUES

* *Le jury qui choisira les gagnants est-il formé de journalistes et a-t-il des critères journalistiques comme référence?*

* *Le commanditaire du concours cherche-t-il surtout à faire sa propre promotion, le concours devenant ici un moyen de mieux atteindre ses objectifs publicitaires?*

* *Le jury aurait-il fait le même choix si le lauréat avait été l'auteur de comptes rendus défavorables à certains groupes de pression, dont ceux qui commanditent le concours?*

Terminons cette section en abordant non pas la question des journalistes qui sont rétribués plus ou moins clandestinement pour des sources, mais celle des médias qui payent leurs sources afin d'obtenir des témoignages. Lorsque des codes de déontologie abordent cette question (*checkbook journalism*), ils s'entendent pour s'opposer à une telle pratique. Plusieurs raisons militent en faveur de cette proscription. Premièrement, il se peut que la source exagère dans ses propos ou invente afin de rendre son témoignage plus intéressant et important, et exiger ainsi des cachets en conséquence. Deuxièmement, cela peut contribuer à la création d'un marché de l'information qui désavantage les médias les moins riches ou moins nantis en faveur de ceux qui possèdent déjà une position dominante dans le marché. Un tel système peut rapidement nuire à la diversité des médias dans une société. Troisièmement, le paiement des sources est souvent accompagné d'une clause d'exclusivité dont la durée varie, ce qui nuit à la circulation de l'information en privant l'accès des autres journalistes à celles-ci. Quatrièmement, en versant un cachet à une source, le média et ses journalistes sont en quelque sorte aux prises avec un conflit de loyauté si la version de la source se révèle incomplète ou trompeuse. En effet, pour défendre leur décision de la rémunérer, les journalistes et les gestionnaires seront tentés de défendre une source douteuse contre les critiques. Finalement, la plupart du temps, de telles ententes financières entre une source et un média demeurent confidentielles, ce qui est contre le principe de transparence. Malgré autant de bonnes raisons de ne pas payer des sources pour leurs témoignages, de nombreux médias le font dans un contexte d'hyperconcurrence médiatique. Cette pratique, répandue depuis longtemps en Grande-Bretagne, est de plus en plus présente aux États-Unis et au Canada.

Il y a lieu de distinguer le fait de payer pour obtenir un témoignage exclusif, et celui de payer pour obtenir des documents (enregistrements vidéo ou sonores, fichiers informatiques, etc.). Dans certains cas, la production de tels documents a nécessité des frais de la part des sources et il est normal que le média les **dédommage. Payer pour de tels documents peut être acceptable dans plusieurs circonstances, mais cela soulève de sérieuses questions éthiques quand ces documents ont été obtenus illégalement,** ou encore lorsque l'argent est versé à des criminels, comme ce fut le cas au Canada, en 2013 et 2014, pour obtenir des preuves documentées des frasques du maire de Toronto, Rob Ford.

LES CONFLITS D'INTÉRÊTS NON FINANCIERS

L'argent n'est pas toujours au cœur des situations qui mettent en péril l'intégrité journalistique. Des études sur le sujet font état de quatre sous-types de conflits d'intérêts non financiers : liens familiaux, liens politiques, antipathie et sympathie entre les journalistes et leurs sources (McAdams 1986, 700). Ce qui distingue les conflits d'intérêts de type financier de ceux de type non financier, c'est principalement le caractère concret, voire physique, des premiers (argent, gratifications, voyages, etc.) et le caractère abstrait des seconds (affection, amitié, sympathies ou antinomies idéologiques, etc.). C'est sans doute ce qui contribue à rendre les conflits d'intérêts non financiers si difficiles à établir, puisque les relations entre les sentiments des journalistes et leurs comportements peuvent aussi bien exister avant même que des situations concrètes de conflits se manifestent. Par exemple, le journaliste a souvent des *a priori* idéologiques avant même de faire face à des situations et à des personnes dont les *a priori* sont compatibles ou incompatibles, ce qui va sans doute influencer son travail, malgré lui et malgré les efforts s'opposant à cette source de biais.

C'est pourquoi un code de déontologie peut facilement prévoir des sanctions à l'endroit de conflits d'intérêts financiers – objectivement plus démontrables – mais peut difficilement faire de même pour ceux de type non financier, qui demeurent souvent au niveau de l'argumentation ou de la preuve logique. Pour les conflits non financiers, la sanction devra généralement se limiter à la critique ou aux réprimandes, du moins dans les cas où le conflit est discutable. Dans les cas de liens familiaux et politiques évidents et officiels, il va de soi que la preuve est du domaine de l'observable et que la sévérité des sanctions peut varier en conséquence. Nous reviendrons sur la question des sanctions dans le chapitre consacré à l'imputabilité, mais précisons tout de suite que les sanctions positives (récompenses) et négatives (punitives) ne doivent jamais avoir d'objectifs moralisateurs, mais plutôt comportementaux.

Par exemple, Strentz signale le cas d'un photographe de presse congédié parce qu'il avait collaboré avec le FBI (1978, 53). Dans un quotidien de Philadelphie, une journaliste affectée à la couverture de la politique municipale a perdu son travail parce qu'elle était la conjointe d'un élu au sujet de qui elle avait souvent écrit. Elle avait caché cette relation à son employeur (Smythe 1989, 363). Au Québec, la Société Radio-Canada a pris les moyens de se défaire rapidement des services de son journaliste vedette Normand Lester après que celui-ci eut publié, en 2001, un premier livre très critique sur le Canada anglais, un pamphlet qui pouvait laisser croire qu'il était devenu un militant de la cause souverainiste. Mais la même société d'État n'a pas inquiété son journaliste Claude Beauchamp qui œuvrait au sein du Conseil pour l'unité canadienne qui est un groupe de pression fédéraliste, s'exposant ainsi à la critique relative à ses double standards en matière d'éthique et de déontologie professionnelle (Bernier 2003b).

Il y a par ailleurs une ambivalence chez les entreprises de presse ayant fait l'objet d'études. Il semble en effet que certains employeurs acceptent de courir le risque de s'attirer des critiques en échange d'informations officieuses et véridiques, ce que peuvent souvent leur procurer des journalistes jouissant de relations privilégiées avec leurs sources d'information.

Si plusieurs journalistes sont d'avis qu'il ne faut pas trop s'engager dans les groupes sociaux de tous genres, afin d'éviter les risques de conflit d'intérêts, Goodwin estime que cette attitude n'aide en rien les journalistes à devenir plus sensibles, compréhensifs et documentés sur les gens et les événements dont ils parlent (1986, 324). Ce point de vue implique que les journalistes feraient mieux leur travail s'ils étaient davantage engagés dans diverses activités, alors que la compréhension d'un événement ou d'un sujet n'est pas conditionnelle à un engagement. Elle demande simplement un travail intellectuel sérieux, lequel peut s'inspirer des sentiments et des émotions sans s'y soumettre.

Par ailleurs, la compréhension n'est pas tout pour le journaliste, encore doit-il communiquer. Et c'est surtout dans cette autre étape de son travail que son engagement social peut nuire. On peut présumer que le journaliste engagé dans un groupe social quelconque, et sans doute identifié à ce groupe et d'accord avec ses objectifs, aura tendance à faire valoir certains points de vue aux dépens des autres, à cacher des aspects négatifs, à nier des contre-arguments, etc. Bref, il sera tenté de ramener le compte rendu journalistique à une vulgate parmi d'autres. Qui, alors, pourra offrir au public un aperçu global des discours intéressés et fragmentés? Qui aura avant tout le souci de l'intérêt public?

Dans les prochains paragraphes, nous aborderons deux grands aspects des conflits d'intérêts non financiers, soit la proximité avec les sources et le militantisme. Les quatre sous-types énoncés plus haut (liens de familles, liens politiques, antipathie et sympathie avec les sources) se retrouvent tantôt chez l'un, tantôt chez l'autre.

LES RELATIONS ÉTROITES AVEC LES SOURCES

Une forme insidieuse de conflit d'intérêts surgit quand les journalistes deviennent identifiés à leurs sources d'information au point qu'ils commencent à penser et à avoir les mêmes réactions qu'elles. Ils perdent du même coup leur impartialité et deviennent vulnérables aux manipulations, quand ils ne sont pas carrément les porte-parole de leurs sources (Rivers et Mathews 1988, 94). Cela est encore plus plausible chez les journalistes qui sont affectés à un secteur bien précis d'information (équipe sportive, parlement, technologie, hôtel de ville, faits divers, etc.). Certains auteurs ont même écrit qu'il suffisait de gratter un peu la carapace des journalistes couvrant les activités gouvernementales à Washington pour y découvrir un conseiller politique (Stein 1985, 85). En raison des échanges bidirectionnels fréquents marquant leurs relations quotidiennes, les journalistes affectés spécifiquement à la couverture des activités gouvernementales deviennent parfois des collaborateurs efficaces et des sources d'information pertinentes pour les élus à la recherche de solutions à des problèmes difficiles, va jusqu'à suggérer Strentz (1978, 52).

L'histoire est riche de cas où journalistes et élus ont été très amis, voire *étroitement* amis. Il y a eu, par exemple, l'amitié entre le président John F. Kennedy et le journaliste Ben Bradlee, qui était alors responsable du *Newsweek*. Commentant cette relation, Walter Lippmann avait dit que les journalistes doivent savoir garder leurs distances et ne pas devenir les intimes des dirigeants. Il faut cependant savoir que Lippmann luimême a déjà écrit un discours pour un politicien, puis une chronique qui en faisait l'éloge (McAdams 1987, 701)! Il ne fait pas de doute que, pour bien des journalistes, l'amitié « est une grande source » de conflit d'intérêts, comme l'a déjà avoué l'un d'eux (Charron, Lemieux et Sauvageau, 1991, 158).

La sympathie est une condition nécessaire pour favoriser les relations étroites avec les sources. Dans certains cas, cette sympathie à l'égard des sources est perçue négativement, comme le révèle une importante enquête de Meyer auprès de membres de l'ASNE (1983, 57). Celui-ci a demandé à des propriétaires de médias, à des responsables de salles de rédaction et à des journalistes si le fait d'affecter à la couverture de la politique municipale un journaliste dont le meilleur ami est le maire pouvait être un avantage ou un inconvénient. Il est alors apparu que 88 % des répondants y voyaient des inconvénients, seulement 10 % croyaient que cela pouvait être utile, tandis que 6 % des répondants ne voyaient pas quelle différence cela faisait. Cependant, quand les journalistes sont affectés à d'autres secteurs que la politique, la sympathie n'est plus perçue comme un inconvénient, mais comme un atout.

Analysant l'ensemble des résultats de Meyer, McAdams (1986, 703-704) constate que les liens familiaux et politiques, ainsi que les antipathies envers les sources, sont généralement perçus comme désavantageux, tandis que la sympathie est souvent considérée comme une aide au travail du journaliste. Ce qui est remarquable, précise-t-il, c'est que la perception négative des relations antagonistes entre les journalistes et leurs sources contredit le stéréotype faisant des journalistes les adversaires des différents groupes d'intérêts de la société. Cette remarque rejoint les conclusions de nombreuses recherches qui ont porté sur les relations entre les journalistes et leurs sources d'information dans des milieux aussi différents que les parlements, les palais de justice, les sénats, etc. Grosso modo, ces études nous révèlent que les journalistes et leurs sources transigent et négocient à l'intérieur de règles d'échange implicites et explicites. Cela constitue un système dont la viabilité repose sur des punitions et des récompenses. Dans ce contexte symbiotique, les nouvelles journalistiques sont comprises et définies comme étant les produits de transactions entre les journalistes et leurs sources d'information. En somme, journalistes et sources d'information seraient des collaborateurs plutôt que des adversaires dans le processus de construction de l'actualité, comme le suggèrent plusieurs chercheurs de différentes nationalités et cultures qui ont abordé la question sous des angles méthodologiques différents et avec des approches théoriques diverses[8]. Cet état de fait inciterait même les médias à se montrer très prudents à l'égard de sources d'information critiques et radicales qui pourraient offenser les sources régulières, ou mettre en péril des relations étroites établies entre les journalistes et leurs sources privilégiées quand ces dernières ou leurs idées sont prises à partie par les sources radicales (Herman et Chomsky 1988, 22).

Au-delà des relations amicales entre les journalistes et leurs sources, les relations amoureuses sont sans doute à l'origine des conflits d'intérêts non financiers les plus évidents. À cet effet, il a déjà clairement été écrit que les journalistes ne devraient pas couvrir des événements impliquant leur conjoint ou des membres de leur famille (Smythe 1989, 363).

LE MILITANTISME

Le journaliste qui fait état d'individus, de partis politiques, d'idéologies ou de groupes d'intérêts divers, alors que lui-même est engagé à titre personnel dans ces domaines ou avec les personnes en cause, se livre à des activités de militantisme qui n'ont rien à voir avec un compte rendu impartial ou une critique désintéressée des faits, des personnes et des événements. En soi le militantisme non avoué chez les journalistes est source de conflits d'intérêts non financiers et ressemble à de la propagande, laquelle est incompatible avec la fonction du journaliste dans nos sociétés modernes. Ce risque bien présent chez les journalistes professionnels est encore plus élevé chez les autres types de journalismes (blogueur, journalistes citoyens, relations publiques clandestines, etc.).

Par exemple, le chroniqueur George Will a été sévèrement critiqué en 1983 quand il est devenu de notoriété publique qu'il avait aidé le candidat à la présidence américaine, Ronald Reagan, dans sa préparation en vue du débat avec le président sortant Jimmy Carter. Invité comme commentateur à l'émission *Nightline,* du réseau américain ABC, au soir du débat, Will avait fait l'éloge de la « magnifique performance » du candidat Reagan sans faire mention de son rôle (McAdams 1986, 701). Mais le comportement de Will ne lui a pas valu que des critiques. Olen croit que Will n'a pas à se reprocher sa participation à titre de commentateur parce que sa sympathie était bien connue et que son rôle de conseiller n'en faisait pas le porte-parole de Reagan. On peut se demander de qui était connue la sympathie de Will. Était-ce uniquement de l'élite

---

8.   Voir notamment Gieber et Johnson (1961), Tunstall (1971), Grossman et Rourke (1976), Padioleau (1976), Heilmann Miller (1978), Ericson *et al.* 1987, Ritchie (1991), Hart *et al.* 1991, Charron (1990 et 1994), Bernier (2000).

politico-journalistique? des intellectuels? de la minorité de la population bien informée des subtilités politiques? Olen ne répond pas à cette question. Pour que cette sympathie ne soit pas suspecte, elle aurait dû être bien connue des téléspectateurs exposés aux commentaires plus que favorables de Will, ce qui ne devait pas être le cas, est-il permis de croire. On doit aussi se demander ce qui a empêché Will d'informer les téléspectateurs de son rôle dans l'événement qu'il commentait, si ce n'est la certitude que cela pouvait nuire à la crédibilité de son analyse et desservir peut-être le candidat Reagan. De fait, toute tentative de cacher de tels liens de militantisme témoigne de la conscience qu'il s'agit là d'un comportement en transgression avec les normes.

Un tel cas contraste radicalement avec les témoignages de nombreux journalistes couvrant les affaires gouvernementales à Washington, qui ont déclaré à Hess qu'ils préféraient ne militer dans aucun groupe communautaire, certains disant même ne pas voter pour démontrer à quel point ils tenaient à être *objectifs* (1981, 89). En effet, derrière la question des conflits d'intérêts se trouve celle de l'impartialité journalistique. Certains journalistes considèrent même l'appartenance religieuse comme suspecte parce qu'elle est souvent accompagnée d'une vision du monde particulière pouvant compromettre cette impartialité ou objectivité journalistique (Swain 1978, 88).

Par ailleurs, il y a des journalistes qui, par reconnaissance, se sentent obligés de s'engager positivement au sein de la communauté qui leur permet d'avoir une qualité de vie intéressante. D'autant plus que cet engagement leur permettra d'apprendre davantage de choses, ce qui n'est pas à dédaigner. Ghiglione affirme, sans s'appuyer sur des recherches empiriques faut-il préciser, que les journalistes ne savent qu'entre 20 et 25 % des choses qu'ils devraient connaître à propos des événements qu'ils couvrent (1978, 174). Il ajoute un autre argument en faveur de l'engagement des journalistes dans leur communauté: celle-ci se sentirait parfois trahie si quelqu'un l'observe, écrit à son sujet, mais ne participe pas à son essor. La position de Ghiglione ignore le fait que l'engagement du journaliste, au sein de sa communauté, peut être très important même s'il n'intervient pas directement dans une activité ou un groupe précis. En relatant les faits pertinents qui permettent à une communauté de se connaître et de se développer, le journaliste est un acteur social d'impact. On pourrait même dire que l'engagement d'un individu à titre de journaliste est suffisamment important pour justifier qu'il ne cherche pas à en faire davantage et à accroître son influence ou son pouvoir en s'impliquant dans diverses activités et associations qui vont restreindre sa liberté d'informer sa communauté, lui rendant ainsi un bien piètre service.

LA RÈGLE DÉONTOLOGIQUE : NE PAS S'ENGAGER

La règle déontologique des différents codes de déontologie tourne autour du principe voulant que le journaliste ne s'engage pas dans les activités de la communauté qu'il doit couvrir ou qu'il peut être amené à couvrir (Rubin 1978, 12). Certains auteurs font valoir que le travail même du journaliste est un engagement social dont les effets peuvent être importants auprès du public et qu'il devrait surtout se préoccuper d'être compétent (Strentz 1978, 54).

Le Conseil de presse de l'Ontario, par exemple, est d'avis que les journalistes ne devraient pas rechercher ou détenir des postes électifs au sein de leur communauté[9]. De son côté, le Conseil de presse du Québec estime que pour « préserver leur crédibilité professionnelle, les journalistes sont tenus à un devoir de réserve quant à leur implication personnelle dans diverses sphères d'activités sociales, politiques ou autres qui pourrait interférer avec leurs obligations de neutralité et d'indépendance » (CPQ 2013).

Être libres de toute obligation pouvant nuire à leur travail est considéré comme un impératif pour les journalistes (Christians et Covert 1980, 44). Ils ne doivent pas donner prise au doute quant à leurs motivations réelles (Hulteng 1981, 25), et c'est justement ce que veulent prévenir les règles déontologiques. Le journalisme est une profession d'utilité publique qui exige de ses professionnels qu'ils soient désintéressés et ceux qui modifient leurs comptes rendus dans le but d'en retirer des bénéfices personnels sont considérés comme corrompus et condamnés presque unanimement par leurs pairs (Bagdikian 1989, 383).

Il n'y a pas que les journalistes qui sont visés par les règles interdisant les conflits d'intérêts. Les propriétaires des entreprises de presse écrite et électronique sont également encouragés à adhérer à ces règles.

Le code de déontologie de la RTNDA, une importante association de médias électroniques (radio et télévision) en Amérique, estime qu'il faut dévoiler les liens qui existent entre les propriétaires de ces médias et différents intervenants de la communauté[10]. Les risques de conflits d'in-

---

9. Voir *Ontario Press Council, Conduct and Practice*, 2012 [http://ontpress.com/conduct-and-practice/], lien visité le 28 avril 2014.
10. Voir *Guidelines for Avoiding Conflict of Interest* [http://www.mediaethicsmagazine.com/index.php/browse-back-issues/134-spring-2009/3746655-guidelines-for-avoiding-conflict-of-interest], lien visité le 28 avril 2014.

térêts institutionnels et systémiques sont du reste au cœur des nombreuses préoccupations que suscitent la convergence, la concentration et la commercialisation des médias d'information, surtout quand leurs dirigeants deviennent des bailleurs de fonds des formations politiques et de leurs candidats aux plus hautes fonctions. Meyer (2013) observe que si les principaux codes de déontologie des journalistes ont longtemps négligé de s'intéresser aux propriétaires, la situation est en train de changer compte tenu des phénomènes de concentration, de convergence et de mondialisation des médias.

Rappelons que ces normes sont typiquement occidentales et d'inspiration anglo-saxonnes, car dans bien des sociétés la culture favorise les échanges de cadeaux et la loyauté à la communauté, à la famille, etc. (Okigbo 1989). Paradoxalement, ces exceptions culturelles renforcent la validité de la règle déontologique dominante dans les pays d'Occident où elle est compatible avec les valeurs sociales et professionnelles explicitement reconnues: honnêteté, intégrité, impartialité, transparence, etc. La règle déontologique est en ce sens cohérente avec les pratiques culturelles et sociales valorisées sur le plan moral en Occident.

Par ailleurs, il peut survenir des occasions exceptionnelles où un journaliste ou une entreprise doive s'engager autrement que par ses activités d'observateur ou de diffuseur neutre. Une telle décision doit être prise après mûre réflexion. Voici quelques critères généraux qui peuvent avoir une certaine utilité dans ce processus de réflexion.

Critères généraux

- *En s'engageant, le journaliste risque-t-il de se placer en conflit d'intérêts? Les autres sont-ils au courant?*

Ce critère est incontournable. Il permet de faire le point sur la situation, d'en analyser les conséquences et les ramifications. Par exemple, le journaliste qui devient membre bénévole du conseil d'administration d'une organisation de loisirs devrait s'assurer que ces fonctions n'empiéteront pas sur son travail. Il devrait aussi prévenir les autres membres de cet organisme des limites que lui impose son travail, afin qu'ils sachent à quoi s'attendre avant de lui confier quelque information ou responsabilité que ce soit.

- *Les intérêts du journaliste et de son employeur pouvant être potentiellement ou réellement en conflit avec ceux du public, en matière d'information, sont-ils révélés au public?*

Les propriétaires et gestionnaires de journaux ne devraient pas faire la promotion d'opinions qui favorisent leurs intérêts sans informer le public de l'existence même de ces intérêts.

• *Y a-t-il de l'argent en jeu?*

Nous savons que l'argent prend beaucoup de place dans nos sociétés. Il constitue une tentation et le journaliste devrait éviter les engagements communautaires pouvant lui rapporter des bénéfices financiers. S'il accepte une fonction rémunérée autre que celle de journaliste, il devrait en aviser son employeur et refuser toute affectation qui le mettrait de près ou de loin en contact avec les activités inhérentes à cette fonction et avec les gens qu'il y côtoie.

• *Y a-t-il un lien direct et démontrable entre les intérêts en conflit?*

Cette question est très importante pour qui refuse de se limiter à l'apparence de conflit d'intérêts. Il semble en effet discutable de juger un comportement professionnel seulement sur des apparences et, en tout temps, il vaut mieux démontrer clairement et rationnellement l'existence du conflit, par exemple en prouvant qu'un journaliste reçoit de l'argent de ses sources d'information. Même si le fait de démontrer l'existence d'un conflit intérêts ne signifie pas pour autant que le journaliste a effectivement privé le public d'informations pertinentes afin d'en retirer des bénéfices personnels, le conflit est néanmoins existant, ce qui est plus qu'une simple apparence, laquelle est bien souvent une impression subjective et fragile parce que non démontrée.

• *Cet engagement me contraint-il au silence?*

Le rôle du journaliste est de diffuser l'information importante et utile à son public. Il n'est pas d'une grande utilité publique s'il s'engage partout et sait tout alors qu'en même temps il doit garder le silence au profit de quelques intérêts particuliers.

Un problème inhérent aux conflits d'intérêts non financiers est que les journalistes ne sont pas toujours sensibilisés aux probabilités que leur travail soit jugé en fonction de leurs engagements personnels dans d'autres milieux. C'est pourquoi les règles déontologiques sont utiles, car elles peuvent les sensibiliser à cette réalité. En effet, les sujets ne sont pas toujours bien situés pour évaluer «objectivement» leur conduite et avoir une idée exacte de ce qu'elle peut inspirer aux autres.

Quand ils abordent la question des conflits d'intérêts de type non financiers, les codes de déontologie prônent souvent des relations monogames pour les journalistes, c'est-à-dire que ceux-ci doivent être fidèles à leur média et ne pas participer à d'autres activités (Rubin 1978, 12). Si l'on voulait en faire un énoncé simple à retenir, on pourrait dire que la règle est que les journalistes ne doivent pas s'engager dans des activités pouvant leur donner des raisons de ne pas accomplir leurs devoirs professionnels (Olen 1988, 24). Cela contraint aussi bien les journalistes qui détiennent un emploi régulier pour un média que les journalistes indépendants qui ont plusieurs médias comme clients, ou ceux qui ont créé leur propre média en ligne. La règle ne varie pas en fonction du statut du journaliste, puisque c'est le public qui en est le bénéficiaire.

Les codes déontologiques américains étudiés par Juusela demandent aux journalistes de ne pas participer à des activités associées au militantisme politique ou à l'administration publique. Quant aux liaisons sentimentales, les journalistes doivent accepter de ne pas en entretenir qui puissent interférer avec leur travail. Le *Philadelphia Inquirer* a un code assez explicite à ce sujet puisqu'il interdit à un journaliste d'écrire à propos d'une personne avec qui il a des liens de sang ou de mariage, ou une quelconque relation personnelle étroite, financière ou romantique. Cela vaut aussi pour les photographes de presse[11].

Critères spécifiques

Comme cela se fait déjà, semble-t-il, il faut traiter les situations de conflit d'intérêts non financiers au cas par cas. On doit reconnaître que des situations se présentent où la règle déontologique n'est pas d'une grande utilité. Par exemple, lorsqu'un journaliste se trouve en présence d'informations pouvant à la fois être d'intérêt public et favoriser ou léser un proche, ou un groupe de personnes qu'il côtoie régulièrement, que doit-il faire? Doit-il se taire, au risque de ne pas accomplir son devoir professionnel? On peut tenter de résoudre la question en considérant les quelques critères spécifiques suivants.

• *Est-il possible de communiquer ces informations à un collègue qui, lui, sera plus libre d'en juger la valeur journalistique et d'agir en conséquence?*

Cette façon de faire est la plus simple et la plus défendable, à la condition que le journaliste ne fasse pas pression sur son collègue pour qu'il traite le sujet de telle ou telle façon.

---

11.   Voir l'American Society of News Editors [http://asne.org/content.asp?pl=236&sl=19&contentid=334], lien visité le 28 avril 2014.

- *Est-il possible d'avertir le public de mes relations avec les sources d'information ou les organismes en cause? Cela va-t-il jeter un doute sur l'impartialité de mon travail?*

Si l'on arrive à la conclusion qu'un doute est possible, il vaut alors mieux ne pas faire de compte rendu, sauf si l'information est d'une gravité telle qu'elle risque de causer de lourds préjudices à d'autres si l'on tarde à la diffuser. Le doute pouvant être soulevé sur l'intégrité du journaliste pèsera moins que les conséquences positives, et celui-ci pourra toujours justifier sa décision.

- *Suis-je vraiment le seul à pouvoir dire la vérité?*

Une personne mêlée à des événements a parfois en sa possession des informations très intéressantes que d'autres journalistes ne possèdent pas. Dans ce cas, il faut idéalement les communiquer aux autres journalistes qui jugeront si elles valent la peine d'être publiées. Si, vraiment, il est impossible de les communiquer à un autre journaliste (pour des raisons de concurrence, par exemple), le journaliste en cause peut publier les informations en précisant clairement quels sont ses liens et son engagement, afin que le public soit averti qu'il s'agit du témoignage d'une personne en cause et non du compte rendu d'un observateur présumé neutre.

LE PLAGIAT

Le plagiat est aussi vieux que le premier des travailleurs intellectuels. Platon lui-même ne mentionnait pas l'auteur de certaines théories qu'il exposait comme c'était de coutume pour un adversaire encore vivant (Popper 1979, 101). Le plagiaire est celui qui pille les ouvrages d'autrui, les reprend à son compte et en tire profit sans indiquer ses sources. Ce procédé a souvent été le sujet de controverses en littérature, certains auteurs ayant été accusés d'avoir plagié les écrits d'autres écrivains. En science, où la règle est d'indiquer systématiquement et rigoureusement les sources et les références, les accusations sont moins fréquentes, mais quand survient un cas de plagiat, il est facilement démontrable étant donné le caractère formel de l'édition scientifique. Chez les chercheurs, du reste, on attache une très grande importance aux références, puisqu'elles permettent d'avoir une idée de la notoriété de certains d'entre eux.

Le thème du plagiat a connu un regain d'intérêt depuis le début des années 2000, car s'il est facile de copier un texte disponible sur Internet, il est encore plus facile de détecter ce vol intellectuel. Outre les moteurs de recherche, il faut compter aussi sur la perspicacité des publics qui peuvent eux aussi détecter le plagiat et le rapporter. C'est exactement ce qui s'est déroulé en septembre 2012, lorsque la chroniqueuse Margaret Wente, du quotidien torontois *The Globe and Mail*, a dû se défendre des accusations de plagiat qui l'accablaient depuis plusieurs jours. Après avoir vainement tenté de la défendre, les dirigeants du plus grand quotidien canadien ont dû admettre les faits, sous la pression des citoyens qui constituent un cinquième pouvoir, celui qui surveille le quatrième pouvoir (Bernier 2013), dont il sera question plus loin.

Dans le milieu journalistique, ne pas indiquer que les informations que l'on publie proviennent d'autres médias est associé à une forme de pillage du travail intellectuel des autres. Cela laisse volontairement croire que l'information publiée est, sinon exclusive, du moins originale et le fruit du travail du journaliste qui a signé le reportage. On pourrait d'une certaine façon classer cette pratique parmi les formes de tromperie. Elle trompe le public sur l'origine exacte du travail de collecte d'informations, quand elle ne s'étend pas à la mise en forme de ces informations (style, syntaxe, vocabulaire, etc.). Cependant, on doit reconnaître que le plagiat journalistique n'a pas de conséquence grave pour le public. Ce sont du reste surtout les journalistes victimes de cette pratique qui s'en plaignent.

Il paraît assez certain que le procédé est malhonnête. Comme toutes les méthodes du genre, le plagiat porte l'obligation d'une justification de la part de celui qui y a recours, car il prive autrui d'un bien, qui serait ici la reconnaissance publique de la « paternité » de l'information et du travail présumé bien fait.

Malgré cela, la pratique du plagiat est courante chez les journalistes. Dans certains pays, elle est surtout utilisée par les journalistes radiophoniques qui animent les émissions matinales. Pour remplir leur temps d'antenne, ils relisent presque mot à mot des articles de journaux, sans en mentionner la provenance, laissant parfois croire que ces informations viennent de l'équipe rédactionnelle de la maison. Cette pratique s'explique peut-être parce que certains médias craignent de laisser paraître qu'ils consacrent peu de ressources à la recherche autonome d'informations, et qu'en donnant crédit continuellement à leurs compétiteurs ils risqueraient de perdre leur clientèle au profit de la « source originale ». En fait, l'aspect concurrentiel est important dans cette pratique journalistique qui consiste à se servir et à tirer profit du travail de gens payés par l'entreprise concurrente. Si l'historien des médias Jean de Bonville a observé que le plagiat entre journaux a diminué entre 1945 et 1985 (1995, 135), il semble que cette pratique soit en recrudescence chez les journalistes de médias électroniques et des nouveaux médias qui ont souvent peu de ressources pour recueillir une information originale mais ont en revanche beaucoup de temps et d'espace pour diffuser et commenter l'information des autres. C'est ce qui a conduit à un sommet national pour combattre le plagiat et la fabrication d'information aux États-Unis, en 2013[12].

Aux États-Unis, le plagiat est considéré comme l'offense la plus sérieuse ayant conduit à la suspension ou à la mise à pied de journalistes (Smythe 1989, 367). À l'hiver 2000, par exemple, le *San Jose Mercury News* a congédié un jeune journaliste qui cherchait vraisemblablement à impressionner ses patrons en plagiant un article du *Washington Post* (Corney 2001). Il en a été de même dans le cas du réputé chroniqueur Mike Barnicle, au *Boston Globe*, qui a dû quitter ce quotidien, en 1998, après avoir été surpris à plagier et à inventer des faits (Mashberg 1998). La même chose est arrivée au journaliste politique Dennis Love, du *Sacramento Bee*, où l'on considère cela comme une faute impardonnable (Rodriguez 2000). Il y a aussi le cas de la suspension du journaliste Fox Butterfield, du *New York Times*, qui a repris dans son article plusieurs paragraphes d'un article du *Boston Globe*, même s'il a cité le *Boston Globe* comme une source dans son article. Au même moment, en 1997, le *Washington Post* avait congédié Laura Parker dont l'article était avéré basé sur un article publié par l'*Associated Press* et le *Miami Herald* (1997, 57-58). Bien d'autres cas pourraient être ajoutés à cette courte liste.

De très nombreux textes déontologiques interdisent le plagiat, telle la Charte du journaliste en France, dont la mouture 2011 décrète qu'un journaliste « Cite les confrères dont il utilise le travail, ne commet aucun plagiat[13] ». Le *Guide de déontologie* de la FPJQ interdit lui aussi le plagiat. Cela n'a pas empêché l'hebdomadaire culturel *Voir* de plagier une bonne partie d'un texte de l'Agence Science-Presse publié quelques jours auparavant, en mars 2001, dans le quotidien montréalais *La Presse*. Au quotidien *Le Soleil* de Québec, c'est un chroniqueur de cinéma qui a plagié des extraits de la revue américaine *Entertainment Weekly*, pour y aller de ses prédictions concernant la remise des oscars de 2001. Après avoir avoué sa faute du bout des lèvres, sous la pression d'un animateur radiophonique, le journaliste a eu droit à un blâme du Conseil de presse du Québec, mais il est toujours en poste, quoiqu'on l'ait muté dans une autre section par la suite (CPQ 2002).

---

12.   Voir *National Summit to Fight Plagiarism & Fabrication* de l'American Copy Editors Society [http://www.rjionline.org/newsbooks/aces], lien visité le 28 avril 2014.

13.   Voir la *Charte d'éthique professionnelle des journalistes* (SNJ, 1918/38/2011) (http:// www.snj.fr/article.php3?id_article=1032], lien visité le 28 avril 2014[

On a vu que la règle déontologique dominante est claire et précise : il faut indiquer la provenance d'informations reprises des autres médias. Comme ces informations sont déjà du domaine public, on a peine à imaginer des situations où des journalistes hésiteraient à indiquer la provenance de leurs informations dans le but de protéger une autre entreprise de presse contre des représailles quelconques. Comme il a été mentionné plus haut, ce sont souvent des considérations fondées sur la concurrence entre entreprises de presse qui incitent les journalistes à taire le nom de leurs compétiteurs dans leurs comptes rendus, surtout quand leur mention peut promouvoir la réputation et la notoriété des concurrents. Sans être dictée par l'entreprise qui l'utilise, la pratique du plagiat chez les journalistes est tolérée, voire encouragée, par les collègues et les supérieurs qui s'étonnent souvent de trouver le nom d'un compétiteur dans les comptes rendus maison.

Par ailleurs, le journaliste peut aussi recourir au plagiat afin de ne pas reconnaître publiquement que son compétiteur a obtenu des informations qui lui avaient échappé. Cette mesure vise, entre autres choses, à maintenir sa crédibilité auprès de ses sources d'information, de son employeur et du public, quand ce n'est pas sa notoriété. En cachant le fait qu'il s'approvisionne chez un concurrent, le journaliste évite d'avoir des comptes à rendre à son employeur et cherche à afficher une compétence ne pouvant que lui être favorable dans ses relations avec ses sources. Quant au public en général, le journaliste peut prétendre l'avoir bien informé et arguer que la provenance des informations « recyclées » n'est pas une préoccupation de ses lecteurs ou de ses auditeurs.

Critères spécifiques

On voit que ce ne sont pas des grands problèmes de conscience qui poussent les journalistes à transgresser la règle déontologique dominante pour se faire plagiaires. En ce sens, il est difficile de dire qu'ils ont de « bonnes raisons » de plagier, bien qu'ils aient des raisons utilitaires de le faire : protection de leur notoriété, protection contre les sanctions possibles de l'employeur, etc. La différence, ici, c'est que la transgression de la règle déontologique ne vise pas à mieux servir l'intérêt public, mais à protéger ou favoriser quelques intérêts particuliers. C'est ainsi qu'au lieu de critères spécifiques pouvant aider le journaliste à évaluer les « bonnes raisons » de dominer la règle déontologique dominante, proposons exceptionnellement trois critères qui inciteront le journaliste à respecter cette règle. Le journaliste tenté par le plagiat devrait au moins se poser les quelques questions suivantes :

- *Aimerais-je être moi-même victime du plagiat que je m'apprête à faire au détriment d'un autre ?*

- *Que d'autres le fassent à mon endroit suffit-il à me justifier quant au fait d'adopter cette méthode ?*

Cette excuse est avancée par les journalistes pour justifier leur plagiat. Ils proclament être victimes de plagiat et se considèrent donc comme autorisés à en faire autant à l'égard des autres, comme si une faute en corrigeait une autre.

- *M'est-il possible de vérifier les informations que je désire inclure dans mon compte rendu, même si elles ont déjà été diffusées par d'autres journalistes ?*

Cette mesure a l'avantage d'inciter les journalistes à plus de rigueur professionnelle et à vérifier eux-mêmes ce que d'autres ont publié.

MATIÈRE À DÉLIBÉRATION

Cas 1 : À titre d'animateur vedette d'un magazine hebdomadaire d'information télévisée, vous acceptez d'être le président d'honneur bénévole d'une association de charité dont la mission est de venir en aide aux enfants handicapés. Cette association sollicite les dons du public et jouit de votre popularité pour recueillir plus d'argent auprès du public. Dans le cadre de votre travail, certaines personnes viennent vous voir pour dénoncer le mode de sollicitation d'un autre organisme de charité qui se trouve à concurrencer celui auquel vous êtes associé. Que faites-vous : Vous refusez d'enquêter et de faire un reportage sous prétexte que vous êtes associé à un organisme concurrent ? Vous renvoyez ces personnes à un autre journaliste de votre entreprise ou d'un autre média ? Vous décidez au contraire que cette information est d'intérêt public, que votre statut de président d'honneur est connu de tous et que vous êtes fondé à prendre en charge cette enquête qui va conduire à diffuser un reportage incriminant pour l'association rivale ?

Cas 2 : Vous êtes à la fois journaliste et producteur de votre émission d'information qui est ensuite vendue à un important diffuseur public. Dans le cadre de vos activités de producteur, vous avez aussi des contrats avec des entreprises privées et des groupes de pression divers pour produire de brefs documents vidéo qui font la promotion et la propagande d'idées et de valeurs politiques controversées. Vous savez que vos clients aimeraient que ces capsules vidéo soient diffusées dans le cadre de votre émission d'information. Que faites-vous : Vous refusez en vous expliquant à vos clients ? Vous acceptez de diffuser ces capsules en demandant à l'un de vos invités de choisir celle qui lui plaît le plus ? Vous décidez d'intégrer ces capsules à l'émission d'information pour la rendre plus intéressante ? Vous diffusez ces capsules en informant clairement l'auditoire qu'il s'agit de documents visant à persuader plutôt qu'à informer ?

Cas 3 : Vous travaillez dans un hebdomadaire local où vous êtes à la fois journaliste, photographe et celui qui assure la mise en pages du contenu rédactionnel du journal. Une bonne partie de votre travail consiste à couvrir les décisions du conseil municipal. Votre patron a une petite imprimerie privée et accepte le contrat pour imprimer le bulletin d'information de la municipalité. Il est aussi l'éditorialiste qui commente les faits et gestes de l'administration municipale et de l'opposition. Votre patron vous demande de travailler à la rédaction du bulletin municipal, ce qui implique de rencontrer les responsables de la ville pour savoir ce que doit contenir le journal. Ce travail vous rapportera plusieurs centaines de dollars. En même temps, des citoyens viennent à vous pour dénoncer la gestion des affaires municipales sans savoir que vous travaillez aussi pour ceux qu'ils critiquent. Que faites-vous : Vous acceptez le contrat offert par votre patron sans rien révéler au public ? Vous acceptez le contrat et le faites savoir publiquement à ceux que vous rencontrez dans le cadre de vos activités journalistiques ? Vous refusez le contrat de votre employeur pour ne pas paraître en conflit d'intérêts ? Vous acceptez le contrat de communication mais trouvez un autre journaliste pour s'occuper de toutes les nouvelles concernant la municipalité ?

CHAPITRE 12

L'imputabilité

L'imputabilité est un élément essentiel et nécessaire à la légitimité sociale du journalisme, comme elle l'est pour toute activité sociale qui porte à conséquence. Nous y avons fait référence à plusieurs reprises dans les chapitres précédents. On sait que l'imputabilité est une forme de reddition de comptes qui porte sur la façon dont les journalistes et les médias assument leurs responsabilités dans un cadre de liberté de presse.

Traditionnellement, dans les sociétés libérales et démocratiques, la responsabilité et l'imputabilité de la presse reposent en grande partie sur l'autorégulation. Celle-ci implique notamment la mise en place de mécanismes qui reçoivent et analysent les plaintes en provenance du public. En effet, le processus d'imputabilité des médias commence avec l'implication des citoyens; si personne ne se plaint, une entreprise de presse ne peut savoir qu'elle est source de problèmes particuliers (Pritchard 2000).

Nous proposons ici un bref survol des principaux dispositifs d'autorégulation en vue d'assurer l'imputabilité journalistique au sein de sociétés démocratiques. Il s'agit en premier lieu de décrire brièvement ces dispositifs tout en invitant le lecteur intéressé à approfondir sa connaissance en consultant les références citées, mais aussi grâce à Internet, qui offre une documentation internationale de très grande qualité. Par ailleurs, nous nous livrerons à une évaluation critique de ces dispositifs, puisque la littérature internationale tend de plus en plus à réfuter leur efficacité, eu égard à l'amélioration de la qualité de l'information, ce qui ne signifie pas qu'ils ne servent à rien. Il y a surtout lieu d'avoir à leur endroit des attentes très modestes et à reconnaître que d'autres dispositifs plus ou moins formels peuvent probablement faire mieux sans nuire à la liberté responsable des journalistes.

OMBUDSMAN

La fonction d'ombudsman est au nombre des mécanismes d'auto-régulation des médias en Amérique du Nord (codes de déontologie, lettres ouvertes, conseils de presse, magazines et revues professionnelles, critique des médias). Ces mécanismes volontaires visent principalement à se substituer aux interventions étatiques afin d'assurer que les médias et leurs journalistes assument les responsabilités sociales liées aux droits et libertés de la presse (Bernier 2005).

Le concept d'ombudsman vient du parlement de la Suède qui a décidé, en 1809, de créer un poste de protecteur du citoyen qui serait en quelque sorte un gardien ayant la tâche de s'assurer de l'équité des décisions administratives du gouvernement (Nemeth et Sanders 1999, Sanders 1997). Avec le temps, cette fonction a inspiré le milieu journalistique et l'ombudsman, surtout dans les sociétés anglo-saxonnes, est devenu un représentant des lecteurs de la presse écrite ou de l'auditoire de la presse électronique.

L'arrivée du premier ombudsman de presse américain s'inscrit donc dans ce mouvement de reddition de comptes publique, bien que le premier ombudsman du *Courier-Journal* ne signait pas de chronique par crainte d'ennuyer les lecteurs. Il n'était en fait qu'un gestionnaire interne. Il faudra attendre la création d'un poste d'ombudsman au *Washington Post*, dans les années 1970, pour que la fonction de critique des médias soit ajoutée, mais ce grand quotidien a éliminé cette fonction en 2013, prétextant des raisons économiques et aussi la capacité des citoyens de communiquer directement leurs doléances aux journalistes, par Internet et les médias sociaux.

Il n'y a que quelques ombudsmans au Canada (deux à Radio-Canada/CBC, un au *Toronto Star* et une « Public Editor » au *Globe and Mail*). Sans aller dans le détail du fonctionnement de ce dispositif[1], dont les modalités varient d'un média à l'autre, il suffit de dire ici que cette fonction vise à garantir au public une information de qualité, rigoureuse, exacte, équitable et intègre. Leurs fonctions diffèrent largement d'un média à l'autre. Ils sont souvent responsables de projets spéciaux, super-visent la formation des journalistes et des stagiaires, font le lien entre l'entreprise et ses avocats, représentent l'entreprise devant divers groupes, sont les historiens officieux des médias ou assurent le bon fonctionnement de la communication entre l'entreprise et le public (Thomas 1995, 8-9).

---

1.   Le lecteur intéressé peut se référer à notre ouvrage consacré à l'ombudsman de Radio-Canada (Bernier 2005).

Des chercheurs indiquent que du point de vue des responsables des journaux, le principal rôle des ombudsmans est d'écouter les doléances du public et de représenter ce dernier au sein des salles de rédaction (Starck et Eisele 1998, 4 ; Thomas 1995, 4, 10). Les ombudsmen ont des manières différentes d'assumer leur rôle, certains rectifient des erreurs publiées les jours précédents, d'autres signent une chronique régulière ou un blogue où ils commentent le comportement de leur journal ou abordent des problématiques générales. On rapporte même que certains ombudsmen interviennent directement auprès des journalistes pour qu'ils corrigent leurs erreurs ou encore ils adressent des notes de service aux journalistes visés par une plainte et à leurs supérieurs (Langlois et Sauvageau 1989, 191).

CONSEILS DE PRESSE

Les conseils de presse présents et passés s'inspirent souvent d'un même modèle : le British Press Council créé en 1953, même si on en trouve un en Suède depuis 1916. On en retrouve maintenant au Québec, depuis 1973, et dans diverses provinces du Canada, dont l'Ontario, alors que celui du Manitoba a fermé ses portes en 2012, tout comme celui du Minnesota en 2011. Il y en a dans plusieurs pays (Autriche, Australie, Nouvelle-Zélande, Espagne, etc.)[2]. Depuis plusieurs années, certains groupes en font la promotion en France.

La principale fonction des conseils de presse est de permettre au public de faire entendre ses doléances autrement qu'en passant par un processus judiciaire parfois long et coûteux. Le conseil de presse écoute les plaignants ainsi que les journalistes et entreprises de presse en cause et rend une décision qui est rendue publique et que peuvent diffuser les médias. Bien souvent, ces décisions sont prises par des comités formés de représentants des médias et du public, dans des proportions qui diffèrent d'un conseil de presse à l'autre.

On sait cependant que dans la plupart des pays, les conseils de presse ont été créés pour protéger les médias contre des velléités d'interventions gouvernementales, et non pour protéger le public. Dans de nombreux cas, ils limitent leur mandat à la presse écrite, voire aux médias qui sont membres, laissant la presse électronique traditionnelle (radio et télévision) aux régulateurs étatiques. Notons toutefois le cas du Conseil

---

2.   Voir une sélection internationale [http://superieur.deboeck.com/resource/extra/9782804152772/ConseilsDePresse.pdf], lien visité le 29 avril 2014.

de presse du Québec, qui se prononce sur toutes les plaintes concernant tous les médias situés sur son territoire, incluant les médias en ligne.

Leur fonctionnement varie également passablement, mais très rares sont ceux qui ont un pouvoir de sanction autre que la sanction morale qui s'exerce par le blâme. Notons toutefois que le Conseil de presse suédois détient des pouvoirs de sanction financière qui vont d'environ 1 800 $ à 4 400 $[3] canadiens.

Outre leur rôle de tribunal d'honneur, certains conseils de presse assurent aussi des fonctions de veille ou de vigie quant au fonctionnement des médias d'information. Ils seront souvent médiateurs entre le public et les médias afin de contribuer à résoudre des litiges.

MÉDIATEURS DE PRESSE

Si dans les pays de tradition anglo-saxonne on a souvent opté pour des ombudsmans et des conseils de presse, dans certains pays de tradition francophone, on retrouve des médiateurs de presse. C'est particulièrement le cas en France. Si les ombudsmans ont avant tout, mais non exclusivement, une fonction critique eu égard à la qualité de l'information, on peut dire que les médiateurs ont avant tout une fonction pédagogique qui vise à favoriser la crédibilité et de bonnes relations avec le public. En France, le nombre de médiateurs varie entre 10 et 15, d'une année à l'autre.

Il est difficile d'avoir une idée claire du mode de nomination de ces médiateurs, tellement les pratiques diffèrent d'une entreprise de presse à l'autre. Dans bien des cas, ils sont nommés par les propriétaires ou les principaux dirigeants des entreprises de presse, sans que cela ne se fasse dans le cadre d'un concours ouvert. La nomination n'est donc pas formelle. Par exemple, à *Midi Libre*, le premier médiateur a été nommé par le président du groupe pour compenser le fait qu'on venait de mettre un terme à la publication d'un supplément économique dont il avait été responsable pendant 10 ans. Au quotidien *Le Monde* (médiateur depuis 1994), la nomination est le résultat de consultations internes entre la direction et les différentes parties (société de rédacteurs, etc.) afin de trouver une personne qui fait consensus. Cette personne est ensuite approchée pour le poste. Il s'agit là encore d'une personne d'expérience qui a travaillé très longtemps, sinon toujours, pour la maison. Elle revient

3   Voir à cet effet la version anglaise de son site Internet [http://www.po.se/english/charter-of-the-press-council], lien visité le 29 avril 2014.

dans la salle de rédaction par la suite, avec les collègues qu'elle avait le mandat de critiquer, ce qui est de nature à tempérer la critique... À Radio France International, la nomination est aussi en fonction des préférences de la direction qui consulte un peu à l'interne aussi, toujours de façon informelle. Souvent, le médiateur est nommé sans période fixe et peut donc être révoqué au bon plaisir de ceux qui l'ont nommé. Mais le fait même d'avoir un contrat à durée déterminée ne garantit pas contre les licenciements. À Radio France International par exemple, on a licencié le médiateur qui était en place après que celui-ci eut émis de vives critiques concernant la situation de conflit d'intérêts de la dirigeante Christiane Ockrent, qui était aussi la femme du ministre Bernard Kouchner, alors ministre sous la présidence de Nicolas Sarkozy (Bernier 2011, 2008b)

Il apparaît que le médiateur a trois fonctions : une fonction de critique du journalisme, une fonction pédagogique qui explique au public les décisions de la rédaction, et une fonction de représentant de l'entreprise dans l'espace public. Tous les médiateurs n'assument pas ces trois fonctions de façon égale, certains sont plus pédagogues que critiques, d'autres plus critiques que représentants, etc. La fonction pédagogique est double car elle s'adresse aux journalistes qui peuvent apprendre de leurs erreurs (et des remarques ou critiques du médiateur), et elle s'adresse au public à qui on explique comment fonctionne la salle de rédaction et comment sont prises certaines décisions.

L'ÉCHEC DE L'AUTORÉGULATION QUI N'EST PAS AUTODISCIPLINE

Il faut distinguer l'autorégulation de l'autodiscipline. Dans le premier cas, on a affaire à la volonté et la capacité de groupes d'acteurs de se donner en toute liberté et sur le mode volontaire des règles de conduite, des règles déontologiques qui découlent de réflexions éthiques, ou encore en vue d'objectifs stratégiques (crédibilité, légitimité, etc.). Le non-respect de telles règles de conduite peut ou non être soumis à des contraintes et sanctions négatives symboliques (blâme) ou matérielles (amendes, destitution, etc.). C'est ici que pourrait entrer en jeu l'auto-discipline, soit la capacité d'un groupe à sanctionner symboliquement et matériellement les cas de transgression aux règles de conduite. Chez les journalistes, l'autodiscipline est des plus rares.

Par l'autorégulation, les journalistes tentent d'endiguer les dérives et les dérapages qui peuvent résulter de plusieurs facteurs (concurrence exacerbée par les impératifs économiques des entreprises de presse, contraintes de temps qui s'imposent de plus en plus avec la télédiffusion en direct d'événements majeurs et la mise à jour de sites Internet, recherche de notoriété, etc.). Mais cela n'est pas accompagné d'une réelle *autodiscipline* qui reposerait sur d'autres formes de sanctions que les sanctions morales propres aux conseils de presse, ombudsmans et médiateurs de presse. En effet, si les journalistes et les médias s'entendent sur les valeurs morales, les principes éthiques et les règles déontologiques qui gouvernent leurs pratiques, il est plus difficile d'assurer le respect de ces normes que l'on peut qualifier de *règles de l'art*. Il été jusqu'à ce jour impossible pour les journalistes et les entreprises de presse de se doter de mécanismes de sanction pour compenser les dommages des victimes en cas de transgression aux normes. Pour cela, les citoyens sont souvent contraints de se tourner vers les tribunaux civils, souvent lents et coûteux.

Par ailleurs, et cela est sans doute le plus important, les recherches et observations consacrées aux différents dispositifs d'imputabilité arrivent à des conclusions négatives quant à l'efficacité des formes d'autorégulation que sont les conseils de presse, ombudsmans et médiateurs de presse (Bernier 2010, Bertrand 2008, Zlatev 2011, Fengler *et al.* 2014).

Il y a lieu d'aborder ici certaines dimensions liées à l'imputabilité : imputable de *quoi*, imputable envers *qui*, imputable de *quelle façon*? (Mulgan 2003). L'imputabilité des médias est étroitement reliée à des obligations légales, certes, mais aussi à un ensemble de responsabilités sociales qui se déclinent en principes éthiques et en règles déontologiques. Ces normes se matérialisent en guides, codes ou chartes déontologiques, en fonction des traditions propres à chaque société. Ces textes expriment des responsabilités sociales qui peuvent rejoindre celles identifiées par la Commission Hutchins (imputables de *quoi*?) : fournir un compte rendu véridique et complet des événements de la journée ainsi que du contexte qui leur donne sens ; servir de lieu d'échange des commentaires et des critiques ; présenter et expliquer les objectifs et les valeurs de la société et, finalement, permettre au public de bien comprendre ce qui se passe (Lambeth 1986). La plupart des auteurs s'entendent pour souligner le rôle déterminant de la Commission Hutchins qui s'est penchée sur la question de la *liberté responsable* de la presse. La commission n'a pas inventé la théorie de la responsabilité sociale de la presse, car des écrits antérieurs y faisaient référence, mais elle l'a légitimée et rendue incontournable.

Par ailleurs, les médias et les journalistes ont décidé qu'ils seraient redevables envers le public (envers *qui*?). Mais de nombreux observateurs considèrent que les actionnaires et propriétaires sont réellement les premiers destinataires de cette reddition de comptes. Dans un contexte d'économie de marché qui privilégie le rendement maximal, il n'est pas surprenant de percevoir une forme de conflit entre les intérêts du public et ceux des actionnaires et propriétaires, ce qui conduit à un journalisme de marché (*market driven journalism*) plutôt que d'intérêt public McManus (1992, 2008).

Quant aux moyens retenus (de quelle façon?), les médias comme les journalistes ont presque toujours opté pour l'autorégulation. Le choix de l'autorégulation n'a jamais été spontané, ou rarement. Dans la plupart des cas, les médias ont été poussés à créer de tels dispositifs (conseils de presse, ombudsmans, médiateurs), pour se protéger contre des interventions gouvernementales, souvent souhaitées par un public outré de certaines pratiques (Bernier 2005b, Media Standard Trust 2008, O'Malley et Soley 2000, Husselbee 1999, Pritchard 1991, Ugland 2008, Unesco 2001, Bertrand 2008). Cette situation s'est reproduite récemment en Grande-Bretagne, où le gouvernement a instauré la Commission Leveson, en 2011, pour enquêter sur les pratiques et l'éthique des médias à la suite du scandale des écoutes électroniques illégales du *News of the World* (Watson et Hickman 2012). Cette commission a recommandé, en novembre 2012, la création d'un conseil de presse encadré par la loi, avec pouvoir d'enquête et de sanctions financières importantes. Elle a incité d'autres pays à évaluer l'efficacité et l'indépendance des dispositifs d'autorégulation en place, comme en Australie où le diagnostic a été négatif, ce qui a conduit à des recommandations de réformes (Finkelstein 2012). Par ailleurs, Hrvatin rappelle que le principe même de l'autorégulation repose sur l'adhésion volontaire et «doit toujours laisser ouverte la possibilité de non-coopération à un système d'autorégulation» (2003, 82). Cela revient à accorder aux entreprises de presse et aux journalistes un veto quant au respect des droits fondamentaux des citoyens.

Claude-Jean Bertrand, un chaud partisan de l'autorégulation, se montre très critique de l'efficacité des conseils de presse dans une de ses dernières interventions publiques. Se disant en quelque sorte découragé par les critiques visant les conseils de presse, il ajoutait que, malheureusement, elles étaient partiellement justifiées (Bertrand 2008, 115).

De son côté, l'ex-président du Conseil de presse du Québec, Raymond Corriveau, arrive à une conclusion sans appel: «L'autoréglementation des médias par l'entremise du Conseil de presse s'est soldée par un échec se traduisant par une répétition de crises chaque décennie, une fragilité constante de son financement et un boycottage des suites à donner à la tournée du Québec» (Corriveau et Sirois 2012, 122), laquelle avait conduit le CPQ à des conclusions sévères quant à l'accès et la qualité de l'information régionale. Les auteurs ajoutent que les « crises existentielles font surface chaque fois que le Conseil tente de se rapprocher de sa fonction première, soit celle de défendre le droit du public à une information libre et de qualité » (2012, 7). Ils ajoutent que le quatrième pouvoir médiatique refuse toute reddition de comptes et est « défini par son impossible contestation » (2012, 8). Sur le plan international, les journalistes attribuent eux-mêmes très peu d'effet aux conseils de presse comme dispositifs d'imputabilité (Fengler *et al.* 2014, 95).

Pour l'instant, rien n'indique que les dispositifs d'autorégulation ont donné les fruits escomptés, qu'ils ont réellement contribué à améliorer la qualité de l'information et protégé le public contre des pratiques journalistiques inadmissibles. C'est en ce sens que l'on doit admettre que le pari de l'autorégulation a été perdu, qu'il s'agit d'une idée séduisante qui ne fonctionne pas. Son efficacité tout comme sa crédibilité reposaient sur la collaboration des entreprises de presse, par le financement et la publicité des décisions, mais cela s'est avéré un espoir déçu (Watson 2008, 54).

LA CORÉGULATION INSTITUTIONNELLE

On peut affirmer qu'en matière d'autorégulation, l'époque est au désenchantement. Cela explique qu'on se tourne plus souvent vers des modèles de corégulation. Selon Watson (2008, 63), les journalistes étant incapables de mettre en vigueur des dispositifs d'autorégulation efficaces, il est devenu inévitable que d'autres institutions ou dispositifs seront créés ou imposés, notamment par les tribunaux civils, avec le risque que des normes exogènes soient prescrites aux journalistes. Pour l'instant, son analyse indique que les jugements de la Cour suprême des États-Unis (1947-2007) ont mobilisé bon nombre de principes et de concepts mis de l'avant par la Commission Hutchins, soit des normes déontologiques élaborées par les médias et les journalistes (normes endogènes).

Au Québec et au Canada, on assiste depuis 1994 à une appropriation des normes déontologiques du journalisme par les tribunaux civils dans différentes causes impliquant les médias (Bernier 2011). Il s'agit là d'un modèle particulier de corégulation implicite, où les tribunaux civils prennent progressivement le relais des codes de déontologie élaborés volontairement par les journalistes, mais que ces derniers sont incapables de faire respecter. Il en va de même depuis 2009 au niveau du droit commun canadien (Common Law) qui permet aux médias de se protéger efficacement de poursuites en diffamation à la condition de faire preuve de journalisme responsable sur des questions d'intérêt public. Ce journalisme responsable est largement déterminé par le respect des piliers normatifs que nous avons abordés dans le présent ouvrage. Ce moyen de défense des médias est en vigueur dans plusieurs pays de tradition britannique et semble vouloir inspirer la Cour européenne des droits de l'homme, qui va à son tour influencer progressivement les tribunaux de pays où le respect de la vie privée est souvent un obstacle au droit du public à l'information, comme c'est encore le cas en France.

La corégulation est institutionnelle quand elle est formelle et associe diverses institutions privées et publiques, on la distingue ainsi de la corégulation citoyenne qui est surtout celle d'individus (consommateurs de médias, usagers, etc.). Il existe une grande variété de modèles de corégulation, chacun étant un assemblage plus ou moins dense de mesures volontaires des journalistes et médias, et de mesures imposées par l'État. C'est le cas notamment du code de déontologie de la presse britannique recommandé par la Commission Leveson, car celui-ci implique une charte royale et impose des amendes. Au Canada, on retrouve le Conseil canadien des normes de la radiotélévision (CCNR) créé par une association de diffuseurs privés auxquels le Conseil de la radiodiffusion et des télécommunications canadiennes (CRTC) a délégué des pouvoirs de régulation en lien avec divers codes de déontologie concernant notamment l'information, la violence et la programmation générale. Mais le CCNR doit rendre des comptes au CRTC.

La corégulation rejette les prétentions absolutistes des supporteurs d'une liberté d'expression illimitée, notamment celles des libertariens apôtres du libre marché et du Premier amendement des États-Unis. Elle rejette aussi celles des supporteurs d'une hétérorégulation qui ne reposerait que sur les lois civiles et criminelles, les institutions publiques et gouvernementales. Elle est une réponse à l'échec de l'autorégulation des médias, sans être une panacée à tous les maux des médias.

Le rapport de la commission australienne consacrée à la déontologie et l'autorégulation des médias, la Commission Finkelstein (2012), consacre un long chapitre aux théories de la régulation des médias. Généralement conçue comme l'imposition de règles ou de principes pour influencer les comportements, elle cherche à prévenir ou à compenser les insuffisances du marché et à poursuivre des finalités sociales équitables (réduire ou gérer les risques de dommages à la santé, la sécurité ou au bien-être des individus et de la communauté, etc.). Ce sont les deux principales justifications de la régulation. Le rapport distingue la régulation légale ou gouvernementale (*command and control regulation*) et l'autorégulation (nommée parfois *consensus regulation*). Selon celui-ci, il faut voir la régulation sur un continuum qui va de l'autorégulation pure à la pleine régulation gouvernementale, avec une variété de possibilités de corégulation (*hybrid regulation* ou *enforced self-regulation*) entre ces deux pôles. Ce continuum peut être plus ou moins détaillé et, dans certains cas, il peut inclure l'éducation et l'information, ou la quasi-régulation quand le gouvernement cherche à influencer ou à persuader des organisations à agir de certaines façons. On se retrouve donc avec un continuum qui ressemblerait à ceci :

Continuum de la régulation

Inspiré de Finkelstein (2012, 271)

La corégulation survient quand les règles sont élaborées, gérées et mises en vigueur par des associations, agences ou institutions, selon des proportions variables d'implications gouvernementale et non gouvernementale. Un type de corégulation peut donc se trouver à proximité de l'autorégulation avec une implication gouvernementale minimale. La corégulation peut également signifier la délégation de pouvoirs de régulation et d'application, comme c'est le cas au Canada avec le Conseil canadien des normes de la radiotélévision (CCNR).

Au demeurant, la plupart des tentatives de définition suggèrent que la corégulation représente un ensemble hétéroclite de dispositifs qui se situent entre la régulation étatique traditionnelle et l'autorégulation pure. Elle offre une variété de dispositifs plus ou moins formels qui cherchent à suppléer aux insuffisances de l'autorégulation et du libre marché. Traditionnellement, la corégulation faisait référence à l'implication plus ou moins lourde de l'État ou de ses institutions. Mais grâce à Internet, et plus particulièrement à son potentiel de contestation et d'opposition aux pouvoirs établis (Strangelove 2005), de nouveaux acteurs s'imposent.

LA CORÉGULATION CITOYENNE

Historiquement, si des dispositifs d'autorégulation des médias ont été suggérés et implantés, c'est parce que les médias d'information détenaient un quasi-monopole en matière d'accès à l'espace public. Cela faisait peser sur eux l'obligation morale de contribuer au débat les concernant. Dans l'ordre médiatique ancien, les citoyens avaient un accès limité à l'espace public tout comme à l'espace médiatique (temps d'antenne, commentaires ou lettres ouvertes dans les journaux, etc.). Leurs messages étaient soit ignorés par les médias, soit filtrés par ceux-ci en fonction de critères journalistiques (Ericson, Baraneck et Chan 1987). Des recherches indiquent que, dans leurs routines, les journalistes ont souvent préféré certaines sources institutionnelles ou officielles en même temps qu'ils se montraient indifférents, parfois hostiles, à l'égard de leur audience, question de défendre leur autonomie professionnelle (Williams, Wardle et Wahl-Jorgensen 2011).

Avec Internet et le Web 2.0, les citoyens ont spontanément entrepris d'agir comme un cinquième pouvoir qui observe, critique, invective même le quatrième pouvoir, celui des médias et de leurs journalistes. Il ne faut pas s'étonner de l'irruption des publics dans ce rôle de vigie des « chiens de garde de la démocratie ». Depuis quelques décennies déjà, il est bien documenté que les citoyens sont loin de partager la même conception de l'information que celle mise de l'avant par les médias et leurs journalistes. De nombreuses enquêtes ont mesuré l'écart, parfois le gouffre, qui séparait le jugement éditorial du public et celui des journalistes (Tsafi, Meyers et Peri 2006, Tai et Chang 2002, Voakes 1997), sur divers enjeux liés à la vie privée de personnalités publiques et d'élus par exemple, ou encore que le public préfère la fonction de « bon voisin » plutôt que celle de « chien de garde » (Poindexter, Heider et McCombs 2006). Certes, on peut se méfier des réponses nobles et socialement désirables que les publics donnent à certaines questions, réponses qui ne correspondant pas toujours à leur consommation réelle (Roshier 1981). Mais peut-on les ignorer pour autant, surtout quand on prétend travailler pour servir le droit du public à l'information ?

Il semble que Ramonet soit le premier à évoquer, sans l'approfondir outre mesure, ce concept de cinquième pouvoir, en l'insérant dans une théorique critique des médias où ceux-ci sont perçus comme un quatrième pouvoir qui aurait trahi sa mission démocratique. Il en appelle plus tard à un cinquième pouvoir « dont la fonction serait de dénoncer le super-pouvoir des médias, des grands groupes médiatiques, complices et diffuseurs de la globalisation libérale » (Ramonet 2003). Selon Ramonet, l'information est polluée comme l'air et l'eau, tout comme la nourriture est contaminée par les produits chimiques de l'industrie. Pour obtenir une information « bio », il soutient que les « citoyens doivent se mobiliser pour exiger que les médias appartenant aux grands groupes globaux respectent la vérité, parce que seule la recherche de la vérité constitue en définitive la légitimité de l'information » (2003). Plutôt que de miser sur les réseaux sociaux qui émergeaient à peine en 2003, Ramonet souhaitait la création d'un Observatoire international des médias. «Parce que les médias sont aujourd'hui le seul pouvoir sans contre-pouvoir, et qu'il s'est créé ainsi un déséquilibre dommageable pour la démocratie» (2003). Il ajoute que la «force de cette association est avant tout morale : elle réprimande en se fondant sur l'éthique et sanctionne les fautes d'honnêteté médiatique au moyen de rapports et d'études qu'elle élabore, publie et diffuse» (2003). S'y retrouveraient des journalistes, des universitaires et des citoyens. Il s'agit en somme d'un conseil de presse mondial, avec toutes les imperfections que cela comporte, comme on l'a vu.

Une corégulation spontanée et à la carte

On peut douter de la faisabilité d'un tel dispositif d'envergure internationale. Mais sa fonction de vigie et de critique pourrait être décuplée par une corégulation spontanée de la multitude des citoyens, usagers et consommateurs d'information. Corégulation spontanée bien souvent, en raison de son caractère désorganisé, dispersé, imprévu et volontaire, tout comme elle est une corégulation à la carte, chacun y allant d'une critique qui varie en raison de ses intérêts ou convictions politiques, idéologiques, morales et religieuses pour ne nommer que les plus discernables. Cohabitent ainsi les critiques savantes et expertes au même titre que les critiques sélectives, partiales, partielles, partisanes, ignorantes ou malicieuses, ce qui n'élimine pas leur capacité d'influer sur les comportements et les pratiques des médias et des journalistes.

De toutes parts, les observateurs, professionnels et chercheurs spécialisés en médias et en journalisme ne cessent de constater la montée en puissance des citoyens comme sources plus ou moins influentes (de Keyser, Raeymaeckers et Paulussen 2011) comme générateurs de contenu ou comme journalistes amateurs. Cette participation accrue et constante ne se limite pas à la production médiatique, elle s'étend à la critique des élites politiques et économiques. Cette fonction de surveillance des chiens de garde de la démocratie avait traditionnellement été accaparée par différents groupes, institutions (tribunaux, syndicats, lieux de recherche et de formation, etc.) et dispositifs professionnels (conseils de presse, ombudsman, etc.).

Ce qui les caractérisait était leur aspect organisé et institutionnel, voire collectif, ce qui pouvait les rendre en quelque sorte prévisibles pour les acteurs médiatiques. Quant aux citoyens intéressés à la vie des médias et au journalisme, bien peu de place leur était accordée. Internet leur permet désormais de s'exprimer publiquement, par le biais de babillards ou de sites dédiés à partir du milieu des années 1990, puis de façon encore plus visible à compter des années 2000, avec les outils du Web 2.0 (blogues, interactivité, commentaires laissés sur les sites des médias, Facebook, Twitter et autres médias émergents).

La critique des médias s'est démocratisée, elle échappe aux filtrages et règles de modération, elle peut être condensée et propagée de façon virale (Twitter), ou s'exprimer de façon plus exhaustive sur les blogues et Facebook, etc. Le quatrième pouvoir est plus que jamais confronté aux publics dont il s'est toujours dit le représentant pour affirmer sa légitimité sociale et politique, pour défendre sa conception de la liberté de la presse et, il faut le dire, défendre ses intérêts économiques. On peut y voir une forme de sanction du marché (Fengler 2012) qui sortirait ainsi de son état de latence imposée.

Selon Jarvis (2007), tous les usagers et les journalistes devraient être considérés comme des ombudsmans. Ainsi, le contact avec le public n'est plus réservé à une seule personne (ombudsman, médiateur, etc.), le journaliste est informé des commentaires, des corrections, des informations et précisions que lui acheminent les publics. Cela contribuerait à améliorer la qualité de l'information. La recherche en journalisme a par ailleurs souligné de façon importante le rôle des journalistes citoyens comme curateurs des médias d'information, particulièrement quand la qualité du travail journalistique fait défaut (Bruns 2011). À ce sujet, Phillips (2011) a observé de nombreuses occurrences où des citoyens ont détecté des erreurs factuelles ou des cas de plagiat.

De Haan (2011b) rapporte qu'aux Pays-Bas, le public exige davantage d'imputabilité de la part des médias, même dans un contexte de libéralisation et de retrait de l'État, ce qui a incité les médias à s'ajuster. En Europe, ajoute-t-il, diverses instances prônent l'éducation aux médias (*media literacy*) pour rendre le citoyen à la fois plus avisé et plus responsable dans ses choix médiatiques. En France, dans le cadre des États généraux de la presse de 2009, on a pris acte de l'irruption des publics en préconisant une nouvelle règle : « Le journaliste est attentif aux critiques et suggestions du public. Il les prend en compte dans sa réflexion et sa pratique journalistique » (Ruellan 2011, 38-39).

Rosen estime impératif que les journalistes élèvent leurs normes de fiabilité car leurs erreurs génèrent davantage de conséquences graves que par le passé pour eux, pour la profession et pour les autres. Les conséquences sont plus apparentes aussi en raison de la surveillance accrue que permet la multiplication des plateformes d'information et de commentaires (rapporté par Carlson 2011). Fengler (2008) a observé que la plupart des blogueurs qui s'intéressent aux médias, aux États-Unis, se considèrent comme des chiens de garde des médias, avec une forte motivation à les critiquer, au point où plusieurs adhèrent assez facilement aux théories du complot pour expliquer des comportements de journalistes qui leur semblent biaisés politiquement. Olav Anders Øvrebø (2008) a aussi constaté que ces nouveaux critiques externes sont souvent portés à exagérer leurs attaques sans trop prendre la peine de se documenter convenablement, ce que d'aucuns, chez les journalistes, leur reprocheront pour mieux discréditer toute critique. En Allemagne, une enquête menée auprès de 20 000 usagers d'un blogue consacré à la critique des médias révèle néanmoins que 84 % de ceux-ci identifient le divertissement comme première motivation (Fengler 2012, 186). Il ne faudrait donc pas avoir une conception uniquement « citoyenne » de ces usagers, sans toutefois nier la présence de cette motivation « noble ».

* * *

Les médias et les journalistes ne peuvent plus se soustraire à l'imputabilité qui est un élément fondamental de leur légitimité sociale. Cette imputabilité, longtemps institutionnalisée et contrôlée par les acteurs médiatiques, gouvernementaux et juridiques, a été happée par les citoyens qui agissent comme un cinquième pouvoir, sinon un contre-pouvoir dans la mesure où leur influence peut modifier des comportements et pratiques jugés inacceptables sur le plan de l'éthique et de la déontologie du métier. Cette corégulation citoyenne, dispersée et parfois excessive, peut s'exercer en complémentarité avec la corégulation institutionnelle, plus prévisible, experte et procédurale. Plus que jamais sont réunies des conditions favorables à une *liberté responsable* de la presse, bien que celle-ci soit toujours fortement contrainte par les pressions économiques des médias commerciaux, quand ce ne sont pas les pressions politiques dans les sociétés qui souffrent d'un déficit démocratique.

Conclusion

Au terme de ce travail de documentation et d'explicitation des principes éthiques et des règles déontologiques qui font consensus dans bon nombre de sociétés démocratiques, on peut légitimement se demander qu'y a-t-il de changé ? Le journalisme sera-t-il meilleur, plus juste ? Il serait bien imprudent de l'affirmer catégoriquement. Mais une chose est certaine, les journalistes et les gestionnaires de médias ne peuvent plaider l'ignorance en la matière.

Le métier de journaliste professionnel exige un effort constant afin de tenter de faire le mieux en évitant le pire. Ceux qui exercent ce métier se buteront toujours à une impossible perfection, malgré toutes les précautions suggérées par la réflexion éthique, malgré toutes les connaissances pratiques et théoriques. Il y aura toujours des dilemmes insolubles mettant en conflit des valeurs fondamentales, qui demeureront le sujet de discussions et d'oppositions entre individus raisonnables.

L'éthique et la déontologie ne suffisent pas à rendre un journaliste compétent, au service de l'intérêt public, mais elles sont des conditions nécessaires. Quel bienfait social à long terme peut-on attendre d'une connaissance obtenue grâce à des méthodes qui nient les droits et libertés de ceux dont on prétend servir les intérêts ? Que peut-il résulter de la diffusion abondante d'informations qui assouvissent la curiosité publique et non l'intérêt public ? Et combien de temps encore une société soucieuse d'équité va-t-elle tolérer que des individus revendiquent à leur profit une certaine conception de la liberté qui bafoue la liberté des autres ?

Se poser sérieusement ces questions et tenter d'y apporter des réponses cohérentes avec les discours officiels de la profession (servir l'intérêt public, la vérité, être équitable, impartial et intègre) fait partie des qualités du journaliste compétent. Ces qualités ne sont pas toujours valorisées par les entreprises de presse et les associations professionnelles qui tolèrent mal l'introspection critique au nom d'un corporatisme et d'une rectitude journalistiques qui sont difficiles à surmonter, surtout quand on se sent assiégé et menacé par la crise économique, l'accélération des mutations technologiques, la perte d'identité et la critique citoyenne.

On ne peut que souhaiter que le présent ouvrage vienne en aide aux journalistes et aux responsables de salles de rédaction lorsqu'ils sont aux prises avec des situations complexes, de façon qu'ils puissent prendre, en toute conscience et en toute connaissance de cause, les décisions qui épargneront les individus tout en respectant le principe fondamental de l'intérêt public. Ce serait déjà beaucoup que de ne plus déplorer de victimes d'un journalisme injuste.

Souhaitons aussi que les principes, les valeurs et les normes journalistiques abordés ici soient de plus en plus pris en compte par les gouvernements, les entreprises de presse et les journalistes des sociétés qui aspirent à la démocratie et au pluralisme dans un contexte de *liberté responsable*.

Enfin, même si l'ouvrage vise avant tout les journalistes professionnels, il conserve sa pertinence pour toutes les formes de journalisme. Tous ceux qui prétendent servir le débat public par l'information et l'opinion y trouvent des règles de conduites respectueuses de leurs concitoyens. Tous ceux qui souhaitent articuler une critique sérieuse et équitable des pratiques journalistiques réelles y trouvent aussi une grille d'analyse appropriée, de nature à freiner les attaques mesquines et irrationnelles qui assouvissent peut-être certaines frustrations, mais sont dénuées de toute légitimité.

Bibliographie

ADAM, Stuart G. *Notes Towards a Definition of Journalism: Understanding an old craft as an art form*, St. Petersburg, The Poynter Institute for Media Studies, 1993, 55 p.

ADAMS, J. B. « The Relative Credibility of 20 Unnamed News Sources », *Journalism Quarterly*, vol. 39, 1962, p. 79-82.

ADAMS, J. B. « Unnamed Sources and the News: A Follow-Up Study », *Journalism Quarterly*, vol. 41, 1964, p. 262-264.

AGENCE FRANCE PRESSE. « Indisciplinée, la presse britannique est menacée d'un "code de conduite rigoureux". Les représentants des médias sont très inquiets et crient à la censure », *La Presse*, lundi 11 janvier 1993, p. A-10.

AGRAWAL, Binod C. « Dual Ethics in Indian Communication: A Cultural Crisis », *in* T.W. COOPER *et al.*, 1989, p. 147-158.

ALTER, Jonathan. « Network documentaries on the blink », *Washington Monthly*, vol. 17, janvier 1986, p. 35-36.

ALTSCHULL, J. Herbert. « The Amoral Morality of Editors: Uniformity and the nose of the Camel », in A. van DER MEIDEN, 1980, p. 89-107.

AMERICAN SOCIETY OF NEWSPAPER EDITORS. « Ombudmanship and the Jimmy Story », *Proceedings of the 1981 Conventions*, Washington, D.C. April 21-2, p. 52-69.

AMERICAN SOCIETY OF NEWSPAPERS EDITORS. *The Editors' Exchange*, Août-Septembre 1998, [http://www.asne.org/ideas/exchange/August98.htm].

ANDERSON, Douglas. « How managing editors view and deal with ethical issues », *Journalism Quarterly*, vol. 64, 1987, p. 341-345.

_____. « How Newspaper Editors Reacted to *Post's* Pulitzer Prize Hoax », *Journalism Quarterly*, vol. 59, 1982, p. 363-366.

ANSART, Pierre. *Les sociologies contemporaines*, coll. Points, n° 211, Paris, Seuil, 1990, 342 p.

ARANT, David M. et Jeanna Quitney ANDERSON. « Online Media Ethics: A Survey of U.S. Daily Newspaper Editors », Communication au Congrès annuel de l'Association for Education in Journalism and Mass Communication, Phoenix, août 2000, [http://list.msu.edu/cgi-bin/wa].

ARVIDSON, Cheryl. «Neuharth: Press must be more fair to remain free», *Freedom Forum Online*, 13 octobre 2000, [http://www.freedomforum.org/templates/document.asp?documentID=3290].

ASSOCIATED PRESS MANAGING EDITORS. *Statements of Ethical Principles*, 1994, [http://www.apme.com/?page=EthicsStatement&hhSearchTerms=%22ethics%22], lien visité le 12 mars 2014.

ASSOCIATION CANADIENNE DES JOURNALISTES. *Canadian Association of Journalists Statement of Principles*, adopté au congrès annuel de 2002, [http://www.caj.ca/principles/principles-statement-may-2002.htm].

ASSOCIATION CANADIENNE DES JOURNALISTES. *Ethical guidelines*, juin 2011, [http://www.caj.ca/?p=1776], lien visité le 16 avril 2014.

ASSOCIATION DES JOURNALISTES PROFESSIONNELS. *Code de déontologie journalistique: Les journalistes et leurs sources. Guide des bonnes pratiques journalistiques*, Bruxelles, 2012.

AUBIN, Henry *et al. Questions d'éthique*, Montréal, Québec/Amérique, 1991, 145 p.

AUMENTE, Jerome. «Growing a free press: The struggle in Eastern Europe», *Washington Journalism Review*, April, 1991, p. 38-42.

BAGDIKIAN, Ben H. «Economics and the Morality of Journalism», *in* Michael C. EMERY et Ted C. SMYTHE, 1989, p. 382-392.

BAKER, C. Edwin. *Media, Market and Democracy*, Cambridge, University Press, New York, 2002, 377 p.

BALZAC, Honoré de. *Les journalistes*, Paris, Arléa, 1991, 158 p.

BANNING, Stephen A. « "Truth is Our Ultimate Goal": A Mid-19th Century Concern for Journalism Ethics», *in American Journalism*, hiver 1999, p. 17-39.

BARNETT, Stephen R. «The JOA Scam», *Columbia Journalism Review*, Novembre-Décembre 1991, [http://www.cjr.org/year/91/6/joa.asp].

BARROSO, ASENJO Porfirio. «Spanish Media Ethics», *in* Thomas W. COOPER *et al.*, 1989, p. 69-84.

BASTIEN, Frédéric C. «La mention de la méthodologie des sondages électoraux dans les quotidiens québécois de 1979 à 1997», *Politique et Société*, vol. 20, n° 2-3, 2001.

BASTIEN, Frédéric C. et François PÉTRY. « Sondages et médias ne font pas toujours bon ménage », *Le Trente*, vol. 33, n° 10, novembre 2009, [http://www.fpjq.org/index.php?id=119&tx_ttnews%5Btt_news%5D=17372&tx_ttnews%5BbackPid%5D=273&cHash=7702f1c08f], lien visité le 3 avril 2014.

BATES, Benjamin et HARMON, Mark. «Do Instant Poll Hit the Spot. Phone-In vs Random Sampling of Public Opinion», *Journalism Quarterly*, vol. 70, n° 2, été 1993, p. 369-380.

BATES, Stephen. *Realigning Journalism with Democracy: The Hutchins Commission, Its Times, and Ours*, Washington D.C., Annenberg Washington Program in

Communication Policy Studies, 1995, 50 p., [http://www.annenberg.nwu. edu/pubs/hutchins/].

BEAUD, Jean-Pierre. «Médias et sondages politiques: le cas de la campagne électorale fédérale de 1988», *Politique*, n° 20, Octobre 1991, p. 131-151.

BEAUSOLEIL, Jocelyn. «Comment juger dans le feu de l'action?», *in* Michael SCHLEIFER, *La formation du jugement*, Montréal, Logiques, 1992, 268 p., p. 227-231.

BÉGIN, Luc. «Le meilleur des mondes?» *Contact*, vol. 6, n° 2, 1992, p. 34-36.

BELOFF, Nora. «This Above All», *in* Bernard RUBIN, 1978, p. 61-80.

BEMMA, Adam. « How Corruption Became the Norm for African Journalists », *The Huffington Post*, 15 janvier 2014, [http://www.huffingtonpost.ca/adam-bemma/bribing-the-media_b_4604173.html], lien visité le 23 avril 2014.

BERNIER, Marc-François. «Crise d'éthique ou éthique de crise», *Communication*, vol. 13, n° 1, 1992a, p. 93-113.

BERNIER, Marc-François. *Le recours aux sources anonymes dans les comptes rendus journalistiques: l'état de la situation*, Essai pour l'obtention d'un diplôme de second cycle en communication publique, Université Laval, 1992b, 55 p.

BERNIER, Marc-François. «Questions d'éthique... mais réponses déontologiques !», *La Dépêche*, vol. 11, n° 4, 1992c, p. 22-24.

BERNIER, Marc-François. *Les Fantômes du parlement: Étude de l'utilité des sources anonymes chez les courriéristes parlementaires*, Sainte-Foy, Presses de l'Université Laval, 2000, 171 p.

BERNIER, Marc-François, *Les Planqués : le journalisme victime des journalistes*, Montréal, VLB Éditeur, 1995, 206 p.

BERNIER, Marc-François. «Quelques enjeux éthiques et déontologiques du cyber-journalisme», *in* Patrick J. Brunet (dir.), *Éthique et Internet*, Sainte-Foy, Presses de l'Université Laval, 2002, 248 p., p. 177-200.

BERNIER, Marc-François. «Liaisons incestueuses», *Le 30*, vol. 27, n° 3, mars 2003a, p. 30-31.

BERNIER, Marc-François. «L'ombudsman de Radio-Canada face aux doléances du public en matière d'unité nationale et d'ingérence politique», *in Mélanges en l'honneur de Vincent Lemieux: La science politique au Québec: le dernier des maîtres fondateurs*, Sainte-Foy, Presses de l'Université Laval, 2003b, 548 p., p. 391-416.

BERNIER, Marc-François. *La méfiance des Québécois envers la concentration de la propriété des médias, les journalistes et l'intervention gouvernementale*, communication orale dans le cadre du XVIIe congrès international des sociologues de langue française, Tours (France), le 6 juillet 2004.

BERNIER, Marc-François. « Pourquoi les journalistes ? Les contours d'un idéal journalistique », BERNIER, Marc-François, François DERMERS, Alain LAVIGNE, Charles MOUMOUNI et Thierry WATINE, *Pratiques novatrices en communication publique : journalisme, publicité et relations publiques*, Québec, Presses de l'Université Laval, 2005a, p. 13-41.

BERNIER, Marc-François. *L'Ombudsman de Radio-Canada : protecteur du public ou des journalistes*, Québec, Presses de l'Université Laval, 2005b, 244 p.

BERNIER, Marc-François. *Journalisme au pays de la convergence : sérénité, malaise et détresse professionnelles*, Québec, Presses de l'Université Laval, 2008a, 193 p.

BERNIER, Marc-François. « Les conditions de la crédibilité et de la légitimité sociale des médiateurs et ombudsmen de presse », *Cahiers du journalisme*, n° 18, p. 20-33, 2008b.

BERNIER, Marc-François. « Pourquoi les journalistes ? Les contours d'un idéal journalistique », BERNIER, Marc-François, François DERMERS, Alain LAVIGNE, Charles MOUMOUNI et Thierry WATINE, *L'héritage fragile du journalisme d'information. Des citoyens entre perplexité et désenchantement*, Québec, Presses de l'Université Laval, 2008c.

BERNIER, Marc-François. « La crédibilité des médiateurs de presse en France chez les journalistes du Monde, de RFI et de France 3 », *Cahiers du Journalisme*, (22/23), 200-215, Automne 2011.

BERNIER, Marc-François. « La crise existentielle du Conseil de presse du Québec ou la fin du mythe de l'autorégulation des Médias », *L'État du Québec*, Institut du Nouveau Monde, Montréal, Boréal, 2010, p. 347-352.

BERNIER, Marc-François. « La montée en puissance du 5ᵉ pouvoir : les citoyens comme acteurs de la corégulation des médias », *Éthique publique*, vol. 15, n° 1, 2013, p. 169-191.

BERNIER, Marc-François. *Rapport d'analyse de l'enquête quantitative sur l'indépendance journalistique*, Rapport de recherche remis au Conseil de presse du Québec, février 2014, non publié.

BERRAH, Mouny. « Plus vraies, plus dramatiques, plus spectaculaires : À l'heure des informations hyperréalistes », *Le Monde diplomatique*, vol. 37, n° 437, août 1990, p. 22-23.

BERTHIAUME, Pierre. *Le journal piégé ou l'art de trafiquer l'information*, Montréal, VLB Éditeur, 1981, 195 p.

BERTRAND, Claude-Jean. « National Codes of Journalistic Ethics, » *in* T.W. COOPER *et al.*, 1989, p. 273-276.

BERTRAND, Claude-Jean. *Les médias aux États-Unis*, 2ᵉ édition, coll. Que sais-je?, n° 1593, Paris, Presses universitaires de France, 1982, 127 p.

BERTRAND, Claude-Jean. « Watching the Watchdog-Watching Doc: A Call for Active Press-Councils », *in* Krogh, Torbjörn von (dir.) *Media accountability today... and tomorrow: updating the concept in theory and practice*, Göteborg: Nordicom, 2008, p. 115-118.

BEZANSON, Randall P. *How Free Can the Press Be?*, University of Illinois Press, Urbana and Chicago, 2003.

BLACK, Jay et Michael CONNOLLY. «Journalism in Australia: In Search of Professionalism», *in* T.W. COOPER *et al.*, 1989, p. 204-218.

BLACK, Jay et Robert STEELE. «Professional decision making and personal ethics», *Journalism Educator*, vol. 46, n° 3, 1991, p. 3-17.

BLACK, Jay, Robert STEELE et Ralph D. BARNEY, *Doing Ethics in Journalism: a Handbook With Case Studies, second edition*, Needham Heights, Allyn and Bacon, 1995, 271 p.

BLAIS, André et Richard NADEAU. «L'appui au Parti québécois: évolution de la clientèle de 1970 à 1981», *in* CRETE Jean, *Comportement électoral au Québec*, Chicoutimi, Gaëtan Morin, 1984, 447 p., p. 279-318.

BLUMBERG, Peter. «Paul Brodeur's War on Electromagnetics Fields», *Washington Journalism Review*, January/February, vol. 13, n° 1, 1991, p. 40-44.

BOEYINK, David E. «Anonymous Sources in News Stories: Justifying Exceptions and Limiting Abuses», *Journal of Mass Media Ethics*, vol. 5, n° 4, 1990, p. 233-246.

BOEYINK, David E. «How Effective Are Codes Of Ethics? A Look at Three Newsrooms», *in Journalism Quarterly*, vol. 71, n° 4, 1994a, p. 893-904.

BOEYINK, David E. «Public Understanding, Professional Ethics, and the News: A Response to Jane Rhodes», *in Federal Communications Law Journal*, vol. 47, n° 1, octobre 1994b, [http://www.law.indiana.edu/fclj/pubs/v47/no1/boeyink.html].

BOGART, Leo. «Media and Democracy», *in Media Studies Journal*, vol. 9, n° 3, été 1995, p. 1-10.

BOK, Sissela. *Lying: Moral Choice in Public and Private Life*, New York, Vintage Books (1989), 1999, 326 p.

BONVILLE, Jean de. *Les quotidiens montréalais de 1945 à 1985: morphologie et contenu*, Québec, Institut québécois de recherche sur la culture, 1995, 223 p.

BOUDON, Raymond. *L'art de se persuader des idées douteuses, fragiles ou fausses*, coll. Points essais, n° 242, Paris, Fayard, 1990, 458 p.

BOUDON, Raymond. *L'idéologie ou l'origine des idées reçues*, coll. Points, n° 241, Paris, Fayard, 1986, 330 p.

BOUDON, Raymond. *Le juste et le vrai: Études sur l'objectivité des valeurs et de la connaissance*, Paris, Fayard, 1995, 575 p.

BOUGNOUX, Daniel. «La science au risque des médias», *Le Monde diplomatique*, septembre 1995.

BOURETZ, Pierre. «Préface», *in* MILL John Stuart, *De la liberté*, Paris, Gallimard, 1990, 243 p., p. 13-60.

BOURGEAULT, Guy. «Depuis le serment d'Hippocrate... des codes, des modèles, des repères», *in* Jacques TREMBLAY, 1989, p. 43-63.

BOVÉE, W. G. «The End Can Justify the Means - But Rarely», *Journal of Mass Media Ethics*, vol. 6, n° 3, 1991, p. 135-145.

BOYD, Danah et Kelly McBRIDE. « The Destabilizing Force of Fear », *in* McBRIDE, Kelly et Tom ROSENSTIEL, *The New Ethics of Journalism: Principles for the 21st Century*, Los Angeles, Sage Publications, 2014, p. 177-188.

BRAINARD, Curtis. « Junkets masquerading as prizes », *Columbia Journalism Review*, 25 octobre 2012, [http://www.cjr.org/the_observatory/science_journalism_prizes_fell.php?page=all], lien visité le 25 avril 2014.

BRAMAN, S. « Public Expectations of Media Versus Standards in Codes of Ethics », *Journalism Quarterly*, vol. 65, n° 1, 1988, 240 p., p. 71-77.

BRETON, Philippe et Serge PROULX. *L'explosion de la communication à l'aube du XXIᵉ siècle*, Montréal, Boréal, 2002, 390 p.

BRIDGES, Lamar W. et Janet A. BRIDGES. « Newspaper ombudsman's role during a presidential campaign », *Newspaper Research Journal*, vol. 16, n° 2, 1995, [http://www.facsnet.org/cgi-bin/nrj_search.cgi?row=6].

BRIEF, Jean-Claude. « Le jugement : une vision périphérique », *in* Michael SCHLEIFER, *La formation du jugement*, Montréal, Logiques, 1992, 268 p., p. 37-51.

BROADCASTING & CABLE. « A journalist comes home », *Broadcasting & Cable*, 30 septembre 1996, vol. 126, n° 41, p. 4-9.

BRUNS, Axel. « Citizen Journalism and Everyday Life: A Case Study of Germany's *Myheimat.de* », *in* Bob FRANKLIN et Matt CARLSON (dir.), *Journalists, Sources and Credibility: New Perspectives*, Routledge, New York, 2011, p. 182-194.

BUTTERWORTH, Siobhain. « Open door: The readers' editor on ... difficult decisions about erasing little bits of history », 16 avril 2007, [http://www.guardian. co.uk/commentisfree/2007/apr/16/comment.pressandpublishing], lien visité le 12 septembre 2011.

BURGOON, J., J. BERNSTEIN et M. BURGOON. « Public and Journalist Perceptions of Newspaper Functions », *Newspaper Research Journal*, vol. 5, n° 1, 1983, p. 77-89.

BURRISS, Larry L. « Attribution in network radio news: a cross-network analysis », *Journalism Quarterly*, vol. 65, 1988, p. 690-694.

CAMUS, Albert. *Camus à Combat : Éditoriaux et articles d'Albert Camus 1944-1947*, Gallimard, Paris, 2002.

CARLSON, Matt. « Whither Anonymity? Journalism and Unnamed Sources in a Changing Media Environment », *in* Bob FRANKLIN et Matt CARLSON (dir.), *Journalists, Sources and Credibility: New Perspectives*, Routledge, New York, 2011, p. 37-48.

CAVE, Ray. « Musings of a Newsmagazine Editor, », *in* Michael C. EMERY et Ted C. SMYTHE, 1989, p. 108-113.

CENTER FOR SURVEY RESEARCH AND ANALYSIS (CSRA). «Sondage réalisé pour le compte de la Radio Television News Director's Foundation», document Internet, s. d.

CHANGEUX, Jean-Pierre. *L'Homme de vérité*, Paris, Odile Jacob, 2004.

CHARON, Jean-Marie. *Cartes de presse: Enquête sur les journalistes*, coll. Au Vif, Paris, Stock, 1993, 356 p.

CHARON, Jean-Marie. *Réflexions et propositions sur la déontologie de l'information*, Rapport à Madame la ministre de la Culture et des Communications, Paris, 8 juillet 1999, 56 p.

CHARRON, Jean. *Les relations entre les élus et les journalistes parlementaires à l'Assemblée nationale du Québec: une analyse stratégique*, Québec, Université Laval, thèse de doctorat en science politique, octobre 1990, 606 p.

CHARRON, Jean. *La production de l'actualité: une analyse stratégique des relations entre la presse parlementaire et les autorités politiques*, Montréal, Boréal, 1994, 446 p.

CHARRON, Jean et Jean de BONVILLE. «Présentation – Journalisme en mutation. Perspectives de recherches et orientations méthodologiques», *Communication*, vol. 17, n° 2, 1997, p. 15-49.

CHARRON, Jean, Jacques LEMIEUX et Florian SAUVAGEAU. *Les journalistes, les médias et leurs sources*, Boucherville, Gaëtan Morin éditeur, 1991, 237 p.

CHEMILLIER-GENDREAU, Monique. «Que vienne enfin le règne de la loi internationale», *Le Monde diplomatique*, vol. 38, n° 448, 1991, p. 18-19.

CHRISTIANS, Clifford G. *Communication Research Trends,* vol. 11, n° 4, 1991, 36 p.

CHRISTIANS, Clifford G. «Ethical Theory in a Global Setting», *in* Thomas W. COOPER *et al.,* 1989, p. 3-19.

CHRISTIANS, Clifford G. «Reporting and the Oppressed», *in* Deni ELLIOTT, 1986, p. 109-130.

CHRISTIANS, Clifford G. et Catherine L. COVERT. *Teaching Ethics in Journalism Education.*, Institute of Society, Ethics and the Life Sciences, The Hastings Center, coll. The Teaching of Ethics III, 1980, 71 p.

CHRISTIANS, Clifford G., Kim B. ROTZOLL et Mark FACKLER. *Media Ethics: Cases and Moral Reasoning*, 2ᵉ édition, Longman, 1987, 343 p.

CHRISTIANS, Clifford G., Mark FACKLER, Kim B. ROTZOLL et Kathy Brittain MCKEE. *Media Ethics Cases and Moral Reasoning*, 6ᵉ edition, New York, Addison Wesley Longman, 2001, 333 p.

CLAWSON, Rosalee A. et Rakuya TRICE. «Poverty as we know it: Media portrayals of the poors», *Public Opinion Quarterly,* vol. 64, 2000, p. 53-64.

COCKERELL, Michael, Peter HENNESY et David WALKER. *Sources Close to the Prime Minister: Inside the hidden world of the news manipulators*, Londres, Macmillan, 1984, 255 p.

COHEN, David. «Concentration of media concentrates conflicts», *St. Louis Journalism Review*, vol. 30, avril 2000, p. 7.

COLON, Aly, «When Money and Ethics Collide Online», Poynter Institute, 14 février 2000 (http://www.poynter.org/uncategorized/1518/when-money-and-ethics-collide-online/), lien visité le 11 juillet 2014.

COMMISSION SCOLAIRE DES DÉCOUVREURS. *L'Actualité en classe*, Québec, [http://www.actualiteenclasse.com/documentation/6.html].

COMMITTEE OF CONCERNED JOURNALISTS. «The Clinton Crisis and the Press: A New Standard of American Journalism?», *in* Committee of Concerned Journalists, 23 février 1998, 10 p., [http://www.journalism.org/Clintonreport. htm].

CONAN, Éric. «Où va le journalisme?», *Esprit*, décembre 1990, p. 5-12.

CONRAD, Peter. «Genetic Optimism: Framing Genes and Mental Illness in the News», *Culture, Medicine and Psychiatry*, vol. 25, 2001, p. 225-247.

CONSEIL CANADIEN DES NORMES DE LA RADIODIFFUSION (CCNR). *Code de déontologie de l'Association canadienne des directeurs de l'information radio-télévision*, 2000, [http://www.cbsc.ca/francais/codes/acdirtrevise.htm].

CONSEIL CANADIEN DES NORMES DE LA RADIODIFFUSION (CCNR). *Code de déontologie de l'Association canadienne des directeurs de l'information radio-télévision*, 1986, [http://www.cbsc.ca/francais/codes/acdirt.htm].

CONSEIL DE PRESSE DU QUÉBEC. *Avis sur le journalisme d'enquête et l'utilisation abusive de procédés clandestins*, 21 septembre 1999.

CONSEIL DE PRESSE DU QUÉBEC. Décision D2002-03-048, en date du 4 octobre 2002.

CONSEIL DE PRESSE DU QUÉBEC. «Le Conseil de presse examinera toute plainte relative au journalisme sur Internet ou "journalisme en ligne"», communiqué du 7 janvier 2002, [http://www.cnw.ca/releases/January2002/07/c0731.html].

CONSEIL DE PRESSE DU QUÉBEC. *Les droits et responsabilités de la presse*, Québec, 1987.

CONSEIL DE PRESSE DU QUÉBEC. *Code de déontologie*, Montréal, 2013, [http://conseilpresse.wpengine.com/code/], lien visité le 31 mars 2014.

CONSEIL DE RECHERCHES MÉDICALES. *Lignes directrices concernant la recherche sur des sujets humains : 1987*, Ottawa, Conseil de recherches médicales du Canada, 1987, 67 p.

CONSEIL SUPÉRIEUR DE L'AUDIOVISUEL (CSA). «Les Français et le respect de la vie privée des hommes publics», 22 décembre 1999, [http://www.csa-fr. com/fra/dataset/data99/opi19991222d.htm].

CONSORTIUM CANADIEN DE RECHERCHE SUR LES MÉDIAS. *The Credibility Gap: Canadians and Their News Medias*, mai 2008 (lien Internet défectueux).

CONWAY, Daniel W. «Nietzsche and Autonomy in Communication Ethics», *Communication*, vol. 12, juillet 1991, p. 217-230.

COOPER, Thomas W. «Global Universals: In Search of Common Ground», *in* Thomas W. COOPER *et al.*,1989a, p. 20-39.

COOPER, Thomas W. «Methodological Challenges: Comparison of Codes and Countries,» *in* Thomas W. COOPER *et al.*,1989b, p. 227-241.

COOPER, Thomas W. «Conclusions and Directions,» *in* Thomas W. COOPER *et al.*,1989c, p. 251-269.

COOPER, Thomas W., CHRISTIANS, Clifford G., PLUDE, Frances Forde et WHITE, Robert A. *Communication Ethics and Global Change*, New York, Longman, 1989, 385 p.

CORNEY, Cynthia. «Getting It Right», *American Journalism Review*, mars 2001, [http://ajr.org/article.asp?id=387].

CORNU, Daniel. *Éthique de l'information*, coll. Que sais-je?, n° 3252, Presses universitaires de France, Paris, 1997, 128 p.

CORRIVEAU, Raymond et Guillaume SIROIS. *L'information : la nécessaire perspective citoyenne*, Montréal, Presses de l'Université du Québec, 2012.

CORYELL, Schofield. «Recettes américaines,» *in* Le Monde diplomatique, *La Communication victime des marchands ; Affairisme, information et culture de masse*, Paris, éd. La Découverte/Le Monde, 1989, 283 p., p. 126-137.

COUTURE, Jocelyne. «La rationalité de l'éthique: théorie et pratique», *Cahiers d'épistémologie*, n° 9106, 1991, 15 p.

CRABLE, Richard. «Ethical Codes, Accountability, and Argumentation», *Quarterly Journal of Speech*, vol. 64, 1978, p. 23-32.

CRAIK, Kenneth H. *Reputation: A Network Interpretation*, Oxford University Press, New York, 2009.CROZIER, Michel et Erhard FRIEDBERG. *L'acteur et le système*, Paris, Seuil, 1977, 500 p.

CULBERTSON, Hugh M. «Veiled attribution - an element of style?», *Journalism Quarterly*, vol. 55, 1978, p. 456-465.

CULBERTSON, Hugh M. «Leaks - a dilemma for editors as well as officials», *Journalism Quarterly*, vol. 57, 1980, p. 402-408, 535.

CULBERTSON, H. M., et N. SOMERICK, «Variables Affect How Persons View Unnamed News Sources», *Journalism Quarterly*, vol. 54, printemps 1977, p. 58-69.

CUNNINGHAM, Richard P. «Use of anonymous sources», *Editor & Publisher*, 1983, March 5 , p. 36.

CYR, Marie-France. «Les discours seconds des quotidiens durant la campagne électorale 1988», *Communication Information*, vol. 11, n° 2, 1990, p. 205-228.

DARLING, M. «Conflict of Interests», *Ryerson Review of Journalism*, 1991, avril, p. 12-13.

DAY, Louis A. *Ethics in Media Communication: Cases and Controversies*, Belmont, Wadsworth, 2003.

DEDMAN, Bill. «Picking the Pulitzers», *Columbia Journalism Review*, mai-juin 1991, p. 41-43.

De HAAN, Yael. *Between Professional Autonomy and Public Responsibility: accountability and responsiveness in Dutch media and journalism*, Amsterdam, The Amsterdam School of Communication Research ASCoR, 2011, [http://dare.uva.nl/record/407655], visité le 31 mai 2013.

De HAAN, Yael. *Between Professional Autonomy and Public Responsibility: accountability and responsiveness in Dutch media and journalism*, Amsterdam, The Amsterdam School of Communication Research ASCoR, 2011b.

DE KEYSER, Jeroen, Karin RAEYMAECKERS et Steve PAULUSSEN. « **Are citizens becoming sources? A look into Flemish journalists'** professional contacts », in Bob FRANKLIN et Matt CARLSON (dir.). *Journalists, sources and credibility: New perspectives*, New York: Routledge, 2011, p. 139-151.

de LAGRAVE, Jean-Paul. *Liberté et servitude de l'information au Québec confédéré (1867-1967)*, coll. Liberté, Montréal, de Lagrave, 1978, 372 p.

DEMERS, François. «L'échec du discours éthique des journalistes à la lumière de "l'analyse stratégique"», *Communication*, vol. 13, n° 1, 1992, p. 47-69.

DEMERS, François. «La transparence journalistique mise en péril par la fièvre actuelle de mercantilisme», *Ethica*, vol. 3, n° 1, 1991, p. 45-62.

DENNIS, Everette E. «Can Ethics Survive Business-Editorial Harmony?», *in* Michael C. EMERY et Ted C. SMYTHE, 1989, p. 377-382.

DENNIS, Everette E. «Social Responsibility, Representation, and Reality», *in* Deni ELLIOTT, 1986, p. 99-108.

DENNIS, Everette E. et Edward C. PEASE. «The Presidency in the New Media Age: Preface», *Media Studies Journal*, vol. 8, n° 2, printemps 1994, p. xi-xxiii.

DEPENAU, Mathieu. «L'origine naturelle du sens moral», *Eikasia. Revista de Filosofía*, año IV, 26, juillet 2009, p. 111-132.

DESBARATS, Peter. *Guide to Canadian News Media*, Toronto, Harcourt Brace Jovanovich, 1990, 274 p.

DESCHÊNES, Ulric. *L'insoutenable légèreté du discours. L'analyse de la jurisprudence du Conseil de presse du Québec*, mémoire de maîtrise, Département d'information et de communication, Faculté des arts, Université Laval, 1996, 101 p.

DE WOLK, Roland. *Introduction to Online Journalism*, Allyn & Bacon/Longman, San Francisco, 2001, 200 p.

DOMENACH, Jean-Marie. *La responsabilité: Essai sur le fondement du civisme*, Paris, Hatier, 1994, 80 p.

DONSBACH Wolfgang et Bettina KLETT. «Subjective objectivity. How journalists in four countries define a key term of their profession», *The Gazette*, n° 51, 1993, p. 53-83.

DUFFY, M. J. et C. P. FREEMAN. «Anonymous Sources: A Utilitarian Exploration of Their Justification and Guidelines for Limited Use», *Journal of Mass Media Ethics*, vol. 26, n° 4, 2011, p. 297-315.

DUFOUR, Jacques. *Réflexions sur la protection des sources confidentielles d'information et du matériel journalistique*, Québec, École des gradués, Université Laval, Mémoire de maîtrise en droit, 1990, 92 p.

EDGE, Marc. «Public Benefits or Private? The Case of the Canadian Media Research Consortium», *Canadian Journal of Communication*, 38, 2013, p. 5-34, [https://www.friends.ca/files/PDF/cjc-38-1-edge.pdf], lien visité le 19 janvier 2014.

EEMEREN, Frans H. van, Rob GROOTENDORST et Tjark KRUIGER. *Handbook of Argumentation Theory*, Dordrecht, Forest, 1987.

EKO, Lyombe et Dan BERKOWITZ, «Le Monde, French Secular Republicanism and "The Mohammed Cartoons Affair": Journalistic "Re-Presentation" of the Sacred Right to Offend», *International Communication Gazette* 2009, n° 71, p. 181-202.

ELLIOTT, Deni. *Responsible Journalism*, Beverly Hills, Sage Publications, 1986, 187 p.

ELLIOTT, Deni et Charles CULVER. «Defining and Analyzing Journalistic Deception», *Journal of Mass Media Ethics*, vol. 7, n° 2, 1992, p. 69-84.

EMERY, Michael C. et Ted C. SMYTHE. *Readings in Mass Communication: Concepts and Issues in the Mass Media*, Dubuque, Wm. C. Brown Publishers, 1989, 443 p.

ENGLISH, Kathy. «The longtail of the news : to unpublish or not to unpublish», *The Toronto Star*, Toronto, 2009.

ENTMAN, R.M. *Democracy Without Citizens: Media and the Decay of American Politics*, New York, Oxford, 1989, 232 p.

EPSTEIN, Edward Jay. «The American Press: Some Truths About truths», *in* John C. MERRILL et Ralph BARNEY, 1975, p. 60-68.

ERICKSON, Keith V. et Cathy A. FLEURIET. «Presidential Anonymity: Rhetorical Identity Management and the Mystification of Political Reality», *Communication Quarterly*, vol. 39, n° 3, 1991, p. 272-289.

ERICSON, Richard V., Patricia M. BARANEK et Janet B. L. CHAN. *Negociating Control: A Study of News Sources*, Toronto: University of Toronto Press, 1989, 428 p.

ERICSON, Richard V., Patricia M. BARANEK et Janet B. L. CHAN. *Visualizing Deviance: A Study of News Organization*, Toronto, University of Toronto Press, 1987, 390 p.

ESOMAR. *The Freedom to Publish Opinion Polls: Report on a Worldwide Study*, 1997, [http://forum.gfk.ru/texts/standards/opinion_polls97.pdf].

ESOMAR. *The Freedom to Publish Opinion Polls: Report on a Worldwide Study*, 2003, [http://www.unl.edu/WAPOR/Opinion%20polls%202003%20final%20 version.pdf].

ESQUENAZI, Jean-Pierre. *Télévision et démocratie : Le politique à la télévision française 1958-1990*, Paris, Presses universitaires de France, 1999, 387 p.

ETCHEGOYEN, Alain. *La valse des éthiques,* Paris, François Bourrin, 1991, 244 p.

FALARDEAU, Louis. «L'affaire Wilhelmy-Tremblay: Pourquoi il fallait diffuser la conversation», *Le 30*, vol. 16, n° 9, 1992, p. 9-10.

FALARDEAU, Louis. «La liberté de presse, une liberté d'entreprise?», *in* Alain PRUJINER et Florian SAUVAGEAU, 1986, p. 81-96.

FALARDEAU, Louis et Louiselle LÉVESQUE. Communication dans le cadre du colloque *La publicité dans l'information : l'invasion tranquille,* organisé par la Fédération nationale des communications (CSN), Québec, les 14 et 15 juin 1990.

FÉDÉRATION INTERNATIONALE DES JOURNALISTES. *Déclaration de principe de la FIJ sur la Conduite des Journalistes,* Adoptée au Congrès mondial de la FIJ en 1954, et amendée au Congrès mondial de 1986, [http://www.ifj. org/docs/ETHICS-F.DOC].

FÉDÉRATION PROFESSIONNELLE DES JOURNALISTES DU QUÉBEC. *Guide de déontologie des journalistes du Québec,* Montréal, adopté le 24 novembre 1996, révisé le 28 novembre 2010, [http://www.fpjq.org/deonto-logie/guide-de-deontologie/], lien visité le 25 avril 2014.

FENGLER, Susanne. «Media Journalism... and the Power of Blogging Citizens », *in* Krogh, Torbjörn von (dir.) *Media accountability today... and tomorrow: updating the concept in theory and practice,* Göteborg, Nordicom, 2008, p. 61-67.

FENGLER, Susanne. « From media self-regulation to "crowd-criticism" : Media accountability in the digital age », *Central European Journal of Communication,* 2, 2012, p. 175-189.

FENGLER, Susanne, Tobias EBERWEIN, Julia LÖNNDONKER et Laura SCHNEIDER-MOMBAUR. « Journalists, Journalism Ethics, and Media Accountability: A comparative Survey of 14 European and Arab Countries », *in* WYATT Wendy N. *The Ethics of Journalism: Individual, Institutional and Cultural Influences,* Oxford, Reuters Institute for the Study of Journalism, 2014, p. 85-105.

FERRÉ, J.P. «Communication Ethics and the Political Realism of Reinhold Niebuhr», *Communication Quarterly,* vol. 38, n° 3, 1990, p. 218-225.

FERRO, Marc. *L'information en uniforme : Propagande, désinformation, censure et manipulation,* Paris, Ramsay, 1991, 127 p.

FINK, Conrad C. *Media Ethics in the Newsroom and Beyond*, New York, McGraw-Hill, 1988, 323 p.

FINKELSTEIN, R. *Report of the Independent Inquiry Into the Media and media Regulation*, Report to the Minister for Broadband Communications and the Digital Economy, Canberra, 28 février 2012.

FISQUE, John. «British Cultural Studies and Television», *in* Robert C. ALLEN, *Channels of Discourse: Television and Contemporary Criticism*, Chapel Hill, University of North Carolina Press, 1992, p. 254-290.

FLEUROT, Grégoire. « Avant l'affaire Buisson, de Nixon à Bettencourt, la playlist des plus grands scandales politiques », *Slate.fr*, 5 mars 2014, [http://www.slate.fr/france/84239/buisson-10-scandales-enregistrement-politiques], lien visité le 11 avril 2014.

FOREMAN, G. «Confidential Sources: Testing the Readers' Confidence», *Nieman Reports,* vol. 38, n° 2, 1984, p. 20-23.

FORTIN, Pierre. «L'éthique et la déontologie: un débat ouvert», *in* Jacques TREMBLAY, 1989, p. 65-83.

FORTIN, Pierre. «Quelques enjeux éthiques liés à la pratique du journalisme», *Éthique de la communication publique et de l'information,* Rimouski, *in Cahiers de recherche éthique,* n° 17, 1992, 184 p., p. 59-83.

FRANKENA, William. *Ethics*, Englewood Cliffs (NJ), Prentice-Hall, 1963, 125 p.

FRANKLIN, Gilliam D. et Shanto IYENGAR. «Prime Suspects: The Influence of Local Television News on the Viewing Public», *American Journal of Political Science*, juillet 2000, vol. 44, n° 3, p. 560-573.

FROST, Chris. *Media Ethics and Self-Regulation*, Harlow, Longman, 2000, 271 p.

FROST, Chris. *Journalism Ethics and Regulation*, 3ᵉ édition, Londres, Longman, 2011.

FROST, Chris. « Newspapers on the naughty step: An analysis of the ethical performance of UK publications », *Journalism Edication,* vol. 1, n° 1, p. 21-34, 2012a, [http://journalism-education.org/wp-content/uploads/2012/04/1-1-Newspapers-on-the-Naughty-Step.pdf], lien visité le 2 juin 2012.

FROST, Chris. « Ofcom: An evaluation of UK broadcast journalism regulation of news and current affairs », *Ethical Space: The International Journal of Communication Ethics*, 2012b, vol. 9, n° 1, p. 22-31.

GAGNON, Yves. «Un code d'éthique: luxe ou nécessité?», *in* Alain PRUJINER et Florian SAUVAGEAU, 1986, p. 59-63.

GAGNON, Katia. «La drogue des sondages», *La Presse,* 10 octobre 2001.

GALLICHAN, Gilles. *Livre et politique au Bas-Canada: 1791-1849*, Sillery, Éditions du Septentrion, 1991, 519 p.

GANDY, Oscar H. Jr. «Information Privacy and the Crisis of Control», *in* Marc RABOY et Peter A. BRUCK, *Communication for and against Democracy*, Montréal/New York, Black Rose Books, 1989, 248 p., p. 59-73.

GANS, Herbert J. *Deciding What's News,* New York, Pantheon, 1979, 393 p.

GARDNER, Howard, Mihaly CSIKSZENTMIHALYI et William DAMNO. *Good Work: When Excellence and Ethics Meet,* New York, Basic Books, 2001, 291 p.

GASSAWAY, Bob M. «Are Secret Sources in the News Media Really Necessary?», *Newspaper Research Journal,* vol. 9, n° 3, 1988, p. 69-77.

GAUDETTE, Pierre. «Éthique, morale, déontologie; une question de mots?», *in* Jacques TREMBLAY, 1989, p. 23-29.

GAUTHIER, Gilles. «"Nommer ou ne pas nommer". Un fondement rationnel de la pudeur journalistique», *Communication,* vol. 13, n° 1, 1992, p. 15-45.

GAUTHIER, Gilles. «La mise en cause de l'objectivité journalistique», *Communication,* vol. 12, n° 2, 1991, p. 81-115.

GAUTHIER, Gilles. «L'éthique de la communication publique: une approche analytique», *Communication,* vol. 11, n° 2, 1990, p. 121-152.

GAWISER, Sheldon R. et Evans G. WITT. «20 Questions a Journalist Should Ask About Poll Results», *in* MEDIA STUDIES CENTER, *Covering Polls: A Handbook for Journalists,* Arlington VA, 2000, 32 p., [http://www.aceproject. org/main/samples/me/mex29.pdf].

GHIGLIONE, Loren. «Small-Town Journalism Has Some Big Ethical Headaches», *in* Bernard RUBIN, 1978, p. 171-179.

GIEBER, Walter et Walter JOHNSON. «"The City Hall Beat": a Study of Reporter and Source Roles», *Journalism Quarterly,* vol. 38, n° 3, 1961, p. 289-297.

GILES, Bob. «Journalism in the Era of the Web», *Nieman Reports,* vol. 54, n° 4, hiver 2000, p. 3.

GILES, Bob. «Discovering What Constitutes Fairness in Newspaper Reporting», *Nieman Reports,* vol. 56, n° 2, été 2002, p. 3, [http://www.nieman.harvard. edu/reports/02-2NRsummer/02-2NRsummer.pdf].

GILMORE, Gene et Robert ROOT. «Ethics for Newsmen», *in* John C. MERRILL et Ralph BARNEY, 1975, p. 25-36.

GILSDORF, William O. et Robert BERNIER. «Pratiques journalistiques et couvertures des campagnes électorales au Canada», *in* FLETCHER Frederick J., *Sous l'œil des journalistes. La couverture des élections au Canada, Commission royale sur la réforme électorale et le financement des partis politiques,* Montréal, Wilson & Lafleur Limitée, 1991, vol. 22, 366 p., p. 3-89.

GINGRAS, Anne-Marie. *Médias et démocratie: Le grand malentendu,* Sainte-Foy, Presses de l'Université du Québec, 1999, 237 p.

GINGRAS, Anne-Marie, *La politique dans les quotidiens francophones de Montréal et de Québec en 1983,* thèse de doctorat de troisième cycle en études politiques, Institut d'études politiques de Paris, 1985, 369 p.

GIOBBE, Dorothy. «Pollster defends the use of 900 numbers», *Editor & Publisher,* 9 juillet 1994, vol. 127, n° 28, p. 27.

GIROUX, Guy. «La déontologie professionnelle dans le champ du journalisme. Portée et limites», *Communication*, vol. 12, n° 2, 1991, p. 117-138.

GLASSER, Theodore L. «Communication and the Cultivation of Citizenship», *Communication*, vol. 12, août 1991, p. 235-248.

GLASSER, Theodore L. «Press Responsibility and First Amendment values», *in* Deni ELLIOTT, 1986, p. 81-98.

GLASSNER, Barry. *The Culture of Fear: Why Americans are Afraid of the Wrong Things*, New York, Basic Books, 1999, 276 p.GOLDBERG, Jonah. «She can't do that, betrayal is your job!», *The American Enterprise*, juin 2000, vol. 11, n° 4, p. 53.

GOODWIN, Eugene. *Groping for Ethics in Journalism*, 2ᵉ édition, Ames, Iowa State University Press, 1986, 411 p.

GORDON, Margaret T. «Journalists - Professionals in a Market Culture», *Media Studies Journal*, vol. 9, n° 3, été 1995, p. 149-154.

GOSSELIN, André. «Le champ éthique de la pratique du journalisme et du droit à l'information», *Communication*, vol. 13, n° 1, 1992, p. 71-91.

GOTTLIEB, Stephen S. «Media Ethics: Some Specific Problems», *ERIC Clearinghouse on Reading and Communication Digest*, n° 49, février 1990, [http://www.ed.gov/databases/ERIC_Digests/ed314802.html].

GROSSMAN, Michael Baruch et Francis E. ROURKE. «The Media and the Presidency: An Exchange Analysis», *Political Science Quarterly*, vol. 91, n° 3, 1976, p. 455-470.

GUÉRIN, Guy. *Groupe de travail sur l'administration de la justice en matière criminelle, rapport synthèse*, Québec, Gouvernement du Québec, ministère de la Justice, 1992, 43 p.

HABERMAS, Jürgen. «Morale et communication: conscience morale et activité communicationnelle», *in* Karl M. van METER. *La Sociologie*, coll. Textes essentiels, Paris, Larousse, 1992, 831 p., p. 768-774.

HACKETT, Robert A., Richard GRUNEAU, Donald GULSTEIN, Timothy A. GIBSON et NESWATCH CANADA. *The Missing News: Filters and Blind Spots in Canada's Press*», Aurota, Canadian Center for Policy Alternatives/ Garamond Press, 2000, 258 p.

HAFEZ, Kai. «Journalism Ethics Revisited: A Comparison of Ethics Codes in Europe, North Africa, the Middle East, and Muslim Asia», *Political Communication*, vol. 19, n° 2, 2002, p. 225-250.

HALE, D. F. «Unnamed News Sources: Their Impact on the Perceptions of Stories», *Newspaper Research Journal*, vol. 5, n° 2, 1984, p. 49-56.

HALL, Stuart, Dorothy HOBSON, Andrew LOWE et Paul WILLIS. *Culture, Media, Language*, London, Hutchison et Centre for Contemporary Cultural Studies, 1987, p. 16-28.

HALLORAN, Richard. «A primer on the fine art of leaking information,» *New York Times*, 1983, January 14, p. A-16.

HALSTUCK, Martin E. «Press Rights Versus Privacy: A pending case may open a back door to prior restraint», *Columbia Journalism Review*, janvier/février 2003, p. 60.

HAMON, Alain. «La confidentialité des sources», *Médiaspouvoirs*, mai-juin 1991, n° 22, p. 134-140.

HART, Roderick P., Deborah SMITH-HOWELL et John LLEWELLYN. «The Mindscape of the Presidency: Time Magazine, 1945-1985», *Journal of Communication*, vol. 41, n° 3, 1991, p. 6-25.

HAYWARD, Kathryn. «Downsizing the Truth», *Ryerson Review of Journalism Online*, été 1998, 11 p., [http://www.ryerson.ca/rrj/print/hayward.html].

HAZERA, Jean-Claude. «Naissance d'une charte», *Médiaspouvoirs*, n° 16, 1989, p. 128-132.

HEDGES, Chris. «The Unilaterals», *Columbia Journalism Review*, 1991, May/June, p. 27-29.

HEILMANN MILLER, Susan. «Reporters and Congressmen: Living in Symbiosis», *Journalism Monographs*, n° 53, 1978, 25 p.

HEMANUS, Pertti. «Ethics in Mass Communication in Western Countries: Solved and Unsolved Problems», *in* Anne van der MEIDEN, 1980, p. 42-52.

HERMAN, Edward S. et Noam CHOMSKY. *Manufacturing Consent: The Political Economy of the Mass Media*, New York, Pantheon, 1988, 412 p.

HESS, Stephen. *The Washington Reporters*, Washington, The Brookings Institution, 1981, 174 p.

HIXSON, Richard F. «Journalistic Ethics in the U.S.A.», *in* Anne van der MEIDEN, 1980, p. 129-146.

HOBBES, Thomas. *Le citoyen ou les fondements de la politique*, Paris, Flammarion, 1982, 408 p.

HODGES, Louis W. «Defining Press Responsibility: A Functional Approach», *in* Deni ELLIOTT, 1986, p. 13-31.

HOWELL, William S. *The Empathic Communicator*, Belmont, Cal., Wadsworth, 1982.

HRVATIN, Sandra B. « Autorégulation ou co-régulation ? », *in La co-régulation des médias en Europe*, Strasbourg, Observatoire européen de l'audiovisuel, 2003, p. 81-87.

HULTENG, John L. *Playing it Straight*, coll. The Globe Pequot Press, Chester, American Society of Newspaper Editors, 1981, 90 p.

HULTENG, John L. *The Messenger's Motives… Ethical problems of the News Media*, Prentice-Hall, 1976, 262 p.

HUSSELBEE, Paul L. *A Question of Accountability: An Analysis of Grievances Filled With The National News Council*, 1973-1984, thèse de doctorat, Ohio University, 1999.

ISAACS, Norman. « Meeting the Barbed-Wire Frontier », *Nieman Reports*, vol. 36, n° 2, 1982, p. 32-35, 54-56.

ISMACH, Arnold H. « The Media World: An Introduction », *in* Michael C. EMERY et Ted C. SMYTHE, 1989, p. 3-22.

ITO, Youichi et Takaaki HATTORI. « Mass Media Ethics in Japan », *in* Thomas W. COOPER *et al.*, 1989, p. 168-180.

IZARD, Ralph. « Investigative reporters call credibility key », *The Freedom Forum Online*, 5 juin 2000, [http://www.freedomforum.org/templates/document. asp?documentID=12632].

JACQUARD, Albert. *Éloge de la différence*, coll. Points, Paris, Seuil, 1978, 221 p.

JAKUBOWICZ, Karol. « Media Ethics in Poland », *in* Thomas W. COOPER *et al.*, 1989, p. 100-108.

JARVIS, Jeff. « Mahombudsman », *BuzzMachine*, [http://buzzmachine. com/2007/08/18/mahombudsman/], 2007, lien visité le 6 mai 2014.

JDD. « Hollande-Gayet: la tolérance des Français », *Journal du dimanche*, 12 janvier 2014, [http://www.lejdd.fr/Politique/Hollande-Gayet-la-tolerance-des-Francais-647983], lien visité le 13 mars 2014.

JOHANNESEN, Richard L. *Ethics in Human Communication*, 2ᵉ édition, Illinois, Waveland Press Inc., 1983, 244 p.

JONES, Charles O. « The Presidency and the Press », *The Harvard International Journal of Press/Politics*, vol. 1, n° 2, 1996, p. 116-120.

JONES, Stephen C. et Sidney J. SHRAUGER. « Reputation and Self-Evaluation as Determinants of Attractiveness », *Sociometry*, vol. 3, n° 3, septembre 1970, p. 276-286.

JOURNAL OF MASS MEDIA ETHICS. « Foreword », note des éditeurs, *Journal of Mass Media Ethics*, vol. 7, n° 2, 1992, p. 67-68.

JUUSELA, Pauli. *Journalistic Codes of Ethics in the CSCS Countries: An Examination*, Tampere, University of Tampere, 1991, 93 p.

KEGUANG, Guan. « Journalism Ethics in China », *in* Thomas W. COOPER *et al.*, 1989, p. 194-203.

KELLNER, Douglas. *Television and the Crisis of Democracy*, Boulder, Westview Press, 1990, p. 1-24 et 71-129.

KINGDON, John W. *Agendas, Alternatives, and Public Policies*, University of Michigan, Harper Collins, 1984, 240 p.

KLAIDMAN, Stephen et Tom L. BEAUCHAMP. *The Virtuous Journalist*, New York, Oxford University Press, 1987, 246 p.

KLEIN, Herbert G. «The Administration's Views of Press and Politics», *in* Richard Lee, *Politics and the Press*, Washington, Acropolis Books, 1970, 191 p.

KLOS, Diana Mitsu. «Reconsidering journalism values», *ASNE*, février 1997, [http://www.asne.org/works/jvi/jvirecon.htm].

KOHLBERG, Lawrence. *The psychology of moral development: the nature and validity of moral stages*, Harper & Row, 1984, 729 p.

KOHUT, Andrew. « Pew Research surveys of audience habits suggest perilous future for news », *Pew Research Center*, 2013, [http://www.pewresearch.org/fact-tank/2013/10/04/pew-surveys-of-audience-habits-suggest-perilous-future-for-news/], lien visité le 28 février 2014.

KOOP, Theodore F. «Evolving Standards of Broadcast Journalism», in Lee THAYER, *Ethics, Morality and the Media: Reflections on American Culture*, New York, Hastings House, 1980, 302 p., p. 165-172.

KOVACH, Bill et Tom ROSENSTIEL. *The Elements of Journalism: What Newspeople Should Know and the Public Should Expect*, New York, Crown Publishers, 2001, 205 p.

KREMER-MARIETTI, Angèle. *L'éthique*, coll. Que sais-je?, Paris, Presses universitaires de France, n° 2383, 1987, 128 p.

KRIPPENDORF, Klaus. «The Power of Communication and the Communication of Power: Toward an Emancipatory Theory of Communication», *Communication*, vol. 12, 1991, p.175-196.

KURTZ, Howard. «Father of the slide», *New Republic*, 12 février 1996, vol. 214, n° 7, p. 12, 14-15.

KYMLICKA, Will. *Contemporary Political Philosophy: An Introduction*, New York, Clarendon Press-Oxford, 1990, 321 p.

LAKE, James Burges. «Of Crime and Consequence: Should Newspapers Report Rape Complainants Names?», *Journal of Mass Media Ethics*, vol. 6, n° 2, 1991, p. 106-118.

LAMBETH, Edmund B. *Committed Journalism: An Ethic for the Profession*, Bloomington, Indiana University Press, 1986, 208 p.

LANGOIS, Serge, Céline HUOT, Raymond BOUCHARD *et al.* «Du sensationnalisme à Radio-Canada», lettre d'opinion dénonçant un reportage, *La Presse*, lundi 28 janvier 2002.

LANGLOIS, Simon et Florian SAUVAGEAU. «L'image de l'ombudsman de presse dans deux quotidiens canadiens», *Communication*, vol. 10, n°s 2-3, automne 1989, p. 189-210.

LAPLANTE, Laurent. «La liberté de presse, une liberté surveillée?», in Alain PRUJINER et Florian SAUVAGEAU, 1986, p. 35-48.

LAPLANTINE, François. *L'Anthropologie*, coll. Clés, Paris, Seghers, 1987, 223 p.

LAROUSSE ENCYCLOPÉDIQUE EN COULEURS, Paris, France Loisirs, vol. 5, 1986, p. 1995.

LASICA, Joseph D. « Ethics Debate: It's Time to Move On », *Online Journalism Review*, 11 mars 1999, [http://ojr.usc.edu/content/story.cfm?id=92].

LASICA, Joseph D. « Photographs That Lie », article publié à l'origine dans le *Washington Review of Journalism*, 1988-1989, diffusé sur Internet, [http://www.well.com/user/jd/WJR.html].

LASICA, Joseph D. « A Scorecard for Net News Ethics », *Online Journalism Review*, 20 septembre 2001a, [http://ojr.usc.edu/content/story.cfm?request=643].

LASICA, Joseph D. « Online News on a Tightrope: Credibility, terrorism, inclusiveness are themes at 2nd ONA conference », *Online Journalisme Review*, 1er novembre, 2001b, [http://ojr.usc.edu/content/print.cfm?print=657].

LASORSA, Dominic L. et Stephen D. REESE. « News source use in the crash of 1987: a study of four national media », *Journalism Quarterly*, vol. 67, n° 1, 1990, p. 60-71.

LAVIN, Rochelle Lewis. « It's Still Journalism », *Poynter Institute*, 25 août 2000, [http://www.poynter.org/uncategorized/1565/its-still-journalism/].

LE CAM, Florence. *Le journalisme imaginé : Histoire d'un projet professionnel au Québec*, Montréal, Leméac, 2009.

LECLERC, Gérard. *La société de communication : une approche sociologique et critique*, Paris, Presses universitaires de France, 1999, 223 p.

LEE, Martin A. « Le complexe militaro-médiatique », *Le Monde diplomatique*, n° 446, 14 mai 1991.

LEE, Tien-Tsung et Hsiao-Fang HWANG. « The Impact of Media Ownership – How Time and Warner's Merger Influence Time's Content », *American Education of Journalism and Communication 1997 Annual Convention*, 30 juillet au 2 août 1997, Chicago, 13 p.

LE HIR, Françoise et Jacques LEMIEUX. « Alcan et le projet de l'usine Laterrière au Saguenay », *in* Jean CHARRON, Jacques LEMIEUX et Florian SAUVAGEAU, 1991, p. 65-99.

LEFEBVRE, Florant, Elizabeth ARMSTRONG et R.B. OGLESBY. *La presse canadienne et la Deuxième Guerre mondiale : Recueil de textes*, Ottawa, Défense nationale, 1997, 189 p.

LE GROUPE LÉGER & LÉGER. *Les journalistes et les communicateurs gouvernementaux*, rapport descriptif, novembre 1993.

LEMIEUX, Cyril. *Mauvaise presse : Une sociologie compréhensive du travail journalistique et de ses critiques*, Paris, Éditions Métailié, 2000, 467 p.

LEMIEUX, Vincent. *Les sondages et la démocratie*, Québec, Institut québécois de recherche sur la culture, 1988, 122 p.

LE MONDE DIPLOMATIQUE. *La communication victime de ses marchands*, Paris, La Découverte/Le Monde, 1989, 283 p.

LEÒN, Jose A. « The effects of headlines and summaries on news comprehension and recall », *Reading and Writing: An Interdisciplinary Journal*, vol. 9, 1997, p. 85-106.

LESAGE, Gilles. « L'information politique à Québec. De Duplessis à Lévesque : les journalistes au pouvoir ? », *in* Florian SAUVAGEAU *et al.*, *Dans les coulisses de l'information : les journalistes*, Québec, Québec/Amérique, 1980, 421 p., p. 263-290.

LEVINE, Allan. *Scrum Wars: The Prime Ministers and the Media*, Toronto & Oxford, Dundurn Press, 1993, 389 p.

LEVY, Fabienne. « Liaisons dangereuses », *Médiaspouvoirs*, n° 18, avril-mai-juin 1990, p. 23-28.

LEVY, Neil. « In Defence of Entrapment in Journalism (and Beyond) », *Journal of Applied Philosophy*, vol. 19, n° 2, 2002, p. 121-130.

LIBÉRATION. « Les principes en vigueur à *Libération* », 11 juillet 1997 (sans auteur).

LIBÉRATION. « Charte de *Libération* », 11 juillet 1997 (sans auteur).

LIPOVETSKY, Gilles. *Le Crépuscule du devoir*, NRF Essais, Paris, Gallimard, 1992, 292 p.

LIPOVETSKY, Gilles. *Métamorphoses de la culture libérale : Éthique, médias, entreprise*, Montréal, Liber, 2002, 113 p.

LISÉE, Jean-François. *Le naufrageur*, Montréal, Boréal, 1994, 716 p.

LLOYD, Scott. « A Criticism of Social Responsibility Theory: An Ethical Perspective », *Journal of Mass Media Ethics*, vol. 6, n° 4, 1991, p. 199-209.

LOCHARD, Guy. « Genres rédactionnels et appréhension de l'événement médiatique », *Réseaux*, n° 76, 1996, p. 83-102.

MAMOU, Yves. *C'est la faute aux médias*, Paris, Payot, 1991, 243 p.

MANN, Fred. « "New Media" Brings a New Set of Problems », *Poynter Institute*, mai 1998, [http://www.poynter.org/dj/Projects/leadproduce/nm_mann98.htm].

MANNING, Paul. *News and News Sources: A Critical Introduction*, London, Sage, 2001.

MARKLEIN, Mary Beth. « When Journalists Go For The Gold », *Washington Journalism Review*, vol. 13, n° 1, janvier/février 1991, p. 48-56.

MARKS, Alexandra. « Are Media Standards Drooping ? », *Christians Science Monitor*, 29 janvier 1998, [http://csmweb2.emcweb.com/durable/1998/01/29/us/us.1.html].

MARLIN, Randal. *Propaganda & the Ethics of Persuasion*, Peterborough, Broadview Press, 2002, 328 p.

MARQUISET, Jean. *Les droits naturels*, Paris, Presses universitaires de France, 1965, 128 p.

MASHBERG, Tom. « Repeat Offender », *Salon*, 20 août 1998, [http://www.salon.com/media/1998/08/20media.html].

McADAMS, Katherine C. «Non-Monetary Conflicts of Interests For Newspaper Journalists», *Journalism Quarterly*, vol. 63, 1986, p. 700-705, 727.

McBRIDE, Kelly et Tom ROSENSTIEL. *The New Ethics of Journalism: Principles for the 21st Century*, Los Angeles, Sage Publications, 2014.

McCARTNEY, James. «News Lite», *American Journalism Review*, juin 1997, [http://www.ajr.org/Article.asp?id=635].

McDONALD, Donald. «Is Objectivity Possible?», *in* John C. MERRILL et Ralph BARNEY, 1975, p. 69-88.

McGILLIVRAY, Don. «The Impossibility of a Media Ethics Code», *Bulletin*, n° 41, automne 1990, p. 29-30.

McGUIRE, Jennifer. «Anonymous sources and news credibility», CBC Editor's Blog, 18 juin 2013, [http://www.cbc.ca/newsblogs/community/editorsblog/2013/06/anonymous-sources-and-news-credibility.html], lien visité le 14 avril 2014.

McMANUS, John. «Serving the public and serving the market: a conflict of interest?», *Journal of Mass Media Ethics*, vol. 7, n° 4, 1992, p. 196-208.

McMANUS, John. «Local TV News: Not a Pretty Picture», *Columbia Journalism Review*, mai-juin 1990, p. 42-43.

McMANUS, John H. «Media Accountability in the Era of Market-driven Journalism», *in* Krogh, Torbjörn von (dir.), *Media accountability today... and tomorrow: updating the concept in theory and practice*, Göteborg: Nordicom, 2008, p. 41-45.

MEDIA INSTITUTE FOR SOUTHERN AFRICA (MISA). *Recommended draft media code of ethics emanating from discussions of the MISA Botswana*, Gaborone, Media Code of Ethics Workshop, 7-8 August 1997.

MEDIA STANDARD TRUST. *A More Accountable Press Part 1: The Need for Reform; Is selfregulation failing the press and the public?*, Londres, 2008.

MEDIA STUDIES CENTER. *Ethics, the Press and the Presidency*, New York, 1998, 26 p.

MEDIA STUDIES JOURNAL. «Preface», *in Media Studies Journal*, printemps 1995, vol. 9, n° 2, p. 1-3.

MEIDEN, Anne van der. «Media Ethics and Media Morality in the Netherlands», *in* Thomas W. COOPER, 1989, p. 85-99.

MEIDEN, Anne van der (dir.). *Ethics and Mass Communication*, Utrecht, 1980, 237 p.

MERINA, Victor. «Study: Media Plays Fast, Loose with Ethics Online», *Poynter Institute*, 26 mars 2000, [http://www.poynter.org/centerpiece/030600-index.htm].

MERRILL, John C. *The Dialectic Journalism: Toward a Responsible Use of Press Freedom*, Baton Rouge, Louisina State University Press, 1989, 259 p.

_____. « Non au droit du public à l'information ! Oui à l'autonomie du journaliste ! », *in* Alain PRUJINER et Florian SAUVAGEAU, 1986a, p. 205-214.

_____. « Three Theories of Press Responsibility and the Advantages of Pluralistic Individualism, » *in* Deni ELLIOTT, 1986b, p. 47-59.

_____. « Ethics : A Worldview for the Journalist », *in* Anne van der MEIDEN, 1980, p. 108-118.

_____. « Ethics and Journalism », *in* John C. MERRILL et Ralph BARNEY, 1975a, p. 8-17.

_____. « The "Apollonysian" Journalist », *in* John C. MERRILL et Ralph BARNEY, 1975b, p. 117-131.

_____. « The Imperative of Freedom: A Philosophy of Journalistic Autonomy », New York, Hastings House Publishers, 1974, 228 pages.

MERRILL, John C. et Ralph BARNEY. *Ethics and the Press: Readings in Mass Media Morality*, New York, Hasting House, 1975, 338 p.

MEYER, Eugene L. *Applying Standards: Media Owners and Journalism Ethics: A Report to the Center for International Media Assistance*, Center for International Media Assistance, Washington, mai 2013, [http://cima.ned.org/sites/default/files/final%201.pdf], lien visité le 28 avril 2014.

MEYER, Phillip. *Ethical Journalism*, New York, Longman, 1987, 262 p.

MEYER, Phillip. *Editors, Publishers and Newspaper Ethics: A report To the American Society of Newspaper Editors*, Washington, D.C., ASNE, 1983, 105 p.

MEYER, Philip. *The Vanishing Newspaper: Saving Journalism in the Information Age*, seconde édition, Columbia, University of Missouri Press, 2009.

MILLS, Rilla Dean. « Newspaper ethics: a qualitative study », *Journalism Quarterly*, vol. 60, 1983, p. 589-594, 602.

MINNAMEIER, Gerhard. « A New "Stairway to Moral Heaven"? A systematic reconstruction of stages of moral thinking based on a Piagetian "logic" of cognitive development », *Journal of Moral Education*, vol. 30, n° 4, 2001, p. 317-337.

MISSIKA, Jean-Louis. « Les Français et leurs médias : la confiance limitée », *Médiaspouvoirs*, n° 16, 1989, p. 39-50.

MISSIKA, Jean-Louis. « Les Français et leurs médias : la défiance s'installe », *Médiaspouvoirs*, n° 33, 1er trimestre, 1994, p. 16-26.

MOLAWNA, Hamid. « Communication, Ethics, and the Islamic Tradition », *in* Thomas W. COOPER *et al.*, 1989, p. 137-146.

MONOD, Jacques. *Le hasard et la nécéssité*, coll Points., Paris, Seuil, 1970, 244 pages.

MORIN, Edgar. *La Méthode 4. Les Idées. Leur habitat, leur vie, leurs mœurs, leur organisation*, Paris, Seuil, 1991, 262 p.

_____. *Introduction à la pensée complexe*, coll. Communication et complexité, Paris, Éditeur ESF, 1990, 160 pages.

_____. *La Méthode 2. La Vie de la Vie*, Paris, Seuil, 1980, 472 p.

_____. *La Méthode. La Nature de la Nature, tome 1*, Paris, Seuil, 1977, 399 p.

_____. *Autocritique*, coll. Politique, Paris, Seuil, 1975, 256 p.

MORRISON, David E. et MIchael SVENNEVIG. *The Public Interest, the Media and Privacy*, BBC, mars 2002, [http://www.ofcom.org.uk/static/archive/bsc/pdfs/research/pidoc.pdf], lien visité le 19 mars 2014.

MORTON, John. «Skepticism upsets wartime public», *Washington Journalism Review*, avril 1991, p. 50.

MOY, Patricia, Michael PFAU, et LeeAnn KAHLOR. «Media Use and Public Confidence in Democratic Institutions», *Journal of Broadcasting & Electronic Media*, vol. 43, n° 2, printemps 1999, p. 137-158.

MULGAN, Richard. *Holding Power to Account: Accountability in Modern Democracies*, New York, Palgrave Macmillan, 2003.

MULLER, Denis Joseph Andrew. « Media Accountability in a Liberal Democracy: An Examination of the Harlot's Prerogative », thèse de doctorat, 2005, Centre for Public Policy Department of Political Science University of Melbourne, [http://www.denismuller.com.au/documents/MullerPhD.pdf], lien visité le 3 septembre 2013.

MÜLLER-HILL, Bennio. *Science nazie, science de mort*, Paris, Odile Jacob, 1989, 248 p.

NADEAU, Richard et Thierry GIASSON. *Les médias et le malaise démocratique au Canada*, Institut de recherches en politique publique, Montréal, février 2003, 32 p., [http://www.irpp.org/fr/index.htm].

NAJI, Jamal Eddine. *Médias et journalistes : Précis de déontologie*, Rabat, UNESCO, 2002, 199 p.

NATIONAL PUBLIC RADIO. *NPR Ethics Handbook*, février 2012, [https://www.google.ca/search?client=safari&rls=en&q=%EF%BF%BCEthics+Handbook&ie=UTF-8&oe=UTF-8&gfe_rd=ctrl&ei=Q18gU8P5NuHL8gejiICQAg&gws_rd=cr], lien visité le 12 mars 2014.

NEEL, J.V., «Lessons from a primitive people», *Science*, 1970, n° 3960, p. 815-822.

NEMETH, Neil et Craig SANDERS. *The Quest for Newspaper Credibility Through the Public Dialogue in Correction Boxes, Letters to the Editor and Columns Written by Newspapers Ombudsmen*, communication au congrès annuel de l'Association for Education in Journalism and Mass Communication, 1999, Nouvelle-Orléans, [http://list.msu.edu/cgi-bin/wa?A2=ind9909D&L=aejmc&P=R19123], lien visité le 5 mai 2014.

NEWTON, Julianne H. «The Burden of Visual Truth: The Role of Photojournalism in Mediating Reality», communication soumise dans le cadre du congrès annuel de l'Association for Education in Journalism and Mass Communication, Washington, D.C., août 1995.

NEW YORK TIMES. *Ethical Journalism: Code of Conduct for the News and Editorial Departments*, New York, 2003.

NILSEN, Thomas R. *Ethics of Speech Communication*, Indianapolis, 2ᵉ édition, Bobbs-Merrill, 1974.

NORDENSTRENG, Kaarle. «Professionalism in Transition: Journalistic Ethics», in Thomas W. COOPER *et al.*, 1989, p. 277-283.

NORTON-SMITH, Thomas Michael. «Can the increasing use of public opinion polling be justified?», *The Midwest Quarterly*, vol. 36, n° 1, 1994, p. 97-113.

O'BRIEN, Patricia. «A Consumer's Guide to Media Truth», *Media Studies Journal*, vol. 9, n° 1, 1995, p. 109-110.

OKIGBO, Charles. «Communication Ethics and Social Change: A Nigerian Perspective», *in* Thomas W. COOPER *et al.*, 1989, p. 124-136.

OLEN, Jeffrey. *Ethics in Journalism*, Englewood Cliffs (NJ), Prentice Hall, 1988, 127 p.

O'MALLEY, Tom et Clive SOLEY. *Regulating The Press*, London, Pluto Press, 2000, 244 p.

OPITZ, Edmund A. «Instinct and Ethics», *in* John C. MERRILL et Ralph BARNEY, 1975, p. 17-24.

ØVREBØ, Olav Anders. «Journalism after the monopoly on publishing has been broken», in Krogh, Torbjörn von (dir.) *Media accountability today... and tomorrow: updating the concept in theory and practice*, Göteborg: Nordicom, 2008, p. 69-77.

PADIOLEAU, Jean. «Systèmes d'interaction et rhétoriques journalistiques», *in* Jean PADIOLEAU, *L'Opinion publique*, Paris, Mouton Éditeur, 1976, p. 256-282.

PALMER, Nancy Doyle. «When Reporting Endangers a Life», *in* Michael C. EMERY et Ted C. SMYTHE, 1989, p. 397-402.

PAQUET, Gilles. «Requiem pour la normalisation», *in* Alain PRUJINER et Florian SAUVAGEAU, 1986, p. 71-79.

PAVLIK, John V. «Journalism Ethics and New Media», *Center for New Media*, Columbia University, notes de cours en ligne, 1998, [http://newmedia.jrn. columbia.edu/1998/exploring/CNM-Ethics.html].

PÉNINOU, Jean-Louis. «Il faut des *ombudsman* dans les journaux», *Esprit*, décembre 1990, p. 79-81.

PÉPIN, Raynald. «Des livres pointés du doigt», *Interface,* vol. 10, n° 6, 1989, p. 34-35.PÉRIER-DAVILLE, Denis. «Menaces sur le pluralisme de la presse», *in Le Monde diplomatique*, 1989, p. 105-111.

PETERS, C. *How Washington Works*, Reading, MA, Addison-Wesley, 1980, 146 pages.

PETERS, John Durham et Kenneth CMIEL. «Media Ethics and the Public Sphere», *Communication*, vol. 12, juillet 1991, p. 197-215.

PEW RESEARCH CENTER. *Audience Segments in a Changing News Environment,* 2008, [http://people-press.org/http://people-press.org/files/legacy-pdf/444. pdf], site visité le 18 janvier 2014.

PEW RESEARCH CENTER. *Further Decline in Credibility Ratings for Most News Organizations,* 2012, [http://www.people-press.org/2012/08/16/further-decline-in-credibility-ratings-for-most-news-organizations/], site visité le 18 janvier 2014.

PEYREFITTE, Alain. *C'était de Gaulle,* coll. Livre de poche, Paris, Fayard, 1994.

PHILLIPS, Angela. « Journalists as Unwilling "sources": Transparency and the New Ethics of Journalism », in Bob FRANKLIN et Matt CARLSON (dir.) (2011), *Journalists, Sources and Credibility: New Perspectives,* Routledge, New York, 2011, p. 49-60.

PHILLIPS, Bill et Beverly KEES. *Nothing Sacred - Journalism, Politics and Public Trust in a Tell-All Age,* 1995, Freedom Forum Center, [http//:www.fac.org/publicat/nothsacr/nstoc.htm].

PIOTTE, Jean-Marc. *Les grands penseurs du monde occidental,* Montréal, Fides, 1997, 610 p.

PIPPERT, Wesley G. *An Ethics of News,* Washington D.C, Georgetown University Press, 1989, 156 p.

PITTS, Ryan. « Readers: Anonymous Sources Affect Media Credibility », Poynter. org, 16 juin 2005, mis à jour le 2 mars 2011, [http://www.poynter.org/uncategorized/69577/readers-anonymous-sources-affect-media-credibility/], lien visité le 16 avril 2014.

PLANTIN, Christian. *L'argumentation,* coll. Memo, Paris, Seuil, 1996, 97 p.

POINDEXTER, P., D. HEIDER et M. McCOMBS. « Watchdog or good neighbor? The public's expectations of local news », *Harvard International Journal of Press/Politics,* 2006, n° 11, p. 77-88.

POPPER, Karl R. *La société ouverte et ses ennemis. Hegel et Marx,* Paris, Seuil, Tomes 1 et 2, 1979.

POTTER, Deborah. « The President, the Intern, and the Media: Journalism Ethics Under Siege», *Poynter Institute,* 16 février 1998, [http://www.poynter.org/Research/me/me_seige.htm].

POTVIN, Maryse, Marika TREMBLAY, Geneviève AUDET et Éric MARTIN. *Les médias écrits et les accommodements raisonnables. L'invention d'un débat,* Rapport de recherche commandé par la Commission de consultation sur les pratiques d'accommodement reliées aux différences culturelles, janvier 2008, [http://www.accommodements-quebec.ca/documentation/rapports/rapport-8-potvin-maryse.pdf], lien visité le 18 avril 2014. POYNTER INSTITUTE. *Journalism Values & Ethics in New Media Conference,* 23 février 1997, [http://www.poynter.org/dj/Projects/newmedethics/me_samprot.htm].

PRATO, L. «Don't forget about the news», *American Journalism Review*, 1998, vol. 20, n° 7, p. 90.

PRATTE, André. *Les oiseaux de malheur, essai sur les médias d'aujourd'hui*, VLB Éditeur, Montréal, 2000.

PRESSE CANADIENNE. *Guide du journaliste*, 3ᵉ édition revue et augmentée, Montréal, 1986, 153 p.

PRICHARD, Peter S. *News junkies, News critics; How Americans use the news and what they think about it*, New York, Freedom Forum Media Studies Center, Presswatch, 7 mars 1997.

PRITCHARD, David. «The Role of Press Councils in a System of Media Accountability: The Case of Quebec», *Canadian Journal of Communication*, vol. 16, 1991, p. 73-93.

PRITCHARD, David et Madelyn Peroni MORGAN. «Impact of ethics codes on judgments by journalists: a natural experiment», *Journalism Quarterly*, vol. 66, n° 4, 1989, p. 934-941.

PRITCHARD, David. «The Future of Media Accountability», in PRITCHARD, David, *Holding the Media Accountable: Citizens, Ethics, and the Law*, Indianapolis, Indiana University Press, 2000, p. 186-193.

PRITCHARD, David et Florian SAUVAGEAU. *Les Journalistes canadiens; un portrait de fin de siècle*, Sainte-Foy, Presses de l'Université Laval, 1999, 144 p.

PRUJINER, Alain et Florian SAUVAGEAU. *Qu'est-ce que la liberté de presse?*, Montréal, Boréal, 1986, 258 p.

PRYOR, Larry. «Statement of Purpose», *Online Journalism Review*, 28 septembre 1999, [http://ojr.usc.edu/content/story.cfm?id=58].

PUDDEPHATT, Andrew. *The Importance of Self-Regulation of the Media in upholding Freedom of Expression*, UNESCO, Brasilia Office, Series CI Debates, n° 9, February 2011.

RADIO-TELEVISION NEWS DIRECTORS ASSOCIATION. «RTNDF Journalism Ethics and Integrity Project», 1998, 66 p., [http://www.rtnda.org/research/survey.pdf].

RADIO AND TELEVISION NEWS DIRECTOR FOUNDATION. *Local Television News Study of News Directors and the General Public*, 2003, 95 p., [http://www.rtnda.org/ethics/2003survey.pdf].

RAMIREZ, Mireya Márquez. «Professionalism and Journalism Ethics in Post-Authoritarian Mexico: Perceptions of News for Cash, Gifts and Perks», in McBRIDE, Kelly et Tom ROSENSTIEL, *The New Ethics of Journalism: Principles for the 21st Century*, Los Angeles, Sage Publications, 2014, p. 55-63.

RAMONET, Ignacio. «Frontières», *Le Monde diplomatique*, n° 447, juin 1991, p. 1.

RAMONET, Ignacio. «Le cinquième pouvoir», *Le Monde diplomatique*, octobre 2003, p. 1, 26, [http://www.monde-diplomatique.fr/2003/10/RAMONET/10395], visité le 6 mai 2014.

RAWLS, John. *A Theory of Justice*, 1971, Cambridge, The Belknap Press of Harvard University Press, 20ᵉ édition, 1994, 607 p.

REDDICK, Randy et Jim FICKES. «New Media Summit», *2001 and Beyond*, actes d'un colloque organisé par *Facsnet*, 2000, 9 p., p. 22-24.

REGAN, Ray. «When should editors "unpublish" online news reports », *J-Source. ca*, 24 novembre 2009, [http://j-source.ca/article/when-should-editors-unpublish-online-news-reports], lien visité le 7 septembre 2011.

REGAN, Tom. «Technology Is Changing Journalism Just as it always has», *Nieman Reports*, vol. 54, n° 4, hiver 2000, p. 6-9.

REISENWITZ, Timothy H. et Thomas W. WHIPPLE. «Social Issues and Media Sensationnalism: The Effectiveness of Teaching Methods to Affect Their Perceived Importance», *Teaching Business Ethics*, vol. 3, 1999, p. 13-25.

REPORTERS COMMITTEE FOR FREEDOM OF THE PRESS. *Paying the Price: A Recent Census of Reporters Jailed or Fined for Refusing to Testify*, 200, [http://www.rcfp.org/search.php?method=and&words=paying+the+price].

RESEARCH INDUSTRY COALITION. *Misuse of call-in «polls»*. [http://www.researchindustry.org/Pages/polls.html].

REST, James R., Darcia NARVAEZ, Stephen J. THOMA et Muriel J. BEBEAU. «A Neo-Kohlbergian Approach to Morality Research», *Journal of Moral Education*, vol. 29, n° 4, 2000, p. 381-395.

REVEL, Jean-François. *Mémoires. Le voleur dans la maison vide*, Paris, Plon, 1997, 649 p.

RHODE, Éric. «Le journaliste et ses pièges», *Médiaspouvoirs*, n° 16, 1989, p. 71-78.

RICCHIARDI, Sherry. «Standards Are the First Casualty», *in American Journalism Review*, mars 1998, 12 p., (formal légal), [http://www.newslink.org/ajrricchiardi.html].

RIEDER, Rem. « The Jason Blair Affair », *American Journalism Review*, juin 2003, [http://ajrarchive.org/article.asp?id=3019], lien visité le 16 avril 2014.

RIFFE, D. «Relative Credibility Revisited: How 18 Unnamed Sources Are Rated», *Journalism Quarterly*, vol. 57, hiver 1980, p. 618-623.

RINGIER ROMANDIE. *Baromedia 2001: Baromètre annuel des médias suisses*, Lausanne, 2001, 20 p.

RISSER, James. «Lessons from L.A.: The Wall is Heading Back», *Columbia Journalism Review*, janvier/février 2000, [http://www.cjr.org/year/00/1/lalessons.asp].

RITCHIE, Donald A. *Press Galery: Congress and the Washington Correspondents*, Cambridge, MA, Harvard University Press, 1991, 293 p.

RIVARD, Adjutor. *De la liberté de la presse*, Québec, Librairie Garneau, 1923, 125 p.

RIVERIN BEAULIEU, Caroline et Florian SAUVAGEAU. « Québec 84 ou des médias "mer et monde" », *in* Jean CHARRON, Jacques LEMIEUX et Florian SAUVAGEAU, 1991, p. 139-169.

RIVERS, William L. et Cleve MATHEWS. *Ethics for the Media*, New Jersey, Prentice Hall, 1988, 307 p.

ROBERTSON, Lori. « Who Do You Trust ? » *in American Journalism Review*, juillet-août 1998, 6 p., [http://www.newslink.org/ajrlorijuly98.html].

ROBINSON, Michael J. et Andrew KOHUT. « Believability and the Press », *Public Opinion Quarterly*, vol. 52, n° 2, été 1988, p. 174-189.

ROBINSON, M. et N. ORNSTEIN. « Why Press Credibility is going down », *Washington Journalism Review*, vol. 12, n° 1, 1990, p. 34-37.

RODRIGUEZ, Juan Vincente Requenjo. « The Ethics of Journalism in Peru », *in* Thomas W. COOPER *et al.*, 1989, p. 219-224.

RODRIGUEZ, Rick. « Ethics breach results in firing of Bee reporter », *The Sacramento Bee*, 22 novembre 2000.

ROSEN, Jay. *Getting the Connections Right: Public Journalism and the Troubles in the Press*, New York, Twenty Century Fund, 1995, [http://www.tcf.org/Publications/Media/Getting_the_Connections_Right/Preface.htm].

ROSHIER, Bob. « The selection of crime news by the press », in COHEN Stanley et Jock YOUNG (dir.), *The manufacture of news*, London, Sage, 1981, p. 40-51.

ROUGE, Jean-François. « Le journaliste au risque de l'argent », *Esprit*, décembre 1990, p. 35-46.

RUBIN Bernard, *Questioning Media Ethics*, Praeger Publishers, 1978, New York, 308 p.

RUELLAN, Denis. *Nous, journalistes. Déontologie et identité*, Presses universitaires de Grenoble, Grenoble, 2011.

RUFFIÉ, Jacques. *De la biologie à la culture*, coll. Champs, Paris, Flammarion, 1983a, vol. 1, 303 p.

_____. *De la biologie à la culture*, coll. Champs, Paris, Flammarion, 1983b, vol. 2, 334 p.

_____. *Traité du vivant*, Tome I, coll. Champs, Paris, Flammarion, 1986a, 350 p.

_____. *Traité du vivant*, Tome II, coll. Champs, Paris, Flammarion, 1986b, 446 p.

RYAN, Claude. « Les multiples facettes du problème », *in* Alain PRUJINER et Florian SAUVAGEAU, 1986, p. 15-33.

SACCHITELLE, Robert. « L'information judiciaire : un contrôle est nécessaire », *in* Alain PRUJINER et Florian SAUVAGEAU, 1986, p. 54-58.

SAKHAROV, Andreï. *Mémoires*, Paris, Seuil, 1990, 808 p.

SANDERS, C. *Public Information and Public Dialogues: An Analysis of the Public Relations Behavior of Newspaper Ombudsmen*, 1997, communication devant l'Association for Education in Journalism and Mass Communication, [http:// list.msu.edu/cgi-bin/wa?A2=ind9709D&L=aejmc&P=R25808], lien visité le 5 mai 2014.

SANDERS, Keith P. et Won H. CHANG. *Codes - The Ethical Free-for-All*, Columbia, Freedom of Information Foundation, Columbia, 1977, 26 p.

SAN FRANCISCO BAY GUARDIAN (SFBG). «Project Censored: Ten Big Stories the Mainstream Press Ignored», *in* Thomas W. COOPER *et al.*, 1989, p. 309-320.

SAN FRANCISCO CHRONICLE, *Ethical News Gathering*, American Society of News Editors, 17 février 1999, [http://www.asne.org/ideas/codes/sanfranciscochronicle.htm].

SAUVAGEAU, Florian. «Le droit à l'information n'égale pas l'intérêt public», *Le 30*, vol. 16, n° 9, 1992, p. 11.

_____. «Pour terminer… sans conclure: la liberté au quotidien», *in* Alain PRUJINER et Florian SAUVAGEAU, 1986, p. 215-223.

SCANLON, Joseph T. «Some Reflections on the Matter of Ethics in Journalism», *in* Lee THAYER. *Ethics, Morality and The Media: Reflections on American Culture*, New York, Hastings House, 1980, 302 p., p. 127-137.

SCHAFER, R. «The Minnesota News Council - Developing Standards for Press Ethics», *Journalism Quarterly*, vol. 58, n° 3, 1981, p. 355-362.

SCHAFER, R. «News Media and Complainant Attitudes Toward the Minnesota Press Council», *Journalism Quarterly*, vol. 56, n° 4, hiver 1979, p. 744-752.

SCHMUHL, Robert. *The Responsibilities of Journalism*, s.l., University of Notre Dame Press, 1984, 138 pages.

SCHOENBACH, Klauss. «Mass media et campagnes électorales en Allemagne», *in* Frederick J. Fletcher (dir.), *Médias, élections et démocratie*, Montréal, Wilson & Lafleur, 1991, Commission royale sur la réforme électorale et le financement des partis, vol. 19, 266 p., p. 73-98.

SCHRAMM, Wilbur. «Quality in Mass Communications», *in* John C. MERRILL et Ralph BARNEY, 1975, p. 37-47.

SCHUDSON, Michael. «The objectivity norm in American journalism», *Journalism*, vol. 2, n° 2, 2001, p. 149-170.

SCOTT, Maier R. « Accuracy Matters: A Cross-Market Assessment of Newspaper Error and Credibility », *Journalism & Mass Communication Quarterly*, September 2005, vol. 82, n° 3, p. 533-551.

SEIBEL, Mark. «Is Including E-Mail Addresses in Reporters' Bylines a Good Idea? At The Miami Herald, the jury of journalists is still deliberating», *Nieman Reports*, vol. 54, n° 4, hiver 2000, p. 28.

SÉNÉCAL, Jean-Pierre, j.c.s. *Yves Beaudoin c. La Presse Ltée* et *André Noël, Yves Beaudoin c. La Presse Ltée et Agnès Gruda*, (c. s. Montréal, n° 500-05-018-459-

923 et c. s. Montréal, n° 500-05-000-520-955), jugement, 18 novembre 1997, 104 p.

SERGEANT, Jean-Claude. « La presse britannique à la recherche d'une déontologie », *Médiaspouvoirs*, n° 22, mai-juin, 1991, p. 118-124.

SHARKEY, Jacqueline. « The Diana Aftermath », *American Journalism Review*, novembre 1997, [http://www.ajr.org/Article.asp?id=785].

SHAW, D. *Press Watch: A Provocative Look at How Newspapers Re-port the News*, New York, MacMillan, 1984.

SHAW, David. « Crossing the Line », *Los Angeles Times*, 20 décembre 1999, supplément de 14 pages relatant les résultats de l'enquête de Shaw.

SHEPPARD, Judith. « Playing Defense », *American Journalism Review*, septembre 1998, 15 p., [http://ajrarchive.org/article.asp?id=3440], lien visité le 27 mars 2014.

SIBBISON, Jim. « AP: The price of purity », *Columbia Journalism Review*, novembre-décembre 1987, p. 56-57.

SIGAL, Leon V. *Reporters and Officials*, Massachusetts, Lexington Books, 1973, 221 p.

SIGAL, Leon V. « Sources Make the News », *in* MANOFF, Robert Karl, et SCHUDSON, Michael (dir.), *Reading the news*, New York, Pantheon Books, 1987, 246 p., p. 9-37.

SILK, Leonard. « The Ethics and Economics of Journalism », *in* Robert SCHMUHL, 1984, p. 86-92.

SILVERMAN, Graig. « Correction and Ethics: Greater Accuracy through Honesty », in McBRIDE, Kelly et Tom ROSENSTIEL, *The New Ethics of Journalism: Principles for the 21st Century*, Los Angeles, Sage Publications, 2014, p. 151-161.

SMYTHE, Ted Curtis. « Ethics in American Mass Communications: An Introduction », *in* Michael C. EMERY et Tad C. SMYTHE, 1989, p. 361-374.

SOCIÉTÉ RADIO-CANADA. *Normes et pratiques journalistiques*, Montréal, 2001, 215 p.

SOCIÉTÉ RADIO-CANADA. *Rapport annuel de l'ombudsman 1993-1994*, Montréal, 1994.

SOCIÉTÉ RADIO-CANADA. *Rapport annuel de l'ombudsman du service français 1994-1995*, Montréal, 1995.

SOCIÉTÉ RADIO-CANADA. *Rapport annuel de l'ombudsman du service français 1995-1996*, Montréal, 1996.

SOCIÉTÉ RADIO-CANADA. *Rapport annuel de l'ombudsman du service français 1996-1997*, Montréal, 1997.

SOCIETY OF PROFESSIONAL JOURNALISTS. *Code of Ethics*, 1996.

SON, Taegyu. *Leaks How do Codes of Ethics address them?*, Communication prononcée au congrès 2001 de l'Association for Education in Journalism and Mass Communication, Washington.

SORMANY, Pierre. *Le métier de journaliste : guide des outils et des pratiques du journalisme au Québec*, Montréal, Boréal, 1990, 406 p.

SORMANY, Pierre. *Le métier de journaliste : guide des outils et des pratiques du journalisme au Québec*, Montréal, Boréal, 2011.

SPROULE, Michael. *Argument. Language and its Influence*, New York, McGraw-Hill, 1980.

SRI LANKA PRESS COUNCIL. *Press Council (Code of Ethics for Journalists) Rules*, 1981.

STARK, David. « Bad apples spoil it for pollsters: the spread of unscientific surveys », *Marketing*, 30 juin 1997, vol. 124, n° 25, p. 21.

STARCK, Kenneth et Julie EISELE. « Newspaper Ombudsmanship As Viewed by Ombudsmen and their Editors », communication faite devant l'Association for Education in Journalism and Mass Communication, congrès annuel, août 1998, Baltimore, [http://list.msu.edu/cgi-bin/wa?A2=ind9902A&L=aejmc &P=R10092], lien visité le 14 mai 2014.

ST. DIZIER, B. « Reporters' Use of Confidential Sources, 1974 and 1984: A Comparative Study », *Newspaper Research Journal*, vol. 6, n° 4, 1984, p. 44-50.

STEELE, Bob et Jay BLACK. « Codes of Ethics and Beyond », *Poynteronline*, 1ᵉʳ avril 1999, [http://www.poynter.org/dg.lts/id.5522/content.content_view.htm].

STEELE, Bob et Wendell COCHRAN. *A Sample Protocol for Ethical Decision-Making in Computer-Assisted Journalism*, 19 octobre 1998a, [http://www.poynter.org/ Research/car/car_prot.htm].

STEELE, Bob et Wendell COCHRAN. *Computer-Assisted Reporting Challenges Traditional Newsgathering Safeguards*, 19 octobre 1998b, [http://www.poynter. org/Research/car/car_chal.htm].

STEIN, M.L. *Getting and writing the news: a guide to reporting*, New York, Longman, 1985, 297 p.

STEPP, Carl Sessions. « When readers design the news », *Washington Journalism Review*, avril 1991, p. 20-24.

STEPP, Carl Sessions. « Positive Reviews », *American Journalism Review*, mars 2001, [http://216.167.28.193/Article.asp?id=230].

STOVALL, James Glen et Patrick R. COTTER, « The public plays reporter: Attitudes toward reporting on public officials », *Journal of Mass Media Ethics*, vol 2, no 7, 1992, p. 97 – 106.

STRANGELOVE, Michael. *The Empire of Mind: Digital Piracy and the Anti-Capitalist Movement*, Toronto, University of Toronto Press, 2005.

STRAUSS REED, Barbara. « Women and the Media », *in* Michael C. EMERY et Tad C. SMYTHE, 1989, p. 199-217.

STRAUSS, Marina. «Buying "News": Advertorials invade editorial departments», *Content*, septembre-octobre 1990, p. 17-18.

STRECKFUSS, Richard. «Objectivity in journalism: a search and a reassessment», *Journalism Quarterly*, vol. 67, n° 4, 1990, p. 973-983.

STRENTZ, Herbert. *News reporters and news sources; what happens before the story is written*, Ames, Iowa State University Press, 1978, 102 p.

STROOBANTS, Jean-Pierre. «Opinions et débats», Entrevue avec Dominique Wolton, *Le Soir*, mardi 21 mars 1995, p. 2.

STUART MILL, John. *De la liberté*, coll. Folio essais, n° 142, Paris, Gallimard, 1990, 242 p.

SULLIVAN, Margaret. « The Disconnect on Anonymous Sources », *New York Times*, 12 octobre 2013, [http://www.nytimes.com/2013/10/13/opinion/sunday/the-public-editor-the-disconnect-on-anonymous-sources.html], lien visité le 14 avril 2014.

SWAIN, Bruce M. *Reporter's Ethics*, Iowa State University Press, Ames, 1978, 153 p.

SWEARINGEN, John E. «Responsibility in Journalism: A Business Perspective», *in* Robert SCHMUHL, 1984, p. 93-103.

SYNDICAT NATIONAL DES JOURNALISTES. [http://www.globenet.org/snj/deontologie/munich.html].

SZUSKIEWICZ, Chris. «Journalism schools unnecessary», *Content*, septembre-octobre 1991, p. 21.

TAI, Zixue et Tsan-Kuo CHANG. «The Global News and the Pictures in Their Heads A Comparative Analysis of Audience Interest, Editor Perceptions and Newspaper Coverage», *International Communication Gazette*, juin 2002, vol. 64, n° 3, p. 251-265.

TAYLOR, Humphrey. «Can bad polls drive out good?», *National Review*, 19 octobre 1994, vol. 44, n° 20, p. 48.

TEPLJUK, V.M. « The Soviet Union: Professional Responsibility in Mass Media», *in* Thomas W. COOPER *et al.*, 1989, p. 109-123.

The Twentieth Century Fund Task Force on Television and the Campaign of 1992. *Synopsis of the Meetings of the Task Force*, New York, Twentieth Century Fund, 1993, [http://epn.org/tcf/xx800-02.html].

THOMAS, Maggie B. *News Ombudsmen: An Inside View*, conférence présentée au congrès international de l'Organization of News Ombudsmen, Fort Worth, Texas, 8 mai 1995, 20 p., [http://newsombudsmen.org/articles/articles-about-ombudsmen/news-ombudsmen-an-inside-view], lien visité le 28 avril 2014.

THOMSON, James C. Jr. «Journalistic Ethics: Some Probings by a Media Keeper», in Bernard RUBIN, 1978, p. 40-60.

THUREAU-DANGIN, Philippe. «Journalistes sous influence», *Médiaspouvoirs*, n° 16, 1989, p. 64-70.

TOURANGEAU, Pierre. *Révision par l'ombudsman de Radio-Canada d'une plainte à propos d'un reportage sur un sondage politique, diffusé le 17 septembre 2012 dans Le téléjournal 18 h Grand Montréal*, [http://www.ombudsman.cbc.radio-canada.ca/_files/documents/articles/revision-sondage-politique.pdf], lien visité le 3 avril 2014.

TREMBLAY, Jacques (dir.). «L'éthique professionnelle: Réalités du présent et perspectives d'avenir au Québec», *Cahiers de recherche éthique*, Rimouski, Université du Québec à Rimouski, n° 13, 1989, 191 p.

TRINQUET, Daniel. *Une presse sous influence: Comment la gauche manipule l'opinion*, Paris, Albin Michel, 1992, 369 p.

TSAFI, Yaric, Oren MEYERS et Yoram PERI, « What is good journalism: Comparing Israeli public and journalists' perspectives », *Journalism*, 2006, vol. 7(2), p. 152-173.

TUCHMAN, Gaye. *Making News: A study in the Construction of Reality*, New York, The Free Press, 1978, 244 p.

TUNSTALL, Jeremy. *Journalists at work*, London, Constable, 1971, 304 p.

UGLAND, Erik, « The legitimacy and moral authority of the National News Council (USA) », *Journalism*, vol. 9, n° 3, 2008, p. 285-203.

UNESCO. *Appel aux peuples du monde et à chaque être humain*, Paris, 1981.

UNESCO. *Professional Journalism and Self-Regulation New Media, Old Dilemmas in South East Europe and Turkey*, Paris, 2001.

UNION OF JOURNALISTS IN FINLAND. *Guidelines for Good Journalistic Practice*, 1992, [http://www.ijnet.org/FE_Article/codeethics.asp?UILang=1 &CId=8298&CIdLang=1].

VALLIÈRE, Nicole, *La presse et la diffamation*, Montréal, Wilson & Lafleur, 1985, 138 p.

VALLIÈRE, Nicole et Florian SAUVAGEAU. *Droit et journalisme au Québec*, Montréal, Edi-GRIC, 1981.

VAN GELDER, Lindsay. «Straight or gay, stick to the facts», *Columbia Journalism Revie*, novembre-décembre 1990, p. 52-53.

VASTERMAN, Peter. «Media Hypes: A Framework for the Analysis of Publicity Waves», septembre 1995, [http://www.journalism.fcj.hvu.nl/mediahype/mchype/hype2.html].

VOAKES, Paul S., « Public Perception of Journalists' Ethical Motives », *Journalism & Mass Communication Quarterly*, 1997, vol. 74, n° 1, p. 23-38.

von KROGH, Torbjörn, « "Constructive Criticism" vs Public Scrutiny: Attitudes to Media Accountability in and Outside Swedish News Media », in Krogh, Torbjörn von (dir.) *Media accountability today... and tomorrow: updating the concept in theory and practice,* Göteborg: Nordicom, 2008b, p. 119-136.

WARD, Stephen J. A. *Global Journalism Ethics,* Montreal, McGill-Queen's University Press, 2010.

WARHURST, John. «La communication électorale en Australie», *in* Frederick J. Fletcher (dir.), *Médias, élections et démocratie*, Montréal, Wilson & Lafleur, 1991, Commission royale sur la réforme électorale et le financement des partis, vol. 19, 266 p., p. 119-153.

WATINE, Thierry. « De la convergence des métiers de la communication publique à l'hybridation des pratiques professionnelles : la nouvelle posture journalistique », *Cahiers du journalisme*, n° 12, automne 2003, p. 242-277.

WATSON, John C. *Journalism Ethics by Court Decree: The Supreme Court on the Proper Practice of Journalism*, LFB Scholarly Publishing LLC, New York, 2008.

WATSON, Tom et Martin HICKMAN. *Dial M for Murdoch*, London, Penguin, 2012.

WESTIN, Alan F. *Privacy and Freedom*, New York, Atheneum, 1967.

WHITE, N.D. «Plagiarism and the News Media», *Journal of Mass Media Ethics*, vol. 4, n° 2, 1989, p. 265-280.

WHITE, Robert A. «Social and Political Factors in the Development of Communication Ethics», *in* Thomas W. COOPER *et al.*, 1989, p. 40-65.

WHITEHOUSE, Ginny. « Newsgathering and Privacy: Expanding Ethics Codes to Reflect Change in the Digital Media Age », *Journal of Mass Media Ethics*, vol. 25, 2010, p. 310-327.

WHITMEYER, Joseph M. «Effects of Positive Reputation System», *Social Science Research*, vol. 29, 2000, p. 188-207.

WILHELM, Patricia. «Protection des sources», *Le journaliste démocratique*, n°s 5-6, mai-juin 1991, p. 21.

WILLIAMS, Paul N. *Investigative reporting and editing*, Englewood Cliffs (N.J.), Prentice Hall, 1978, 294 p.

WILLIAMS, A., Claire WARDLE et Karin WAHL-JORGENSEN. « The Limits of Audience Participation: UGC @ the BBC », Bob FRANKLIN et Matt CARLSON (dir.), *Journalists, Sources and Credibility: New Perspectives*, Routledge, New York, 2011, p. 152-166.

WILLIAMSON, Daniel R. *Newsgathering*, New York, Communication Arts Books, Hastings House, 1979, 250 p., p. 62-76.

WOLPER, Allan. «Newscaster feuding with newspapers», *Editor & Publisher*, 6 mai 1995, vol. 128, n° 18, p. 9.

WOLTON, Dominique. «Les français et leurs médias: la confiance reste faible», *Médiaspouvoirs*, n° 18, 1990, p. 6-22.

WOLTON, Dominique. «Communication et démocratie», *Médiaspouvoirs*, n° 37, 1er trimestre, 1995, p. 84-90.

WOOD, Daniel B. «Watching those who watch public opinion», *The Christian Science Monitor*, November 19 1998, p. 3.

WOODROW, Alain. *Information Manipulation*, Paris, Félin, 1990, 204 p.

WULFEMEYER, Tim K. «Defining ethics in electronic journalism: perceptions of news directors», *Journalism Quarterly*, vol. 67, n° 4, 1990, p. 984-991.

_____. «How and Why Anonymous Attribution is Used in *Time* and *Newsweek*», *Journalism Quarterly*, vol. 62, 1985, p. 81-86, 126.

_____. «Use of Anonymous Sources in Journalism», *Newspaper Research Journal*, vol. 4, n° 2, 1983, p. 43-50.

WULFEMEYER, K. T. et L. McFADDEN. «Anonymous Attribution in Network News», *Journalism Quarterly*, vol. 63, 1986, p. 468-473.

YOUM, Kyu Ho. «Licensing of journalists under international law», *Gazette*, vol. 46, 1990, p. 113-124.

ZABALETA, Iñaki, Nicolás XARMADO, Arantza GUTIERREZ, Santi URRUTIA, Itxaso FERNÁNDEZ et Carme FERRÉ. « Beyond Standard Professionalism: Journalism and Language Roles Among European Minority Language Journalists », *Paper presented at the annual meeting of the Association for Education in Journalism and Mass Communication, Chicago, IL*, August 06, 2008, [http://citation.allacademic.com/meta/p_mla_apa_research_citation/2/7/1/6/5/pages271653/p271653-1.php], lien visité le 21 mars 2014.

ZIESENIS, Elizabeth B. « Suicide Coverage in Newspapers: An Ethical Consideration», *Journal of Mass Media Ethics*, vol. 6, n° 4, 1991, p. 234-244.

ZLATEV, Ognian. « Media accountability systems (MAS) and their applications in South East Europe and Turkey », in UNESCO, *Professional Journalism and Self-Regulation New Media, Old Dilemmas in South East Europe and Turkey*, Paris, 2011, p. 17-39.

MARQUIS

Québec, Canada

RECYCLÉ
Papier fait à partir
de matériaux recyclés
FSC® C103567